OBLADÌ OBLADÀ

William Safire

LA SPIA IN SONNO

Traduzione di Luciana Crepax

POLILLO
EDITORE

ISBN: 88-8154-022-3

COPYRIGHT © 1995 BY THE COBBETT CORPORATION
COPYRIGHT © 1997 BY MARCO POLILLO EDITORE S.P.A., MILANO

PUBBLICATO D'INTESA CON RANDOM HOUSE INC.

TITOLO DELL'OPERA ORIGINALE:
«SLEEPER SPY»

I EDIZIONE: SETTEMBRE 1997

LA SPIA IN SONNO

Omaggio a
E. Phillips Oppenheim
e
James Jesus Angleton

PARTE PRIMA

I RICERCATORI

PROLOGO

BARBADOS

Era libero.

Mai fino a quel momento, nella sua lunga carriera, prima al KGB e ora al Ministero per la Sicurezza della Federazione Russa, l'agente di controllo si era sentito fuori dalla portata del braccio di Mosca.

Ma adesso il documento che sanzionava la sua libertà giaceva su un tavolino, in un bungalow, nella parte dell'isola riparata dal vento. Dal portico, aperto a ovest nella luce del tramonto, vedeva le luci di atterraggio e sentiva, in lontananza, avvicinarsi l'aereo della sera che arrivava dall'America. Berenskij, l'agente "in sonno", che ora agiva secondo le sue direttive sarebbe arrivato al bungalow entro un'ora.

"In un tragico incidente aereo nei pressi di Odessa hanno perso la vita il capo della Quinta sezione e il suo sostituto", diceva il messaggio fax decodificato. Aveva avuto ordine di tornare a Yasenovo, alla periferia di Mosca, per consultazioni urgenti. Bisognava nominare un nuovo capo dei Servizi Segreti Finanziari e dargli tutte le informazioni necessarie.

Kontrol non dubitava che l'uomo nuovo a capo della Quinta sezione sarebbe stato uno di quei brillanti giovani accademici, belli e senza esperienza, messi in gioco dai riformatori dopo che Eltsin aveva represso il tentativo di colpo di stato della vecchia guardia. Non era la loro giovinezza a preoccupare Kontrol, lui era un veterano e sapeva che lo stesso Aleksandr Shelepin, il capo del KGB che a suo tempo aveva guidato il "complotto anti-partito" per estromettere Kruscev, non aveva ancora quarant'anni quando aveva assunto la carica al quartier generale del KGB in piazza Dzerzhinskij. Quello che trovava rischioso era che avessero facce così riconoscibili.

La faccia di Nikolaj Davidov, per esempio. Probabilmente sarebbe diventato proprio lui il capo dei Servizi Segreti Finanziari.

9

Era sempre abbronzato e aveva la mascella sporgente di un tele-cronista americano di successo. Si poteva considerare che avesse una faccia da spia di alto livello? Kontrol riteneva che la faccia di una spia dovesse essere facilmente dimenticabile, un po' come la sua: professionalmente insignificante, seria ma non minacciosa, trascurabile. Una faccia da far sbadigliare.

Passò la punta della lingua sulle labbra sottili di quella faccia che era un invito al sonno e assaporò la gustosa circostanza che, a differenza di lui, nessuno del nuovo gruppo moscovita conosceva l'identità dell'agente in sonno che, da una generazione, era stato tenuto in America. Qualcuno, negli uffici della burocrazia, si era fatto certamente un'idea complessiva dell'attività di Berenskij attraverso i rapporti redatti con misura dallo stesso Kontrol, altri della vecchia guardia, che ancora si ricordavano dei tempi di Shelepin, forse conoscevano anche il passato dell'agente russo in sonno. Un banchiere di Berna e un commercialista di Helsinki, al corrente dell'entrata in gioco e dell'incarico specifico del dormiente, che consisteva nell'investimento del capitale del KGB, probabilmente sapevano. Ma nessuno che fosse ora presente alla direzione di Yasenovo aveva avuto bisogno, fino a quel momento, di conoscere l'identità dell'americano tenuto in sonno. Non c'era, al KGB, un segreto meglio custodito del suo indirizzo.

Adesso, con la morte nel disastro aereo del capo della Quinta sezione e del suo vice, dopo che tutta la documentazione su Aleksandr Berenskij era già stata distrutta per impedire che le indagini della CIA arrivassero fino a lui, solo Kontrol e un altro agente russo sapevano come si chiamava, dov'era, qual era la sua tecnica operativa e quale campo d'azione gli era stato assegnato. Kontrol si concesse l'avaro, solitario piacere del politico sotterraneo, dello scienziato occulto, del ladro d'arte, del giornalista intraprendente, della spia di professione: la certezza di possedere di prima mano una informazione di inestimabile importanza.

Entrò in una delle due stanze del bungalow, aprì la valigia e cercò accuratamente i due album di dischi che si era procurato immediatamente dopo la notizia del disastro aereo e l'ordine di Mosca che il dormiente tornasse a casa.

Chi altri, si chiese di nuovo, sapeva chi era? Solo un altro agente russo conosceva il nome e la vita americani di Berenskij, ma anche quell'agente, infiltrato nel governo degli Stati Uniti, che forniva le informazioni necessarie a far funzionare la macchina finanziaria del dormiente, rientrava nelle sue dirette responsabilità. Era a lui che entrambi, il dormiente e la talpa, facevano riferimento. Né l'uno né l'altro, lo sapeva con certezza, erano direttamente in contatto con il KGB. Ora avrebbe preferito che non si fossero mai incontrati tra loro, ma era stato inevitabile; l'agente in sonno doveva avere accesso immediato ai dati finanziari che gli forniva la talpa e Kontrol non sempre avrebbe potuto essere presente come intermediario.

Da quattro anni non aveva avuto altro compito se non quello di occuparsi di loro. Un incarico mirato con tanta precisione era infrequente in un'epoca di bilanci magri al Cremlino, ma era il segno di quanto lo stato russo ritenesse vitale il successo dell'agente in sonno in una operazione senza precedenti.

Le buste dei dischi erano infilate in mezzo alle camicie. Il concerto per due violini di Bruch, suonato da David Oistrach e "Songs for Swingin' Lovers", cantata da Frank Sinatra. Infilò una mano nelle buste e ne trasse due fogli di esplosivo plastico, tondi e piatti.

Non il Semtex, prodotto nella repubblica ceca e venduto dagli intermediari libici ai terroristi, lui non voleva avere niente a che vedere con materiale di quella provenienza. Si era procurato un Composto D, fatto in America a uso militare, del quale si diceva che fosse meglio plasmabile e che desse un risultato più sicuro.

Prese dal portafoglio il foglietto con le istruzioni per modellare l'esplosivo, installare il detonatore e il timer e fissare tutto nel punto prescelto. Di solito non era quello il suo lavoro, ma non dubitava che rientrasse nelle possibilità di un agente non privo di risorse anche se da tempo rimosso dalle attività operative. Lesse le istruzioni due volte ed eseguì la prima parte del lavoro che consisteva nell'estendere e modellare i due blocchi neri di materiale plastico in un'unica forma lunga sessanta centimetri, che era ciò di cui aveva bisogno.

Si sarebbe associato a lui Berenskij nel tentativo di trarre un vantaggio dalle due morti avvenute al vertice della Quinta sezione? Avrebbe accettato di cambiare il piano? Reggendo l'esplosivo plastico con tutte e due le mani, Kontrol si fermò a riflettere. L'agente in sonno, fin da prima che gli venisse dato da investire un grosso capitale in oro e avesse cominciato, ormai da qualche anno, a ricevere valide informazioni finanziarie, era diventato, in America, un banchiere di successo, esperto dei misteri dell'alta finanza, capace di manovrare grosse somme di danaro altrui in rapide, fruttuose operazioni.

D'altra parte Berenskij (Kontrol pensava a lui nella sua identità

11

russa, non in quella americana) era il devoto discepolo di suo padre, capo del KGB, severo ideologo che, una generazione prima, aveva mandato suo figlio a vivere un inganno lungo quanto una vita al di là delle linee nemiche. Era inquietante per Kontrol il dubbio che l'agente in sonno potesse risultare affetto da sentimenti di lealtà nei confronti del regime ora al potere oppure, peggio ancora, da fantasticherie sull'eventualità di soppiantarlo con la vecchia fazione del KGB, un tempo guidata da suo padre.

Se Berenskij avesse rifiutato di prendere il danaro e di mettersi privatamente in affari con lui, restava il banchiere di Berna sulla competenza del quale si poteva sempre ripiegare. Meglio Berenskij, però.

Kontrol ora rimpiangeva di non aver cercato, in passato, di conoscerlo meglio. Ormai era troppo tardi, non gli restava che dare un pessimo giudizio di sé come uomo d'affari per non essere in grado di stabilire per quale ragione a un agente venisse data tanta fiducia. Ma Aleks Berenskij non aveva mai avuto un atteggiamento confidenziale durante quei cinque anni, da quando era stato fatto uscire dal sonno e attivato. Alto, robusto, l'aveva visto di rado sorridente e, altrettanto di rado, apertamente scontento. Sembrava imperturbabile, come un giocatore d'azzardo o un banchiere, anche nelle occasioni, non frequenti, in cui le informazioni finanziarie che lui gli aveva fornito erano risultate inesatte e gli avevano causato grosse perdite.

Seguendo le istruzioni del foglietto, Kontrol infilò il detonatore dentro l'esplosivo plastico. Berenskij era figlio naturale del capo del KGB, Shelepin. Non portava lo stesso cognome, ma non c'erano dubbi che fosse suo figlio. Berenskij era uno Shelepin fino al midollo. Aveva soprattutto, come lui, un temperamento risoluto.

E come avrebbe potuto, altrimenti, un uomo giovane lasciarsi alle spalle per sempre la moglie incinta ed esercitarsi per anni nel Villaggio americano del KGB a passare per un vero statunitense, per poi introdursi nella vita sociale di un paese che non era il suo, senza mai rivelare la propria identità, fino al momento in cui sarebbe stato chiamato a tradire la fiducia che si era guadagnato per tanti anni quanti formavano una generazione? Kontrol aveva diretto spie che avevano scelto di farlo per danaro (ed era di gran lunga la ragione più attendibile), per una ricerca di emozioni forti, per una fede bruciante o, semplicemente, perché erano state intrappolate e convinte. Ma tutte quelle spie erano state facilitate dalla continuità dei contatti; a disciplinarle c'era stata una regolare

12

serie di operazioni durante le quali si erano basate individualmente sulla sicurezza che il loro personale agente di controllo aveva acquisito durante anni di lavoro.

Il dormiente no. Per quasi vent'anni era stato solo, nessuno l'aveva cercato. Non gli era mai stato affidato nessun incarico e non gli era stato permesso nessun contatto con la madrepatria per avere un consiglio o una parola d'incoraggiamento. Aveva abitato permanentemente in casa del nemico. Un dormiente era un investimento a lungo termine dei servizi segreti che non andava messo in pericolo solo per ottenere qualche vantaggio transitorio. Quel dormiente, in particolare, era una bomba a orologeria che dipendeva non da un timer ma da un calendario generazionale.

Kontrol ricordò a se stesso che il detonatore che aveva in mano andava attaccato al piccolo orologio al quarzo inserito nella confezione. Consultò di nuovo il foglietto delle istruzioni, fece scattare il timer dentro il detonatore e controllò l'ora sull'orologio che aveva al polso: le sette di sera. Regolò il timer sulle undici e inserì il dispositivo dentro il materiale plastico che aveva modellato poco prima. Vide che si abbassava al centro, mentre lo reggeva con tutte e due le mani, ma trovò una risposta anche a questo sul foglietto delle istruzioni: dare al materiale la forma dell'oggetto che deve esplodere.

Passando dal bagno, entrò in quella delle due camere dove non c'era la valigia sul letto. L'ultima volta che si erano incontrati in quell'isola, Berenskij aveva espresso il desiderio che gli fosse destinata la camera che dava verso l'albergo con annessa la sala da gioco e non sull'oceano. Si era addormentato alle dieci. Avrebbe avuto anche questa volta la sua camera preferita.

Kontrol s'infilò di schiena sotto il letto e schiacciò il Composto D attorno alla sbarra che teneva fermo il materasso a molle, poi smosse leggermente il detonatore e il timer per assicurarsi che fossero bene incuneati nel plastico. Per prudenza, come suggeriva il foglietto, disattivò l'interruttore, in modo che, per mettere in funzione il timer, sarebbe dovuto entrare nella stanza e allungare una mano sotto il letto. L'avrebbe fatto durante una pausa dell'incontro, solo se il dormiente si fosse rifiutato di approfittare dell'opportunità finanziaria che si presentava a entrambi. Se Berenskij non si fosse associato a lui, avrebbe dormito su quel materasso, tanto accuratamente predisposto, l'ultimo sonno della sua vita. Poi Kontrol avrebbe fatto una lunga passeggiata sulla spiaggia, di dove avrebbe osservato, al sicuro, il fuoco d'artificio.

13

L'agente in sonno pagò il taxi davanti all'albergo e aspettò che ripartisse, ma non entrò, saggiò il peso della valigia e decise di fare a piedi i cinquecento metri della strada coperta di ghiaia che portava all'ultimo bungalow.

L'incontro con Kontrol gli faceva piacere sì e no. Quell'omino magro e scattante rappresentava l'unico contatto con la sua esistenza autentica ed era un bene poter parlare con lui dopo aver passato due lunghi decenni completamente distaccato dalla patria.

Kontrol era il punto di riferimento attraverso il quale interpellare la talpa del KGB a Washington (il Ministero del Commercio avrebbe annunciato, il prossimo venerdì, l'abbassamento del prodotto interno lordo?) e, sempre attraverso di lui, che faceva da filtro, chiedere a un agente di New York che non conosceva quali erano le decisioni più attendibili della Federal Reserve sugli aumenti dei prezzi per il mese in corso. Kontrol era la via per ottenere le risposte che avrebbero determinato i suoi investimenti nelle settimane successive. Ma era anche il veterano scivolato fuori dai canali del KGB per portare a Berenskij l'addio del suo padre naturale, Shelepin, prima che il gigante dello spionaggio, caduto in disgrazia, incontrasse una oscura morte.

L'aspetto dell'incontro che gli piaceva meno era quello che contemplava l'inganno sistematico nei confronti dei nuovi capi del KGB. Non che soffrisse di scrupoli; considerata la sua ascendenza si rendeva conto che l'inganno lo aveva nelle ossa, ma se Kontrol fosse venuto a conoscere la reale consistenza della fortuna che lui aveva accumulato negli ultimi cinque anni, la notizia avrebbe indotto il Cremlino, sempre disperatamente alla ricerca di valuta forte, a porre una fulminea conclusione al suo incarico.

Berenskij aveva la sensazione che i tempi non fossero ancora maturi per chiudere i conti; le forze politiche all'interno della Russia non avevano ancora raggiunto una svolta decisiva. Era imminente un attacco al regime di Mosca; un movimento clandestino, che forse sarebbe servito al suo progetto politico, si stava estendendo e rafforzando. Ma l'agente in sonno non sapeva ancora da che parte sarebbe stato, se dalla parte del governo o da quella del movimento clandestino, e teneva perciò due gruppi separati di libri contabili con delle cifre basse ma credibili. Li avevi messi in uno scomparto della valigia per mostrarli a Kontrol.

«Buonasera, signor Seymour». Kontrol cambiava il suo nome in codice il giorno dieci di ogni mese, scegliendolo man mano nell'elenco dei governatori dello stato di New York. Era arrivato a Horatio Seymour. A Berenskij sembrava un sistema imbecille, ma sapeva che non toccava a lui criticare i metodi di un agente in servizio operativo da tanto tempo. Non conosceva il vero nome di Kontrol e quando erano insieme preferiva chiamarlo così, Kontrol, piuttosto che evocare cariche governatoriali.

«Ho una notizia per lei, Aleks».

«Quale? La Federal Reserve ha fissato il tasso d'interesse?». Berenskij entrò nella sua camera e mise la valigia sul letto. Accese la luce nella stanza da bagno, comunicante, fece pipì, si sciacquò la faccia e tornò nel soggiorno mentre finiva di asciugarsi. «Ci potrei fare un bel guadagno».

«No, una notizia più importante. Eccola». L'anziano agente, una maglietta polo sul torace magro, si sporse attraverso il tavolino e diede a Berenskij la copia di un fax.

Berenskij lesse la notizia del disastro aereo e si strinse nelle spalle. «Chi va e chi viene. Poveretti. Una bomba a bordo?».

«No, credo che sia stato davvero un incidente. Le conseguenze riguardano lei e me. Le spiegherò tra breve. Il suo rapporto?».

Berenskij gli porse l'estratto, su una sola pagina, delle operazioni compiute da una parte della sua rete di agenti di cambio. Ne risultava la consistenza di un capitale che arrivava a tredici miliardi di dollari.

«A conti fatti, vedrà che abbiamo avuto un profitto di seicento milioni di dollari nell'ultimo trimestre. È in una banca delle Antille, lo usiamo per comprare carichi di petrolio».

«Non basta. Si nota un rallentamento».

Berenskij lasciò trasparire un leggero risentimento, ma non protestò; il profitto reale in quel trimestre era di due miliardi su un capitale di trenta. «Io mi baso sulle informazioni che ricevo da lei. Ha i dati che le ho chiesto l'ultima volta?».

Kontrol assentì, ma senza dargli niente. «Mi faccia vedere come è distribuito il capitale al presente».

Berenskij gli mostrò gli investimenti dei tredici miliardi che si era preparato a presentare al KGB: banche, conti correnti, società finanziarie, società di facciata, accessibili solo all'agente in sonno e alla persona cui faceva riferimento.

Kontrol si alzò e mise il foglio nella sua cartella, poi andò nel cucinino a preparare un caffè. «Vuole che anche nel suo aggiunga un po' di rum? È un'usanza locale».

All'agente in sonno non piaceva il rum, ma accettò. Non dubitava che Kontrol avesse qualcosa in mente, oltre al normale scambio di informazioni.

«Aleks», disse Kontrol, «quel messaggio da Mosca significa che lei, ora, è un totale mistero per il KGB».

«Il KGB è lei», obiettò Berenskij.

«È vero, per il momento. Ma, fatta eccezione per me, nessuno nell'organizzazione sa chi è lei. E nessuno conosce l'ammontare del danaro che lei ha nelle mani. Confesso di essere stato poco esplicito nei miei rapporti». Kontrol fece un gesto come se liberasse Berenskij di un paio di manette. «Lei è un agente operativo indipendente. Si rende conto di quello che significa?».

«Vuole che scappiamo tutti e due con i soldi?».

Kontrol assunse un'espressione sofferente. «Per carità, che sciocchezza! Mi troverebbero e mi ammazzerebbero, dopo avermi costretto a fare il suo nome. E sarebbe...», cercò la parola, «disonesto», concluse.

Berenskij aspettò, in silenzio, di conoscere la proposta che intendeva fargli.

«Anni fa, le sono stati affidati tre miliardi di dollari in lingotti d'oro», riprese Kontrol. «Era danaro proveniente dalla tesoreria del KGB e da società finanziarie d'oltreoceano di proprietà di alti funzionari del partito». Bevve un sorso del suo caffè col rum. «Io penso che potremmo corrispondere alla Federazione Russa un profitto pari al cento per cento dell'investimento, sei miliardi di dollari, che è pressappoco quello che si aspettano. Saranno entusiasti. Lei diventerà un eroe».

«E il resto del danaro?».

«Ha mai sentito parlare della *organizatsija* Feliks?».

Berenskij sapeva che molti apparatchik estromessi dalla carica, insieme agli integralisti costretti a uscire dal KGB dopo il colpo di stato, avevano stretto una sorta di alleanza con la mafja dei nuovi ricchi russi, con i ceceni e con i patrioti ingusci. Quando questi gruppi si erano allineati con la malavita già esistente, la *vorovskoj mir* o "compagnia dei ladri", di prima e dopo il bolscevismo, l'amalgama di criminali, burocrati corrotti e imprenditori imbroglioni aveva scelto il nome di "Feliks", in omaggio a Feliks Dzerzhinskij, fondatore della Ceka, che era venuta prima del KGB. Quello che Berenskij non sapeva era se lo scopo della nuova comunità criminale fosse semplicemente il guadagno o un estremo tentativo di conquistare il potere politico.

Preferì mentire. «No, non ne ho mai sentito parlare».

«Lei, dunque, non è informato su quello che sta succedendo in Russia. Molti dei nuovi uomini d'affari e molti dei vecchi amici di suo padre, dai tempi in cui lui aveva coraggiosamente tenuto testa a Kruscev, hanno unito le loro energie allo scopo di ripristinare la gloria dell'Unione Sovietica, o così dicono. I Feliks sanno che le sono stati mandati quei tre miliardi e ritengono che spettino a loro».

«Non hanno del tutto torto, credo».

«E allora ridiamoglieli. Tre miliardi all'organizzazione Feliks. Il danaro è stato tenuto al sicuro. I lingotti d'oro non danno interessi. Diventeremo degli eroi anche per i Feliks».

«Restano quattro miliardi», disse il banchiere.

«Per lei e per me. Dovremmo includere, in qualche misura, il nostro socio minore a Washington, togliere qualcosa, poco, per le persone con le quali sono in contatto a Berna e a Helsinki e dare una mancia all'agente che è nella Federal Reserve a New York. Lei potrebbe efficacemente nascondere il nostro capitale. Tutti ricchi, tutti felici». Dopo una pausa, riprese: «Che cosa ne pensa?».

Berenskij provava solo una profonda ripugnanza per l'uomo che gli stava davanti e per il suo progetto di fare a pezzi la fortuna che lui aveva con tanta genialità accumulata e insieme il potere politico che essa rappresentava; quella manipolazione degradava tutto, come se i soldi fossero spoglie da dividersi tra chi aveva il potere. Se avesse accettato l'invito di Kontrol alla corruzione, il sacrificio di vent'anni di vita avrebbe perso ogni significato. I vari nuclei di talenti che avevano cooperato a costruire il più grande, segreto capitale esistente sulla terra, avrebbero visto l'impegno della loro collaborazione ridotto a una gigantesca frode.

«Ci sono molte cose cui pensare», rispose tranquillamente. «Spero che lei non abbia fretta».

Berenskij non voleva, soprattutto, interrompere il flusso di informazioni economiche ad alto livello che gli dava un vantaggio su qualsiasi altro grosso operatore finanziario del mondo.

«Sa che cosa diceva suo padre, Aleks? "La casa brucia e l'orologio fa tic-tac"».

Berenskij assentì. Gli pareva di sentirlo suo padre, Shelepin, ripetere quel proverbio, nel suo ufficio alla Lubjanka, a significare che il tempo stringeva ed era imminente il suo arresto per quello che era stato chiamato un complotto anti-partito.

«Il nuovo capo della Quinta sezione vorrà un rendiconto immediato», disse Kontrol.

«Forse lei riuscirà a prendere tempo».

17

«Impossibile. C'è quasi una crisi in atto al Tesoro e hanno un disperato bisogno di soldi. Lei mi delude, Aleks. Ci ripensi, mentre vado in bagno».

«Berrò ancora un po' di caffè col rum», disse Berenskij. Mentre Kontrol andava verso la camera da letto, prese le tazze ed entrò nel cucinino. Non avrebbe subito prepotenze. Kontrol aveva bisogno di essere calmato. Prese un forte sedativo da una bustina che aveva nel portafoglio e lo aggiunse al caffè col rum del suo collega. Gli sarebbe venuto subito un gran sonno e poi avrebbe perso conoscenza. A quel punto lui avrebbe deciso che cosa fare, se aspettare che facesse giorno e suggerirgli un piano che dilazionasse lo scioglimento della loro missione o portarlo sulla spiaggia quella notte stessa e lasciarlo affogare.

Dopo un inequivocabile rumore di sciacquone, Kontrol tornò indietro, passando dalla propria camera da letto. Non sembrava più irritato, e sedette a bere il caffè.

«Ho visto in camera mia due vecchi album di dischi», disse Berenskij, perché gli parve giusto avviare un po' di conversazione. «Forse qui usano ancora i vecchi grammofoni».

«Credo che ci siano solo le custodie», rispose Kontrol, sorseggiando il caffè. «Le usano per decorare le pareti. Ho portato le risposte che mi aveva chiesto». Si tolse di tasca un foglio di carta. «Sono le cifre della produzione dell'oro in Russia e una valutazione approssimativa di quello che sarà il raccolto invernale del grano. La settimana prossima avremo gli estremi dell'accordo per il petrolio che abbiamo fatto con i giapponesi».

Berenskij lesse i dati provenienti dall'interno del KGB sui piani economici della Russia. I suoi agenti di cambio di Chicago avrebbero agito in conseguenza. Mancava lo stesso genere di informazioni relative al governo degli Stati Uniti. La talpa non le aveva fornite o Kontrol voleva tenerle per sé fino a quando non avesse avuto la risposta al suo progetto di dividersi il danaro e indebolirne il potere per provocare o prevenire un colpo di stato?

«Allora ha deciso, Aleks?».

Cercò di prendere tempo. «Mi lasci riguardare queste cifre. Vorrei anche sapere qualcosa di più dell'uomo nuovo, di Davidov».

Dopo cinque minuti, di colpo, il sedativo ebbe effetto. Purtroppo fu un effetto drastico, forse a causa dell'aggiunta del rum caldo. Berenskij si spaventò nel vedere che Kontrol cercava di alzarsi e non riusciva a stare in piedi. L'ometto grigio ricadde sulla sedia, con l'orrore dipinto in viso cercò di dire qualche parola, ma riuscì solo a emettere un penoso gorgoglio, gesticolando verso la camera da letto. Un attimo dopo era svenuto.

Non era quella la reazione che Berenskij si era aspettato. Aveva calcolato male la dose? O Kontrol era particolarmente sensibile ai sedativi? Allergico a quel tipo di farmaci? Gli diede uno schiaffo per cercare di svegliarlo, gli versò dell'acqua sulla testa, ma inutilmente. Non c'era che lasciarlo dormire. Era leggero, lo sollevò e lo portò nella camera da letto più vicina, senza pensare, in quel momento, che era quella assegnata a lui, poi, per non trascinarlo nell'altra stanza, spinse via la valigia e lo mise sul letto.

Irritato con se stesso per essersi sbagliato nel calcolare gli effetti del sonnifero, uscì sotto il portico, sedete sui gradini che portavano alla spiaggia e contemplò la notte dei Caraibi, tiepida e stellata. Mai, pensò, avrebbe usato di nuovo quel farmaco senza prima averne studiato attentamente la composizione. In quel caso, la reazione eccessiva non avrebbe costituito una difficoltà: a meno che lui non avesse deciso di non ricorrere a misure estreme, Kontrol si sarebbe svegliato l'indomani con il mal di testa, vergognandosi di essersi sentito male per aver bevuto troppo.

Guardò l'orologio. Le dieci e mezzo. Pensò di fare una passeggiata lungo la spiaggia e, intanto, riflettere sulla crisi che sarebbe derivata dalla morte del capo della sezione. La musica e le luci della sala da gioco lo attirarono per qualche minuto, si fermò a guardare, da fuori, poi, lentamente s'incamminò, per tornare indietro. Gli serviva un mese di tempo per avviare una serie di accordi che avrebbero aumentato il capitale a un livello che poteva essere decisivo per l'una o l'altra delle forze che sarebbero state a capo della sua terra natale; certamente entro un mese Kontrol si sarebbe lasciato convincere. La scelta venne da sé: lo avrebbe lasciato dormire.

L'esplosione fece volar via il tetto del bungalow e infiammò il cielo notturno. Anche da lontano, in fondo alla spiaggia, Berenskij sentì il colpo e il calore. Il cuore gli battè più forte vedendo realizzarsi la soluzione più violenta cui avesse pensato. Con le braccia incrociate sul petto, guardò le fiamme distruggere quanto restava del bungalow e del corpo che vi era stato disintegrato. Si sentì costretto ad ammirare l'operazione perfetta eseguita da Kontrol, che aveva predisposto di eliminarlo in un modo che non consentisse di compiere un'indagine.

Non aveva altro da fare alle Barbados. Impiegò quel che restava della notte di luna per raggiungere a piedi l'aeroporto.

19

1

MOSCA

Il piedestallo era rimasto al centro della vecchia piazza Dzerzhin-skij come un grosso dente cui mancasse un'otturazione; la statua che aveva sorretto, la statua di Feliks Edmundovich Dzerzhinskij, "il Feliks di Ferro", fondatore della polizia segreta di Stalin, era stata abbattuta e trascinata via nei giorni violenti seguiti alla caduta di Gorbaciov e al fallimento del colpo di stato del 1989. «Dev'essere stato uno spettacolo eccezionale! Lei era qui, a questa finestra? Ha visto tutto? Che cosa ha provato?».

Le domande, a fuoco di fila, dell'agente americano, provocarono il sorriso forzato del russo appena nominato capo della Quinta sezione del Ministero per la Sicurezza della Federazione Russa che, molto tempo prima, si chiamava Ceka.

«Difficilmente mi sarei potuto trovare alla Lubjanka», rispose Nikolaj Davidov, «se non come prigioniero nelle celle di tortura dello scantinato. Allora ero un accademico, cioè qualcosa di molto simile a un dissidente». Stava esagerando, era stato un riformatore, forse anche un oppositore nel partito, quando richiedeva una buona dose di coraggio, ma non avrebbe potuto affermare di aver fatto parte di quei temerari che vivevano nella costante minaccia del gulag.

Ma gli agenti letterari, soprattutto gli americani, preferivano una chiarezza manichea alle oscure ambiguità dell'era sovietica.

«Ero lì, nella piazza, subito dopo il tentativo di colpo di stato», riprese Davidov, «ho aiutato a fissare le corde alla statua perché la folla, il popolo, potesse farla cadere dal piedestallo». In realtà le corde non erano bastate e Davidov aveva dovuto far arrivare una gru del governo, ma nascondere la verità era ormai la sua seconda natura, sia che intendesse ottenere una maggiore efficacia drammatica sia che, più seriamente, gli sembrasse opportuno modificare l'informazione.

L'agente, un agente letterario americano, non un membro dei

servizi segreti, gli rivolse uno sguardo acuto. «Lei non sembra la persona che ci si aspetta debba occupare un'alta carica in una organizzazione come questa».

L'osservazione piacque a Davidov, che tuttavia aggrottò la fronte. Aveva i baffi, non portava la cravatta e la sua giacca di cuoio era gettata senza cura sulla spalliera di una sedia. Si comportava con semplicità, con disinvoltura, era giovane e anche bello e sapeva benissimo che gli americani immaginavano che un alto funzionario di quello che si ostinavano a chiamare il KGB fosse esattamente il contrario, soprattutto se era a capo di un settore responsabile dei servizi finanziari esteri.

«Come credeva che fossimo?»

«Grassi e cattivi, come Beria all'epoca di Stalin. Lei è fuori dai canoni, non corrisponde al personaggio».

«Ah, Ace... posso chiamarla così?».

«No, non può», rispose l'agente. «Non sono un asso, un fuori classe, mi chiamo Matthew McFarland. Matt, per gli amici che mi hanno tenuto compagnia lungo tutta la vita, e ne sono rimasti pochi perché io ho vissuto già molto. I colleghi e i clienti, e spero che lei abbia la fortuna di diventare uno di questi ultimi, mi chiamano Mr. McFarland. A servirsi di quell'odioso soprannome, "Ace"», pronunciò quel nome con la violenza di uno sputo, «sono solo i miei concorrenti, i maleducati e i male informati».

Davidov alzò entrambe le mani, con il palmo rivolto verso l'americano, come a ripararsi da quello scoppio di irritazione. Sapeva che Ace, come in realtà lo chiamavano tutti, era molto suscettibile, lo aveva letto su un suo profilo tracciato con ironico vigore, ma voleva mostrarsi, a proposito degli agenti letterari americani, completamente inesperto.

Il KGB aveva qualcosa da vendere: i suoi documenti segreti. Non quelli che voleva tenere segreti davvero, naturalmente, ma quelli che avrebbero gettato discredito sul passato, riabilitando le vittime delle purghe staliniane, il cui esempio ora sarebbe tornato utile. Davidov, per la precisione, era stato incaricato di vendere documenti creati dal settore disinformazione del KGB, di recente ripristinato, allo scopo di diffondere segreti che non erano mai esistiti. Nella nuova sede riorganizzata, restavano vecchi conti da regolare con tutto il mondo: stranieri selezionati con cura che, a suo tempo, avevano dato un aiuto, andavano ricompensati con il silenzio, mentre agenti costosi, ma di scarso valore, potevano essere proficuamente bruciati.

Davidov aveva deciso di ostentare una elegante povertà. Ecco davanti a voi l'antico, potente apparato sovietico per la sicurezza e lo spionaggio, che ora, in difficoltà economiche, è ridotto a svendere i "cari gioielli di famiglia", come, in situazioni analoghe, la CIA ama definire i segreti più sotterranei ceduti, per bisogno di danaro, agli editori capitalisti. Non era vero, naturalmente, la sicurezza interna e i servizi segreti per l'estero erano ben finanziati, come prima, ma quell'aria di debolezza diventava, indirettamente, una forza.

La finzione, quasi trasparente, doveva appoggiarsi agli agenti letterari occidentali, soprattutto ai grandi agenti americani. Il loro lavoro di intermediari conferiva agli scrittori russi e ai documenti del KGB una credibilità sufficiente a convincere gli editori occidentali a immettere sul mercato episodi del passato che ora diventavano utili alla Russia. All'ombra della zelante promozione degli agenti, si creavano e si distruggevano reputazioni politiche, si demolivano miti storici, nascevano nuove leggende, in omaggio agli scopi che Nikolaj Davidov e i suoi colleghi si erano prefissi. Si dava vita a libri di successo, pubblicizzati dalla televisione e dalla stampa occidentali che li definivano "denunce". Lenin una volta aveva detto che i capitalisti vendevano la corda con la quale impiccarsi; ora la Russia aveva scelto la via del capitalismo e la vendita di memorie e di documenti segreti sembrava una variazione sul tema. Ne derivava un apporto di moneta pregiata, che faceva molto comodo ai Servizi Segreti Finanziari.

«Ritiro l'Ace. Dunque, Mr. McFarland, mettiamo da parte i sospetti che risalgono a un'epoca che appartiene al passato». Davidov indicò all'americano una poltroncina accanto a un tavolo basso, di fronte alla scrivania e gli sedette di fronte, poi prese in mano un portacenere di vetro scuro e, con lo sguardo, chiese al suo visitatore il permesso di fumare. McFarland scosse la testa, disgustato e Davidov si rassegnò ad affrontare un altro colloquio con un americano che preferiva muoversi in condizioni ambientali caratterizzate dal "no". Mise da parte il portacenere e prese una cartelletta.

«Il fascicolo Kirov», disse, «uno dei grandi misteri dell'inizio dell'era staliniana».

«Il balletto non interessa nessuno», ribatté seccamente Ace. «Se non piace il Bolscioi, figuriamoci il Kirov. Roba che non si vende. Chi ama il balletto non ama la lettura».

Davidov restò per un momento zitto. Possibile che l'americano non sapesse che Kirov, sindaco di Leningrado e avversario di Sta-

22

lin, era stato fatto uccidere dal Feliks di Ferro? Fingeva? Certo, la scuola di ballo di San Pietroburgo era stata chiamata così per ricordare quel sindaco molto amato e, grazie a Rudolf Nureiev, il nome in occidente significava il balletto e non il tradimento di Stalin, ma un agente letterario americano non poteva non conoscere quello che era successo prima, e cioè la fine sinistra di Kirov. Un eminente cremlinologo, a Harvard, aveva scritto un romanzo sulla morte del famoso rivale di Stalin e Ace certamente lo sapeva.

Davidov arrivò alla conclusione che McFarland fingesse, fino ai limiti del cattivo gusto, di ignorare la storia dell'Unione Sovietica, mettendosi in una posizione di sprezzante superiorità. La stima per il suo interlocutore aumentò di un punto.

«Forse lei ha già in mente qualcosa di particolare», gli disse.

«Avrei scelto per prima la vostra documentazione su Lee Harvey Oswald», rispose McFarland, «relativa al periodo che l'assassino di Kennedy aveva trascorso qui, se non l'aveste già regalata ad altri».

Davidov si concesse un'espressione di rammarico. «Regalata ad altri? Abbiamo venduto i diritti letterari e poi abbiamo stipulato un accordo separato con la Unimedia per i diritti televisivi. Forse avremmo potuto ottenere di più, ma è successo l'inverno scorso ed eravamo alla disperazione...».

«Vi siete comportati come bambini persi nel bosco. Niente edizione economica garantita, niente anticipo per la riduzione televisiva, nessuna percentuale sui diritti cinematografici, i diritti elettronici non sono neanche menzionati nel contratto... Ma voi sapete o no che esiste il CD-ROM o l'Internet?». L'agente si appoggiò allo schienale della poltroncina, disgustato. «Non c'è da stupirsi che abbiate perso la guerra fredda. Non sapete neanche da che parte si comincia a stendere un contratto».

Davidov non raccolse la provocazione dell'americano, perché la ritenne una tattica di impostazione delle trattative. Ripensò, in silenzio, ai negoziati SALT, Strategic Arms Limitation Talks, nei quali gli americani erano stati incastrati per decenni e ai negoziati per l'acquisto di prodotti agricoli durante l'incontro al vertice del 1972, che gli americani, più tardi, avrebbero definito "la grande rapina dei cereali". Ma l'affermazione dell'agente letterario era comunque inquietante. Se veramente la documentazione su Oswald fosse stata giudicata poco meno che un regalo, avrebbe perso ogni attendibilità, perché solo ciò che è stato pagato caro diventa credibile.

23

«D'altra parte», proseguì Ace, «avete distrutto la documentazione Kennedy prima di venderla. A meno che, ed è più probabile, non teniate quella vera in archivio per venderla dopo. Potrei occuparmene io, se mi permetteste di interrogare gli interessati che sono ancora vivi».

Davidov ebbe un momento di imbarazzo. Nessuno degli interessati era ancora vivo; per fortuna gli apparatchik, ora detronizzati, avevano già provveduto da tempo.

Si sentì bussare con discrezione alla porta ed entrò Jelena, l'assistente, con un messaggio scritto. Era una riformista di tutta fiducia, il predecessore di Davidov l'aveva sottratta, anni prima, alle file delle "rondini" incaricate di sedurre i diplomatici stranieri e l'aveva educata all'analisi politica. Il messaggio diceva: "I visitatori Feliks chiedono un archivista per la consultazione dei documenti. Collaborare o differire?".

«Collaborare, non c'è dubbio», disse Davidov alla ragazza, con un ampio sorriso, poi, mentre se ne andava, chiese, con indifferenza, a McFarland: «Che ne pensa del nostro uomo all'Ufficio Ovale dell'FDR? Noi sapevamo della lettera di Einstein che ha dato il via al progetto Manhattan prima che lo sapesse il vostro presidente».

«Il vostro agente che ha ucciso Trockij aveva già venduto la notizia, accusando Oppenheimer e Fermi. L'aveva venduta bene, ma non aveva le prove e non è consentito stuzzicare due volte l'alto apparato scientifico».

Davidov si trattenne dall'osservare che il leggendario uomo di Stalin, Sudaplatov, nel suo recente libro di memorie, non aveva rivelato l'identità della talpa dell'Ufficio Ovale. Sospettava che McFarland fosse venuto da lui con uno scopo preciso e che quello non fosse altro che una sorta di battibecco iniziale. «E la crisi dei missili di Cuba?».

«Non si vende più, da quando sono uscite le memorie di Dobrynin, che ha avuto ufficialmente un anticipo che gli garantiva una prima edizione di centomila copie. Il libro è stato presentato in dodici città, e così via... Io avrei fatto anche meglio, ma l'agente che se n'è occupato è stato bravo». McFarland, attivo, efficiente, si sporse verso Davidov e batté sul tavolo l'anello che aveva al dito per sottolineare le proprie parole.«Avanti, mi proponga qualcosa di grosso, una storia da oh merda».

«Non conosco questa espressione».

«Una storia che chiunque la legga si batta le mani sulla faccia e dica: "Oh merda questa è bella!". È il sogno di tutti gli editori».

24

«Come...».

«Come potrebbero essere le intercettazioni delle telefonate tra Castro, Kennedy e Marilyn Monroe, tutta un'ammucchiata. Oppure una talpa ai vertici della CIA. La si recupera e le si fa scrivere un libro: Io, burattinaio di Aldrich Ames».

«Ma non esiste una seconda talpa», obiettò Davidov, cercando di essere prudente.

Ace allontanò la questione con un gesto della mano. «Questo lei lo dice a me, ed è naturale, ma la seconda talpa esiste. E ne esiste una terza e anche una quarta. Ce le mettete voi, come ce le mettono gli inglesi. Invece di aspettare che l'FBI le stani, perché non le mette lei in circolazione?».

«Forse dovrebbe proporre questo soggetto a un romanziere di professione».

«No, è la realtà che piace. Sarebbe interessante un Philby americano, qualcuno ad alto livello che avesse protetto una vostra talpa scoperta da noi. Ed è ovvio che tutto diventerebbe più divertente se ci fosse di mezzo un politico o un diplomatico americano provvisto di una certa notorietà».

Poiché Davidov restava impassibile, McFarland tentò un'altra strada. «O qualche pezzo grosso dei giornali di destra che intanto lavorasse anche per voi. Questo soddisferebbe l'animo dei liberali che comprano i libri e vorrebbero vendicarsi del vostro agente che ha denunciato Oppenheimer. Qualcosa per cui tutti, al mondo, esclamassero sbalorditi: "Oh, merda!". Nessuno dei vostri uomini ha fatto niente di cui possiate andare orgogliosi?».

Davidov si alzò in piedi. Aveva giudicato la frase insultante. «Ci sono operazioni che non potranno mai essere messe in vendita», rispose. Ma sapeva che l'agente letterario avrebbe potuto essergli utile e aggiunse: «Però potremmo produrre una o due rivelazioni tali da suscitare... quel tipo di reazione cui lei alludeva».

McFarland si avvicinò alla finestra per guardare ancora il piedestallo vuoto sulla piazza che aveva ripreso il suo nome presovietico. «Chi metteranno, adesso, su quel piedestallo?».

«Nessuno», disse recisamente Davidov. «Ne ho parlato proprio stamattina con il capo della Prima sezione, perché la chiesa aveva già maturato il progetto di metterci una croce ortodossa. Faremo portare via il piedestallo e seminare dei fiori».

«Devono essere successe delle cose terribili qui», osservò Ace. Aveva cambiato atteggiamento.

«Soprattutto a danno dei russi. Siamo tutt'altro che fieri di quel tragico periodo». Il nuovo ufficio di Davidov, sulla piazza, gli era stato assegnato con uno scopo soprattutto esteriore: la posizione nel centro di Mosca, la vista sul Cremlino, le raggelanti testimonianze storiche lo rendevano particolarmente adatto a impressionare i visitatori stranieri. Il lavoro vero era quello che svolgeva "nel bosco", come veniva chiamata la sede di Yasenovo in un parco dietro la strada che girava intorno alla città. Davidov ebbe la sensazione che l'americano, prezioso canale di comunicazione con gli editori occidentali, stesse per esporre lo scopo principale della sua visita.

Lo vide osservare la fila di ambulanti kazaki che vendevano cibo e souvenir sulla piazza ora ribattezzata Lubjanka; il ricordo di Feliks Dzerzhinskij veniva cancellato dalla città in tutti i modi possibili.

«Se lei incontrasse qualcuno dei Feliks», disse Ace McFarland con un tono di voce così basso che i registratori non avrebbero potuto coglierlo, «si ricordi che io ho un cliente che è un giornalista molto bravo».

Davidov non mostrò di aver colto il riferimento ai Feliks. Aspettò che McFarland seguitasse a tastare il terreno.

«È un tipo sveglio, non un morto di sonno», l'agente letterario calcò la voce su queste ultime parole. «Si chiama Irving Fein, un famoso giornalista... forse l'avrà sentito nominare».

Davidov ritenne che McFarland avesse alluso indirettamente a una spia in sonno. Anche se si era emozionato, decise di fingere di non essersene accorto. Avrebbe voluto sapere qual era il ruolo di McFarland e quanto sapesse il suo cliente di quella iniziativa, ma preferì non fare domande in una stanza dove la loro conversazione poteva essere facilmente registrata da qualcuno dei suoi colleghi che non desiderava niente di buono per lui. Accennò un saluto beneducato.

«Irving è bravissimo», aggiunse Ace, col volto dell'innocenza. «Non è di quelli che lavorano dormendo. Dovrebbe conoscerlo».

Il capo della Quinta sezione accompagnò l'ospite in anticamera e lo affidò alla guida perché gli facesse visitare le vecchie celle.

2

NEW YORK

Le pareti di vetro grigio della sala d'aspetto della "Agenzia letteraria M. McFarland", in Park Avenue, riflettevano il grigiore degli autori lasciati in attesa.

Irving Fein prese, sfogliò e rimise a posto, uno per uno, i successi dei clienti di Ace, sparsi su un tavolo ampio e basso. Lo preoccupava non essere stato ricevuto subito e lo infastidiva l'immeritato successo della nuova, aberrante formula letteraria. Romanticherie scritte da mestieranti, corredate da vergognosi "continua", fianco a fianco con manuali di falsi maghi della cosmetologia; elucubrazioni di ciarlatani annidate tra le memorie di vecchi presidenti che, stampate su una carta che le rendeva spesse e pesanti come fermaporte, premevano addosso a romanzi dell'orrore che gareggiavano nell'ostentare in copertina le sceneggiature cui avevano dato origine.

Tutti quei libri, escluso qualche smilzo volumetto di poesia maniaco suicida, opera di sentimentali perdigiorno, aggiunto al resto per questioni di prestigio, potevano vantare di possedere ciò che ai libri di Irving Fein era sempre mancato: "le gambe".

"Le gambe" erano la forza trainante della narrativa di consumo che, unita a idoneità televisiva, faceva marciare il prodotto pubblicato direttamente dallo scaffale alle braccia dell'acquirente. Irving prese dal tavolo una storia di spionaggio scritta da un tale che conosceva, un buon giornalista, e si mise il volume nella cartella, logora e trasandata come il suo proprietario. Non gli pareva sbagliato rubare quel libro, probabilmente Ace ne aveva interi scatoloni.

Si diede un'occhiata nello specchio costosamente antiquarizzato e quello che vide si ripercosse rovinosamente sulla sua autoconsiderazione. Dopo un esordio brillante (un Pulitzer prima dei trent'anni per una serie di articoli sul terrorismo e un National Book Award mancato di poco per un libro sui mercanti di armi, rispetto alle vendite il peggiore che avesse mai scritto), si trovava ad avere un rapporto con i media praticamente irrisolto, era stimato dai colleghi ma visto come un rompiscatole dai direttori di rete, forte sulla pagina stampata ma incapace di trarre profitto da quanto scriveva per venderlo proficuamente alla televisione. Energia massima; sinergia zero. Le sue fonti non gli venivano mai meno, fidavano sulla sua protezione; nessun giornalista vivente poteva contare su basi altrettanto valide, credibili, sviluppatesi in anni di simbiosi tra manipolatore e manipolato. Ma i direttori dei programmi, ogni anno più giovani e più remotamente inglesi, erano anche sempre più lenti a rispondere alle sue proposte.

Fein contava sui risultati delle sue personali maledizioni, li vedeva soppiantati da conduttori di talk-show con le tasche piene di soldi. Nel suo inferno dei media riservava un posto speciale a quelle boccucce strette che sceglievano con insipienza esperti e ospiti per i programmi di attualità, determinando così qualsiasi invito a futuri, lucrativi incontri pubblici. Quei giovani e beneducati nipoti (Irving era certo che avessero tutti almeno un parente importante alle spalle) gli dicevano che aveva una "personalità troppo forte". Lui se ne chiedeva il perché e la risposta che si dava non gli dispiaceva: la ragione che lo faceva apparire troppo serio, quasi aggressivo era che sapeva sempre troppo di quello che sapeva e trovava difficile amministrarsi in modo da offrire un piatto che fosse sempre gustoso al palato di chi ascoltava. Per questo alle tavole rotonde non lo volevano. «Quando ti sei già dilungato su un argomento», gli aveva detto uno di quelli della televisione, «non devi andare avanti all'infinito».

Il mondo dei media era una festa all'aperto che durava tutto l'anno ed era una buona occasione per chi vendeva fragole con la panna, ma un disastro per chi fosse considerato come una puzzola in un giardino. Qualsiasi cosa Fein scrivesse faceva apparire i bravi rappresentanti autorizzati dei media improvvisamente pessimi. Ne conseguiva l'autoflagellazione dei media e lui si guadagnava l'avversione dei benpensanti. Ogni volta si chiedeva perché, in lunghi dialoghi interiori. Ma la risposta era già pronta: lui scriveva di furfanti e di ipocriti, di palloni gonfiati e di vigliacchi, mai di eroi. Ai lettori piacevano gli eroi, o almeno i furfanti suscettibili di redenzione e non capivano bene che cosa volesse dimostrare

Irving Fein, operatore intellettuale indipendente, uomo libero, armato di lancia, poteva presentarsi sulla porta di qualsiasi redazione in città o di qualsiasi ufficio governativo a Washington ed essere invitato, con cautela, a entrare, ma da molto tempo non segnava un punto a suo favore e tutti lo sapevano.

Ora, però, aveva una traccia importante. Come un enologo che annusi una vendemmia sconosciuta prima che le casse del vino vengano scaricate, sentiva l'emozione di essere il primo a dire che quella traccia sarebbe diventata presto più consistente.

La settimana prima aveva trovato un messaggio anonimo sulla segreteria telefonica nel quale si diceva che "i Feliks russi" cercavano, in America, una spia lasciata in sonno. A seguito di questa notizia vaga, aveva cercato alla CIA una fonte di informazione sull'antiterrorismo, Walter Clauson, l'ultimo rimasto del gruppo introdotto dal leggendario cacciatore di talpe James Jesus Angleton, sopravvissuto al Massacro di Halloween degli integralisti della CIA durante la presidenza Carter e alle più recenti purghe del dopo Ames.

«Signor Clauson, sono Irving Fein. Forse lei ha letto la mia serie di articoli sulla CIA...».

«Non mi piace che mi si telefoni a casa a quest'ora, signor Fein. Può darsi che mi trovi più tardi a Langley».

Irving aveva pensato che fosse meglio non badargli e parlare tutto d'un fiato. «Mi hanno detto che è stato lei a cercare di interrompere l'indagine dell'FBI sul banchiere americano a Nairobi che aiutava l'Iran nell'accordo per le navi cisterna libiche».

Clauson aveva bruscamente riattaccato. Irving aveva contato fino a ventisei, il suo numero fortunato, e lo aveva richiamato. «Un momento, devo dirle qualcosa che lei vuole sapere». Era la frase che, di solito, bastava a farsi ascoltare da quelli dei servizi segreti. «Prima di tutto voglio che lei sappia che io la rispetto. Ci vuole un bel coraggio a riattaccare il telefono mentre Irving Fein sta parlando, sapendo fino a che punto potrebbe interferire nella sua carriera. Tanto di cappello».

Aveva lasciato che, a quel punto, Clauson gli chiedesse scusa se, svegliato in pieno sonno da un'accusa di attività antiamericane, si era mostrato risentito. «Poi le voglio dire qualcosa che forse sa e forse non sa: non tutti, nella casetta della F Street le sono amici». L'edificio della F Street era a pochi passi dalla vecchia sede della direzione, vicino alla Casa Bianca, dove Bill Casey, direttore centrale dei servizi segreti, aveva pensato bene di rintanarsi durante la presidenza Reagan. Fein presumeva che Clauson lavorasse in F Street, ma se si sbagliava, poco male, visto che la maggior parte degli agenti del controspionaggio del quartier generale di Langley, in

Virginia, pensava che i leccaculi presidenziali della banda di F Street stessero minando alla base la causa delle valutazioni apolitiche dei servizi.

«Avrei qualcosa da aggiungere», aveva detto Fein, sensibile all'onore ferito dell'agente del controspionaggio, ormai sveglio del tutto. «Stamattina quelli che mi hanno telefonato, pugnalandola alle spalle...». Schiacciò un tasto per simulare un'interferenza e concluse: «È meglio che non ci parliamo così. Perché non beviamo un caffè al Mayflower tra un'ora?».

Fein non aveva dubbi che Clauson avesse abboccato. Come la maggior parte dei burocrati, gli agenti di spionaggio che lavoravano alla scrivania, sospettavano sempre che qualche altro settore, in competizione per questioni di bilancio, tentasse di screditarli. L'ora dell'appuntamento era troppo vicina per organizzare un sistema di sorveglianza nel caso Clauson, temendo di avere il telefono controllato, avesse pensato di sviare i solerti colleghi da quell'inquietante incontro.

Avevano stabilito il luogo esatto ed erano arrivati entrambi dopo poco. Fein era andato, prima di tutto, alla ricerca di un campionario di notizie sulla vita della CIA e, in particolare, sull'accordo tra il nuovo direttore centrale e il ministero della giustizia per affidare tutto il controspionaggio all'FBI. Niente spaventava di più un vecchio agente della prospettiva di dover cedere un sistema di controspionaggio che si estendeva in tutto il mondo a un'altra organizzazione.

Poi Irving aveva fatto qualche ricerca più approfondita. L'esistenza della mafja russa, con la j, per distinguerla dalla sua versione siciliana, era nota e da molto si sospettava che avesse dei legami con la vecchia burocrazia, ma chi erano i Feliks? E perché cercavano un agente perduto o nascosto in America, che si supponeva avesse accesso a un immenso capitale?

L'unico elemento sul quale lavorare era quella comunicazione anonima su un agente "in sonno", trasferito in America dal KGB molto tempo prima e mai attivato. In più, Irving aveva il sospetto che ci fosse di mezzo un forte investimento di danaro che la Russia avrebbe usato prima o poi. Niente altro che una traccia, senza nessun particolare. Il messaggio telefonico diceva che, per saperne di più, avrebbe dovuto mettersi in contatto con "uno dei vecchi uomini di Angleton", alla CIA, un'indicazione che limitava le possibilità di scelta attorno alla figura di Walter Clauson. Irving Fein si era comportato, naturalmente, come se avesse saputo molto di più, consapevole che gli agenti, di solito, preferivano confermare o sviluppare una notizia piuttosto che raccontare qualcosa di nuovo.

Fein era riuscito a sapere poco da Clauson che, da esperto, aveva cercato, a sua volta, di farsi dire dal giornalista tutto il possibile, usando la propria abilità per capire quali carte avesse in mano. Irving aveva finto di non voler dire tutto e di temere che Clauson passasse le notizie a un altro giornalista più solidale e più facilmente controllabile.

Aveva aspettato poi che l'agente gli facesse qualche domanda, trovando interessante che insistesse per sapere chi, all'Agenzia, gli aveva suggerito che proprio lui fosse informato sulla presenza di quella spia in sonno. Questo poteva significare sia che Clauson non fosse sicuro che la notizia fosse rimasta nell'ambito dell'Agenzia, sia che fosse stato lui a incaricare uno dei suoi agenti di trasmettere il messaggio a Fein e ora, accortamente, cercasse di non farlo capire. Irving era più incline a credere alla prima di queste due possibilità, pensava cioè che Clauson non sapesse chi lo aveva informato, una voce anonima, senza possibilità di riferimento. E se era così, ne conseguiva che sarebbe stato interessato a legarsi a lui, per verificare, contenere o, se non altro, controllare gli sviluppi dell'indagine.

Era quello che Bill Casey aveva fatto con Bob Woodward, almeno all'inizio, ma il giornalista, in seguito, aveva prevalso sul superagente, portando la questione allo scoperto. Poi Woodward aveva trasformato accenni estorti a Casey in risposte precise ottenute da altri agenti in disaccordo col direttore. L'importante era sempre confondere le idee sui propri scopi e Irving Fein era sicuro di saper giocare quella partita meglio di chiunque altro. Era solo all'inizio, ma l'eccitazione a lungo attesa di una vera notizia lo animava di una impazienza famelica che gli mordeva il cuore, lo pungolava con l'odore di una esclusività che avrebbe maneggiato lo spionaggio del periodo seguito alla guerra fredda come una cipolla cui togliere le bucce fino al punto in cui si cominciava a piangere.

Un battere di tacchetti lo sottrasse ai suoi pensieri. Era nello studio di un agente importante, non sulla panchina di un parco a cercare di spremere qualche notizia a un funzionario intelligente.

La ragazza aveva una faccia nota, portava un cappotto lungo, che ne rivelava l'appartenenza a una specie pericolosa, ed era seguita da due uomini con l'aspetto servile dei delatori. La vide nello specchio avviarsi verso l'ascensore. Distolse lo sguardo dall'immagine per fissarlo sulla realtà di quella donna con i lineamenti

31

quasi regolari, e i capelli di un biondo cenere così naturale e pettinati con tanta semplicità da far pensare a un risultato di ore di lavoro. Fein stava per dirle: «Io la conosco», lasciando intendere che lei doveva essere una persona che si vedeva spesso alla televisione, non una presentatrice, ma un'attrazione e che lui se ne ricordava. Lei parve avere la misura della gravitas che era nell'aria; aveva un'espressione incisiva che spesso mancava in altre facce ugualmente graziose. Fein non sapeva il suo nome, aveva una personalità che si notava, ma non era ancora una celebrità, era una faccia, non ancora un nome.

Vicino all'ascensore, lei premette con forza il pulsante già acceso. Sprofondato sul divano, Fein la vide voltarsi e guardarlo con una mancanza d'interesse che sconfinava nel disgusto.

Va' a farti fottere, signora, tu e il cavallo sul quale galoppi, pensò. Decise che se si fosse avvicinata per parlargli, le avrebbe detto: «Ha mai pensato a quanti leopardi, gli animali più veloci che ancora esistano, e non si sa fino a quando, sono morti perché lei potesse avere quella pelliccia probabilmente pagata da qualche papavero della televisione?». Allora non solo avrebbe perso quell'espressione di blando disprezzo, ma avrebbe stretto quei bei dentini, troppo perfetti per non essere stati sapientemente ricoperti.

Ma l'occasione di quella invettiva gli venne a mancare. Arrivò l'ascensore e la giovane donna vi entrò, insieme alla sua scorta. Non era poi tanto giovane, pensò Irvin. Poteva avere trentacinque anni. Per chi è vicino ai cinquanta, trentacinque anni sono una bella età, l'età che quelli che dicono di essere sui trenta vorrebbero avere. Pensiero deprimente. Dunque non era troppo giovane per portare quella pelliccia che forse si era comprata da sé, perché un giornalista della televisione (o andavano considerati attori?) era pagato dieci volte di più che un giornalista della carta stampata. E che male c'era se la pelliccia era di leopardo? Tanto a lui i gatti non erano mai piaciuti.

Infilò la monetina nel televisore, ora non erano più cinque cent ma venticinque. Sentì la voce che annunciava il notiziario. «Ora ascolteremo Viveca...».

«Ho visto Viveca, poco fa», disse al "Non chiamatemi Ace" quando finalmente venne introdotto nel suo ufficio. «Brava ragazza. Potrebbe farcela».

«La conosci?». Irving si strinse nelle spalle e McFarland prese l'atteggiamento dell'agente che si prende cura di un cliente che gli si è affidato. «Mi preoccupa quella ragazza. Ha molto talento, molte prospettive, eppure è così vulnerabile».

A Fein era parsa tutt'altro che vulnerabile, anzi, corazzata. «Ti sei messo a fare l'agente televisivo, Matt? Alla tua età?».

«Tra poco sarò un ottuagenario», disse McFarland con orgoglio, contemplando le sue belle scarpe lucide appoggiate su uno sgabello, perché non arrivava a terra coi piedi. Fein pensò che gli avrebbe comprato delle ghette, se ancora se ne trovavano, per completare quell'immagine di dandy intellettuale che Ace aveva cercato di coltivare. «No, come diceva il calzolaio, l'importante è la fedeltà alla forma, da scarpa naturalmente. Sono e resto un agente letterario. Ho vissuto per la parola scritta e morirò testimoniandone il valore».

«Allora perché ti occupi della Mezzobusto?».

«Avresti potuto capire da solo, mio infaticabile investigatore, che Viveca Farr vuole scrivere un libro e io sono d'accordo. Un bel libro, importante, darebbe peso alla sua qualità di giornalista. Dissuaderebbe i colleghi della stampa, come te, Irving, dal pensare a lei solo come a una bella faccina».

A Fein venne subito in mente un titolo per quel libro, "Danzando sul soffitto di vetro", ma aveva la sua questione da risolvere e non voleva perdere tempo con quelle degli altri. Avvicinò la sedia a quella di Ace e disse sottovoce: «Sei stato alla Lubjanka? Hai visto il nuovo arrivato, Davidov?».

«Sì, il capo della Quinta sezione. Mi ha ricevuto e si è interessato alla mia proposta di rendere pubblici i documenti che hanno in archivio».

«Ti ha proposto temi scottanti... talpe, traditori, storie concrete? Ti ha parlato del Secondo Uomo?».

Ace scosse la testa. «Finora sono disponibili solo episodi storici stantii. L'unica novità è lui. Non avrei mai creduto che un russo con una carica a quel livello nei servizi segreti potesse avere un aspetto tra l'intellettuale e l'idolo del varietà».

«Ma in realtà è un ladro e un mascalzone. Gli hai fatto quell'accenno ai Feliks, in modo da incuriosirlo?».

«Sì, e con le parole che mi avevi suggerito tu. "Se incontrasse qualcuno dei Feliks", gli ho detto, "si ricordi che io ho un cliente che è un giornalista molto bravo"».

«E lui come ha reagito?»

«Con una faccia di pietra».

«Incredibile!». Irving si alzò e cominciò a camminare avanti e indietro, battendo delle manate sul muro, negli spazi tra le fotografie degli autori famosi. «Hai usato la parola "sonno"?».

«Sì, esattamente come mi avevi detto tu. "È un tipo sveglio non un morto di sonno", così ti ho descritto. Ma lui è rimasto impassibile. E ho aggiunto: "Non è di quelli che lavorano dormendo". Sinceramente ho anche pensato di aver fatto male a ripeterlo due volte».

«E lui zero? Non ha battuto ciglio?».

«Non so se i russi siano bravi giocatori di poker, ma la sua faccia aveva quella impassibilità».

Irving smise di camminare in su e in giù, mentre un pensiero prendeva forma nella sua mente. «Nessuna reazione equivale a una reazione. Se non avesse saputo niente dei Feliks ti avrebbe risposto con un "sì" o un "forse, uno di questi giorni", ma se è rimasto impassibile è perché nasconde quello che sa di loro e forse anche di una spia in sonno. Un volgare giocatore di poker», concluse Fein con un mezzo sorriso, «non rientra in questo genere di lavoro».

«Forse potrei aiutarti, Irving, se mi dessi un po' di fiducia. Io so solo che "Feliks di Ferro" Dzerzhinsij ha terrorizzato i russi fino ai nostri giorni. Quando Mosca è tornata libera, la sua statua è stata tolta dal piedestallo, a furor di popolo, nella piazza di fronte a quello che era stato il carcere. Ma tu non mi hai neanche privilegiato di un cenno di spiegazione sui Feliks e sulla necessità di far sapere al KGB che non dormi mai».

«Ah, il fiuto del vecchio cacciatore!», esclamò Irving, cercando di non pensare che, fino a quel momento, Ace non era riuscito a procurargli un buon contratto per un libro. «Non ti dico ancora niente. Ma adesso posso tornare alle mie fonti, dopo aver messo l'esca nell'infame palazzo giallo e aver gettato nel panico il loro prudente, scaltro protettore».

«Davidov non era esattamente preso dal panico, solo non ha reagito a quello che hai voluto gli dicessi».

«Non ha reagito, il porco, si è bloccato! Un indizio che mi tornerà utile». Irving aveva già pensato a come enfatizzare, parlando con la sua fonte d'informazione, l'impassibilità di Davidov, per fare un passo avanti nelle ricerche. «Ascoltami: so che possiamo mettere le mani su una storia importante. Finiamola di parlare di chi ha dato il colpo d'accetta a Trockij, una storia di oggi con radici nel tempo».

Ace non rispose, capiva che Irving non voleva parlare di agenti tenuti in sonno in America, né di quelli per cui lavoravano o della loro missione. Non ne sapeva molto neanche lui, oltre a quei deboli indizi, ma aveva la sensazione che ci fossero domande ribollenti, domande che creavano un vuoto entro il quale si affollavano troppe risposte. Chi aveva messo in America l'agente in sonno? Chi lo controllava? Il nuovo KGB o i vecchi apparatchik dai quali provenivano, in parte, i Feliks? Chi innescava il meccanismo per attivarlo? Era la maglia di una rete esistente dentro il governo degli Stati Uniti? Che compito aveva? Rubare segreti finanziari? Fino a che punto ci era riuscito? Di quanto danaro disponeva? Chi erano gli informatori che passavano le notizie a Irving e perché lo facevano? Qual era il loro interesse? E questo non era che un inizio.

«Io ti auguro che sia finalmente una storia importante, e seguiterò a essere il tuo agente, in nome dei vecchi tempi, ma, sinceramente, Irving, stai diventando una macchia sul mio blasone».

«Prendi nota delle mie parole, Ace, i primi diritti di questo libro faranno notizia sulle copertine dei settimanali». Irving vide che l'agente era scettico e sentì di dovergli concedere qualcosa di più. «Abbiamo a che fare con un genio della finanza che opera segretamente in America, con i capitali del vecchio KGB, fuori dalla portata della legge. Il KGB deve avergli dato accesso a tutte le sue risorse segrete perché avesse mano libera in tutto il mondo». Ora Irving procedeva per supposizioni. «E lui ha messo insieme una montagna di soldi tale da causare un panico finanziario, destabilizzare il governo di Mosca e aiutare la mafja e i vecchi comunisti a rifarsi avanti per riprendere il potere».

Adesso Ace appariva convenientemente allarmato. Irving pensò che fosse meglio fargli intravedere anche la possibilità di un lieto fine. «Oppure, se i soldi sono tanti e vengono collocati bene, potrebbero servire a dare ai russi uno stato capitalista. Gran parte del futuro del mondo sta nel ritrovare quest'uomo e assicurarsi che dia il danaro alle persone giuste».

«Oppure», lo corresse Ace, «che lo restituisca a quelli cui l'ha rubato».

«No, questa non è una bega da guardie e ladri. Ace, per l'amor di Dio, apri gli occhi». Irving, che ormai procedeva a caso, tentò il massimo. «Questa è una storia che riguarda prima di tutto la corruzione dei mercati finanziari mondiali che ha consentito l'accumularsi di una grossa fortuna e poi la lotta tra le forze del bene e del male che, in Russia, cercano di accaparrarsi questo patrimonio. Ma, indagando sulla corruzione dei mercati e sulle vie seguite dall'agente in sonno, io potrei riuscire a intervenire sul secondo aspetto della vicenda. Se ho le notizie, creo le notizie. Non è così?». Fino a quel momento, Fein non aveva avuto le idee così chiare, parlarne gli era servito. Aveva convinto Ace?

«Mi fai pensare a Mosè che voleva portare il suo popolo fuori dall'Egitto e spiegava allo scriba come avrebbe aperto un varco nel Mar Rosso».

Irving non si lasciò confondere. «E Dio disse: "Mosè, se ci riesci hai diritto a quattro pagine del Vecchio Testamento". Vedrai Ace. Il materiale è ricco e io posso scavarci dentro, se solo mi dai un bell'anticipo senza parlarne con nessuno».

Irving corse fuori, passò davanti agli specchi antiquarizzati e andò a prendere l'ascensore. L'irritazione provocata da Ace si confuse con la sensazione profumata che una donna fosse passata da poco di lì e con il formicolio che provava sulla punta delle dita quando stava per fare qualcosa cui teneva.

Premette col dito la freccia per chiamare l'ascensore che era a pianterreno, ma non si accese. Non sopportava queste contrarietà che gli davano una sensazione di impotenza. Provò un'altra volta, come aveva fatto poco prima Viveca Farr e si chiese se anche in lei quel pulsante che non si accendeva aveva scatenato ansie segrete. La terza volta, comparve la luce. L'ascensore del lussuoso palazzo di uffici di Ace aveva bisogno di essere riparato.

3

NEW YORK

Mancavano sei minuti ad andare in onda. Lei prese posizione al tavolo, anche se era in anticipo, per cercare di superare il nervosismo che l'affliggeva fin da quando aveva cominciato a lavorare alla televisione, cinque anni prima. Era sicura che la paura della luce rossa non l'avrebbe abbandonata neppure quando, a fatica, si fosse fatta strada fino alla scrivania del telegiornale della sera.

Il "notiziario", che si annunciava così, con quella sola parola, era il programma perfetto per Viveca Farr: notizie lampo, sufficienti, su qualsiasi argomento, a restare impresse senza annoiare. In primissima serata, a metà dello spettacolo d'intrattenimento delle nove, ora di New York, con trenta milioni di ascoltatori, non suscitava l'invidia dei colleghi del telegiornale perché rovinava la cena durante tutta la settimana, inoltre veniva affidato, per tradizione, agli ultimi arrivati e non poteva creare rivalità al loro livello. Ma per Viveca il notiziario era il suo spettacolo, la sua esibizione personale; la telecamera non lasciava mai il suo viso anche mentre le immagini scorrevano dietro le sue spalle. Era la star dei quarantacinque secondi.

Si guardò la testa nel monitor. I colpi di sole sui suoi capelli biondi erano la testimonianza degli sforzi riuniti del parrucchiere e dell'elettricista: nessuna sfumatura metallica, niente che facesse pensare a una frittella coperta di glassa lucida, e niente, in assoluto, di troppo leziosamente femminile, insomma una pettinatura elegante e pratica, adatta a una donna impegnata in un lavoro serio. Non mancava l'aiuto della truccatrice: l'ombretto che, dal vivo, pareva appesantire lo sguardo, sullo schermo era giusto quello che ci voleva per dare espressività. L'unico attributo che Viveca non poteva vedere riprodotto sul monitor, leggermente spostato di lato, era quello che il suo recensore prediletto aveva definito la caratteristica di Viveca Farr: lo sguardo dei suoi freddi occhi azzurro cupo concentrato sullo spettatore.

Fece un breve cenno al direttore di scena, poi disse all'addetto al gobbo elettronico: «Dall'inizio», e cominciò a scorrere il testo. Si fermò su una parola che non le piaceva a metà di una riga, dove si parlava di un'apparizione pubblica del presidente, quella sera. «Il presidente ha lodato la sua indefettibile volontà...». Sapeva già che si sarebbe impappinata su quell'"indefettibile".

«Vorrei un'altra parola che sostituisse indefettibile», disse al produttore, nella cabina.

Attraverso le cuffie, le arrivò, in tono saggio, la risposta: «È la parola usata dal presidente, Viveca, e tu l'hai pronunciata alla perfezione».

«Non discutiamo. Voglio un'altra parola, se la sai».

«Che ne diresti di "perseverante"?». Viveca sentì qualche accenno di risata, nella cabina e sul set. «Cerchiamo di essere professionali». Vide nel monitor che le labbra avevano un riflesso troppo lucido e chiamò con un cenno la truccatrice. «In ogni caso, chi l'ha scritta questa roba?».

«Si dà il caso che i telecronisti qualche volta scrivano da soli i loro testi», disse tranquillamente il produttore. Viveca si sentì punta sul vivo. Scriveva male, lo sapeva e le dava fastidio che lo sapessero anche gli altri. Il suo talento per la comunicazione era tutto orale e visivo, non era legato a un computer. Un'assistente di produzione che le stava appuntando il microfono alla camicetta, fece un movimento sbagliato e le sfiorò il risvolto della giacca; lei si ritrasse disgustata, perché non sopportava il contatto con il personale e avrebbe preferito far tutto da sola se non fosse stato per il regolamento sindacale. Contagiata dal suo nervosismo, l'assistente, nel mettere il bicchier d'acqua sotto il tavolo fuori dalla portata della telecamera, ne rovesciò un pochino. «Oh Cristo, asciuga subito!», esclamò Viveca tra i denti, ma aggiunse: «Non preoccuparti, non è colpa tua», perché non voleva che si dicesse di lei che faceva piangere chi la stava aiutando.

Il direttore di scena alzò svogliatamente quattro dita. «Oh, così mi piace!», esclamò Viveca, perché di solito quelle dita erano così mosce che non si riusciva a contarle. «Quattro minuti e si va in onda», disse diligentemente il direttore di scena e, tanto per dar fastidio, aggiunse: «Due minuti per il primo annuncio pubblicitario, tre per il secondo, tre e cinquanta per la promozione». Era lui che le aveva dato il soprannome di "vergine di ghiaccio", che era pur sempre meglio della reputazione opposta.

Viveca prese la copia, fece scorrere i fogli, li riordinò, li batté sul tavolo perché non sporgessero ai margini e poi li rimescolò di nuovo. A questo servivano, non andavano letti ma tenuti in mano per posarvi gli occhi ogni tanto, fingendo che non ci fosse nessuno a far scorrere il testo su uno schermo di fronte alla telecamera. Alla fine del notiziario bisognava raccoglierli, per comunicare un'immagine di conclusione e completezza. Era il mondo dello spettacolo. La infastidiva vedere i telecronisti ostentare una profonda conoscenza di quello che leggevano mentre era tutta una finzione e quei fogli che avevano in mano non erano destinati a essere letti da nessuno.

Arrivò il parrucchiere, con pettine e spray, per il tocco finale. Viveca era contenta di aver stabilito, per contratto, di poter usare il suo parrucchiere e la sua truccatrice, anche se l'agente le aveva detto che, per una donna cui veniva affidato un notiziario, non era molto professionale. L'agente non avrebbe nemmeno voluto che andasse da Matthew McFarland per farsi aiutare a pubblicare un libro, ma per il suo esordio in libreria lei voleva la presenza del mondo della letteratura. L'autore di testi le aveva detto che quell'imbranato che stava sulle spine nella sala d'aspetto di Matt era un grosso nome della carta stampata, lasciato lì ad aspettare mentre di là si discuteva della probabilità di un successo editoriale di Viveca Farr. Le aveva fatto piacere.

Un libro era una garanzia di serietà; un libro di successo significava che l'autore era una persona importante. Il suo maestro e consigliere, laggiù, a Nashville, diceva che il mondo si divideva tra chi scriveva i libri e chi diceva che un giorno avrebbe scritto un libro. A lei sarebbe piaciuto che ci fosse lui, adesso, in regia, invece di quel presuntuoso che voleva farle pronunciare le parole difficili.

«Qualcuno mi può portare un vocabolario?», chiese, stringendo i dentini perfetti.

«Abbiamo trovato un sinonimo per "indefettibile", Viveca», le disse il produttore nell'orecchio, «l'abbiamo già inserito nel gobbo, è "costante"».

Viveca acconsentì a leggere il testo. Era più breve di tre secondi, ma non c'era bisogno di aggiungere niente, lei aveva un orologio interno che le suggeriva come dilatare il testo nella misura necessaria. Il suo vecchio maestro sarebbe stato davanti alla televisione? L'avrebbe vista? Era probabile. Perché no? Quasi tutti quelli che guardavano la televisione seguivano anche il suo notiziario e lui, da quando lo aveva rifiutato e aveva cominciato ad andarsene qua e là, si era fatto anche una bella famigliola. Tu non stai parlando a un amico, le diceva, indicandole la luce rossa della telecamera, stai

39

parlando a un giudice, severo ma giusto, e, minuto per minuto, sarai giudicata. Ciò che il tuo giudice si aspetta da te è la credibilità e ciò che tu ti devi aspettare da lui è il rispetto, non un commento del genere "ma guarda quant'è carina". Viveca ripensò al sacchetto di patatine che le dava prima di ogni trasmissione, a Nashville, in quel tempo lontano. «Croccante», le diceva, «tutto in te dev'essere croccante».

Tutto nel giornalista televisivo dev'essere come una patatina croccante, il vestito e la parola. Lei sapeva che la sua forza era nel sapersi imporre fisicamente. Era piccola di statura, ma sullo schermo sembrava alta. Aveva un'aria autorevole, ma non aggressiva; era padrona di se stessa e degli argomenti di cui parlava, che li conoscesse o no.

Raddrizzò le spalle, chiuse e riaprì gli occhi di seguito due o tre volte, contrasse lo sfintere come se volesse ingannare una macchina della verità, si sporse un pochino in avanti e alzò il mento. Un respiro profondo. La luce rossa si accese e lei sentì il flusso di autorità sovrapporsi a ogni nervosismo. «Notiziario. Vi parla Viveca Farr. È stato nominato un nuovo direttore dei servizi segreti ed è la prima volta che una donna viene chiamata a ricoprire questo ruolo. Nel conferire l'incarico a Dorothy Barclay, il presidente ne ha lodato la volontà costante...».

4

NEW YORK

«Stiamo per entrare in un tunnel», annunciò l'agente letterario dal telefono dell'automobile. «Se la voce va via, avvertimi che ti richiamo».

Ace McFarland non stava affatto per entrare in un tunnel con la sua Rolls d'epoca, prendeva sempre il ponte per arrivare a Manhattan, ma gli piaceva fare quelle telefonate brevi e autoritarie, che lo facevano apparire molto indaffarato anche in una giornata tranquilla e potevano essere interrotte in un momento cruciale senza offendere nessuno.

«Penso al tuo libro, Viveca», disse, «e mi pare che la tua incertezza iniziale sull'opportunità di scrivere le tue memorie, fosse giustificata. Sei troppo giovane per un'autobiografia. Sembrerebbe una presunzione e un invito alle critiche, soprattutto da parte degli invidiosi. Il libro si venderebbe, anche perché lo si porterebbe in giro e non sarebbe difficile procurarti ottime presentazioni nei migliori punti di vendita, ma poi l'accusa di presunzione si farebbe sentire e io non voglio che tu finisca in mano a certi denigratori di professione»:

Quando Viveca gli aveva detto che aveva pensato di scrivere un'autobiografia aveva accennato alla possibilità di essere giudicata presuntuosa solo come a un dubbio remoto. Ace riteneva di poterle procurare al massimo un anticipo di cinquantamila dollari sulle vendite, che sarebbe stato assorbito quasi completamente dal costo di un cosiddetto negro che, in realtà, avrebbe scritto il libro. Il diciassette per cento che avrebbe guadagnato lui per i diritti di agenzia, tolte le tasse, non gli sarebbe valso il tempo impiegato. Dalle memorie di Viveca Farr non si sarebbe tratto, verosimilmente, né un film né un telefilm, e quindi non si poteva puntare su una forte vendita in edizione economica. Il progetto andava visto per quello che era: una vistosa promozione per il personaggio, che avrebbe consentito a Viveca di apparire in altre reti e nelle stazioni locali sventolando il suo libro. Sarebbero aumentati i compensi per la sua partecipazione a convegni o dibattiti, ma l'agente letterario non ne avrebbe tratto alcun vantaggio. Per vendere un'autobiografia, il segreto era che l'autore avesse partecipato a eventi memorabili, a meno che non fosse membro di una famiglia reale o pressappoco: in questo caso, anche un periodo di formazione poteva avere qualche interesse. Ma, nella marcia di Viveca verso una semicelebrità, era troppo presto per un libro di memorie. Ace aveva avuto un'idea migliore.

«Dovresti fare qualcosa di più sostanzioso», disse. «Qualcosa dove poter affondare i tuoi celeberrimi dentini». Viveca aveva bellissimi denti scintillanti, Ace non era sicuro che fossero celeberrimi, ma il complimento non era comunque fuori luogo. «Forse potrei suggerirti un argomento importante per un libro da fare uscire contemporaneamente a uno special televisivo». L'argomento era tale da svuotare gli scaffali delle librerie e poi la televisione, notoriamente, metteva le gambe anche ai testi di linguistica.

«Matt, hai in mente un soggetto?». Viveca sembrava delusa, aveva messo l'anima nell'idea di una storia della sua vita che lei avrebbe potuto controllare, in modo da porre un baluardo a qualsiasi malevolo biografo esistente sul mercato.

«Ho un'idea, anzi il germe di un'idea», disse. «Sarebbe perfetta per te, per le tue qualità. D'accordo? Ascoltami». Tolse la comunicazione, come se l'automobile fosse entrata nel tunnel. La lunga frequentazione con Irving Fein gli aveva insegnato qualche espediente dell'arte del comunicare. Aveva smesso di attraversare i tunnel da quando aveva sentito dire che i terroristi ci mettevano le bombe. Ace McFarland poteva anche pensare di saltare per aria su un ponte, mai, però, di essere sepolto in un tunnel.

Uscì dall'ascensore, si diede un'occhiata di controllo nello specchio antiquarizzato della sala d'aspetto e salutò Irving Fein, semidisteso su un divano. Non gli fece osservare che aveva rubato i libri dal tavolo, erano lì per quello, per essere rubati e rimpiazzati a spese dell'editore, e lo invitò a seguirlo per il lungo corridoio fino al suo ufficio, sull'angolo, trillando saluti qua e là, a soci e assistenti.

«Voglio un bell'anticipo per il libro», disse Irving. Si mise a sedere sulla poltrona di un designer, con una stoffa tutta nodi e rilievi, si alzò, prese due cuscini che gli si erano conficcati nella schiena e li gettò su un'altra poltrona. «Lo investirò tutto nel lavoro di ricerca, che si presenta difficile».

42

Ace lo guardò con molta simpatia e poco entusiasmo. «Immagino che tu stia parlando di un anticipo di sei cifre», disse. «Anni fa sono riuscito a ottenerlo per te».

«E adesso no? Che ostacoli ci sono?».

«I tempi sono cambiati, Irving. Gli editori hanno ridotto i bilanci, i libri che sfondano sono sempre meno. Anche la tua posizione è diversa, perché le vendite del tuo ultimo libro sono state scarse, lo sai, anche se io, personalmente, lo trovavo eccellente, nonostante le critiche e nonostante quello sfortunato episodio durante il lancio...». Fein era arrivato alla televisione pochi minuti prima di andare in onda e si era rifiutato di firmare la liberatoria, perché conteneva una clausola di non responsabilità per eventuali danni all'immagine. Così, al suo posto, era stato messo l'autore di un libro di cucina.

«Io non derogo dai miei diritti. Qualche anno fa ero seduto nella sala d'attesa con Edward Bennett Williams, perché eravamo tutti e due ospiti di una trasmissione e la troietta del produttore si è presentata con un foglio da firmare. Williams, da grande legale qual è, mi ha mostrato subito come si fa. Dov'era scritto "dichiaro di non ritenere responsabile...", ha cancellato il "non" e poi ha firmato. La sciocchina ha visto la firma ed è stata contenta. Quella volta a Los Angeles, per mia disgrazia, il produttore se n'è accorto e mi ha buttato fuori a pedate. Vada a farsi fottere. Il libro non era ancora nei negozi, quindi l'intervista sarebbe stata, comunque, una perdita di tempo».

«Sappiamo tutti», convenne l'agente, solo con un accenno di ironia, «che gli editori congiurano contro gli autori per impedire la vendita dei loro libri».

«Certo, arrivano con la pubblicità quando è già troppo tardi e poi la prima volta ne stampano troppo pochi, così quando uno va a comprare il libro si sente dire che è esaurito. E tu ti meravigli dei miei insuccessi».

«Certo, avessimo potuto farne un serial si sarebbe venduto meglio anche il libro», disse Ace con gentilezza, senza aggiungere che i periodici, dal *Time* al *New Yorker*, al *Reader's Digest*, avevano bocciato il libro di Irving Fein sul mercato internazionale delle armi perché, nonostante fosse basato su un lavoro di ricerca consistente e di prima mano, l'argomento esulava dalla sfera d'interesse dei loro lettori.

«Ti rubano l'idea e la passano ai loro collaboratori», brontolò Fein. «Mai più. Questo libro lo pubblico senza prima farlo leggere a nessuno».

«A me sì, però». L'agente lasciò che a Fein si aprisse uno spiraglio sulla realtà. «Irving, tu sai che mi sei simpatico e che per me sei il miglior giornalista esistente oggi. Senza eccezioni. E io so che molti, anche se controvoglia, si dichiarerebbero d'accordo con me». «Ma... Adesso viene il "ma"».

«Nessuno ha le tue fonti d'informazione e nessuno riesce a spremerle come fai tu. Ma i tuoi libri non si vendono. Forse non ti si vede abbastanza in televisione, non so che dirti, ma un anticipo di sei cifre è impensabile». Ace lasciò che le sue parole avessero il tempo di decantarsi, poi riprese. «A meno che, naturalmente, tu non riesca a convincermi che hai per le mani un colpaccio di quelli che rivoluzionano il mercato». Poi, come se gli fosse venuto in mente in quel momento, Ace aggiunse: «Sempre che tu non trovi il modo di associarti a qualcuno che compensi la tua debolezza nelle vendite».

«Guarda, il colpaccio credo di averlo per le mani. Se non altro ho gli indizi per arrivarci». Fein, scoraggiato dalle previsioni sull'anticipo, parve non aver sentito la proposta di servirsi di un collaboratore. «Ma c'è tutto un lavoro preliminare e non posso permettermelo economicamente».

L'agente sapeva quando era il momento di tacere e aspettare.

«I comunisti, quando c'era Nixon, all'epoca della distensione, ci hanno fregati sui negoziati per i prodotti agricoli. Si sono messi via una grossa scorta, comprata da noi a buonissimo prezzo e hanno risparmiato una quantità di soldi».

«Sì, "la grande rapina dei cereali"», disse McFarland, che ricordava il libro su quell'argomento. «Non me n'ero occupato io. Dal punto di vista delle vendite, un tonfo».

«In seguito, al KGB si sono resi conto della necessità di uno spionaggio finanziario ad alto livello». Irving stava tutto sporto verso McFarland, la voce e il corpo carichi di tensione. «Hanno piazzato qui un agente, forse reclutato addirittura in America, in qualche università, e hanno lasciato che si facesse strada nell'attività bancaria. Non se ne sono mai serviti, non hanno voluto correre rischi. Hanno pensato di tenerlo in disparte e di servirsene poi per qualcosa di grosso. Non è una cosa che si fa spesso, perché richiede una quantità di precauzioni. Di questo tipo di agente si dice che è tenuto "in sonno"».

«Per questo mi hai fatto insistere sulla parola "sonno" nel colloquio con Davidov. Grazie per avermelo detto, finalmente. Avevo creduto di doverlo ipnotizzare».

«Era meglio che non sapessi niente finché eri lì», disse Irving, senza avere l'aria di giustificarsi. «La riservatezza del nostro cortese amico del KGB mi fa pensare che sarebbe sensibile alla prospettiva di una caccia al dormiente».

«Forse così verremo a sapere», proseguì Ace, anticipando quanto stava per dirgli Irving, «che questo nuovo Rip Van Winkle è diventato direttore della Chase Bank, presidente della Federal Reserve o vice presidente degli Stati Uniti, e tu vuoi smascherarlo!». Ace intensificò il ritmo dei propri pensieri. «Faremmo bene a interessare subito un penalista».

«Sì, e più presto si fa meglio è». La faccia di Fein aveva assunto l'espressione furbesca di quando trattava un affare. «Arrivati ai tardi anni Ottanta, il partito comincia a disgregarsi. La prospettiva è il crollo del comunismo e dell'Unione Sovietica. Il partito ha una ricchezza consistente, non solo in beni immobili e quadri famosi, quelli non si possono nascondere, ma in danaro liquido depositato nelle banche e nelle cassette di sicurezza di tutto il mondo. Possiede oro, diamanti e sa Dio che altro. Miliardi che i vecchi rappresentanti del regime non vogliono dare ai nuovi, che li hanno sostituiti».

«E l'agente tenuto in sonno negli Stati Uniti è stato scelto per riunire e nascondere questo patrimonio», concluse Ace, con la sensazione che la notizia fosse più interessante del previsto. «È diventato l'amministratore di tutta la ricchezza del partito comunista».

Fein lo guardò con rinnovato rispetto. «Vedo che hai capito. Come ci sei riuscito, così in fretta?».

«Ho letto *Dossier Odessa*, di Frederick Forsyth. Un bel romanzo degli anni Settanta. Film, edizioni economiche in larga tiratura... I nazisti avevano nascosto i soldi, alla fine della guerra, per finanziare il ritorno di Hitler o di un altro come lui. Un intreccio fantastico. Ma è passato tanto tempo e si può dargli una rinfrescata».

Fein si sentiva affondare nella poltrona e si sollevò, con i gomiti appoggiati alla scrivania di Ace. «Questo non è un romanzo», gli disse, guardandolo in faccia. «Non è nemmeno realtà virtuale. È vita, raccontata in tempo reale. La gente ci si potrebbe ammazzare, giornalisti compresi. E compresi anche gli agenti letterari che sanno troppo».

«Perché?».

«Perché quei soldi sono tanti. Perché quelli sono crudeli. Perché la posta in gioco è politicamente alta».

La prospettiva di correre un rischio personale non turbò Matthew McFarland; alla sua età un po' di pepe dava sapore alla vita. Ricambiò lo sguardo di Fein e disse con calma: «Una storia vera significa un morso in più alla mela. Prima il libro, la serializzazione e l'Internet, più tardi la televisione».

«Non è questo il problema. I vecchi al vertice sono rimasti uccisi recentemente in un disastro aereo. L'agente in sonno è scomparso, è uscito di scena. Di conseguenza, chi ora è a capo del KGB forse non sa chi è, in America, il suo agente in sonno».

«Qualche dato ci dev'essere. Un vecchio indirizzo, un nome...».

Irving scosse serenamente la testa. «Può darsi che gli antiriformisti che ancora fanno parte del KGB sappiano dov'è sepolto l'incartamento. E può darsi di no. Esiste dentro il KGB e fuori di esso un gruppo amorfo di "delinquentocrati", che si autodefiniscono "i Feliks" a ricordo del tuo amico Dzerzhinskij. Anche loro può darsi che sappiano e può darsi di no. Forse l'incartamento è andato a finire nel posto sbagliato, nella massa di documenti della Lubjanka, deliberatamente o meno; non si può nemmeno escludere che sia caduto in uno spazio tra due scaffali...».

«Non tra due scaffali, ma tra l'incudine e il martello».

«Insomma, se non si sa dov'è vuol dire che in America c'è un agente del tutto sconosciuto che dispone di tutti quei soldi e di tutto quel potere. Forse nessuno lo controlla. O forse ha già deciso di mettersi in affari con chi lo controlla».

«Adesso complichi l'intreccio».

«Quale intreccio? Non è un romanzo, è qualcosa che sta succedendo in questo momento. Se in Russia gli uomini sbagliati metteranno le mani su quella fortuna, finanzieranno gli ultranazionalisti, apriranno altre strade alla nuova mafia. Guideranno un movimento per recuperare gli stati indipendenti e ricreare l'Unione Sovietica». Mentre parlava, Fein agitava le braccia, sempre più animato. «Un ritorno all'imperialismo, la terza guerra fredda, una nuova corsa al riarmo... cerca di immaginare...».

«Questi sono i rischi», assentì Ace, cercando di arrivare a una conclusione. «C'è anche un vantaggio?». Il lieto fine era importante.

«Il vantaggio si avrebbe se il capitale finisse nelle mani delle persone giuste, che darebbero una spinta alla riforma e alla democrazia e a tutto quello che ne può venire di buono. Voglio dire che qui non stiamo parlando di recuperare dei soldi. O non solo di quello. È la questione politica in gioco».

Stroncato dall'impeto delle proprie parole, Irving tolse due cuscini dal divano, li mise per terra e vi si distese sopra, muovendo il collo avanti e indietro. Era un esercizio per far riposare la schiena.

«E che cosa dicono, o mio ospite supino, i tuoi amici di là dal fiume?». Ace si rendeva conto che Irving aveva sviluppato almeno una parte della storia con l'aiuto delle fonti che aveva alla CIA.

«Di là dal fiume?», chiese Irving, ruotando la testa sul cuscino.

«Non ho amici nel New Jersey».

«Il Potomac. Ho sentito dire che "di là dal fiume", nel gergo dello spionaggio, significa la CIA. John le Carré usa l'espressione "di là dallo stagno"».

«È stato David a coniare anche il termine "talpa"». Ace osservò che Irving si era affrettato a chiamare le Carré con il suo vero nome, David Cornwell, per mostrare che lo conosceva bene, anzi tanto bene da chiamarlo solo David. Era svelto Irving. «Ma a Langley non definiscono mai "talpa" un agente infiltrato. Dicono che è da romanzo. Non vedere tutto in termini letterari, Ace».

«Mi pare di capire che non mi concederai il favore di... insomma che non mi dirai quanto sa il nostro governo di tutto questo».

«Credo che vogliano servirsi di me per aiutarli a scoprirne di più. E io sono d'accordo, quello che mi preme è essere il primo a sapere. Però devo avere le spalle coperte».

E coprirgli le spalle, pensò McFarland, significava una grossa spesa, la spesa di un'indagine a largo raggio. «Potrei darti un anticipo sostanzioso, Irving, solo se fossi in grado di assicurare a un editore che il prodotto finito avrà una promozione coi fiocchi».

Irving si mise a sedere sui cuscini. «Prometto di lavorare con un revisore, questa volta, se me ne danno uno bravo. Non un bestione che non ha mai sentito parlare di James Jesus Angleton».

«Pensa alla grande. Pensa al successo. Pensa alla collaborazione con qualcuno che ti possa assicurare una dimensione televisiva. È quello che fa marciare un libro. Pensa a un aiuto a tempo pieno, sotto la tua direzione, se vuoi che ti si aprano tutte le porte».

«Ma io lavoro da solo, non ho bisogno di nessuno tranne che per le ricerche», obiettò Irving.

«Da solo, la tua idea vale settantacinquemila dollari al massimo. Meno il diciassette per cento del mio lavoro».

Irving inarcò la schiena tre volte. Era proprio stanco. «Mi sembra di capire che hai in mente qualcuno. Quanto mi dai se lavoro con lui?».

«Con lei. Con lei, credo di poter arrivare a duecentocinquantamila, il quindici per cento sulla prima edizione, una ripartizione del settanta-trenta per cento sui proventi della economica e un sacco di soldi sulla vendita della miniserie».

«Ma chi è questa "lei"?».

«Viveca Farr».

5

LANGLEY, VIRGINIA

Il nuovo direttore centrale dei servizi segreti era il primo omosessuale dichiarato che avesse mai occupato quel posto e anche la prima donna. Dorothy Barclay era decisa a guidare la nuova era nazionale dello spionaggio nazionale con un rigore inattaccabile dagli storici del futuro: no agli espedienti scorretti, no alla eliminazione dei capi degli stati esteri, no alle scoperte retrodatate, no ai lussuosi palazzi di uffici fuori dai controlli ministeriali, no agli informatori di bassa lega, no ai contrasti con l'FBI sulla collaborazione nello scoprire potenziali agenti infiltrati. Azioni coperte sarebbero state intraprese soltanto con l'approvazione delle commissioni competenti del Congresso. Le notificazioni "tempestive", come specificava l'accordo tra la CIA e il Congresso, non sarebbero state più considerate genericamente urgenti, "tempestivo" equivaleva a un tempo contenuto rigorosamente entro le ventiquattr'ore.

I suoi due compiti principali, almeno per il momento, erano stati definiti dal presidente durante un incontro iniziale. Avrebbe dovuto intervenire sull'aspetto più debole dell'Agenzia, conducendo un'indagine nei gruppi dei terroristi mediante l'infiltrazione fisica degli agenti. Era già stata stanziata una cifra molto alta per questo "servizio fisico". Una cifra inferiore era destinata alla sorveglianza dall'esterno che, come un satellite in orbita, avrebbe captato dei segnali: "servizio satellite". Queste operazioni supplementari dovevano essere sviluppate e indirizzate a sostegno di un altro compito: la riorganizzazione di una rete di agenti all'interno della Federazione Russa che era andata allo sbando durante la confusione degli anni Ottanta. Certo Mosca era ormai una sorta di alleato, ma bisognava prendere qualche precauzione per il futuro.

«Immagino che mi parlerà dei "gioielli di famiglia"», disse la Barclay a Walter Clauson, che le aveva chiesto un colloquio. Aveva usato quella espressione per mostrare la propria familiarità con la definizione usata comunemente alla CIA per indicare i segreti più riservati.

Clauson era noto presso la nuova comunità dei servizi segreti come l'ultimo dei Moicani; aveva espresso il proprio sconforto sia per la riduzione del ruolo della CIA sia per l'iniziativa, equivalente a un'abdicazione, di lasciare la identificazione delle spie russe e cinesi all'FBI. La Barclay aveva deciso di lasciarlo uscire di scena in silenzio, ma poiché il suo curriculum comprendeva un avvertimento scritto ai suoi superiori, all'inizio degli anni Novanta, nel quale si proponeva l'allontanamento di Aldrich Ames per ubriachezza, il vecchio agente non poteva essere rimpiazzato senza che ci fosse una ripercussione sul Congresso. Il direttore precedente lo aveva promosso a capo del controspionaggio, anche se poi gli portava via la maggior parte delle responsabilità di quello screditato settore.

«Il suo predecessore ha già esaminato con lei le questioni dei "gioielli di famiglia"», osservò il capo del controspionaggio con la sua voce gentile che la Barclay definì in cuor suo untuosa.

«Lei è certo che non abbiamo altre talpe?».

«Fatta eccezione per Ames e per un agente cinese, nessuno è penetrato nella Agenzia a livello medio o è stato quello che gli scrittori chiamano un "talpa". E, a maggior ragione, nessuno è arrivato a livello Philby, cioè vicino al vertice». Poi, come per un ripensamento, aggiunse: «Almeno è quanto ha assicurato al nostro ambasciatore a Mosca il giovane Nikolaj Davidov subito dopo essere stato nominato capo della Quinta sezione».

«Lei si fida di Davidov?».

«Io non mi fido neanche di lei, signora, e ancora meno dell'accademico tenuto in tanta considerazione da quello che una volta si chiamava il KGB».

«Che succede, Clauson, non sopporta l'idea che esistano delle lesbiche americane?». Gli lasciò il tempo di assimilare la domanda per vedere come avrebbe reagito.

Clauson le diede una risposta professionale. «Le sue preferenze sessuali, essendo pubblicamente note, non rappresentano un rischio per i servizi. La mia fedeltà alle istituzioni e quindi a chiunque ricopra la carica di direttore dei servizi è immutabile. La fiducia personale va guadagnata nel tempo. Io spero di guadagnare la sua».

Improbabile. La Barclay gli lasciò la mossa successiva, perché era stato lui a chiedere il colloquio.

«Un gioiello di famiglia, direttore Barclay, c'è, ed è attuale e inquietante. L'hanno informata che qui, tra noi, c'è un agente in sonno?».

La Barclay assentì. «Lo so e non posso dire che il suo approccio mi sia piaciuto. Perché coinvolgere un giornalista?».

«Il signor Fein si è presentato da solo con questa notizia a dir poco interessante», rispose Clauson. «Ci è stata posta una scelta: o gli permettevamo di scrivere una breve storia su un agente russo in sonno, presente negli Stati Uniti, ed era una minaccia che si sarebbe segretamente estesa tra i movimenti clandestini, per non parlare del disagio inevitabile tra noi e i russi, nostri polemici amici; oppure, questa era l'alternativa, avremmo dovuto collaborare con lui, entro certi limiti, per aiutarlo ad aiutarci a individuare il dormiente».

«Mi sembra un lavoro da KGB, da controspionaggio», disse la Barclay, sapendo che questo pensiero gli avrebbe dato fastidio. Clauson, probabilmente, sapeva che l'FBI considerava un'ipotesi cervellotica la presenza di una spia in sonno.

«Il fine giornalistico del signor Fein», insisté Clauson, «è quello di scoprire il dormiente e rivelare di quali risorse economiche disponga. Ritiene, personalmente, che debbano essere considerevoli. Il nostro scopo è parallelo al suo, ma va oltre il semplice smascheramento. Si tratta di sequestrare quel danaro. O, almeno, di accertarsi che un grosso capitale, capace di destabilizzare un governo, non finisca, arrivato in Russia, nelle mani sbagliate. Per questa ragione, propongo di trattare attivamente con il signor Fein».

La Barclay conosceva l'abilità che Irving Fein possedeva di manipolare i manipolatori. Decise di mettere una barriera di fuoco tra se stessa e il coinvolgimento di Clauson. Sarebbe stato imprudente da parte della CIA impedire di portare avanti l'inchiesta, ma lei era decisa a lasciare che Clauson fosse inconsapevole dell'esistenza di un piano più vasto. Il vicedirettore del settore operativo avrebbe esercitato una supervisione e impedito a Clauson di essere troppo curioso, per poi concludere l'indagine quando fosse andato in pensione per riduzione del personale.

«È necessario che io sappia tutti questi particolari?».

«Quello che lei deve sapere», rispose Clauson in tono formale, «è che un cittadino americano, un banchiere stimato, sarà avvicinato dal signor Fein, che gli chiederà di impersonare l'agente russo in sonno».

La Barclay non voleva mostrarsi troppo interessata, ma chiese: «Noi come lo sappiamo?».

«Il giornalista mi ha esposto il suo progetto. Ha chiesto che gli suggerissimo un personaggio credibile che potesse impersonare quel ruolo, qualcuno con una esperienza bancaria, il gusto per la cospirazione e la voglia di impegnarsi in una missione pericolosa».

«Perché Fein ha bisogno del nostro aiuto? Perché non se lo trova lui il suo uomo-schermo?». Alla Barclay pareva già di sentire sia il capo dell'FBI sia il presidente della Commissione dei servizi segreti nazionali rivolgerle la stessa domanda.

«Chiunque scegliesse verrebbe, senza dubbio, da noi per verificare la portata del nostro intervento, sulla base delle garanzie offerte dal signor Fein. Sia il banchiere sia il giornalista chiederanno una pennellata di legalità in questo progetto».

«Non tocca a noi fornirla».

«Compiere privatamente uno sforzo per scoprire un agente in sonno, sempre che ci sia, giova certamente all'interesse pubblico», disse Clauson. «Io credo che dovremmo dare sia a Fein sia al banchiere che sceglierà per fare uscire il dormiente allo scoperto, la nostra autorizzazione».

«Non concordo». Alla Barclay l'espressione era sembrata più consona a un linguaggio burocratico di un semplice «non sono d'accordo». Voleva avvertire Clauson che lei disapprovava una iniziativa indipendente, dal risultato incerto e soprattutto condotta da un giornalista. Conosceva bene Irving Fein, da quando erano stati tutti e due studenti al City College di New York, una coincidenza che non era disposta a confidare al vecchio agente del controspionaggio che le stava di fronte. Irving l'aveva protetta quando lei aveva avuto bisogno di un angelo custode nella stampa e prima o poi avrebbe dovuto ricambiare. Ma non era detto che fosse quella l'occasione.

Sapeva che i sospetti di Clauson su una spia in sonno che si era costruita una fortuna negli Stati Uniti a uso del KGB erano stati alimentati dal proprio predecessore durante le ultime settimane dell'incarico. Ora lei, con tanta chiarezza, si rifiutava di aderire alla richiesta di un tacito supporto a un'indagine ufficiosa e forse, più tardi, sarebbe stata criticata, ma non voleva che la caccia a un agente in sonno compromettesse uno dei suoi compiti principali. Se avesse permesso all'accordo tra Clauson e Fein di prenderle la mano, non se lo sarebbe perdonato.

«Se questo Irving Fein», disse, «che, in passato, è stato contrario ad alcune azioni segrete della CIA, trova qualcuno disposto ad assumere una personalità fittizia, sono affari suoi e di nessun altro. Noi non c'entriamo. Non possiamo certo proporre uno dei nostri dipendenti. Se questo personaggio fittizio si troverà costretto a compiere un'azione illegale o se resterà ferito mentre tenta di portare alla luce una storia compromettente, la responsabilità sarà loro».

Lo avrebbe scritto in un memoriale riservato al vice direttore operativo, che aveva espresso la preoccupazione che venisse intercettata una conversazione di Clauson sull'agente in sonno. «Lei è autorizzato soltanto a restare in contatto con Fein, per controllare quali risultati ha raggiunto», disse. «Il suo ruolo sarà rigorosamente passivo». Poi precisò: «Questo significa che qualora un banchiere ci chiedesse se, assumendo una personalità diversa allo scopo di scoprire una spia, potrà avere la nostra approvazione, la CIA si dichiarerà estranea. Né sì né no. Ha capito?».

«Il suo ordine di registrare passivamente ciò che avviene è stato chiaro, direttore Barclay. Se eventuali sviluppi lo giustificheranno, farò un esposto».

La Barclay li conosceva quegli esposti. Erano perdite di tempo che consentivano al controspionaggio di impedire che le decisioni prese al vertice diventassero esecutive. «Non faccia esposti, Walter. Ha tante cose più importanti di cui occuparsi».

Come lei, del resto. Mentre Clauson la salutava con un cenno della testa e se ne andava, consultò un estratto del bilancio. Quell'anno i servizi avrebbero avuto un taglio di quattro miliardi. Lei era decisa a non toglierli all'antiterrorismo. Sarebbe stato giusto sottrarli al controspionaggio, ora che la sua funzione fondamentale era stata passata di là dal fiume, all'FBI, sulla Ninth Street. I sopravvissuti del gruppo di cacciatori di talpe della CIA non avevano scoperto il "Secondo Uomo" che proteggeva Ames e il risultato era che agenti come Clauson erano disprezzati all'FBI e nelle commissioni governative.

Dorothy Barclay non aveva intenzione di resistere alle richieste del Congresso per una CIA meno macchinosa, più snella. Era venuto il momento della riduzione delle forze attive; aveva letto che, negli anni Settanta uno di questi scontri burocratici era stato chiamato il Massacro di Halloween. Le venne in mente che il momento giusto per il prossimo massacro poteva essere il mese dopo, il giorno di San Valentino.

6

CHICAGO

Nell'uscire dalla Borsa delle merci per andare nel suo studio di Marina Towers, Berenskij non riusciva a togliersi dalla mente quel detto: "La casa brucia e l'orologio fa tic-tac".

Seguendo le indicazioni private del KGB negli ultimi quattro anni, aveva moltiplicato per dieci la somma iniziale di tre miliardi di dollari. Ci volevano, pensava, cento miliardi per finanziare una destabilizzazione della Federazione Russa e la presa del potere, se questo era lo scopo dei Feliks. Avrebbe giudicato più tardi i loro principi e i loro scopi, per il momento era troppo impegnato in grosse operazioni per far crescere il capitale prima che finisse per lui quell'assoluta libertà di movimento.

La Quinta sezione era stata decapitata da un incidente aereo. L'unico membro rimasto della gerarchia del KGB che conoscesse l'identità del dormiente in America, il suo vecchio agente di controllo, era saltato per aria, di propria mano, alle Barbados. Ora, si disse Berenskij, il KGB avrebbe dovuto rivoltarsi da cima a fondo per trovare il modo di rimettersi in contatto con lui.

Pensava, inoltre, che la CIA fosse infiltrata nel KGB quanto bastava a capire che un agente in sonno stava usando i capitali del vecchio partito e degli attuali servizi segreti russi per accumulare una fortuna. Non credeva, nonostante lo dicessero i giornali, che la CIA avesse passato il controspionaggio all'FBI; era certamente un'informazione sbagliata, anzi una disinformazione, del genere iniziato da Shelepin negli anni Cinquanta.

Questo significava che sia lo spionaggio russo sia quello americano erano al lavoro per cercare lui e rintracciare il capitale. Inoltre i Feliks, che sapevano della sua esistenza e il cui danaro aveva costituito il nucleo iniziale degli investimenti, stavano certamente usando tutti i loro collegamenti sotterranei per trovarlo. Il dormiente era certo che presto o tardi, più presto che tardi, una di queste organizzazioni sarebbe penetrata attraverso la fitta rete di avvicendamenti e coperture che aveva intessuto per nascondere la vera entità del capitale e, a quel punto, la decisione storica sul suo utilizzo gli sarebbe stata strappata dalle mani. Ecco perché riteneva di dover mettere insieme quanto più danaro gli era possibile entro un tempo brevissimo.

L'ultima informazione di Kontrol, a proposito dell'accordo tra Russia e Giappone per il petrolio gli era stata utile, aveva significato un aumento nelle forniture di petrolio, lasciando prevedere, quel giorno, un piccolo calo nel prezzo mondiale. Attraverso una serie di investimenti in prodotti finanziari basati su vendite di petrolio a termine, aveva guadagnato duecento milioni di dollari. Le cifre della produzione dell'oro erano più alte; il suo agente di cambio a Londra contava sulla probabilità di un calo nella produzione russa prima di procedere a un investimento più sostanzioso.

Ma queste erano operazioni relativamente piccole. Le informazioni dall'interno sui mercati russi non consentivano grossi guadagni, neanche su investimenti massicci quali Berenskji poteva permettersi. Per effettuare movimenti più importanti, aveva bisogno di avere cifre chiave dalle fonti del KGB dentro il governo degli Stati Uniti. Allora avrebbe potuto giocare sul circolante, la migliore forma di speculazione che si potesse immaginare.

La morte di Kontrol gli creava delle difficoltà: la talpa di Washington non voleva che ci si mettesse in contatto con lei, quindi bisognava aspettare; l'agente presso la Federal Reserve di New York era uno sconosciuto che passava le informazioni solo attraverso il collega di Washington.

Ripensandoci si accorgeva di aver sbagliato a non trascinare sulla spiaggia il corpo di Kontrol per farlo portar via dalle onde. D'altra parte la sua mancanza di decisione si era rivelata una fortuna, perché se avesse ucciso quell'ingordo maneggione, poi sarebbe tornato a dormire al bungalow e sarebbe saltato per aria. Non poteva, però, contare su tanta fortuna anche per il futuro. Si ripromise di agire con maggior vigore la prossima volta che un complice avesse mostrato di voler prevaricare.

Dov'erano i suoi punti deboli? A Berna e a Helsinki. Il banchiere di Berna era da molto tempo in contatto con Kontrol, che pure era pronto a ingannarlo. Probabilmente era anche suo socio. Aveva in deposito solo i primi tre miliardi in oro, il capitale iniziale del partito comunista, ma probabilmente era entrato nel progetto di Kontrol che mirava al possesso dell'intera fortuna. Berenskij pensò che si sarebbe sentito più tranquillo se il banchiere fosse morto.

L'economista di Helsinki conosceva approssimativamente l'identità del dormiente e avrebbe potuto trasformarsi in una fonte di ricatti. Era una donna, in contatto con troppe agenzie: certo con la Stasi tedesca, probabilmente con il KGB, o meglio con il controspionaggio russo, forse anche con Washinton. Berenskij, tuttavia, era più propenso a fidarsi di lei e c'era un modo semplice per metterla alla prova.

Chiamò l'interno all'Istituto di econometria di Helsinki e riconobbe la voce che gli rispondeva al telefono.

«Sono il dottor Gold», disse vivacemente, «veterinario nel North Carolina. Un vostro veterinario di Davos ha mandato i vetrini del polmone del vostro cane delle montagne bernesi nel mio laboratorio».

«Certo. Sono contenta che abbia telefonato subito. Che ne sarà del mio *berner sennenhund*?». Aveva usato il nome svizzero della razza e Berenskji l'ammirò per la rapidità con la quale si era servita di un codice mai sperimentato.

«La prognosi non è buona. Il suo *berner* è affetto da una forma di cancro che è la tara genetica della sua razza. Devo consigliarle di sopprimerlo».

Un silenzio. «Che tristezza. Quel *berner* è stato per me un compagno fedele».

«Merita quindi che lo si addormenti prima che sopraggiunga la crisi».

«Capisco, dottore. Quanto tempo ho ancora?».

«Tre o quattro giorni. In ogni caso non più di una settimana. Mi dispiace per lei, signora. Ho perso anch'io uno dei miei cani due settimane fa. È triste, ma è necessario».

«Lei ha ragione, naturalmente. Lo farò. Una persona responsabile che possieda un caro animale domestico sa che questo è il suo dovere».

7

POUND RIDGE, NEW YORK

Viveca Farr si pose direttamente la domanda: Che cosa beve un giornalista famoso? Un mito? Irving Fein, sollecitato da Matt, stava per andare a farle visita. Decise che, probabilmente, avrebbe bevuto scotch.

Diede un'occhiata nel mobile bar, di scotch ce n'era. Niente bourbon, lo aveva finito lei la sera prima. Vino bianco? Era pronta a scommettere che Irving Fein non le avrebbe mai chiesto se aveva del vino bianco. Forse rosso. Dopo un momento di esitazione, prese una bottiglia di un vino rosso, economico, infilò il cavatappi nel sughero e l'aprì, malamente. «Ecco, prendi un po' d'aria, così diventi più profumato», disse e se ne versò un bicchiere.

Matt aveva proposto che il primo incontro avesse luogo nel suo ufficio, ma Viveca non voleva aver l'aria di essere guidata o protetta e aveva preferito trattare da sola con il più grande giornalista del mondo, come si reclamizzava lui stesso. Avrebbe potuto invitarlo nel suo appartamento di Central Park West, vicino allo studio della televisione, ma era arredato con mobili bianchi, sete e foto di Man Ray e non le era parso adatto, invece ora, ripensandoci, le pareva che sarebbe stato meglio. Abitare in una casa di pietra, su vari piani, a Pound Ridge, stile Tudor, diciotto stanze su sedicimila metri quadri di terreno era, a suo modo, pretenzioso come autodefinirsi il più grande giornalista del mondo.

Era sicura che avrebbe detto: «Che razza di castello!», e che l'avrebbe giudicata come quella principessa che protestava perché le avevano messo un pisello sotto il materasso. Dargli quella sensazione era un errore, eppure proprio lì lei correva a rifugiarsi per sfuggire al mondo della televisione, durante i weekend, quando tutti i suoi colleghi si trascinavano da Manhattan verso le Hampton Roads come una massa impenetrabile. Gli avrebbe spiegato che non era ricca, che era una persona normale, se avesse capito che per lui era importante e sospettava già che lo fosse. L'unica volta che lo aveva visto, nella sala d'aspetto di Matt, le era parso uno di quei geni che si ritengono offesi se qualcuno meno importante di loro ottiene un successo che giudicano immeritato. Avrebbe capito tutto di lei in un attimo, non ne dubitava. Avrebbe capito che non sapeva scrivere, che poteva, in una intervista, chiedere con calore una quantità di cose, sempre temendo una risposta a sorpresa cui dovesse succedere una domanda pertinente. Chi aveva bisogno di una così?

Non era stupida, no, e nemmeno poco curiosa o poco interessata, ma non aveva avuto il tempo di percorrere, traballando, la strada che portava alla gloria del telegiornale. Era una strada lunga: mentre il cervello acquistava la tortuosità necessaria a capire le sfumature dei rapporti con l'estero e la noia dei problemi economici, la faccia si riempiva di rughe e nessuno la voleva vedere più. I produttori, che l'avevano presentata troppo presto, avevano poi giudicato che avesse fatto carriera troppo in fretta, senza prima farsi le ossa. Un anno raccoglieva le notizie e l'anno dopo era già in onda, i direttori dei programmi facevano pressioni su di lei perché parlasse dei loro programmi, visto che il pubblico la prendeva sul serio. La critica aveva per lei sempre gli stessi aggettivi "essenziale, fresca, gustosa...". Croccante, diceva il suo maestro. Avrebbe gradito Irving Fein qualche patatina? Ne preparò un piatto.

Mentre aspettava il suo potenziale collaboratore, Viveca si guardò nello specchio del mobile bar. Una leggera ruga di espressione, tra gli occhi, contribuiva a darle quell'aria vagamente autorevole. Aveva scelto un trucco leggero, per l'occasione, i capelli biondi avevano una lunghezza media ed erano pettinati con studiata disinvoltura, senza lo spray lucido che doveva usare in trasmissione. L'unico particolare veramente grazioso del suo viso, lei lo sapeva, era il naso, leggermente ricurvo; era una imperfezione che la rendeva particolare. Nessuno avrebbe voluto che fosse affidato a una indossatrice il notiziario della sera. Quello che piaceva al pubblico, e che i produttori e le agenzie di pubblicità non smettevano di cercare, era la padronanza di sé senza gli inconvenienti dell'età, la bellezza senza l'aggressività, la consistenza priva di peso. In onda, lei aveva l'abilità di trasformare in fascino la serietà dell'impegno, e lo sapeva.

Ma la sua sicurezza spariva insieme alla luce rossa della telecamera. Che cosa avrebbe risposto se Fein le avesse chiesto qualcosa sulle tribù di curdi, in Iraq, o sulle bande di neri a Los Angeles? Forse avrebbe potuto ritorcere la domanda su di lui. Gli uomini erano così bravi a elaborare le loro risposte. Ma se Fein avesse voluto veramente sapere che cosa pensava lei? Era un giornalista, forse non un grande giornalista, come si diceva, ma certamente bravo, non sarebbe stato facile ingannarlo. Il suo orario di lavoro non includeva il tempo necessario a sviluppare quelle conoscenze sulle quali, probabilmente, avrebbe voluto interrogarla.

Bene, che andasse al diavolo. Lei portava, nella loro unione, il contributo di una notorietà incipiente, era una star potenziale, conosceva l'arte di comunicare. Lui avrebbe indagato, pensato e scritto. Matt le aveva spiegato, nel convincerla ad accettare, che la dimensione televisiva avrebbe dato sinergia alla storia e fatto vendere il libro. Ma che cos'era questa "sinergia"? E se lei avesse usato quella parola e Fein gliene avesse chiesto il significato? Fein era pronto a giudicarla, come facevano tutti. Improvvisamente Viveca si sentì afflitta dalla sensazione deprimente che il progetto non avrebbe funzionato. Nel momento in cui lui avesse cominciato a saggiarla sul piano professionale, lo avrebbe minacciato di rifiutare l'accordo. Matt aveva calcolato che fosse Fein ad avere bisogno di lei molto più del contrario.

Una grossa automobile grigia salì rumorosamente lungo il viale e lei le andò incontro, con il proprio bicchiere di vino in mano, e un atteggiamento ospitale che era una sfida al vicinato. Lo stato miserevole di quell'automobile, nonostante l'avviso "non c'è autoradio", per scoraggiare i ladri, testimoniava la povertà, l'onestà e l'orgoglio di un visitatore che voleva umiliarla mostrandole che cosa significava lavorare davvero.

«Non c'è un maggiordomo che si occupi della mia automobile? Non importa, grazie, faccio da solo». Fein le prese il bicchiere di mano e ne bevve un gran sorso. «Ehi, non ce l'ha una bottiglia di vino un po' meglio di questo?», disse, ed entrò per primo in casa. «Che razza di castello!».

«Sapevo che l'avrebbe detto».

«Però è un po' lasciato andare». Toccò le foglie di una pianta. «È finta. Ma bene imitata».

Lei si propose di togliergli subito l'idea che fosse ricca. «In realtà questa casa è un monumento che non posso mantenere. Una metà delle stanze è sempre chiusa. Era di proprietà della mia famiglia, io ci ho passato l'infanzia, poi mio padre ha perso tutto, è andato in prigione ed è morto. Io l'ho ricomprata quando l'hanno venduta all'asta, ipotecata». Si accorse che stava parlando molto in fretta; chiacchierare troppo era un segno di debolezza. Non disse che la casa era troppo grande da pulire e che lei non aveva abbastanza soldi per tenere in ordine tutto il terreno intorno e doveva accontentarsi di far tagliare l'erba solo sul prato davanti all'ingresso.

Le parve che Fein corrispondesse alla descrizione che gliene era stata fatta, sembrava un letto disfatto. Se la prese con se stessa per non essersi vestita con dei vecchi jeans, invece era in gonna e camicetta, con una giacchina Donna Karan, mentre lui aveva dei pantaloni di cotone spiegazzati e una camicia rosso fuoco, che intendevano suggerire una provenienza Ralph Lauren, senza riuscirci.

Viveca prese la bottiglia di Château Talbot e gli mostrò l'etichetta. Fein parve colpito. «Buono. Dopo il Cordier è il migliore. L'ottantaquattro ha già superato i limiti, ma assaggiamolo lo stesso».

Viveca si strinse nelle spalle e gli porse la bottiglia. Poi si levò le scarpe e si rannicchiò sul divano. Strappò il cellofan da un pacchetto di sigarette e se ne accese una.

«Le dispiace se fumo?», disse Fein.

Viveca restò disorientata. «Mi sta avvertendo... che il fumo le dà fastidio?». Ma i veri scrittori fumavano ancora, no? Lei fumava per tenere le mani occupate. Il fumo di solito piaceva ai vecchi giornalisti e dava fastidio a quelli della televisione.

«A me piace fumare», disse Fein e c'era del rimpianto nella sua voce. «Ora ho smesso. Mi uccide vedere qualcuno che si gode una bella boccata. Finisca pure la sua sigaretta, però, se ne ha bisogno».

Viveca ci pensò un momento e la spense. «Mi parli della spia in sonno».

«Alto, grosso, un tipo solitario, maneggia grosse cifre e ha un sacco di soldi. Comunista convinto fin dalla prima elementare, non escludo che abbia fatto, ogni tanto, qualche lavoretto sanguinolento. In breve: il suo tipo».

Viveca si chiese che cosa fossero quei "lavoretti sanguinolenti" e se tutto quello che aveva detto era vero. Fece ricorso alla sua più collaudata manifestazione di meraviglia: uno sguardo diretto e un bisbiglio. «Davvero?».

Fein non mostrò nessun segno di apprezzamento. «Prima di tutto cerchiamo di pensare a come lavorare insieme. Io non ho mai avuto collaboratori. Ho sempre scelto la solitudine. Ho anche divorziato due volte».

«E io non mi sono sposata. Meno ancora di lei».

Fein si soffermò a riflettere su quelle ultime parole. «Questo mi piace. "Meno ancora di lei". Io sono un buon giornalista, anzi, per la verità, nessuno è meglio di me, ma come scrittore faccio schifo.

Lei è una brava scrittrice? Una scrittrice passabile? È, bene o male, una scrittrice?».

Viveca indicò i due libri di Fein, messi con intento adulatore, su un tavolino, vicino a una lampada. «Quelli sono scritti bene».

«Diciamo riscritti bene. Il revisore non sapeva da che parte prenderli. Ha dovuto assumere qualcuno, disposto a lavorare a buon mercato, per fargli rifare intere pagine, ribaltare le parti più importanti di ogni capitolo. Lei non sa scrivere, vero? "Meno ancora di me"?».

Viveca non era disposta ad ammettere quella verità. «Scrivo la maggior parte dei miei testi», disse. «Lei, probabilmente ha letto quelle critiche boriose che mi definivano niente più che un'annunciatrice. Non è così. Ci sono molte gelosie nel mio mestiere».

«Quante parole ci stanno in quarantacinque secondi?».

Viveca prese il pacchetto delle sigarette e se ne accese una. Fein l'aveva colta in fallo e si stava divertendo.

«Ascolti, bambolina, secondo Ace io per lei sono un'occasione d'oro e altrettanto lei per me. Se non sa scrivere troveremo qualcuno che scriva per lei. Riesce a far parlare gli altri?».

«Da quasi sette anni faccio interviste alla televisione», rispose Viveca, più animata. «Capi di stato. Candidati alle elezioni. Donne stuprate. Giornalisti importanti».

«Ho ferito i suoi sentimenti?». Viveca pensò che Irving Fein, abile nel fare domande, aveva lasciato parlare solo lei. Aspirò a fondo, con ostentazione, una insoddisfacente boccata di fumo. Lui la fissò con uno sguardo di garbata compassione che le parve insopportabile. Mostrandosi dispiaciuto per lei, che era apparsa così insicura, confermò di avere avuto un ruolo dominante in quel primo incontro. E seguitò a tacere.

«Se non vuole spiegarmi che cos'è questa sua storia meravigliosa, credo che andremo poco lontano».

«Lei non è obbligata a riempire i silenzi», disse Fein. «Se avesse avuto più pazienza di me, alla fine sarei stato costretto ad aprire bocca. Ha perso un'occasione».

«Che cos'è, una lezione per i primi anni di giornalismo?».

«Per carità, no! È per plurilaureati. Impari, non le farà male. Ne sono sicuro. Noi non siamo in competizione».

«Se lei si sente così sicuro di sé, perché il libro non se lo fa da solo? Che bisogno ha del supporto di una ragazza come me?».

«Mi piace. Mi sembra spiritoso. Ma perché si definisce una ragazza? Ha trentatré anni, mi sono informato».

«Si è informato male. Ne ho trentadue. Dunque la nostra età media supera i quaranta». Fein aveva quasi cinquant'anni e parlare di età probabilmente gli dava fastidio, come a lei, del resto. Avrebbe potuto stuzzicarlo sullo stomaco sporgente, sulla pesantezza con cui si lasciava cadere sulle sedie, sulla ricercata trasandatezza del vestiario; l'unica attrattiva che riusciva ad avere su di lei era l'energia intellettuale, una qualità che non cercava mai negli uomini, ma che poteva essere utile in un collaboratore. Le faceva piacere, in più, che fosse stimato nella professione. Il sistema migliore per trattare con lui stava nel non lasciare intuire di essere segretamente vulnerabile, come avrebbe potuto fare con un dirigente di rete, ma di disorientarlo non trattandolo come un suo pari. Lui aveva scritto due libri ed era stato più volte premiato? Bravo. Lei aveva un pubblico dieci volte più numeroso dei suoi lettori e guadagnava dieci volte di più.

«Coraggio, Irving, basta con le schermaglie». Viveca non si alzò, ma incrociò le gambe e appoggiò i piedi nudi sul tavolino. Aveva tutte le ragioni per essere orgogliosa delle sue gambe, che non erano particolarmente lunghe ma perfettamente proporzionate. «Si tratta di una storia vera o di chiacchiere raccolte qua e là?».

«Lei come riconoscerebbe la differenza?».

«Cos'è quest'aria protettiva? Non tocca a lei giudicare il tipo di giornalismo che faccio io».

«Ah, lo so, è diverso. Voi vi occupate di immagini, di citazioni che durano secondi. Noi della carta stampata andiamo a scavare al cuore di storie difficili e scandali, la superficialità del mondo elettronico non ci riguarda».

Viveca si accorse che gli aveva fatto perdere la calma e, strofinandosi piano una caviglia con una manina dalle unghiette dipinte, volle accrescere il proprio vantaggio. «Se ha scoperto qualcosa su cui valga veramente la pena di lavorare, prima o poi lo saprò».

«Non so che cosa le abbia detto Ace, ma è una storia grossa».

«Matt McFarland non vuole che lo si chiami Ace. Deve imparare a essere gentile con il suo agente. Lui può fare molto per aiutarla».

Irving le rivolse, senza farsi notare, un'occhiata incredula. «Senta, ragazzina, Ace è contento di essere chiamato Ace. Dice di no solo a quelli che non lo conoscono dai tempi di Adamo ed Eva, ha le sue idiosincrasie, i suoi snobismi. È un modo per tenere lontana la massa dei letterati che vedono nel loro agente qualcuno con cui intrattenersi a colazione per tre ore in un bistrò elegante». Fein appoggiò i piedi, con le scarpe pesanti, sul bordo del tavolino. «Quel soprannome, Ace, lui finge che non gli piaccia, ma è una posa».

«Oh, lei sa tutto sulle pose. Scrive sui giornali importanti, colpisce al cuore chi sbaglia, è il beniamino delle scuole di giornalismo». Forse, pensò Viveca, Fein aveva ragione sul conto di Ace; lei non ci aveva pensato e cominciava a divertirla sfidare quel personaggio tanto sicuro di sé. «Però adesso sta seduto con le sue scarpacce appoggiate sul mio bel tavolino, ed è una posa anche questa». Fein non si mosse. «Lei ha paura di non essere sulla cresta dell'onda», insisté Viveca, «si sente in debito». Procedeva per intuito, ma sapeva di non sbagliare.

«Le serve un successo per riprendere il passo e non le piace l'idea di doverlo dividere con qualcuno più giovane, più popolare e più attraente di lei. E può anche smettere con i suoi "bambolina" e "ragazzina". Ho trentadue anni, non trentatré, e vivo sola da quando ne avevo sedici, guadagnando più di quanto abbia mai guadagnato lei».

Fein finì di bere, posò il bicchiere sul tavolino e si alzò. «Mi dia il cappello. Me ne vado». Viveca capì di avere esagerato. Non voleva perderlo, poteva darsi che fosse meno insopportabile di come le era sembrato.

«Ho ferito i suoi sentimenti?», chiese, ripetendo le stesse parole che le aveva rivolto lui. Nel riempire di nuovo tutti e due i bicchieri gli andò un po' più vicina, poi si ritrasse.

«Finora è la battuta più carina che abbia pronunciato ed è mia. Però l'ha detta bene».

«E lei è venuto senza cappello».

«Non me ne volevo andare. Secondo i dati sul computer lei prende servizio alle sei, come una cameriera che serve i cocktail».

«È così che s'impara a conoscere gli uomini».

«E anche a reggere l'alcol. O no?».

«Vediamo un po': non le piace che fumi e non le piace che beva. C'è altro?».

«Anch'io mi ubriacavo, alla sua età. Si usa, nei giornali. O ti dà forza o ti fa dimenticare di aver pietà di te stesso».

Fu una stilettata che Viveca non gradì. Aveva cominciato a bere più di quanto non avesse mai fatto prima, ma non pensava di doversene preoccupare e riusciva a controllarsi perfettamente a cena, prima di andare in onda. C'era una differenza infinita tra chi beveva e chi si ubriacava. Fein aveva bisogno di essere rintuzzato.

«Se faremo questo libro insieme», gli disse lentamente, «se lo faremo, dovremo cercare di non interessarci della vita privata l'uno dell'altro. È la regola numero uno. Lei può gonfiare la sua nota spese e andare in giro in cerca di ragazze, come dicono i suoi dati, non sono fatti miei, purché il lavoro vada avanti».

«Non ho mai mancato a una scadenza in vita mia. E l'espressione giusta, secondo me, è "purché il lavoro proceda regolarmente"».
«Il suo problema non sono le scadenze, sono le proposte. Per questo ha bisogno di me».
Fein contrasse i muscoli del viso. «Sono io che faccio le proposte. Io non me ne sto seduto a un tavolo a leggere e a cercare di rendermi gradito».
«Lei ha un nome. È una forza nel mondo del giornalismo. Come ci è riuscito?».
«Certo non in posizione orizzontale».
«Che testa di cazzo!», gridò Viveca e gli tirò addosso la sigaretta accesa. Erano anni che non andava a letto con qualcuno per avere un lavoro e l'accusa l'aveva irritata in modo particolare, ma si pentì subito di aver perso il controllo, mettendosi in una condizione di inferiorità.

Fein raccolse dal tappeto il mozzicone acceso e lo guardò. Con un sospiro di rammarico per la propria debolezza, aspirò una lunga boccata, poi, tossendo, lo lasciò cadere nel vino che Viveca, più di quanto non fosse disposta ad ammettere, avrebbe desiderato finire di bere. «Allora lei non è la zitella di ghiaccio di cui si parla».

«Scelga lei: o la zitella di ghiaccio con le mutande di latta o la ragazza che si fa scopare per fare carriera. O una o l'altra, tutte e due è impossibile».

Fein ci pensò un momento, prima di rispondere. «Non necessariamente. Lei potrebbe calcolare con freddezza in quale letto le convenga infilarsi».

Viveca si sentì accecare dalla rabbia per l'ingiustizia di quell'accusa maschilista, perché da quando era alla televisione, si era sempre fatta strada da sola, anche se gli uomini che aveva superato nel lavoro seguitavano a usarla per toglierle la gioia del successo. «Lo sa lei», gridò a Fein, come se gli desse uno schiaffo, «che cosa deve superare una bella donna ogni giorno, sul set?».

«Non mi rovesci addosso questa merda falso femminista». Fein prese uno dei suoi libri e glielo buttò sulle ginocchia. «Questa è un'inchiesta che ho scritto anni fa sulle molestie sessuali, che ha quasi fatto saltare per aria il Ministero del Commercio, e lei sul movimento delle donne non è mai intervenuta direttamente».

«Si prenda pure il suo cappello», disse Viveca, incrociando le braccia. L'incontro era concluso.

«Non si alzi», rispose Fein. «Me ne vado da solo».

8

WASHINGTON

Irving Fein aspettò fino alle dieci del mattino, mostrò con un gesto rapido una carta d'identità dalla quale risultava che aveva superato i sessantadue anni e comprò un biglietto, tariffa anziani, per la navetta Delta, che andava a Washington. Aveva usato lo stesso sistema con la tariffa giovani, finché non aveva avuto venticinque anni. Può, si chiese, un uomo normalmente sano, di quarantotto anni passare per uno di sessantadue? Aveva le guance flosce ma non rugose, i capelli in disordine ma non radi. Decise di mettere alla prova la sua farsesca simulazione di maturità, rendendosi conto, con rimpianto, che gli sarebbe stato sempre più facile fingersi vecchio.

Avrebbe astutamente risparmiato la spesa di un albergo a Washington, dove tutto costava molto, dormendo sul divano in casa di un giornalista cui una volta aveva fatto un piacere. Calcolando i quattro pasti dell'aereo (uno all'andata, uno al ritorno, più due che poteva farsi dare protestando con lo steward per l'inadeguatezza degli altri), qualcosa che poteva trovare nel frigorifero dell'amico, l'autobus per il La Guardia, la metropolitana per Washington e la prima colazione al McDonald che aveva preso il posto del vecchio Sans Souci, il viaggio gli sarebbe costato meno di centocinquanta dollari. Il commercialista, Mike Shu, li avrebbe segnati in previsione delle percentuali, incerte, visto che le vendite dei suoi ultimi libri non avevano mai superato l'anticipo.

Non gli dava fastidio dover risparmiare in un modo che la maggior parte dei suoi colleghi avrebbe giudicato degradante. Anche se avesse avuto a disposizione una somma molto più alta, avrebbe, ostentatamente, seguitato a viaggiare nel modo più economico possibile. La sobrietà in viaggio era la linea di condotta del trasgressore, come diceva Negly Farson, un suo predecessore nel campo della carta stampata. Quando gli capitava che un quotidiano o un periodico gli affidasse un incarico o che un produttore lo richiedesse come consulente nella trasposizione romanzata di una storia vera, Irving metteva in conto il massimo per pranzi e spostamenti e intascava la differenza. Se qualche contabile, affetto da fanatismo del bilancio, chiedeva di verificare i biglietti di viaggio e i conti dei ristoranti, rispondeva con la scusa del giornalista indipendente, troppo incalzato dalla ricerca di storie mozzafiato per curarsi di quei pezzetti di carta, senza parlare della necessità di proteggere i suoi informatori dagli occhi penetranti del politicizzato controllo amministrativo del Ministero degli Interni. Non era solo perché era economo, si ripeteva spesso, anche se in realtà lo era profondamente, e nemmeno per una inclinazione ad aprirsi un varco nelle regole dell'etica professionale; il suo intraprendente approccio con i costi dell'alimentazione e dei trasporti era un'abitudine acquisita durante la giovinezza e portata avanti fino alla maturità, come quella di colmare di improperi gli impiegati della biglietteria di una linea aerea che cospiravano per dargli un posto in mezzo a una fila.

L'immagine fotografica di due fermi occhi grigi e due piedi nudi ben curati viaggiò con lui, animò le sue fantasie mentre si allacciava la cintura che si ostinava a chiamare "di salvataggio". Chiunque fosse, il funzionario televisivo con funzioni protettive o il musicista rock con la chitarra su una spalla, a trombarsi Viveca Farr, aveva una bella fortuna. Scarpe taglia sei, pensò, vestito pure, niente fuori dall'ordinario, né davanti né dietro, ma le sue gambe quando era seduta sul divano si curvavano con una perfezione stupefacente sulle caviglie. Caviglie così sottili che, ne era certo, potevano stare nel cerchio tra il pollice e il medio della sua mano, secondo il suo infallibile sistema di misura. Era strano che Viveca non mostrasse mai le gambe in televisione; l'aveva vista un'unica volta tutta da capo a piedi, durante un'intervista del mattino, e aveva i pantaloni. Forse la bellezza delle gambe non giova a un'immagine di autorevole vivacità.

E poi era alta poco più di un metro e sessanta, così lui si sentiva un gigante vicino a lei.

Peccato che avesse quella asprezza brontolona. Sarebbe stato bello insegnarle come si pompano le notizie da una buona fonte di informazione, come si estrae un particolare e lo si esamina da tutte le parti per capire che cosa potrebbe trarci in inganno e di chi non ci si dovrà fidare mai più. Irving scosse la testa e disse a voce alta qualcosa come: «Ah, non pensiamoci più», guadagnandosi uno sguardo sorpreso da parte dei suoi compagni di viaggio. Si era già assunto qualche volta nella vita quel ruolo di tenero pedagogo e le ragazze si erano sempre innamorate di lui fino a quel momento di stupenda idiozia nel quale anche lui si era innamorato di loro e allora tutto era andato in pezzi, l'amore, le notizie raccolte con cura, il lavoro e ciò che i ciarlatani della psiche chiamavano stima di sé.

Eppure avrebbe potuto usare Viveca come uno strumento di attrazione dietro il quale nascondersi, secondo il suggerimento di Ace; soltanto in quel viaggio avrebbe guadagnato qualche centinaio di dollari sulle spese. Viveca, andava detto a suo merito, era battagliera e, a parole, dava nella misura in cui riceveva, ma Irving si era reso conto che non aveva l'istinto dell'assassina. Non bastava la troiaggine, bisognava avere un innato talento per calibrare l'insulto, l'insinuazione e la collera a seconda delle circostanze.

L'aprile a Washington, che è una città sostanzialmente meridionale, lo metteva di buonumore. Non perché godesse della vista degli alberi di ciliegio intorno al bacino, accanto ai monumenti commemorativi delle glorie nazionali, anzi, guardava con la fronte aggrottata le orde dei visitatori giapponesi con le loro macchine fotografiche giapponesi che scattavano istantanee ai loro bambini giapponesi davanti a un dono giapponese di tanti anni prima. Una volta aveva preso in affitto una casa proprio lì, che aveva un prato davanti con un ciliegio e in aprile, quando il ciliegio era in fiore, aveva appeso un cartello "Ricorda Pearl Harbour" per dar fastidio ai turisti.

Quello che gli piaceva era il trapelare di notizie che avveniva in primavera. Senza una ragione apparente, le labbra di coloro che rappresentavano la sua fonte d'informazione si schiudevano in primavera come i petali dei fiori. Gli incontri clandestini nei parchi avevano una calda naturalezza, non erano più gelidi e furtivi. Il suo posto preferito era in Lafayette Park, di là da Pennsylvania Avenue, dietro la Casa Bianca, dove, in mezzo, c'era la statua di Andy Jackson, vittorioso. Sulla panchina c'era una targa: QUI BERNARD M. BARUCH MEDITAVA. Pareva di vederlo, il vecchio statista, seduto lì a ricevere i membri dell'amministrazione durante la presidenza di Truman che, tuttavia, non aveva mai apprezzato i suoi consigli che piacevano troppo a tutti.

Fein si mise a sedere sulla panchina di Barney, senza far niente, aveva un appuntamento, dopo poco, lì vicino, al McDonald, con la sua fonte CIA. Impiegò il tempo a rivivere l'incontro con Viveca Farr, vivacizzando il proprio ruolo con tutto quello che avrebbe potuto dire e arricchendo il contesto con l'accenno a un invito che non gli era stato rivolto. Lui l'avrebbe respinto, per principio non mescolava mai il lavoro con il piacere, a meno che, naturalmente, non ne fosse valsa veramente la pena. Non era un feticista, ma non riusciva a togliersi dalla mente quei piedini. Se le curava lei le unghie a quel modo? Ci si poteva far scorrere un disco e ascoltarlo.

Guardando la Casa Bianca dalla panchina, Irving ripensò alla storiella di Lincoln che, a chi gli chiedeva: «È vero che lei si lucida le scarpe?», aveva risposto: «Le mie? Sì; dovrei lucidare anche quelle di qualcun altro?». Ma forse era uno dei tanti aneddoti su Lincoln, niente di sicuro. Si alzò dalla panchina, anche lui vagamente ispirato come Baruch, e si avviò verso il McDonald.

«Apprezzo la sua scelta dei luoghi d'appuntamento», disse Clauson, in coda per una tartina con l'uovo sodo. «A nessuno verrebbe mai in mente di cercarmi qui, nonostante il richiamo storico del luogo».

A poche centinaia di metri dalla Casa Bianca, sulla 17th Street, dove un tempo era il vecchio ristorante Sans Souci, mal diretto e ormai chiuso da decine d'anni, la sala, gialla, con le sue grandi volte, garantiva un rumoroso isolamento. Clauson prese il vassoio e pagò lo scontrino per tutti e due. Quando furono seduti, Irving posò sul tavolo due dollari per pagare la sua parte, non tanto per stabilire una sorta di indipendenza quanto per lasciare intendere che era sovvenzionato da un giornale.

«Per chi lavora?», chiese il funzionario dei servizi segreti, mettendosi in tasca il conto.

«Per un editore e, insieme, per un produttore televisivo», mentì Fein. «Ace sta facendo moltissimo per me. Troverò l'agente in sonno, farò un mucchio di soldi e andrò in pensione. Che cosa sa dirmi di lui?». Irving aveva l'abitudine di non concludere mai una risposta a un informatore senza aggiungere, per parte sua, una domanda.

«Lei non rivela le sue fonti e i suoi metodi e noi non riveliamo i nostri». Stabilito questo punto, il vecchio agente della CIA bevve un sorso di caffè e disse, in tono confidenziale: «Nel rapporto della visita di leva inserito nella pratica Berenskij si menziona un difetto dell'udito all'orecchio sinistro».

«Chi è Berenskij?».

«Il vecchio Berenskij, morto nel 1980, era stato scelto per essere il padre putativo del figlio illegittimo di Aleksandr Shelepin».

Irving conosceva quel nome. Shelepin era il giovane capo del

KGB che aveva incrementato il cosiddetto reparto disinformazione negli anni Cinquanta».

«E che ne è stato del bastardino?»

«Con il nome di Aleksandr Berenskji, nato nel 1950, l'uomo che lei sta cercando è stato trasferito, a ventidue anni, in servizio all'estero. È lui l'agente in sonno di cui non conosciamo né il nome né l'indirizzo americani».

«Che altro c'è sul suo conto? Occhi storti, piedi piatti, niente?».

«Robusto, come un attaccante in una squadra di calcio. Statura uno e novanta, peso, allora, sui novanta chili, adesso sarà novantacinque, età intorno ai quarantacinque. Ho solo un altro dato e riguarda la mente: primo del suo corso all'Accademia di Leningrado, con una speciale attitudine alla matematica. Se la vita americana non lo ha impigrito, l'agente in sonno è intelligente».

«Se è intelligente dev'essersi fatto una fortuna con tutti i soldi che gli hanno dato da nascondere». Irving si preparò, non senza tensione, alla domanda che gli premeva di più. «Quanti ce n'è in America di banchieri arricchitisi recentemente, alti uno e novanta ed emigrati dalla Russia nel 1972? Non avete qualcuno che vi informi alla Associazione banchieri americani?».

«Ma non sarebbe rintracciabile tra gli immigrati russi. Il KGB lo ha addestrato nel suo Villaggio americano e poi lo ha inserito con una identità precostituita, senza il minimo accento, e con la "memoria" di un'infanzia americana: scuole, università, ricordi documentati di una vita suburbana».

«Una storia completa».

Clauson assentì. «Dunque sappiamo solo che è alto, ha una corporatura robusta ed è sui quarantacinque anni. L'orecchio potrebbe esserselo fatto curare. Forse ha frequentato un corso presso una banca, o una scuola di economia. Ma c'è un esercito di persone che hanno fatto le stesse cose».

Irving aveva annotato mentalmente una prima pagina di notizie e passava alla seconda. Se ne sarebbe ricordato per un'ora almeno dopo il colloquio e avrebbe fatto in tempo a trascrivere tutto.

Si alzò e andò a prendere altre due tazze di caffè. «Dunque Berenskji era il nome che aveva l'agente in sonno quando era in Russia, prima di essere scelto per questo lavoro». Si ricordò che Ace aveva parlato con Davidov della vasta documentazione contenuta negli archivi del KGB. «Nessuno dei vostri agenti o collaboratori ha cercato quel nome negli schedari del KGB?».

«No, perché gli archivisti sono stati avvertiti e sanno di dover fare un rapporto su chiunque chieda notizie di quella famiglia, perché il KGB possa risalire da chi fa la ricerca a chi gliene ha dato l'incarico».

«Per questo, allora, Nikolaj Davidov lascia che tanti frughino tra gli incartamenti della Lubjanka?».

«Sì, per scoprire chi sono questi ricercatori e che cosa vogliono sapere. Anche sul conto del dormiente», disse Clauson. «O, meglio ancora, per scoprire chi sa in quale schedario trovare le informazioni sul suo conto. Forse qualcuno ha la chiave per sapere come si chiama e dov'è l'agente in sonno che le nuove generazioni del KGB non conoscono».

Fein, sfogliando gli appunti che aveva nella mente, passò a un'altra pagina. «Chi, oltre al KGB, vuole sapere?».

«I russi anti KGB, in questo caso. I capitalisti della nomenklatura; i quattrocento, circa, padrini della vorovskoj mir; i comunisti irriducibili; i KGB della linea dura, che sono stati spinti da parte nei primi anni Novanta, un gruppo di persone eterogenee che alcuni di noi raggruppano sotto il nome di Feliks. Io e lei ne abbiamo già parlato, perché perdere tempo?».

«Perché il suo tempo non vale niente, fratello Clauson», disse Irving allegramente. «Lei sta per finire con una pedata nel culo alla Casa di riposo per spie a riposo, a quanto mi risulta dalle confidenze di persone con le quali sono in contatto e che, a proposito, la disprezzano profondamente. Lei, ai suoi tempi, deve aver dato fastidio a molti». Era quello che Clauson, ormai avversato da tutti, voleva sentirsi dire, Irving lo sapeva e ricevette, infatti, un lugubre cenno d'assenso. «Se lei ha acconsentito a vedermi qui e a darmi tutti questi particolari», proseguì, «non è per aiutarmi, ma per scoprire quello che so e quello che non so. Giusto?».

Clauson non rispose né sì né no.

«Ora sono pronto a mettere in atto il mio progetto per trovare l'agente in sonno», affermò Irving. «È una concezione audace che non mancherà di sconvolgerla, perché voi tutti non siete più abituati a pensare in grande, ma l'esserne al corrente la farà apparire un eroe agli occhi del suo nuovo direttore cui potrà dimostrare di aver controllato molto da vicino il mio lavoro».

«Presumo che le sue rivelazioni abbiano un prezzo».

Irving accantonò la questione con un gesto della mano. Stava pensando alla vignetta dei due prigionieri ammanettati al muro della cella, con uno che dice all'altro: «Io ho un piano».

«Io ho un piano per trovare l'agente in sonno rapidamente, a un basso costo e senza l'intervento di una burocrazia legata da anni allo stillicidio delle intercettazioni telefoniche, esaurita dalla noia di archiviare petizioni, dall'inquietudine del suggestionarsi a vicenda e così via». L'attenzione che Clauson prestava alle sue parole era assoluta. «Farò in modo che sia lui, il dormiente, a venire da me». «Sarebbe certamente un risparmio di tempo, signor Fein. E come si propone di indurre questo agente, dotato di grande esperienza, perfettamente inserito nella società americana da una generazione, capace di maneggiare somme di danaro che vanno oltre i sogni di qualsiasi malato di libidine dell'oro, a presentarsi tranquillamente a lei?».

«Intendo creare una figura fittizia. Un impostore. Lavorerò con un banchiere, che sappia come si manovra il danaro per vie difficili da rintracciare: contratti a termine, titoli al portatore, qualsiasi cosa. Lui, con l'aiuto di una piccola squadra che sto radunando, scoprirà, in base al principio del procedere a ritroso quali sono state le grandi operazioni finanziarie del vero agente in sonno. Aggirato in questo modo, il dormiente uscirà allo scoperto».

Irving sapeva che l'agente della CIA aveva capito benissimo che con quel "procedere a ritroso" aveva inteso dire che, attraverso l'esame delle attività presenti, sarebbe stato possibile ricostruire tutta la storia che stava alle spalle. Era il sistema usato dal controspionaggio quando, accettando qualcuno che aveva lasciato il campo avverso, lo si interrogava. Allora, le ultime notizie venivano usate per individuare chi era al corrente delle vecchie operazioni.

«I Feliks sentiranno parlare del mio uomo», disse Irving. «E anche il KGB o come accidenti si chiama adesso. E poiché il vero dormiente ha le sue fila in tutti e due i gruppi, saprà presto anche lui che di dormiente ce n'è anche un altro. Berenskij saprà, è ovvio, che si tratta di un impostore e vorrà sapere qual è la distanza che ancora lo separa dal mio banchiere, che opera su una linea parallela alla sua. Perciò verrà a cercarci».

«Un'idea ingegnosa», osservò, incuriosito, Clauson, «ma anche pericolosa».

«Pericolosa? Perché? Il dormiente è venuto negli Stati Uniti da ragazzo. Non ha mai avuto noie. È un ottimo banchiere. Non sa che cosa sia macchiarsi le mani con un lavoro sporco. E non ha legami con il KGB, tranne forse che con l'agente che gli fa da guida. Giusto?». Era importante per Irving avere una conferma.

«Per quanto ne sappiamo noi è così», disse Clauson.

«E allora, dove sta il rischio?», chiese Irving, con più calma.

«Berenskij, o quale che sia il suo nome in America, è custode di un'enorme ricchezza, forse della più grossa concentrazione patrimoniale esistente oggi al mondo. Lui e i suoi clienti hanno molto da perdere. Non solo l'obiettivo politico di un incarico a lungo termine, ma anche i dollari. Forse dovrei chiamarli megadollari».

«È l'uomo più ricco del mondo», assentì Irving.

«Però i soldi non sono suoi. Potrebbe proteggere il mucchio e se stesso con i non-KGB».

«I mafiosi russi, con i loro collegamenti sotterranei in America». Irving aveva sentito dire che la mafja russa si era associata alla malavita italiana a Brooklyn.

«Oppure», disse Clauson, «il vero agente in sonno potrebbe mettersi alle costole di quello falso. La violenza non è estranea alle spie dormienti. Il nostro non ci metterebbe niente a organizzare la morte di qualcuno».

«Se si arrivasse a tanto, potrei chiedere aiuto a lei, no? Anche alla CIA interesserebbe trovarlo».

«Sarebbe meglio rivolgersi allo sceriffo locale. Ma io potrei aiutarla ugualmente, se lei riuscisse nel suo progetto». Sulla faccia di Clauson c'era un sorriso di ammirazione. «Se fossi il vero dormiente e i miei collegamenti in patria o sui mercati finanziari mi avvertissero dell'operazione falso dormiente, assolderei qualcuno che, come diceva poco prima, potesse risalire a lei».

Irving poteva essere sicuro, almeno, che i Feliks, e probabilmente Davidov, al KGB, si sarebbero messi alla caccia del suo falso dormiente e che gli americani, l'FBI e la CIA sarebbero stati informati. «Il bello è entrare nel gioco», disse, «non avere solo un ruolo di osservatore. Se il sosia se lo meriterà, avrà su di sé l'attenzione di tutti gli agenti che cercano il vero dormiente. Il KGB e i Feliks da una parte, i suoi colleghi e l'FBI dall'altra».

Irving avrebbe avuto così qualche informazione da barattare. Nello svolgersi di quelle storie a vasto raggio bisognava poter mettere sul tavolo qualche gettone prima di poterne raccogliere altri. Se avesse avuto l'aiuto della forza trainante dei servizi segreti, avrebbe potuto trattare con gli altri gruppi come aveva trattato con Clauson alla CIA. Gli altri giornalisti coltivavano le fonti delle organizzazioni di governo nella speranza che gliene gocciolasse qualche informazione, Irving Fein faceva in modo che fossero le agenzie a coltivare lui, perché scopriva le notizie che loro cercavano e le trasformava in moneta corrente per comprarne altre.

«Dovrà essere furbo e intelligente il suo banchiere», disse Clauson. C'era un accento troppo determinato nelle sue parole e Irving pensò che avesse un candidato da proporgli.

«Dovrà avere i connotati fisici corrispondenti ed essere anche un grande attore», rispose. «Oltre, naturalmente, a volersi assumere qualche rischio. Potrebbe trovarsi a dover ingannare anche i parenti del vero agente in sonno, rimasti in patria, prima che tutto sia finito».

«Anche la moglie che ha lasciato in Russia, se è ancora viva. Non è poco».

«Oh, in vent'anni la gente cambia, dimentica», disse Irving, ma quello era il punto debole del suo piano e preferiva sorvolare.

«A chi ha pensato per sostenere la parte del finto agente in sonno?».

«Ho bisogno del suo aiuto. Forse lei conosce...». Irving pensava che gli sarebbe stato utile scegliere uno dei molti banchieri che saltuariamente lavoravano per la CIA, forse a contratto; avrebbe dato al proprio ruolo il colore della legalità nel caso qualche ufficio di controllo si fosse mostrato troppo curioso. Sarebbe stato opportuno che avesse avuto anche familiarità con il mondo dello spionaggio, ma Irving non voleva porre l'accento sull'aspetto rischioso del lavoro, perché sapeva che il momento del confronto non sarebbe stato facile per il falso dormiente. Accantonò questa preoccupazione, certamente il sosia sarebbe riuscito a cavarsela in tempo e con in più la prospettiva di essere il protagonista della vicenda, l'eroe dei banchieri di tutto il mondo, ricco di un inesauribile patrimonio morale raccolto durante le presentazioni del best seller che avrebbe divulgato la sua storia. «Chi è il suo candidato?».

«Vuole una scelta su tre?».

Irving non si vedeva correre in giro per gli Stati Uniti raccontando a robusti banchieri alti uno e novanta la storia di un russo che, sotto falso nome, controllava miliardi di dollari del capitale appartenuto al defunto partito comunista. *The Wall Street Journal*, entro una settimana, ne avrebbe parlato come di una voce e la storia della competizione tra i tre si sarebbe ripercossa all'infinito. Disse a Clauson che gli indicasse il migliore.

Clauson si mise un panino alla cannella e uvetta davanti alla bocca, perché assorbisse il suono della sua voce, così pensò Irving, o forse per impedire che il movimento delle labbra venisse colto dall'esterno, o per evitare qualsiasi altro tipo di controllo si potesse immaginare. «Ho un amico che lavora nei corridoi di marmo della Ventunesima. Forse lui ci potrà dare un consiglio».

72

Irving percorse mentalmente, in un attimo, la Ventunesima. Il Dipartimento degli Affari Esteri no, era nella Ventitreesima. L' F Street Club? No, era di mattoni e nella Ventesima. Finalmente capì: gli edifici della Federal Reserve, entrambi di marmo. Col tono più leggero possibile, disse: «Chi meglio di loro può conoscere il banchiere che cerchiamo? Quando posso vedere il suo amico?».

«Il mio amico potrebbe non desiderare di vederla».

Clauson si stava riammantando di quella riservatezza che era la dote precipua di ogni agente del controspionaggio.

«Crede che avrà a portata di mano un banchiere con un fisico da calciatore e un piccolo difetto di udito?», insisté Irving.

«Una leggera sordità si può sempre simulare», replicò l'agente della CIA, scostandosi dalla bocca il panino.

«Come ha detto, scusi?».

9

MOSCA

L'archivista aveva l'ordine permanente di avvertire Nikolaj Davidov, nuovo capo della Quinta sezione del KGB, se qualcuno, sia pure autorizzato, o in possesso di lasciapassare con una firma ad alto livello, gli avesse chiesto un incartamento che riguardasse, anche remotamente, l'ex capo del KGB Aleksandr Shelepin o qualcuno cui fosse stato legato da vincoli di parentela o amicizia. Alzò gli occhi dal foglio di richiesta che aveva in mano e guardò l'uomo e la donna dall'altra parte del tavolo. Lui era anziano e aveva indosso una giacca che un tempo aveva fatto parte di una divisa, ma senza più distintivi, un veterano dell'Armata Rossa ridotto in dignitosa miseria. La ragazza che era con lui, giovane e di una belezza particolare, con i capelli tagliati troppo corti, poteva essere sua figlia.

«La richiesta è regolare», disse l'archivista in tono cordiale. Davidov gli aveva ordinato di mostrarsi sempre disponibile in quelle occasioni. Chi presentava la richiesta veniva accompagnato alla cassettiera giusta nella stanza giusta e poi lasciato solo e filmato a distanza mentre cercava, inutilmente, e se ne andava sconfitto. Le richieste, accompagnate dalla fotocopia di un documento d'identità e dalla trascrizione del colloquio, andavano a formare una nuova documentazione contenuta in una cassettiera al piano di sopra, che portava l'indicazione "Ricerche Shelepin". Ormai il materiale, che occupava già il quarto ripiano della seconda cassettiera, andava aumentando, ma nessuno, tranne il vice direttore in persona e alcuni vecchi esponenti del KGB, vi aveva accesso. Se l'archivista osava proporre di inserire la documentazione nel nuovo computer, insieme alle altre, gli veniva risposto che non era previsto che la si dovesse consultare spesso. L'archivista si chiedeva spesso come mai Shelepin, apostolo della disinformazione e dell'inganno, allontanato dai riformatori di Kruscev, fosse diventato all'improvviso così interessante, ma si guardava bene dal chiederlo ai suoi superiori.

«Lo scopo della ricerca?».

«La storia della nostra famiglia».

«Credo che un mio zio fosse imparentato, per matrimonio, con qualcuno della famiglia Shelepin», spiegò la ragazza. «Sono una giornalista televisiva, potrei ricavarne un servizio».

L'archivista assentì, incoraggiante, come se avesse creduto a quella spiegazione. Dai documenti d'identità allegati alla domanda risultava che la ragazza era lettone, russa-lettone, un'abitante dei "paesi esteri vicini", una dei tanti che aspettavano di diventare legalmente cittadini della repubblica che si era staccata dalla Russia. La sua rete televisiva, se l'archivista ricordava bene, trasmetteva in lingua russa ed era probabilmente poco popolare tra i lettoni d'origine, che la volevano abolire. Però lei aveva un nome lettone: Liana Krumins.

Per non mostrarsi troppo curioso, chiamò subito la guida, perché accompagnasse il vecchio e la ragazza alle cassettiere. Quando tutti e tre si furono allontanati, accese l'impianto di registrazione per avere l'immagine dei visitatori sul monitor.

Sentì che la ragazza chiedeva all'assistente: «Sono sempre stati qui i documenti?», e che lui le rispondeva: «Siamo alla Lubjanka. Fino a tre anni fa le stanze di questo piano erano le celle dei prigionieri».

«Ed era qui che li torturavano?», chiese l'uomo con la vecchia giacca da uniforme. L'archivista distolse lo sguardo dal monitor per controllare il suo passaporto interno: Arkadij Volkovich, sessantasei anni, russo di San Pietroburgo. Dai timbri risultava che era stato a Riga quattro volte quell'anno.

«Tutto quello che avete sentito dire è vero», stava dicendo la guida. «Questo era il luogo in cui si concentrava tutto il male che è stato inflitto ai popoli sovietici per settant'anni».

Aprì la porta di una cella e indicò, con un gesto di assurda fierezza, la parete dove erano ancora attaccate le manette. «Si è ritenuto che questa fosse la sede più adatta a contenere i documenti degli anni in cui siamo stati oppressi dal KGB. Sa Dio se potrebbe esserci posto più sicuro». Più avanti, indicò un'altra porta. «Qui è stato ucciso Wallenberg. Agli svedesi non è mai stato detto».

L'archivista, dalla sua postazione, accese una telecamera nella stanza dove si sarebbero svolte le ricerche. L'uomo e la ragazza entrarono. La guida mostrò loro il cassetto con la documentazione e un tavolo da lavoro. «Quando avrete finito», disse, «chiamatemi dal corridoio. Per piacere, lasciate in ordine le schede. Prendete pure il materiale che volete fotocopiare. Il prezzo è di cinquemila rubli a pagina, questo mese, oppure un dollaro o un marco. Devo avvertirvi che all'uscita potreste essere perquisiti, perché dobbiamo accertarci che non si perdano gli originali». E li lasciò alla loro ricerca videoregistrata.

L'archivista che, da quando la raccolta degli schedari era stata aperta in parte al pubblico, aveva osservato molti frugare a vuoto tra le carte, ebbe l'impressione che il veterano dell'Armata Rossa, che stava indirizzando la ragazza nella ricerca, si muovesse con una certa sicurezza. Lo vide aprire un cassetto, controllare le intestazioni dei vecchi raccoglitori, passare rapidamente da uno all'altro e infine, dalla terza cassettiera, sfilare, con uno sforzo, il raccoglitore stretto in mezzo agli altri e metterlo sul tavolo. Prima di concentrarsi nella ricerca, guardò lo spessore complessivo del raccoglitore a soffietto, sette, otto centimetri.

«Hanno tolto una parte».

«Come lo sai?».

L'uomo le mostrò che dalle pieghe delle buste, si capiva che il raccoglitore era vecchio ed era stato alleggerito qua e là. Le fettucce che lo legavano erano consumate in un altro punto da quello dove ora c'era il nodo, più verso l'estremità, come se fossero servite a tenere raccolti fascicoli più voluminosi. «Ma procediamo sistematicamente», disse Arkadij, distribuendo con ordine sul tavolo il contenuto del raccoglitore. «Forse hanno eliminato le indicazioni sugli spostamenti del figlio».

Sfogliava una pagina dopo l'altra e poi le passava alla ragazza che le rimetteva nel raccoglitore. Si fermò a leggere un ritaglio di giornale. «È l'annuncio per la morte del fratello di Shelepin. Fa' un elenco di questi sopravvissuti». La ragazza cominciò a scrivere i nomi, ma lui la interruppe e, scuotendo la testa, perplesso, disse: «Centinaia di persone devono aver consultato questo incartamento, ma non sapevano come cercare le tracce della vita del ragazzo. Ecco... prendi questo, questo e questo da fotocopiare».

«Il ritaglio del giornale no? Io lo vorrei».

«Meglio non attirare l'attenzione su quello». Arkadij lo tenne in mano per un momento, come se stesse valutando il rischio che avrebbe corso rubandolo. L'archivista se ne accorse, guardando il monitor, sperò che lo rubasse, ma vide che lo rimetteva nel raccoglitore. «Ora bisogna trovare il coraggio di chiedere l'incartamento su...». Arkadij abbassò la voce, come se temesse che nella stanza ci fossero dei microfoni, ma l'archivista vide che con le labbra accennava a una B.

«Visto che ci siamo, perché no?». La ragazza era impulsiva, forse addirittura audace; l'archivista le augurò in cuor suo di non prendere una decisione che potesse metterla nei guai. «Non possono arrestarci solo per aver chiesto qualcosa. Ormai è come se lui non fosse mai esistito. Sono finiti i vecchi giorni».

«Ma non sono ancora arrivati i nuovi. Chiedi pure, dopo che me ne sono andato. La giornalista sei tu».

10

RIGA, LETTONIA

L'uomo con la giacca marrone senza più distintivi, Arkadij Volkovich, insisté nello spiegare ai suoi superiori, della organizatsija Feliks, che non aveva commesso un errore nel lasciare che Liana Krumins andasse avanti a consultare anche lo schedario successivo. «È una giornalista, una vera giornalista. Non me ne sono servito come copertura. Le ho dato un nome da cercare. Era naturale che chiedesse di vedere anche l'incartamento relativo».

«L'archivista non si è insospettito?», chiese un ex alto funzionario del KGB, allontanato non appena i riformatori di Eltsin avevano preso il potere, che aveva trovato una propria collocazione nella ricerca del potere dei Feliks e nelle loro tecniche investigative.

Mentre Liana era andata con la guida nella stanza accanto, Arkadij aveva chiacchierato con l'apparatchik di servizio, una specie di grosso fuco interessato più al televisore che aveva davanti che al lavoro. Il veterano dell'Armata Rossa aveva detto all'archivista che l'incartamento si era in parte disperso negli anni e ormai conteneva pochi elementi di interesse familiare. Ma, aveva aggiunto, la ragazza che era con lui faceva la giornalista e doveva dimostrare a tutti di saper approfondire un argomento. Capelli corti come un uomo, niente trucco nemmeno per coprire un foruncolo, labbra strette... non lo conosceva anche lui, l'archivista, quel tipo di ragazza? L'archivista aveva assentito con un borbottio e non aveva opposto ostacoli burocratici alle ricerche di Liana Krumins sulla morte del fratello di Shelepin.

Una donna con la corporatura pesante, i capelli grigio ferro, seduta al centro del tavolo volle sapere cos'era successo dopo che Arkadij aveva lasciato Liana alla Lubjanka. Aveva un tono autoritario. Il veterano si accorse che, in quello squallido seminterrato, tutti, compreso l'ex funzionario del KGB, la trattavano con rispetto.

«Ci eravamo messi d'accordo che l'avrei aspettata dall'altra parte della strada», rispose Arkadij, «e così ho fatto. Per la precisione, al bazar dove i kazaki vendono vasi e pentole di rame. Dopo un'ora e mezzo circa, è uscita. Non si poteva attraversare la piazza, per la confusione attorno al piedestallo, così ha voltato a sinistra ed è scesa per la Misnitskaja Ulitsa ed è andata verso la libreria».

«È stata seguita?».

«No, Madame Nina, non ho visto nessuno».

«E lei, è stato seguito?».

«Se qualcuno mi ha seguito, bisogna riconoscere che è stato molto bravo». La signora non parve gradire l'impertinenza della risposta. Arkadij era imbarazzato nel vedere che lo prendeva in esame con tanto distacco. Di lei sapeva solo che si chiamava Nina, e non era neanche un nome ma un diminutivo. Aveva i capelli raccolti in un nodo stretto, un abito da persona anziana con una giacca di maglia pesante e lo guardava attraverso un paio di occhiali dalle lenti spesse.

Arkadij non aveva paura dell'ex funzionario del KGB né del ceceno in piedi contro il muro, in assetto da battaglia. Ne aveva visti tanti simili quando aveva prestato servizio in varie sezioni della Sicurezza. Madame Nina, però, pareva che leggesse dentro di lui e non è mai una bella cosa per chi ha molto da nascondere.

Aveva saputo che, dopo la fine del Bratskij Krug, o Circolo di fratelli, nei primi anni Novanta, era stato costituito un nuovo Politbjuro. Sette *avtoritetj* controllavano i più importanti centri abitati da San Pietroburgo a Vladivostok, ciascuno con i propri rappresentanti provenienti dalla nuova mafja capitalista, dalla vecchia malavita *vory*, dall'ex KGB, dal sottobosco caucasico. Gli incontri al vertice si tenevano a Riga, capitale della Lettonia ora libera, lontano dal KGB e con un facile accesso aereo all'Ovest.

Era l'annuncio di un'era post-comunista di corruzione istituzionalizzata, ma la presenza di Madame Nina dava un carattere da vecchia Lubjanka sovietica a ogni incontro della organizzazione. Arkadij provò a insistere, questa volta senza rischiare di sembrare irrispettoso. «È stata lei che ha chiesto di vedere l'incartamento Berenskij. Non credo che lei o io siamo stati seguiti per strada. Di questi tempi non hanno a disposizione tanti uomini da poter fare seguire chiunque».

«Ne è sicuro?».

Madame Nina, evidentemente, non gli credeva e Arkadij ritenne che se avesse insistito sarebbe apparso ancora meno credibile.

«C'era ghiaccio e neve, quella sera, sul marciapiede davanti alla Lubjanka», disse. «Ai tempi del KGB appena cadeva un fiocco di neve nel tratto che va dalla porta d'ingresso alla libreria, fino al caffè per gli autisti, aperto tutta notte, veniva spazzato immediatamente. Ma la targa sulla porta ora dice "Ministero per la Sicurezza Federale" e sembra che il KGB non abbia più i soldi per far scopare le strade o far seguire tutti quelli di cui si potrebbe sospettare. Io sono tornato indietro per cercare di capire, dalle tracce rimaste nella neve, se qualcuno l'aveva seguita. Non ho visto niente».

«E una volta uscita dalla Lubjanka, che cosa le ha riferito?», chiese Madame Nina, con espressione dura. «Che cosa ha saputo?».

Questa, per Arkadij, era la parte più difficile. «Le hanno risposto che c'era qualche difficoltà per accedere al fascicolo della famiglia Berenskij. Che quando era stato trasferito l'archivio, la pratica doveva essere andata fuori posto. Non ha potuto vedere niente».

«Le sembra plausibile?».

Ecco, ora doveva stare attento. «No. Credo che l'archivista volesse mandare prima il fascicolo a Nikolaj Davidov. Le ha detto di tornare dopo una settimana».

Madame Nina aspettò un momento e poiché lui non aggiungeva niente, chiese: «E c'è voluta un'ora e mezzo?».

«È quello che ha preoccupato anche me, Madame Nina. Vede, la Krumins non è una di noi, io non so perché abbia deciso di aiutarci a indagare su Berenskji». Madame Nina lo guardò e Arkadij si affrettò ad aggiungere: «Non che abbia bisogno di saperlo, naturalmente, ma lo scopo della ragazza non è il nostro. Lei vuole soltanto soddisfare la curiosità del suo pubblico».

«I nostri scopi sono paralleli», ribatté Madame Nina con il suo tono autoritario, «almeno per ora. È consapevole la ragazza del rischio che corre in questa ricerca?».

Arkadij aveva imparato ad ammirare Liana Krumins e quello era un argomento che gli faceva perdere la testa. «Non ha modo di sapere che sta correndo un rischio. Le abbiamo raccontato la storia di un agente scomparso, adatta al suo programma, e ora lei crede di lavorare per conto proprio. I giornalisti sono fatti così».

Non voleva ammetterlo, ma cominciava a preoccuparsi per l'incolumità di quella ragazza coi capelli corti. Liana aveva un temperamento indipendente. Era stata dalla parte dei lettoni contro i russi prima dell'indipendenza e aveva mostrato un coraggio che le era costato anche la prigione, ma poi aveva sostenuto i russi in nome dei diritti umani quando i lettoni avevano cercato di espellere i colonialisti staliniani. Lottava appassionatamente per sostenere le proprie convinzioni. A Riga, subito dopo il Giorno dell'Indipendenza, era stata la giornalista più seguita alla televisione, per il suo calore e la voglia di tenere viva la polemica. Sembrava che sentisse il rischio nell'aria e ne fosse attirata, aveva messo in pericolo la propria libertà quando i Paesi Baltici erano sotto il dominio sovietico e ora Arkadij temeva che per lei condurre quelle ricerche fosse più imprudente di quanto entrambi pensassero.

I Feliks avevano deciso, e non a torto pensava Arkadij, perché non c'erano dubbi sulla professionalità della Krumins, di metterla sulle tracce dell'agente in sonno e poi seguirla. Ma l'*avtoritet* non aveva la certezza che lei avrebbe consentito di essere seguita. Né i Feliks potevano essere certi che i nuovi uomini del KGB non si sarebbero messi anche loro a seguirla.

Arkadij aveva sentito dire che tra tutti coloro che indagavano sull'agente in sonno, solo con Liana Krumins, della televisione di Riga, la spia sconosciuta avrebbe scelto di mettersi in contatto. Non sapeva perché ed era troppo accorto per chiederlo: non era ancora tra quelli di cui ci si fidava incondizionatamente. Ma non era giusto che quella ragazza così abile e curiosa non sapesse quale rischio stava correndo nel ruolo, forse, di cacciatore e di lepre insieme, eppure gli pareva che, se l'avesse saputo, non si sarebbe ugualmente tirata indietro.

Madame Nina parve leggere nei suoi pensieri. «La ragazza sa per quale ragione è stata invitata a partecipare all'indagine?».

«Credo che pensi di essere ritenuta una brava investigatrice». Era la risposta meno compromettente. Non avrebbe chiesto niente altro sulle ragioni che avevano determinato la scelta della Krumins, ma avrebbe tenuto le orecchie bene aperte. Sarebbe stato interessante e utile sapere perché proprio lei, tra tutti i giornalisti della vecchia Repubblica sovietica, fosse stata messa dai Feliks a guidare le ricerche per scoprire Berenskji nella sua identità americana.

Bevendo una birra nel piccolo caffè aperto tutta la notte sulla strada che scendeva dalla Lubjanka, Arkadij aveva detto a Liana di restare in stretto contatto con la prima persona che l'aveva cercata, cioè lui stesso, e le aveva raccomandato con insistenza di non fidarsi degli altri Feliks e di starsene per conto suo. Si augurava che avesse preso sul serio il suo consiglio.

Dopo aver informato Arkadij che qualcun altro avrebbe seguito Liana alla Lubjanka la settimana successiva, la donna impassibile seduta al centro del tavolo lo congedò. Arkadij pensò che Madame Nina, prima inter pares nella stretta alleanza tra vecchi apparatchik e nuovi capitalisti, tra nazionalisti offesi e delinquenti dichiarati, non si fidasse di associare nessuno a Liana Krumins troppo a lungo.

11

NEW YORK

Ace McFarland aveva un telefono cellulare così sottile, che gli stava nel taschino della giacca, collegato con un filo a due piccoli ricevitori che teneva alle orecchie e a un minuscolo microfono davanti alla bocca. Lo faceva sembrare un extraterrestre, ma gli garantiva una perfetta libertà di movimento. A lui piaceva camminare mentre usava quello strumento di lavoro. Ora, mentre parlava con la sua cliente, star di un notiziario televisivo, andava, chiacchierando, su e giù per l'ufficio, poi in corridoio, poi in bagno, poi di nuovo in ufficio.

«Viveca, sono ferito dallo spettacolo di arroganza che ti ha offerto quel maleducato». Le lasciò proseguire il racconto del suo tempestoso incontro con Irving Fein, esprimendo via via, al momento giusto, con gemiti e gorgoglii, la propria disapprovazione. «Hai ragione, hai ragione, non ci sono scuse. Mi sento male al pensiero di essere io l'unico responsabile dell'orrore che hai dovuto sopportare. No, no, avrei dovuto capirlo subito che la miscela non poteva funzionare. Tutta colpa mia. Ma come ha potuto Irving essere così... antiprofessionale? A partire da questo momento, non è più mio cliente. E questo significa che nessuno gli pubblicherà più un libro finché vive».

«No, aspetta, non dire così, non voglio rovinarlo». La reazione di McFarland era arrivata al punto da costringere Viveca a fare un passo indietro, come lui aveva sperato. «Io mi limiterò a non lavorare più con lui, in nessuna occasione, nient'altro. Ma se si dovesse sapere che per colpa mia tu non l'hai più accettato come cliente, tutti i suoi amici, che lo considerano tanto bravo, se la prenderebbero con me. Non dimentichiamo che sono una mafia».

«Viveca, hai, come sempre, ragione. Troverò qualcun altro che collabori con lui in questo lavoro e non sarà difficile perché sta diventando molto più importante del previsto. Tu non pensarci più. Perdonami per averti inflitto questa esperienza. Fein potrà anche essere il più grande giornalista del mondo, come pare che lo si giudichi nel suo ambiente, ma è uno zotico che non sa stare al mondo». «E non basta...», lo interruppe Viveca, ma McFarland seguitò a sovrapporre alle sue lagnanze il proprio fervido assenso. «Sì, sì... un insulto, non voglio neanche ascoltarti. Il sesso? Ti saresti servita del sesso per...? Tu? Dio, questa è proprio l'ultima cosa che doveva dire!».

Aspettò di sentirla partire per un altro vertice di proteste, lasciò che toccasse il culmine e poi si calmasse.

Dopo un momento di silenzio, lei chiese: «Che cosa intendevi quando hai detto che quel lavoro sta diventando molto più importante del previsto? La settimana scorsa non pensavi già che fosse qualcosa di eccezionale?».

«Ah sì, ora pare che Irving abbia fatto centro con un tale che gli ha dato delle informazioni a Washington, ma secondo me tende a esagerare». Ace, in realtà, non aveva ancora richiamato Irving, del quale pensava tuttora che avrebbe scritto un libro difficile da vendere, ma aveva voluto parlare prima con Viveca. «Lo farò lavorare con qualcuno della televisione che sia tanto insensibile da rasentare l'imbecillità. Avranno riconoscimenti e notorietà. Ma non è affare per te. Tu hai bisogno di qualcuno che sappia rispettare il tuo talento e il tuo collaudato livello di successo. Lo troverò, o la troverò, vedrai. Forse ci vorrà un po' di tempo, ma...».

«Hai parlato con lui? Ti ha raccontato del nostro incontro a Pound Ridge?».

Ace calcolò che fosse opportuna una breve pausa prima di rispondere. «Mi ha detto di sfuggita che si era comportato come un cretino, o qualcosa di simile, mi è anche parso che se ne vergognasse un po'. Ma non mi ha detto i particolari che ho saputo ora da te. Credo che si sia clamorosamente pentito, com'è giusto. Che faccia tosta, cercava di passare per uno che si era lasciato un po' andare. Avessi saputo la verità quando gli ho parlato, gli avrei detto chiaro che la sua notorietà e relativi successi professionali poteva metterseli dove voleva. Viveca, devi credermi, in quarantacinque anni di lavoro non mi era mai successo».

«Ti ha proprio detto che si era comportato come un cretino? Ha usato queste parole?».

«Sì, più o meno. Io non sono come voi giornalisti, non prendo appunti, sono un testimone orale. Viveca!». Ai clienti, Ace lo sapeva da un pezzo, piaceva essere chiamati per nome a gran voce. «Fein ha il suo orgoglio e dobbiamo tenerne conto, ed è anche, sotto molti aspetti, un insicuro, ma secondo me sa di avere ecceduto nel suo tentativo di sopraffarti».

«Ti è parso che ci fosse rimasto male?».

«Ci resterà ancora peggio quando gli dirò che devo trovare qualcun altro per rendere vendibile il suo "prodotto globale esclusivo", come lo chiama lui». Ace schiacciò un pulsante sul suo tavolo che produsse un forte ronzio. «Viveca, è arrivata una telefonata oltreoceano che avevo chiesto prima, scusami, ma parlare con Pechino è un problema. Posso richiamarti? Credimi, mi dispiace moltissimo, mandiamo al diavolo Fein e troviamo qualcuno che vada bene per lavorare con te. Mi rifaccio vivo subito».

Si staccò gli auricolari, andò alla porta e disse alla segretaria di richiamare Irving Fein che aveva telefonato da una cabina a Washington.

«Irving, scusa, non sono stato rintracciabile per tutta la settimana, sempre per la mia lombaggine. Com'è andato il tuo appuntamento sulla famosa panchina del parco?».

«Non ha voluto che ci vedessimo lì, è sicuro di avere puntati addosso da lontano dei microfoni unidirezionali. Abbiamo fatto colazione in un McDonald, il posto più sicuro del mondo».

«Hai fatto qualche progresso?».

«Ti racconterò tutto quando ci vediamo. Ma, Ace... volevo avvertirti che la tua celebre teleragazza e io non ci siamo piaciuti, l'altro giorno».

«L'ho saputo. Lei mi ha detto di essersi mostrata decisamente incoraggiante, ma che tu non hai raccolto».

«È un modo onesto di esporre i fatti. Ti ha telefonato?».

«L'ho chiamata io perché un paio di editori avevano sentito che mi occupo del suo libro. Il mio nome aggiunge un po' di prestigio al suo e l'interesse aumenta». Era importante che i clienti sapessero che la sua diretta partecipazione accresceva i pregi del loro lavoro. «Vedremo chi ci offre di più per il volume rilegato, magari con l'impegno dell'edizione economica che allargherebbe il mercato ai club del libro. Diritti informatici a parte, naturalmente, quelli saranno una rendita a vita per i tuoi nipotini». Ace si addentrò nei misteri del lavoro di agenzia, anche se sapeva che a Irving interessavano poco perché per lui, come per la maggior parte degli autori senza soldi, l'anticipo era tutto. Tuttavia, un'analisi dettagliata del suo lavoro aveva il duplice vantaggio di illustrare l'importanza della presentazione accurata di un libro e, in quel momento, di dare a Irving il tempo di riflettere su quanto gli avrebbe fatto perdere quella mancata collaborazione.

«E lei ha ammesso che il nostro primo incontro non è riuscito perché era stata troppo incoraggiante? Ti ha detto che mi ha accusato di essere un fallito che aveva bisogno del suo fascino per ottenere un buon anticipo?».

«No, assolutamente no. Sembrava un po' che volesse scusarsi, ma... ti ha detto davvero così?».

«E mi ha anche chiamato testa di cazzo».

Sebbene ad Ace non sembrasse una grande offesa per un giornalista, pure cercò di fare apparire, attraverso il telefonino, che la rivelazione gli avesse tolto il respiro. «Non è possibile! Non può aver detto una cosa del genere! Non l'avrei mai immaginato, mi è sempre sembrata una vera signora e poi non capisco perché debba mancarti di rispetto visto che ti considera il maggior giornalista vivente...».

«Adesso non blandirmi troppo, Ace».

«Irving, non sono parole mie, è lei che ti ha definito così quando mi ha telefonato per dirmi che aspettava, preoccupata, le tue reazioni. Ha detto che temeva il giudizio degli altri giornalisti che, virgolette, ti ritengono il più grande giornalista di tutti i tempi, chiuse le virgolette, quando avessero saputo che ti aveva offeso. È perfettamente consapevole dell'ascendente che eserciti nel tuo ambiente professionale».

«Non sono convinto, però, che lavoreremmo bene insieme».

«Mi sono sbagliato, sono il primo ad ammetterlo. Se lei ti ha insultato a quel punto quando eravate solo all'inizio, anche se poi ne ha provato rimorso e, direi, anche un briciolo di paura, non mi sembra che ci siano le basi per dare il via, fianco a fianco, e con una tensione inevitabile, a un libro importante e a una serie televisiva di pari impegno. Per fortuna non ci sono firme e tutto può andare a monte oggi stesso».

«Credi veramente che il suo nome possa far scucire un grosso anticipo?».

«Anche se ti sembrerà strano da parte mia, ti dico, Irving, che il danaro non è tutto. Se tu hai l'impressione che non possiate trovarvi bene insieme, troverò qualcun altro, un giovanotto che lavori alla televisione, qualcuno che potresti anche far trottare avanti e indietro». Ace tacque un momento, come se intendesse riflettere. «Dovremmo smorzare la spinta iniziale, ma se la storia ha mercato, il successo, a lungo andare, non mancherà. Io non spero di ringiovanire, ma riuscirò ad aspettare almeno fino ai primi rendiconti».

«Tu puoi aspettare, forse, ma io no. Senti, Ace, se la Comesichiama vuole ripensarci e mettersi a lavorare senza fare la star mocciosa, io ci sto ad andare avanti con lei».

«Pensaci ancora un po' e richiamami tra dieci minuti».

Il vecchio intermediario disse alla segretaria di telefonare all'altra cliente.

«Viveca, ho dovuto dirglielo. Lo so che mi avevi detto di aspettare, ma non sopportavo di essere stato io a metterti in contatto con qualcuno che ti ha fatto soffrire. Gli ho detto che non se ne fa più niente, che è finita così».

«Avrei preferito che non gli avessi parlato, Matt. E come l'ha presa, lo stronzo?».

«Si è pentito, certo. E la prospettiva di perdere la metà di un grosso anticipo e di doversi mettere a lavorare con una giornalista televisiva meno brava di te lo ha fatto pentire ancora di più. Ma se l'è meritato. Ora cerchiamo di essere concreti. Prima che emetta i miei tentacoli per saggiare l'ambiente, sapresti suggerirmi qualcuno, una ragazza giovane, ambiziosa, e possibilmente anche bella, che abbia voglia di collaborare con un iconoclasta per creare "un prodotto globale esclusivo"? Puoi raccomandarmi qualcuno della tua rete?».

«Nessuno», rispose immediatamente Viveca. Ace sospettava che alcuni nuovi presentatori le alitassero sul collo pronti a balzarle avanti alla prima occasione. «E aspetta far circolare la notizia. Se il nostro amico è davvero pentito ed è disposto a comportarsi per il futuro come un adulto, forse possiamo tentare un'operazione di recupero».

«Ne sei sicura? E se in un momento di stanchezza o di difficoltà nel lavoro ci ricasca? La sua insicurezza patologica potrebbe portarlo ad assumere un atteggiamento maschilista. Riuscirai a sopportare un carattere, tutto sommato, mutevole?».

«Se si tratta di fare qualcosa di utile per la mia immagine e la mia carriera posso sopportare di tutto».

Ace assentì, serio, quasi grave, fissò un appuntamento per una riunione a tre nel suo ufficio e si diede una botta sul taschino per interrompere la comunicazione.

Quando Irving richiamò, gli disse: «Hai vinto. Giura che si comporterà bene. Attento, però, perché Viveca è una personcina nervosa, lo sanno tutti. Arrampicarsi sulla pertica scivolosa del potere televisivo per rivolgersi a trenta milioni di persone è uno sforzo quotidiano che non ha paragone. Ti confesso, amico mio, che sono preoccupato. Che succederà se, lungo il percorso, si lascerà prendere dalla paura e si comporterà come una star per nascondere la propria vulnerabilità? Io mi sono informato un po' qua e là e tutti, più o meno, me l'hanno descritta come si diceva una volta: tesissima».

«Adesso si dice più comunemente schizoide».

«È ancora meno gentile e soprattutto meno esatto. E tu lo sai. Ma riuscirai a reggere le redini della creatività tra di voi?».

«Se è per fare un salto in avanti, reggo qualsiasi cosa. Questa storia ha bisogno di un buon investimento iniziale».

Ace gli indicò l'ora e il luogo dell'incontro, senza una parola sulla possibilità che Viveca si fosse pentita o volesse eventualmente scusarsi. Si sfilò dalla testa l'auricolare e il microfono e li arrotolò insieme al telefonino, poi si tolse la giacca, si allentò la cravatta e si stese sul divano per il suo sonnellino ristoratore prima di colazione. Se il mondo dei libri fosse crollato e non fosse rimasto spazio per gli agenti letterari, sarebbe sempre potuto diventare un mediatore di fusioni tra grandi capitali, un negoziatore dell'Onu o un consulente matrimoniale.

12

NEW YORK

Irving arrivò all'ufficio di Ace, con i suoi deprimenti specchi annenti, deciso a concedere alla bella annunciatrice televisiva un'altra possibilità. Si ripromise di non chiamarla mai "ragazzina". Le chiamava tutte così, indipendentemente dall'età, ma qualcuna si sentiva trattata da sciocca e lui, anche se non gli dispiaceva essere considerato un iconoclasta, non voleva essere, inavvertitamente, offensivo. Ace gli aveva spiegato che Viveca aveva avuto una vita difficile e, inoltre, ora il lavoro le creava una forte tensione, quindi andava trattata con delicatezza. Aveva espresso ad Ace il suo rammarico per aver preso un atteggiamento da star, mentre in realtà poteva vantare solo l'aspetto più superficiale di una notorietà ancora agli inizi, e Irving non intendeva vincere a tutti i costi. Decise di non dimenticare mai che per lui la funzione principale di quella ragazza era di fargli avere un bell'anticipo sulla pubblicazione del libro, che gli avrebbe permesso di viaggiare e di pagarsi il prezioso aiuto di Mike Shu. Qualsiasi altro contributo lei avesse dato allo sviluppo della storia, sarebbe stato in più.

Era anche disposto, se gli avesse mostrato un po' di rispetto, a insegnarle due o tre cose sul mestiere del giornalista. Era coraggiosa, questo glielo concedeva, ma con una aggressività che poteva essere utile, e lui stesso l'aveva sperimentato qualche volta, solo se ben diretta. Temeva che fosse un coraggio fragile, senza onestà intellettuale, senza un fondamento di moralità. L'importante, si disse mentre percorreva il corridoio guardando dietro le porte socchiuse per vedere se ci fosse niente di interessante, stava nel non considerarla come una collega, ma come una necessaria fonte di mezzi di sussistenza. E lui era sempre disposto a scattare come una molla, cambiando umore e atteggiamento, alternando tenerezza a rigore, affidabilità a fiducia, quando si trattava di attingere a una fonte. E le fonti andavano protette per-

88

ché potessero guadagnarsi il rispetto che viene dall'attendibilità. Dalla soglia la vide, seduta un po' di traverso su una poltrona, gambe accavallate, scarpe blu a tacco alto e tailleur assortito, capelli biondo naturale senza una ciocca fuori posto, niente che somigliasse all'acqua fresca ma piuttosto a un bel sorso di qualcosa di forte. Era la sua fonte di danaro e l'avrebbe protetta. Si augurò che Ace non accennasse all'incontro precedente e parlasse subito di affari, stabilendo le condizioni per ottenere una buona proposta.

«Irving! Viveca mi sta parlando del vostro comune interesse per i vini pregiati. Non sapevo che fossi un enologo. Per festeggiare il giorno della pubblicazione del libro ti manderò una cassa del mio prediletto Château Cheval Blanc».

Irving rivolse a Viveca un sorriso forzato e lei gli proiettò in viso il suo, molto migliore. Il sorriso di Viveca era prepotente, ma caldo e attirante. Vivace. Tutto in lei era vivace: il modo di muoversi, la franchezza dello sguardo, l'atteggiamento della testa, il timbro di voce. Anche nella sua fragilità fisica c'era una grande forza vitale. Irving pensò che se avesse dovuto finanziare un programma per pubblicizzare la friabilità delle noccioline avrebbe scelto il notiziario di Viveca.

«Ho avuto una spinta in avanti da F Street», disse, rivolto a lei e ad Ace, lasciandosi affondare sul divano.

«Che cos'è F Street?», chiese Ace.

«Che cosa le ha dato una spinta in avanti?», chiese Viveca.

Abbi pazienza, disse a se stesso, non fare lo stronzo altrimenti va tutto a monte. «Uno che lavora ai servizi segreti», disse, «ma fuori sede, in F Street, nell'isolato dopo il vecchio EOB, mi ha dato altri indizi da seguire. Ora, districarsi nella melma delle cose che non so...».

«Che cos'hai detto?», chiese Ace, preoccupato che Irving non tenesse un linguaggio corretto davanti a una signora.

«Ho detto melma. Ad ogni modo, come faccio di solito all'inizio di un'indagine, e come credo fanno tutti, scriverò prima un elenco delle cose che so. Poi cercherò, mettendomi d'impegno, di estrarre a poco a poco, dalla melma, appunto, l'elenco di quelle che non so. Questo secondo elenco rappresenterà la parte più difficile, quella che, però, ci farà lavorare. All'elenco, da principio, si aggiungeranno altre voci, ma verrà il momento in cui lo vedremo diventare sempre più breve».

«Comincia col dirci quello che sai», propose Ace. «Per esempio: chi sono i Feliks di cui mi hai fatto chiedere a quell'affascinante russo, Davidov?».

«I Feliks sono gli ex KGB con in più una rete abbastanza ampia di comunisti di grosso calibro. Gente dura che vorrebbe il ritorno del mal tempo andato. Sono legati alla mafja russa, una banda di veloci operatori monetari e di delinquentocrati del tipo Lepke impegnati nel dare una cattiva reputazione al capitalismo».

«E chi è il capo dei capi?», chiese Viveca.

Meno male che, trattandosi di mafia, non ha usato definizioni italiane, pensò Irving. «Non lo so», rispose. «Ma è una domanda interessante, l'aggiungerò al mio elenco. Proseguiamo: questa associazione di non-eccellenti, i Feliks, aveva ammassato un mucchio di soldi prima che l'Unione Sovietica andasse a fondo. L'uomo che ha amministrato il mucchio è un agente in sonno».

«Un agente in sonno», ripeté Viveca, senza curiosità né con l'aria di chiedere spiegazioni, ma come se facesse una constatazione e sapesse già di che cosa si stava parlando, anche se Irving era sicuro che non era così. Non aveva chiesto neanche che cosa fosse un tipo Lepke, pochi si ricordavano che "Lepke" Buchalter era stato un sindacalista ricattatore e profittatore degli anni Trenta, ma Viveca aveva preferito mostrarsi partecipe e competente.

«Questo agente in sonno», disse, cercando di non assumere l'aria condiscendente di chi dà una spiegazione, «è una spia trapiantata nel nostro paese da una generazione, con il compito di collocarsi nella struttura della vita americana, conducendo una vita rispettabile, senza pensare a dedicarsi a operazioni spionistiche né a dover cogliere le occasioni per farlo, ma semplicemente mettendosi nella posizione di poter affrontare un lavoro importante quando gli fosse stato richiesto».

«Come sa che è un uomo?», chiese Viveca.

Irving non seppe rispondere. Il suo primo informatore si era sempre riferito all'agente in sonno dicendo "lui" e anche Clauson gli aveva dato l'impressione di parlare di un uomo, fino a quel momento non aveva pensato che potesse trattarsi di una donna. Ma no. Era un uomo. Aveva lasciato una moglie incinta e il matrimonio era stato annullato. «È un uomo», disse infine, «dopo le spiegherò perché ne sono sicuro, ma la ringrazio per la domanda. Non bisogna mai dare niente per scontato». Allora Viveca fece un'altra cosa che piacque a Irving: prese dalla borsetta un quadernino e cominciò a scrivere.

«Nel 1968, all'inizio dell'estate», proseguì Irving, «un giovane di diciotto anni, molto intelligente, addestrato nel Villaggio americano, dove i russi nutrono i ragazzi a torta di mele e caffè e gli insegnano che i fratelli di Joe di Maggio si chiamano Vince e Dom, è stato scelto per essere trapiantato qui. La decisione veniva dal vertice del KGB, quindi il punto di riferimento era lì. Pare che il giovane si fosse lasciato alle spalle una moglie incinta».

«Anche lui».

Irving non riuscì a immaginare Viveca come una sposa abbandonata. «O era stato costretto a sposarsi perché l'aveva già scopata e se n'era andato perché non si sentiva di fare il padre di famiglia, oppure, ed è più probabile dato l'incarico, era un giovane comunista convinto. Bene. Passa una generazione. Arriva Gorbaciov, l'economia sovietica va a rotoli, i Paesi Baltici cominciano a staccarsi. Poco prima che la situazione degeneri, il KGB manda l'incaricato di controllare l'agente in sonno alle Barbados, nei Caraibi, a scaricargli addosso tutti i soldi del partito. Oggi l'agente in sonno è un banchiere internazionale, qui, negli Stati Uniti, e sa benissimo come nascondere un capitale e anche come si investe un dollaro per ricavarne due».

«*Dossier Odessa*», lo interruppe Ace, rivolto a Viveca. «È di Frederick Forsyth. I nazisti nascondono l'oro tedesco dopo la guerra, sperando di riportare Hitler al potere. Un bellissimo romanzo, edizione economica alle stelle».

«Ace, non ricominciare», lo ammonì Irving, «qui non si tratta di un romanzo».

«L'intreccio è l'intreccio, e questo è un intreccio vincente. Se un editore non può riassumere un libro in poche parole, il libro non esiste. Irving, ora dobbiamo solo ripetere a un editore quello che ci hai raccontato tu, con l'impegno della massima segretezza. Lui dirà: "Ecco il nuovo *Dossier Odessa* dopo la guerra fredda", e non se lo lascerà scappare».

Irving si chinò sulla scrivania per avvicinarsi ad Ace. «Questo sta succedendo nel mondo, Ace. Potrebbe significare la caduta del governo russo, una sanguinosa guerra civile, una nuova corsa alle armi e altro ancora. Nessuno lo sa, solo io, qualche agente del controspionaggio e un banchiere nascosto che potrebbe anche essere un genio della finanza». Come riuscire a imprimergli il fine e la portata di quella storia? Lo afferrò per la cravatta e, leggero com'era, lo attirò a tre centimetri da sé. «Questo è... un fottutissimo colpo... mondiale!».

Alle sue spalle si levò la vocetta vivace di Viveca. «Che cos'è successo quando il controllore sovietico ha incontrato l'agente in sonno alle Barbados?».

Irving si voltò di scatto. «Questo è l'interrogativo numero uno nell'elenco delle cose che non so. Prima possibilità: si sono messi insieme per rubare il tutto e fregare sia il governo russo sia i Feliks. Seconda possibilità: stanno lavorando insieme, in questo momento, per investire i soldi, costituire una società di facciata, rilevare alcune banche per consegnare tutto al nuovo governo russo e diventare degli eroi. Terza possibilità: stanno cercando di accrescere il capitale finché i Feliks non lo giudichino sufficiente a rovesciare il governo. Quarta possibilità: uno dei due ha ucciso l'altro».

Dopo un silenzio, Ace disse: «Io sono per la quarta possibilità».

«Sembrerebbe, infatti, la più probabile», osservò Irving. «Il controllore potrebbe aver strappato i documenti in archivio a Mosca prima di partire, approfittando dello stato di incertezza del governo. Per almeno un paio di alti funzionari del KGB l'agente in sonno non doveva essere un mistero. Il controllore ormai dovrebbe essere già tornato a Mosca a riferire il risultato del viaggio... ammesso che sia vivo».

«Riferire a chi?». Di nuovo quella vocetta vivace e petulante. La maestrina esigeva una risposta.

«Se è morto, non fa differenza», disse Ace.

«Tra i due, sono propenso a credere che il morto sia il controllore», osservò Irving, basandosi su un'impressione che gli aveva dato Clauson, del quale, tuttavia, non si sentiva pronto a parlare. «Infatti, solo l'agente in sonno sapeva come disporre del capitale, quindi solo lui era nelle condizioni di nasconderlo o restituirlo».

«Se la spia in sonno avesse ucciso il controllore, come lei sospetta», rifletté Viveca, che si stava dimostrando molto più acuta di quanto sarebbe stato legittimo aspettarsi, «l'avrebbe fatto per sottrarre il danaro al governo russo. Questo potrebbe significare che vuole consegnarlo agli integralisti, ai Feliks. Oppure che vuole tenerlo per sé».

«Ecco perché», proseguì Irving, sollecitando gli altri a seguirlo nel suo ragionamento, «il nostro amico Davidov, a Mosca, ha il batticuore. Qualcuno, ai vertici del KGB, deve aver sempre saputo chi è l'agente in sonno, ma se il legame con il controllore si è interrotto, come può il nuovo KGB entrare in contatto con lui, con il dormiente?».

«Ma lei è proprio sicuro che qualche alto funzionario del KGB sa chi è?», gli chiese Viveca.

«Beh... così dovrebbe essere... anche se sembra di no, e non capisco per quale ragione. È una voce nel mio elenco dei non so».

«Che cosa trattiene l'agente in sonno dal diventare un imprenditore?», intervenne Ace. «Il danaro è un forte incentivo, l'ho imparato in anni di lavoro».

«Sì, ma non dimentichiamo che quest'uomo è stato indottrinato fin dall'infanzia e in tempi in cui il comunismo era un'ideologia. È stato fermo per vent'anni e quando l'hanno attivato ha obbedito. È uno che ci crede, che è convinto... secondo me non pensa a mettersi in affari per conto proprio».

«E quella moglie che si è lasciato alle spalle? Forse lei sa dov'è, come si chiama...».

«Confesso, Viveca, che non ci avevo pensato», ammise Irving.

«Può darsi, però, che dopo essere stata lasciata nelle peste con un neonato sulle braccia, non abbia voluto neanche sentire più nominare il suo giovane marito. Mi sembra più verosimile che si riesca a rintracciare, tra le file dei Feliks, un amico dei tempi dell'addestramento. O forse, qui in America, una talpa. Non dimentichiamo che il nostro uomo era stato scelto, all'origine, da qualche pezzo grosso del KGB e che il KGB, ancora più che la CIA, opera entro circoli chiusi e secondo scuole di pensiero».

«State perdendo di vista, tutti e due, lo scopo del libro», disse Ace. «Questa è la storia di una caccia all'uomo. Chi troverà per primo l'agente in sonno e lo ucciderà? Riuscirà l'agente in sonno a fuggire e sopravvivere? Bisogna mettere a fuoco la figura del protagonista».

«Ace, ti prego. Non sai vendere un libro che non sia un romanzo?».

«Un intreccio è un intreccio. Ci vuole un personaggio centrale. Il vostro è nell'ombra».

«Ma io so già come portarlo alla ribalta».

«Allora spiegacelo».

«No». Irving guardò dalla finestra il traffico di Madison Avenue, fingendo di riflettere. In realtà, ascoltava il fruscio del nylon mentre Viveca muoveva, inquieta, le gambe, ora accavallandole ora no. «Il sistema che useremo per farlo uscire allo scoperto riguarda solo me e la mia socia, qui presente. Tu sei escluso, Ace. Riuscirai a scucire a un editore un bell'anticipo sulla base di una indagine scritta da Irving Fein e Viveca Farr, senza dargli altri, invoglianti, particolari?».

«Non potrò mostrare un abbozzo, l'esempio di un capitolo, un po' di materiale, niente?».

«No, potrai offrire soltanto la garanzia che si tratta di una grossa storia, ed è la verità».

Ace congiunse le mani e, osservandosi le punte della dita, rispose: «È una sfida. Non conosco nessun altro agente letterario capace di arrivare a tanto». Diede a ciascuno di loro una busta. «Leggete i termini dell'accordo: soci al cinquanta per cento su tutte le percentuali, compresi i diritti televisivi da dividere tra voi due dopo aver pagato la mia modesta mediazione. Potete leggervi tutto con più calma, a casa, oppure concludere adesso».

Irving aprì la busta e firmò sotto l'ultima riga. Viveca si prese qualche minuto di tempo per leggere quelle pagine che le bruciavano tra le dita, poi scrisse chiaro il suo nome, alla fine.

«È venuto il momento di stringersi la mano», disse Ace.

La stretta della manina ben curata di Viveca fu fresca e ferma, come Irving aveva immaginato. Sentì che diceva ad Ace: «Gli autori vorrebbero una divisione settanta-trenta sulla edizione economica».

Non le propose di andare a bere qualcosa insieme, ma di arrivare fino all'East River, dove c'era una panchina che gli piaceva molto. «Ho già pensato alla targa: "Qui Irving Fein meditava"».

Viveca fece cenno a un taxi di fermarsi. A Irving diede fastidio, prima di tutto perché l'East River era a sei isolati di distanza, al massimo sette e quella giornata di novembre era particolarmente bella. E poi, quando era con una donna, il taxi lo voleva chiamare lui. Lasciò che aprisse la portiera e salisse. La gonna del tailleur si sollevò a mostrare le sue gambe perfette.

«Ha le scarpe nuove. Le fanno male?».

Viveca non rispose. Il taxi si ficcò subito nel traffico che attraversava la città e l'autobus che era davanti gli vomitò addosso tutti i suoi fumi.

Erano tutti e due a disagio. Irving taceva.

«Lo so che cosa sta pensando», disse infine Viveca. «Questa frivola puttanella non poteva fare due passi a piedi? Se manca la limousine chiama il taxi».

«Vedo che sa leggere nel pensiero».

«Mi ascolti: se fossimo andati a piedi, entro trenta secondi qualcuno avrebbe cominciato a fermarsi e a guardarmi. Poi sarebbero andati avanti e si sarebbero voltati a guardarmi di nuovo. Una vecchietta simpatica si sarebbe avvicinata e mi avrebbe detto: "Mi sembra di conoscerla". Creda, andare a piedi per strada quando si appare regolarmente in televisione non è cosa da poco».

«Veramente non ci avevo pensato».

«Lei è fortunato a lavorare per i giornali. Ha un nome famoso, ma può evitare i fastidi della notorietà».

Irving ci pensò un momento. Gli sarebbe piaciuto camminare per strada e vedere le ragazze che lo guardavano, bisbigliando tra loro: «Ecco Irving Fein, non è carino?». Certo non gli avrebbe dato fastidio, almeno all'inizio. Non gli era difficile fare in modo che nessuno si occupasse di lui. Anche quando sentiva qualcuno lamentarsi di avere sempre la casella della posta piena di carte inutili pensava che per lui peggio di tutto era trovarla vuota.

Se avesse avuto una faccia famosa, le donne con le quali usciva sarebbero state premurose com'era lui in quel momento con la faccia famosa che gli stava accanto? Gli sarebbe piaciuta un po' di premura. Forse se quel libro fosse diventato davvero un successo, lo avrebbero invitato a parlarne alla televisione, la sua faccia sarebbe diventata un po' più nota e, in seguito, avrebbe potuto anche guadagnare qualche cosa con delle conferenze o partecipando a delle tavole rotonde. Conosceva dei cosiddetti esperti che partecipavano a dibattiti televisivi solo perché i loro agenti li segnalassero per lezioni e convegni ben pagati. Non avrebbe fatto viaggi promozionali per il libro, quello no... anche perché nessuno si sarebbe sognato di proporglielo sull'eco dell'insuccesso dei suoi libri precedenti. Avrebbe lasciato che fosse Viveca Farr a occuparsene, con la sua faccia troppo famosa per attraversare la città in mezzo al popolino.

«Quando è il suo compleanno?».

«La settimana prossima», rispose Viveca. Era sorpresa da quella domanda. «Compio trentatré anni», gli ricordò. «Perché me lo chiede?».

«Stavo pensando di comprarle un paio di quegli occhiali con il naso finto attaccato». A lei lo scherzo non piacque. Aprì la borsetta, ne tolse qualche dollaro e lo passò attraverso il riparo di plastica che separava il tassista dai passeggeri. Disse: «Li fanno anche senza baffi, per le donne».

Scese dal taxi di scatto e cominciò a camminare in fretta. Irving dovette affrettare il passo per raggiungerla. Quasi correndo andarono verso il fiume. I tacchetti delle scarpe di Viveca battevano sul cemento. Nessuno che venisse verso di loro la guardò più di una volta né si voltò a guardarla dopo essersi allontanato, come Irving, allungando il collo, ebbe modo di constatare. Gli passò per la testa qualche commento tagliente, ma si morse la lingua e tacque.

Se non ci fosse stato il fiume, pensò, lei avrebbe seguitato a cam-

95

minare fino a vederlo stramazzare a terra. Affannato, si lasciò cadere sulla panchina lungo la riva con il traffico della FDR Drive alle spalle. Adesso facciamo la pace, si disse.

«Come le è venuto in mente di parlare di percentuali sull'edizione economica?».

«Prima di un colloquio studio la lezione a casa», rispose Viveca, guardando una chiatta che lentamente risaliva il fiume. «Adesso mi dica che non devo far lavorare troppo la mia bella testolina».

Irving allungò le gambe, con i piedi incrociati contro il parapetto. Prudenza.

«Se divideremo in settanta e trenta per cento, chi prenderà il settanta?».

Viveca lo guardò per la prima volta da quando erano usciti dall'ufficio di Ace. «Non lo sa?».

«L'elenco delle cose che non so sui contratti è lunghissimo. Questa è solo una voce in più».

«Se il libro va bene in edizione rilegata o se ha una grossa vendita nei club del libro, l'editore fa un'asta telefonica per i diritti dell'edizione economica. Di solito metà li prende lui e l'altra metà l'autore, da togliere dall'anticipo sui diritti. Davvero non lo sapeva?».

«Non mi si è mai posta la questione», disse Irving, sinceramente. «Nessuno dei miei libri ha mai venduto per una cifra che superasse l'anticipo. Di solito mi ritengo fortunato quando non devo restituire la differenza».

Anche lei allungò le gambe per stare più comoda sulla panchina. «Questo venderà e il successo gioverà a tutti e due. Ma stavolta il settanta per cento sulla edizione economica verrà a noi, agli autori, e il trenta per cento all'editore del libro rilegato».

«E noi due ci divideremo il settanta per cento?».

«Vedo che ha capito».

«Che bellezza. È stata brava a chiederlo».

Lei alzò le spalle e sorrise. «Mi fa piacere vedere che ha ripreso fiato. Sbuffava in un modo che credevo stesse per avere un attacco di cuore. Dovrebbe fare un po' più di moto».

Irving lo sapeva. Sapeva anche come si dividono i diritti sulle edizioni economiche, sebbene Ace non fosse mai riuscito, per lui, a ottenere più di un sessanta-quaranta. Ma quella piccola vittoria, che a lui non costava niente, serviva a rafforzare il fragile amor proprio di Viveca e, d'altra parte, con la sua lezione studiata a casa e l'idea di aumentare la parte di diritti che spettava all'autore avrebbe fatto guadagnare di più anche lui. Di questo bisognava darle atto.

«Adesso mi dica quello che non ha voluto far sapere ad Ace», disse, e prese dalla borsa il quadernino degli appunti. «Come riusciremo ad attirare fino a noi l'agente in sonno?».

«Avuto un indizio, ci sono due vie per attirarlo. Uno è far pubblicare l'indizio dal *New York Times* o dal *Washington Post* o dall'*International Herald Tribune*. Allora si aprirebbero le fonti, troveremmo involti abbandonati sullo specchio di poppa, riceveremmo messaggi pronunciati da voci che mettono i brividi, gli agenti del controspionaggio trasmetterebbero informazioni con tutti i sistemi possibili. Il guaio è che ne deriverebbe una competizione e noi, a quel punto, dovremmo essere già avanti, in modo da poterci prendere tutto prima di farci raggiungere dagli altri».

Viveca assentiva, scarabocchiando il quadernino senza prendere appunti perché ormai la luce era troppo poca.

«Tutto chiaro finora? Ha qualche domanda?».

«Sì, che cos'è lo specchio di poppa?».

Irving non rispose e proseguì: «L'altra via, quella che seguiremo noi, è quella di prendere l'anitra con l'anitra da richiamo. Daremo vita a un agente in sonno parallelo, una nostra creatura, un credibile impostore, che attirerà i Feliks o il KGB o entrambi. Oppure», ed era qui che Irving contava sulla fortuna, «attirerà la spia in sonno. Prendi un banchiere e catturerai un banchiere».

Poi Irving tracciò il piano per reclutare Edward Dominick, il candidato della Banca d'Affari di Memphis proposto da Clauson. «Ho il sospetto che i nostri agenti del controspionaggio se ne siano già serviti, saltuariamente, per piccoli lavori, ma non siamo tenuti a saperlo». Non disse il nome del suo informatore alla CIA e nemmeno le disse che non sapeva chi, all'inizio, gli aveva suggerito di rivolgersi a Clauson. Non c'era bisogno di informarla, almeno per il momento, non voleva che, se più avanti le fossero venuti dubbi o paure, decidesse di raccontarlo a un altro giornalista. Le ripeté il poco che era riuscito a racimolare sul vero agente in sonno: quarantacinque anni, duro d'orecchio, alto e grosso. In più, il nome da sposata della moglie che aveva abbandonato.

«Ma allora noi sappiamo come si chiama l'agente in sonno?».

«Sappiamo il suo vero nome, quello che è scritto sul suo certificato di nascita sovietico: Aleksandr Berenskij. Il nome di copertura, quello con il quale vive in America, fa parte dell'elenco dei non so».

«Sono comparse le lucciole. Le vede?».

A Irving fece piacere che non gli chiedesse altro; fosse stato lui al suo posto avrebbe insistito per sapere di più sulle fonti, su Dominick, sui collegamenti o sulla mancanza di collegamenti tra il dormiente e la sua nuova guida, ammesso che ci fosse, o tra il dormiente e i Feliks, se erano i Feliks quelli che preferiva. C'erano dei vantaggi nel lavorare con una dilettante che, in quel momento per esempio, era troppo occupata a digerire tutto quello che le aveva raccontato, per aver fame di quello che le aveva taciuto.

«Eccone un'altra». Le lucciole erano uscite in forza quell'anno. Irving aveva l'impressione che Viveca non avesse fretta di raggiungere lo studio della televisione e la sua vita abituale. Quanto a lui, non doveva andare da nessuna parte. «Questa è una femmina che vuole attirare un maschio», disse Viveca.

«Sempre che sia una lucciola».

Viveca, con la fronte aggrottata, indicò un insetto luminoso che volava nell'aria col suo piccolo addome brillante color giallo verdastro. «Vuole dirmi che non sono lucciole?».

«Una volta ho scritto un articolo sugli insetti», rispose Irving. «La lucciola ha un suo predatore ed è un bene, altrimenti adesso saremmo sommersi dalle lucciole. Questo predatore viene chiamato coleottero assassino. Brilla come loro e ripete lo stesso codice di lampeggiamenti che precede l'accoppiamento. La lucciola crede di andare incontro al maschio della sua specie e il coleottero se la mangia».

Viveca si strofinò le braccia per cancellare un brivido. «Vorrei che non me lo avesse detto».

Irving non aveva mai scritto un articolo sugli insetti. Sapeva la storia del coleottero perché gliel'aveva raccontata una sera Clauson, insieme ai misteriosi inganni perpetrati dalle orchidee che gli erano stati raccontati da James Angleton, che lui considerava un eroe della CIA. Quel famoso cacciatore di talpe era stato colpito da zelo paranoico quando ai vertici del potere si era insediato il nuovo gruppo moderato, negli anni Settanta, che più tardi aveva lasciato che le talpe russe si infiltrassero nella CIA. Quando una talpa succhiasoldi di nome Ames, attiva negli anni Ottanta e Novanta, aveva danneggiato gravemente l'attività della CIA e causato l'esecuzione delle sue migliori spie in Russia, i lassisti si erano rimproverati di aver accusato Angleton di condurre una "paranoica caccia alle streghe". Irving non era un fanatico delle metafore sugli insetti, ma aveva registrato mentalmente la storia del coleottero per usarla se avesse dovuto fare un esempio di intervento drastico ma utile.

«C'è ancora qualcuno che muore tra quelli che lavorano come spie?», volle sapere Viveca. «Non ho paura per me, ma per lei, perché se l'ammazzassero dovrei finire il libro da sola».

Aveva paura, eccome! Irving la tranquillizzò. «La guerra fredda è finita e nessuno ha mai ucciso, o minacciato di uccidere, un giornalista. Se ne farebbe troppo chiasso». Pensò a Michael Shu, il commercialista che aveva assunto perché andasse a Mosca e a Riga, con la speranza che riuscisse a raccogliere qualche informazione. «E questo vale anche per chi lavora con i giornalisti», aggiunse, per prevenire una sua obiezione.

«Che cosa sarà successo quando il controllore e l'agente in sonno si sono incontrati alle Barbados?».

Irving avrebbe preferito che non glielo avesse chiesto. «Il controllore era un agente russo. Credo che si sia verificato quello che loro chiamano un *mokroe delo* e noi "un lavoro bagnato". Non ci riguarda».

«Perché si dice "un lavoro bagnato"? Di che cosa è bagnato?».

Irving sentì una fitta al cuore. Viveca non sapeva proprio niente. Il lavoro era bagnato di sangue. Mormorò qualche stupidaggine sui sommozzatori.

Viveca gettò la sigaretta oltre il parapetto, nell'acqua. Era quasi l'ora del notiziario. «Devo scrivere il mio testo. Quale sarà la nostra prossima mossa?».

Un testo di un centinaio di parole. Cosa da poco. Probabilmente aveva bisogno anche del tempo per truccarsi e pettinarsi.

«Dovrò andare da Dominick, a Memphis. Ieri non mi ha richiamato, ho detto alla sua segretaria ficcanaso chi ero ma, naturalmente, non quello che volevo. Se continua a non farsi vivo, dovrò andare a casa sua domenica. Di solito preferisco evitarlo, perché rende nervoso l'interlocutore».

«Non potrei telefonargli io?», propose Viveca. «A me risponderà. Fissiamo un incontro nel suo ufficio. Di mattina, così faccio in tempo a tornare per il notiziario».

Giusto. La maggior parte dei personaggi eminenti, anche se con una elevata opinione di sé, avrebbe risposto a una telefonata di Viveca Farr, che ogni sera regnava su quei quarantacinque secondi di notizie. Le diede il numero di Dominick, fermò un taxi, le aprì la portiera e la salutò con gentilezza. La notorietà ha i suoi vantaggi. Si augurò che la storiella sulle lucciole e sul coleottero assassino fosse vera, nel caso fosse andata a controllare su un'enciclopedia, ma era improbabile.

13

MOSCA

Ebbe la sensazione che qualcuno, alle sue spalle, la stesse osservando, eppure c'era soltanto lei nella stanza che conteneva la documentazione d'archivio su Shelepin. Liana Krumins raddrizzò le spalle, si voltò, ma non vide nessuno. Si allacciò, al collo, il bottone della camicetta, si tolse il leggero scialle lettone e lo appoggiò sulla cassettiera che aveva appena aperto.

Aveva deciso che questa volta avrebbe fatto meglio a venire da sola, perché l'accompagnatore che le avevano dato i Feliks, Arkadij, del quale aveva imparato a fidarsi, le aveva detto che, quel giorno, era stato scelto un altro al suo posto; e poi gli archivisti sarebbero stati più accomodanti con una ragazza che si presentava da sola.

Infatti, l'archivista che sedeva al tavolo occupato, ai tempi dell'Unione Sovietica, dal capo carceriere di servizio al piano, si era mostrato più disponibile del solito. Liana aveva civettato con lui, distraendolo da quello che stava guardando alla televisione, gli aveva spiegato quali erano le sue difficoltà, lo aveva scongiurato che non le negasse l'apporto della sua esperienza e, come si era aspettata, la documentazione che era andata fuori posto sul rampollo della famiglia Shelepin, di nome Berenskij, era ricomparsa miracolosamente.

Ora stava cercando un riferimento qualsiasi, allegato a un qualsiasi rapporto di controllo, lettere ufficiali, corrispondenza familiare, una fattura per una pietra tombale, un ritaglio di giornale, un appunto scarabocchiato su un foglio, che riguardasse un membro della famiglia Shelepin che si chiamava Berenskij. Se l'avesse trovato e se fosse stato vivo, avrebbe avuto il merito di aver scoperto una importantissima spia internazionale e sarebbe diventata certamente la giornalista più famosa della Lettonia e di tutte le nazioni baltiche. Liana Krumins non solo avrebbe avuto un proprio programma televisivo, quello lo aveva già, ma sarebbe riuscita anche a possedere tutta la emittente. Allora sarebbe stata libera di trasmettere la verità nuda e cruda, a Helsinki per il nord, a Vilnius per il sud, a San Pietroburgo per l'Est e perfino a Berlino, per l'Ovest. Si rendeva conto che i più interessati a trovare la spia in sonno erano quelli che si definivano "i Feliks", perché non consideravano con orrore la memoria del Feliks di Ferro Dzerzhinskij, crudele capo della Ceka. Al contrario, molti di loro aspiravano al ritorno dei giorni in cui, nelle celle della Lubjanka, le manette ai muri tenevano fermi i dissidenti durante le torture.

Ora i Feliks si servivano di lei, come giornalista nota, per trovare Berenskij, così come lei si serviva delle loro informazioni e dei loro collegamenti con la mafja. Insieme avevano maggiori possibilità di arrivare all'agente in sonno. Era il principio acquistato durante la militanza tra le file dell'opposizione lettone alla legge sovietica: usare ed essere usati. Si era impresso in lei durante una gelida notte trascorsa in una cella quando aveva diciassette anni. I loro scopi immediati, per quanto diversi, non erano contrastanti: i Feliks cercavano il dormiente per riavere i soldi, lei lo cercava per ricavarne un servizio stupefacente, con tutta la notorietà e il potere che avrebbe portato con sé.

Grazie in parte ad Arkadij, che era uno dei Feliks, era venuta a conoscere meglio degli altri l'albero genealogico della spia in sonno.

La madre di Aleksandr Berenskij si chiamava Anna, non era sposata, era segretaria di un burocrate del KGB, con una carica importante ma sposato, la cui identità era stata tenuta segreta e che, probabilmente, era il padre del bambino. Anna, con il figlio, era stata mandata dal suo amante sposato in Lettonia. Il figlio, a diciassette anni, aveva sposato una ragazza di Riga, Antonia, ma, dopo un anno, il matrimonio era stato annullato e la registrazione distrutta, su ordine del KGB. Abbandonata la moglie, che subito dopo aveva dato alla luce un bambino, Aleks Berenskij era entrato al Villaggio americano diretto dal Primo Capo Sezione del dipartimento di formazione professionale. Successivamente, in grado di parlare un angloamericano perfetto, gli era stata attribuita una falsa biografia, una identità diversa, e con quella era entrato negli Stati Uniti, non si sapeva dove, per iniziare una nuova vita.

Poiché aveva fatto un passo avanti rispetto ai Feliks, Liana si sentiva meno vincolata alla sua fonte d'informazione. Per uno strano gioco del caso, conosceva, ed era decisa a non parlarne con nessuno, parte della genealogia dell'agente in sonno ignota alla organizzazione Feliks. Da bambina, sua madre, Antonia Krumins, aveva conosciuto Anna Berenskij perché tutte e due erano rientrate nel movimento stalinista per la russificazione della Lettonia. Mentre centinaia di migliaia di lettoni venivano mandati nei campi di lavoro in Siberia, al loro posto si inserivano i russi, come colonizzatori, soprattutto nei dintorni di Riga, secondo il piano del dittatore di annacquare la popolazione di origine e assimilare la repubblica alla Russia.

Sebbene le dividesse una generazione, la russa Anna Berenskij e la lettone Antonia Krumins erano diventate amiche. La madre di Liana una volta si era lasciata sfuggire che Anna, prima di morire, nel 1980, le aveva rivelato di essere stata, molto tempo prima, segretaria privata di Aleksandr Shelepin, che poi, per buona parte degli anni Sessanta, era stato promosso a capo del KGB. Il maestro della disinformazione lavorava lì, a Mosca, nell'edificio in cui Liana si trovava in quel momento. Non poteva esserne certa, ma aveva una sensazione abbastanza definita che Aleks Berenskij fosse l'agente in sonno, non solo, ma anche il figlio illegittimo di Shelepin.

Forse per questo, rifletté Liana, quel ragazzo era stato scelto per essere addestrato al compito più difficile dell'attività spionistica: essere un "agente in sonno", trapiantato in un altro paese, significava non poter mantenere nessun contatto, in patria, con amici, parenti, superiori. Bisognava essere tanto giovani da rifarsi una vita, tanto intelligenti e pieni di risorse da aver successo nel campo che si era scelto e tanto ideologicamente affidabili da non cambiare idea per decenni ed essere pronti al momento del risveglio. Chi poteva rispondere a questi requisiti se non il figlio del capo del KGB?

Arkadij le aveva detto che il momento di attivare l'agente in sonno si era presentato verso la fine degli anni Ottanta, a Riga, focolaio della divisione dell'Unione Sovietica. I Paesi Baltici, a differenza delle altre repubbliche sovietiche, una volta erano stati indipendenti, ma avevano perso la loro identità nazionale in seguito a un patto tra Hitler e Stalin, che non era mai stato riconosciuto in Occidente. I movimenti per l'indipendenza in Lettonia, Estonia e Lituania avevano sempre avuto, quindi, una particolare risonanza in America e quando le crepe profonde dell'economia sovietica avevano cominciato ad apparire evidenti e i Paesi Baltici avevano chiesto la libertà, quella forza aveva trascinato anche l'Ucraina e aveva fatto in pezzi l'Unione Sovietica.

«Il KGB sapeva che la fine si stava avvicinando», le aveva detto

Arkadij. «Il partito aveva nascosto miliardi in oro, diamanti, titoli esteri al portatore. Certo i membri del Politbjuro possedevano altre centinaia di miliardi in conti segreti distribuiti in tutto il mondo. Come conservare questi capitali per il giorno in cui tutti i discorsi su separazione e riforme sarebbero finiti e si sarebbe ristabilito un forte potere centrale? Ci voleva un banchiere americano cui poter affidare tutto. Uno di noi trapiantato lì. È stato allora che hanno svegliato il dormiente».

Liana scostò lo scialle ed estrasse il contenuto del raccoglitore a soffietto, ma l'odore di muffa, la lunghezza e la complessità della ricerca cominciavano a pesarle. Mentre riuniva i fogli, una lettera personale lunga varie pagine restò impigliata nella fettuccia che legava il raccoglitore, lei la guardò per un attimo e la rimise via insieme al resto.

Poi, però, la riprese, la scorse fino all'ultima pagina e si soffermò sulla firma, "Anna". La lettera era indirizzata ad "Aleksandr Nikolajevich", il patronimico di Shelepin, il capo del KGB, e veniva da una stazione climatica del Mar Nero; diceva che vi erano allegate delle fotografie sue, di Anna, e del suo bambino, sulla spiaggia. Ma non c'erano fotografie nella busta, attaccata alla lettera con uno spillo. Liana lesse: "Aleks sta per mettersi a piangere perché si è scottato col sole, ma poi mi ricorda che compirà otto anni la settimana prossima e che deve comportarsi da uomo".

Aleks. La lettera non aveva data, ma il timbro sulla busta era del 16 giugno 1958, il tempo in cui Shelepin era arrivato al vertice del KGB e aveva dato il via al piano per eliminare Kruscev e i riformatori. La nascita del bambino doveva essere avvenuta, quindi, nella terza settimana del giugno 1950 a Mosca, probabilmente in un ospedale e certamente registrata quel giorno all'anagrafe della città. Liana piegò in fretta i fogli, si sfilò la camicetta dalla gonna e li ficcò dentro l'elastico delle mutande, poi si rimise a posto la camicetta. Ma i fogli formavano un rigonfiamento inconfondibile, allora li spostò dietro, nell'incavo della schiena, all'altezza della vita.

Aveva bisogno di riflettere e di prendere un po' d'aria.

Rimise a posto i raccoglitori nella cassettiera e lasciò lo scialle sulla sedia, per avere la scusa di tornare indietro a riprenderlo, se fosse stato necessario. Invece di suonare il campanello per chiamare la guida, tornò da sola al tavolo del corridoio.

L'archivista, appoggiato allo schienale della sedia, russava. Liana sorrise, si appoggiò al tavolo per lasciargli un biglietto di saluto e diede un'occhiata al televisore per vedere quale vecchio film lo aveva fatto addormentare. L'immagine sullo schermo era immobile. Si vedeva una stanza con un tavolo, delle cassettiere e il suo scialle sopra una sedia. Si sentì stringere lo stomaco dalla paura: l'avevano spiata. L'archivista si era accorto che aveva rubato il documento? Russava, sembrava che dormisse davvero. Ma c'era anche una registrazione? In questo caso non sarebbe servito a niente rimettere a posto la lettera e la busta. Gli lasciò un biglietto che non avrebbe potuto mostrare ai suoi superiori: "Non ho voluto svegliarla. Tornerò domattina. Liana".

Si avviò senza correre lungo il corridoio, prese l'ascensore, scese a pianterreno e andò al posto di controllo dove ci si accertava nessuno portasse su di sé oggetti di metallo. C'erano due uomini di guardia, uno basso e quasi calvo, l'altro alto e grosso. Mostrò il lasciapassare a quello basso e aspettò che si facessero da parte per lasciarla uscire, come la settimana prima. Ma non fu così.

«Posso andarmene?», chiese sorridendo.

La guardia la invitò con un gesto a fare un passo indietro, andò al telefono, comunicò il numero del lasciapassare e aspettò una risposta. Liana pensò che forse anche loro sentivano i battiti del suo cuore. La guardia riattaccò e scosse la testa, con la mano sul ricevitore. Dopo poco il telefono suonò per trasmettere l'ordine.

La guardia sospinse Liana verso una piccola stanza vicino all'ingresso. Lei entrò, incerta. Le venne chiesto di consegnare la cartella. La guardia ne esaminò il contenuto e la mise da parte. «Si spogli. Perquisizione».

«Ma no! Sono passati quei tempi! Lasciatemi uscire subito. Non vi rendete conto che sono una giornalista?».

La guardia piccola e calva le indicò la camicetta e ripeté l'ordine, facendo schioccare le dita.

«No. Vi denuncerò. È una forma di stupro». Liana non voleva chiedere di essere perquisita da una donna, come sarebbe stato ovvio, perché altrimenti la lettera sarebbe stata certamente scoperta. L'ultima cosa che poteva augurarsi era di essere perquisita da una donna.

L'altra guardia bussò alla porta, entrò e se la richiuse a chiave alle spalle. Non voleva rinunciare allo spettacolo.

«E chi rimane, adesso, a controllare l'ingresso della Lubjanka?», chiese Liana.

«Abbiamo l'ordine di accertarci che non abbia del materiale nascosto sulla sua persona, signorina Krumins», disse la guardia calva. «Se l'archivista conferma che non ha preso niente, lei può andare. Se rifiuta di provarcelo, non le faremo niente di male, ma la chiuderemo in una cella fino a nuovo ordine».

Poiché Liana esitava, l'altra guardia disse: «Ne abbiamo già viste di donne nude». Se mi passa alle spalle, pensò Liana, chiederò di essere messa in una cella e poi vedrò come cavarmela. La guardia non si mosse. Le stavano tutte e due di fronte. Forse sarebbe riuscita a ingannarle, a meno che dietro non ci fosse una telecamera. Si slacciò la gonna sul fianco, la lasciò cadere a terra e fece un passo indietro. Le guardie non esaminarono la gonna e lei sperò che fossero più interessate a vedere che a perquisire. Aveva le gambe lunghe ma, per farle sembrare ancora più belle, non si levò le scarpe a mezzo tacco. Non aveva le calze. Si sbottonò la camicetta. Le guardie cercarono di conservare una espressione ufficiale. Senza togliersi la camicetta, lei si slacciò sul davanti il fermaglio del reggiseno. Il suo scopo era di attirare l'attenzione sui suoi seni che erano pieni e fermi e avevano sempre avuto non poco effetto sugli uomini.

Quando ebbe aperto il fermaglio, raddrizzò la schiena e si scrollò via la camicetta dalle spalle, poi si portò una mano dietro, per tirarsela via e intanto vi avvolse la lettera che le sporgeva dall'elastico delle mutande. Mentre le guardie non staccavano gli occhi dal reggiseno, che la copriva ancora in parte, lasciò cadere a terra, sopra la gonna, la camicetta che racchiudeva la lettera.

Rincuorandosi a poco a poco, si tolse del tutto il reggiseno, prese un profondo respiro e, con le mani sui fianchi, si voltò prima da una parte poi dall'altra. I due uomini tacevano, senza fiato. Lei gettò il reggiseno a quello più alto, si tolse con un movimento brusco le mutande e le gettò a quell'altro. «E adesso, fuori!», gridò.

La guardia alta e grossa si voltò, per andarsene, ma l'altra parve non volere lasciarsi imbrogliare e ordinò: «Le scarpe!». Liana si mise davanti al mucchio dei vestiti, aspettò un momento, mentre la faccia della guardia s'incupiva, si tolse una scarpa, gliela diede, poi diede l'altra all'altra guardia, che la esaminò e sorrise. Il suo compagno si scusò, restituirono le scarpe, gettarono reggiseno e mutande sopra la gonna e la camicetta ammucchiate dietro Liana e se ne andarono.

Liana ricordò a se stessa che non tutto era finito; da qualche parte, nella stanza, era ancora sorvegliata. Si avvicinò alla parete, fece scivolare la lettera dentro la gonna in modo che fosse impossibile vederla e si rivestì. Lasciò la stanza della perquisizione a testa alta, ammiccò alle guardie nel salutarle e disse: «Vi deve piacere parecchio il vostro lavoro», poi uscì sulla piazza della Lubjanka, un tempo piazza Dzerzhinskij.

Davidov chiuse la porta dell'ufficio. Disse a Jelena, l'esperta di codici che gli faceva anche da segretaria, che non voleva essere disturbato. Prese il telecomando, si mise a sedere sul divano davanti al televisore e fece di nuovo scorrere il nastro.

Non la prima parte, in cui si vedeva la giornalista lettone rubare il documento dall'archivio, da quella non poteva sapere altro tranne il tipo di documento, che si componeva di una lettera e di una busta, e dove era stato nascosto, cioè non sul davanti, ma dietro la schiena, all'altezza della vita.

La giovane giornalista aveva un seno meraviglioso, su questo non c'erano dubbi. Dispose l'animo alla contemplazione; l'occhio nascosto della telecamera gli offrì lo spettacolo di un seno visto di profilo che le guardie, più fortunate, avevano guardato direttamente. Davidov raccomandò a se stesso di non lasciarsi distrarre, ma non era facile, la ragazza lettone si esibiva senza pudore e senza vanità, quasi in una ironica sfida. Davidov fece tornare indietro il nastro, lo guardò di nuovo.

Come funzionario della Sicurezza, era suo dovere studiarlo con la massima attenzione. Si vedeva la ragazza prendere il documento dal raccoglitore, era chiaro che intendeva rubarlo, ma quando era stata perquisita non lo aveva più. Che cosa ne aveva fatto? Si era fermata in un'altra stanza dell'archivio senza che l'archivista, cui certo non sarebbe potuto più capitare di addormentarsi al tavolino, se ne accorgesse? Davidov si spostò sulla poltrona, appoggiò una gamba sul bracciolo e fece ripassare il nastro. Non constatò niente di particolare, tranne la propria, meccanica, reazione fisica.

Jelena bussò alla porta. Davidov spense il telecomando e poi la fece entrare. Lei gli diede il primo rapporto di sorveglianza sulla ragazza lettone, da quando era uscita dalla Lubjanka nel tardo pomeriggio del giorno prima.

«Lo consumerà quel nastro, Nikolaj Andrejevich».

Sul fronte del dovere, per così dire, Jelena obbediva a un severo codice morale, simile in questo alle poche colleghe selezionate come lei dal servizio di "rondini". Istruite dall'adolescenza nell'arte di soddisfare un uomo, si erano scrupolosamente prostituite per il loro paese fino a quando l'età e l'aspetto fisico non erano stati più tali da attirare potenziali disertori; essendosi però mostrate affidabili, spesso anche in incarichi svolti all'estero, e avendo dimostrato buone capacità analitiche, queste donne si erano meritate una seconda carriera.

Jelena, ormai vicina ai quaranta, la stessa età di Davidov, era sempre bella, ma lui, a differenza di altri funzionari ad alto livello, manteneva i loro rapporti in un clima di mutuo rispetto; l'unico abuso era la possessività da chioccia che Jelena manifestava per il suo giovane superiore. Davidov non dimenticava che il proprio potere derivava direttamente dal Capo, che, per quanto non esente lui stesso da sospetto, disapprovava le storie d'amore in ufficio, anche se tra colleghi non sposati. Davidov era stato non solo il primo che, laureato in epistemologia, fosse stato chiamato a occupare una carica che richiedeva tanta concreta responsabilità, ma era stato in assoluto il primo che, estraneo all'ambiente, avesse avuto un incarico ad alto livello nei servizi di sicurezza. Non poteva permettersi la minima infrazione, per non dare ai suoi numerosi nemici nella burocrazia l'occasione di distruggerlo.

«Ecco, guardiamo insieme», disse alla sua assistente, dimostrando così a se stesso che il suo interesse per Liana era esente da componenti lascive. Schiacciò il tasto per tornare indietro, dalla parte migliore, all'inizio. Stop, poi via. Guardarono tutte e due le scene. Alla fine, lui scosse la testa, perplesso. Jelena disse soltanto: «Bah!».

«Che significa "bah"?». La donna andò alla scrivania, prese un foglio di carta bianco e lo mise in una busta. In piedi davanti a Davidov si sfilò dalla gonna la parte dietro della camicetta, si sistemò la busta nell'incavo della schiena e la fissò con la cintura.

«È lì che ha nascosto la lettera», disse.

Chiuse la porta a chiave, poi tornò a rimettersi davanti a Davidov, voltandogli la schiena, e cominciò a togliersi la camicetta. Davidov guardò, turbato, quella porta chiusa; forse aveva commesso un errore, ma gli avrebbe insegnato qualche cosa. Jelena si scosse la camicetta dalle spalle e se la fece cadere dietro la schiena, sopra la busta che così restava tutta coperta, poi con la mano, come aveva fatto Liana, gliel'avvolse intorno e lasciò che cadesse a terra.

«Non ha dimenticato gli anni dell'addestramento nel servizio clandestino», osservò Davidov, con la sensazione di essere uno stupido. Sperava che non si voltasse verso di lui, così, senza la camicetta.

Jelena la raccolse da terra, se la mise, se l'allacciò e solo allora si voltò. «Devo archiviare il nastro, Nikolaj Andrejevich?».

«Lo lasci dov'è. Può darsi che debba rivederlo per dare disposizioni su come condurre le perquisizioni», rispose Davidov. «Grazie, comunque. Dov'è andata dopo, la giornalista?».

«Tre isolati più avanti, al Metropole. È entrata nella sala da pranzo grande, quella col soffitto dipinto».

«I russi non ci vanno mai». Quella sala storica, come il resto dell'albergo, era frequentata solo da gente molto ricca.

«Ha incontrato un americano, abbiamo pensato che lei avrebbe voluto farlo seguire. Non abbiamo ricevuto nessun rapporto per il momento, ma i nostri agenti che avevano seguito la giornalista fino all'albergo avevano notato che anche un altro la seguiva».

«Spero che non l'abbiano fermato».

«No, direttore. L'hanno filmato, per fare delle copie e poter seguire anche lui. Qui ho una fotografia». Gliela mostrò. «L'ha seguita fino all'albergo dell'aeroporto e poi, stamattina, a Riga».

«E l'altro? Quello della sala del Metropole?»

«È un turista americano. Un commercialista». Jelena diede a Davidov una cartelletta che conteneva solo il facsimile di un passaporto e del visto di ingresso di un americano di nome Michael Shu.

Davidov prese la cartelletta e congedò Jelena con un cenno. Nel suo modo di comportarsi si poteva scorgere una leggera provocazione, una sfida. Jelena si richiuse ostentatamente la porta alle spalle, a garantirgli che nessuno l'avrebbe disturbato. David accese il telecomando e fece tornare indietro il nastro, cercando di riflettere sulle circostanze che si addensavano attorno all'agente in sonno.

Il KGB non aveva una documentazione scritta sulla attuale identità di Aleksandr Berenskij, almeno per quanto gli era dato di sapere. C'era però la possibilità che una testimonianza del passato reale del dormiente, e di quello che gli era stato attribuito, fosse nascosta in un'altra parte dell'archivio. Da quando aveva preso il posto del direttore della sezione, morto nell'incidente aereo, Davidov si era dedicato a una ricerca incessante di qualsiasi foglio di carta che potesse suggerirgli il modo di trovare l'agente in sonno. Niente. Pareva che il direttore e il suo vice non avessero mai considerato la possibilità che il segreto sparisse con loro, se fossero morti contemporaneamente.

La causa di quell'assenza di documenti su un'operazione importante stava nella sua estrema, delicata complicazione. Tutto era stato affidato al controllo di una sola persona, lo stesso assistente di Shelepin che aveva collaborato all'addestramento del giovane agente prima del trasferimento negli Stati Uniti, una generazione prima. Contrariamente a quanto avveniva di solito, il controllore non aveva presentato a un superiore rapporti periodici, non gli era stato richiesto nessun contatto con il dormiente. Nel 1989, quando la necessità di occultare i fondi era apparsa evidente ai funzionari del partito, il controllore era stato mandato alle Barbados perché tornasse a occuparsi di lui. Davidov era riuscito a dedurlo solo dall'esame delle note spese, perché non esistevano rapporti scritti. Dopo un iniziale, massiccio trasferimento di fondi e di oro, erano venuti anni in cui erano affluite all'agente in sonno informazioni finanziarie sulla Russia e dall'interno degli Stati Uniti. Poi, dopo la caduta degli alti funzionari del KGB, non esisteva una parola del controllore sulle operazioni del dormiente o dell'altro agente che pure agiva in America, la talpa di Washington.

Il bip del registratore lo avvertì che il nastro era tornato all'inizio. Davidov sfiorò il pulsante che gli avrebbe riportato le immagini di Liana Krumins, poi ci ripensò e non lo accese. L'estrema cura nel proteggere Berenskij, si chiedeva, era stata una saggia precauzione per non esporlo durante i disordini? Sì. Ma adesso era tornata l'ansia al Cremlino per quella mancanza di supervisione sui movimenti dell'agente in sonno. Il KGB, così com'era costituito in quel momento, ignorava dove si trovasse il suo considerevole patrimonio oltreoceano, di questo Davidov era sicuro. I Servizi Esteri, un tempo una sezione del KGB, ora orgogliosamente indipendenti, sapevano qualcosa di più su Berenskij? Era troppo rischioso informarsi. E i Feliks che cosa sapevano? Ne aveva interrogati alcuni, pressantemente, ma senza risultato, e stava pensando di ricattare altri con un compenso economico.

Quell'enorme capitale, affidato all'agente in sonno perché lo custodisse o lo investisse, apparteneva al governo russo, sebbene alcune delle ex Repubbliche sovietiche ne rivendicassero la proprietà. Recuperarlo era il compito principale che Davidov aveva nei confronti del KGB. Se poi riavere il danaro fosse stato impossibile, il suo secondo impegno era impedire che finisse nelle mani dei Feliks.

Spense il registratore e chiamò Jelena con l'interfono. «Prima di tutto dobbiamo saperne di più sul diciottenne scelto per essere trapiantato in America nel 1968», le disse. «Mi trovi qualcuno al Villaggio americano che si sia occupato dell'addestramento di Aleks Berenskij».

«Sì, direttore. Ma questo non servirà a farci sapere dov'è adesso in America. E nemmeno che cosa è successo al suo controllore».

La sua assistente conosceva il KGB meglio di lui e Davidov non si sentì umiliato a chiederle un consiglio. «Che cosa possiamo fare per trovarlo?».

«Kontrol forse è morto, forse ha disertato, forse è passato alla CIA, forse ha rubato i soldi».

«D'accordo. E allora?».

«Aveva due agenti, il dormiente e la talpa. I Servizi Esteri sanno chi è la talpa ed è con la talpa che dovremmo metterci in contatto». Davidov scosse la testa. «I Servizi Esteri reclamerebbero la mia testa, se solo provassi a chiedere come si chiama». Non era un buon inizio per un giovane fresco di accademia; l'indagine lo avrebbe fatto passare per un burocrate imperialista o per un agente occidentale che facesse il doppio gioco. «E poi non sappiamo se l'agente dei Servizi Esteri a Washington sia mai stato in contatto diretto con Berenskij. La regola era che l'operazione si svolgesse attraverso un intermediario. La talpa di Washington non doveva conoscere l'identità di Berenskij e viceversa». Era una supposizione, ma Davidov riteneva che fosse fondata.

«E il nostro uomo della Federal Reserve a New York?».

«Significherebbe farsi tagliare fuori due volte, farsi allontanare due volte dalla possibilità di scoprire l'agente in sonno». Davidov non voleva sollevare la collera burocratica cercando di entrare in contatto con quell'agente. Jelena si era messa d'impegno, ma non gli era stata molto utile. E poteva anche darsi che avesse un amico ai Servizi Esteri, in quel lavoro non bisognava fidarsi di nessuno. La congedò di nuovo, aspettò di sentire la porta che si richiudeva e accese il registratore.

Fermò il nastro sulla immagine che mostrava come quelle stupide guardie fossero state ingannate, cercando di spostare lo sguardo dai capezzoli dritti e duri di Liana Krumins alla sua mano che nascondeva i fogli dietro la schiena. Si ricordò di un illusionista che aveva usato lo stesso trucco per distrarre l'attenzione del pubblico e giurò di non lasciarsi mai più ingannare da quella ragazza bugiarda.

14

RIGA

Michael Shu, commercialista, provava un gran gusto a lavorare per Irving Fein. A New York, un commercialista era sempre in giacca e cravatta, spesso legato alla scrivania per ore, mentre a lui le ricerche che faceva per Fein aprivano spazi luminosi nel panorama grigio del quotidiano.

Loro due insieme, Irving che lavorava con gli informatori e lui coi libri contabili, avevano denunciato abusi sulla tassazione dei beni di consumo; avevano messo in imbarazzo il capo del personale alla Casa Bianca per le speculazioni dei suoi familiari basate sulla conoscenza di quanto avveniva al Ministero del Tesoro; avevano messo in luce la manovra di un finanziere fuggito alle Bahamas che trasportava droga e armi attraverso Panama; avevano reso la vita difficile al presidente della Federal Reserve per non aver seguito la traccia evidente di vasti movimenti che finanziavano il commercio illegale delle armi.

Per la sua collaborazione a questa serie di articoli che aveva avuto grande risonanza sui quotidiani e anche sulle copertine dei settimanali, Michael non aveva chiesto, né ricevuto, il piacere di vedere pubblicato il suo nome. Solo Irving godeva della notorietà che davano i media e che, certamente, gli apriva la strada verso sempre nuove possibilità, ma a Michael non faceva orrore l'anonimato. Quello che gli piaceva era scandagliare gli abissi della burocrazia e una faccia o un nome famosi gli sarebbero stati di ostacolo. Provava una grande attrazione per quella gente dalla espressione impassibile che nascondeva rancori profondi, covati a lungo, e non per un abuso di potere o un giudizio sbagliato sulla propria condotta, ma per un compenso economico inadeguato, una promozione mancata, una molestia o un rifiuto sessuale o per uno degli infiniti, comuni torti che spingono un dipendente poco apprezzato ad accettare l'invito a raccontare un segreto.

Certo Irving, quando si trattava di soldi suoi, era avarissimo. Michael poteva alzare il prezzo della sua tariffa oraria quando faceva la denuncia delle tasse per i clienti del suo studio che consisteva in quattro impiegati, ma Irving la sua la voleva gratis, in cambio dei lavori extra che gli procurava. A conti fatti, l'apporto di Irving non aumentava di molto le entrate annuali dello studio.

Ma ecco che il giornalismo aveva i suoi vantaggi e Irving diventava straordinariamente generoso quando pagava qualcun altro. Per questo, Michael Shu, figlio di un barcaiolo vietnamita e di una ragazza poverissima perché suo padre era un diplomatico sovietico rifugiato negli Stati Uniti, ora si trovava seduto nel giardino del più bel ristorante di Riga, Lettonia, di fronte alla torre medievale della città. Il suo albergo, poco lontano, il migliore che la città sul Baltico potesse offrire, si presentava in una efficiente fase di restauro dopo due generazioni di occupazione sovietica. Il commercialista prese la sua agenda elettronica, batté col dito le spese della giornata, ed espresse impercettibilmente la sua preoccupazione per la cifra eccessiva che il giornalista avrebbe dovuto pagare. E non tanto a Riga, che era una tappa poco dispendiosa del suo viaggio, quasi come San Pietroburgo, ma a Mosca, che era una città molto cara.

L'Hotel Metropole, però, valeva quello che costava. Michael non era particolarmente abile nell'entrare in contatto con le persone, ma ogni volta che invitava qualche piccolo o medio burocrate del Ministero del Petrolio a colazione nella grande sala del Metropole, con il soffitto di vetro, riusciva immediatamente a fissare un appuntamento. Pochi russi erano stati in quell'albergo così caro o avrebbero avuto la possibilità di tornarci un'altra volta. Michael offriva loro l'occasione di immergersi nel piacere di una prima colazione generosa, uova, formaggi, focaccine, yogurt, dolcetti al miele, che più tardi avrebbero potuto magnificare ai colleghi invidiosi. Michael non chiedeva ai suoi ospiti documenti che, al loro livello, non sarebbero stati in grado di mostrargli né informazioni segrete di cui non disponevano, gli bastava dare un'occhiata ai libri e alle liste delle consegne che i grandi capi non sapevano neppure come fossero fatte, sapere i nomi delle banche straniere, degli importatori e delle compagnie di trasporto che erano state in affari con il governo sovietico già agonizzante. Che male c'era se si parlava dell'Unione Sovietica? Era un altro paese, morto e sepolto.

Parlava russo con i burocrati, e anche abbastanza bene perché era la lingua di sua madre ma, meglio ancora, capiva il linguaggio della contabilità. Non gli pesava, da solo in una stanza piena di libroni, sfogliare pagine e pagine di conti, talvolta cercando la data

112

di una spedizione o di un bonifico, più spesso lasciando che fossero le cifre a parlargli. L'attrezzatura che portava con sé gli era utile, gli permetteva di trascrivere punto per punto elenchi di cifre nella sua agenda elettronica che poi trasmetteva ogni sera, via MODEM, al suo ufficio di New York, ma più utile era una sua istintiva sensibilità che gli permetteva di percepire ciò che mancava, un'attrazione per una pagina o per una registrazione che avrebbe dovuto esserci e non c'era, come un buco nero per un astronomo.

Era grato a Irving che era stato così ingegnoso da costruirgli una copertura che era molto vicina alla verità. L'inganno, la tortuosità non facevano parte del carattere di Michael Shu. Quando era al City College, i suoi compagni lo prendevano in giro per quel suo modo di essere tutto d'un pezzo, ma lui era soddisfatto del diploma guadagnato con il proprio impegno, voleva andare dritto per la sua strada e se gli capitava di non poter essere sincero con qualcuno si metteva subito a balbettare. «Saresti un magnifico imbroglione», gli aveva detto una volta Irving, «peccato che diventi tutto rosso se de-de-devi dire una bugia. Come fai a ingannare tua moglie? Sei il primo cinese che ho visto arrossire».

Recentemente, Irving gli aveva chiesto di fissarsi bene in mente l'identità che lui stesso gli aveva creato. «Ricordati che sei un commercialista incaricato da uno scrittore di raccogliere del materiale sull'uomo più ricco del mondo. Chi è quest'uomo? Non lo sappiamo ancora, ma la traccia di un misterioso miliardario americano risale all'Unione Sovietica dove si sa che i funzionari comunisti corrotti trafficavano in armi e petrolio. Si spiegherà così il nostro interesse per le operazioni economiche del 1989 e dei primi anni Novanta, gli anni in cui il nostro amico ha avuto i profitti maggiori. Hai capito bene?».

Michael aveva capito bene, si era ripetuto tutto da solo e si era sentito quasi a proprio agio. I giornalisti non avevano bisogno di custodire una licenza professionale emessa dallo stato di New York. I commercialisti sì.

Sotto il sole del Baltico, Michael Shu stava in comunione spirituale con il suo computer da ottocento grammi, il più leggero e gradevole compagno per la colazione del mattino. Gli aveva dato anche un nome: "Irving".

Il suo programma per l'analisi dello schema dei fondi provenienti dalla Banca Centrale dell'Unione Sovietica lo salutò con una infinita gamma di colori. L'uscita di danaro più alta si era verificata nel febbraio del 1989, palesemente in acquisti di cereali; ora avrebbe dovuto verificare se il raccolto era stato cattivo l'anno prima e se alla Federal Reserve di New York erano affluiti fondi dalla Banca Centrale di Mosca. Questo poteva essere l'indizio che l'afflusso di fondi fosse frutto di corruzione. I suoi amici che occupavano i gradini più bassi alla Banca Agricola di Credito avrebbero potuto dirgli da dove veniva quel danaro, se da trasferimenti di oro, e se c'era stato qualche sospetto di scremature o provvigioni. I dati erano accessibili, non costituivano un segreto o, almeno, non un gran segreto, ma nessuno aveva superato i confini internazionali per mettere a confronto le cifre. L'Est se ne andava per la sua strada, in quei giorni, e l'Ovest se ne andava da un'altra parte, entrambi poco interessati a prevenire la frode nel dominio l'uno dell'altro. Ma, mettendosi sulla scia del danaro, lui adesso avrebbe scoperto chi lo manovrava allora e così avrebbe individuato lo schema dell'operazione economica dell'agente in sonno.

Mise i dati nell'Irving e chiamò gli appunti su una visita del giorno prima allo *spetsfond*, la "raccolta speciale" della biblioteca fondata da Pietro il Grande. Quel viaggetto all'Accademia delle Scienze di San Pietroburgo era stato il piacevole diversivo di una giornata, perché lì si trovavano raccolti tutti i libri e le pubblicazioni messi al bando dagli zar e dal governo sovietico. Lo *spetsfond* era la più vasta collezione di letteratura proibita esistente al mondo, dalla pornografia blanda alla dissidenza dura, una miniera di tutto quanto era considerato scorretto.

Ma il viaggio di Shu si era rivelato non solo un piacevole diversivo. Quando aveva saputo che un incendio, negli ultimi mesi del 1988, aveva distrutto centinaia di migliaia di libri, gli era venuto il sospetto che non si fosse trattato proprio di un incidente. Aveva chiesto a una bibliotecaria gli elenchi dei fascicoli depositati alla biblioteca dal KGB, relativi a movimenti di danaro, opere d'arte o lingotti d'oro. La bibliotecaria gli aveva risposto che qualcosa doveva esserci e che se ne ricordava perché si trattava di materiale che esulava dallo scopo della biblioteca che era quello di aprire nuovi spazi dopo la soppressione della vecchia ideologia. Non tutti quei fascicoli, così difficili da catalogare, erano andati distrutti dalle fiamme, alcuni erano stati portati in un magazzino frigorifero di carni insaccate, alla periferia della città, perché non corressero altri rischi, insieme con i libri danneggiati dall'incendio o dall'acqua. Quando Michael aveva chiesto se era lui il primo a chiedere di quei vecchi incartamenti, la bibliotecaria, una signora gentile, felice di potersi rendere utile, gli aveva risposto di no, proprio la settimana prima, dal Ministero Russo per l'Energia Atomica era venuto qualcuno a chiedere se erano stati pubblicati articoli sul Cherlyabinsk-65, il centro studi, in Siberia, sull'uso del plutonio.

Se volessi pensare alla vecchiaia, si chiese Michael, e avessi un po' di soldi da impiegare, che cosa sceglierei? Diamanti no, un valore di poche centinaia di milioni di dollari disturberebbe il mercato, a meno che De Beers non decidesse di togliermeli dalle mani e dal mercato. L'oro, meglio di tutto l'oro. Il petrolio è commerciabile, immagazzinabile, ha un valore alto, ma richiede una serie di protezioni.

Una sostanza che servisse a costruire le bombe nucleari? Difficile da collocare e da trasportare, ma molto richiesta per la realizzazione degli intenti criminali delle nazioni. Michael premette il tasto del computer per cancellare il viaggio a San Pietroburgo, chiamò l'elenco dei "non so", strumento di lavoro contabile-investigativo ideato da Irving Fein, e aggiunse una domanda sulle possibilità di trasportare il plutonio.

L'agenda elettronica annunciò con un suono impercettibile e un guizzo luminoso che le batterie erano scariche. Michael si frugò in tasca per vedere se aveva un paio di pile AA, non le trovò, ma non si perse d'animo. Al di là della strada, alla base della torre medievale, c'era un negozio di souvenir dove era sicuro che avrebbe trovato quello che cercava. Era ugualmente sicuro che fosse un luogo infestato da ladruncoli che depredavano i turisti. Appoggiò il giornale sul piatto per essere sicuro che nessuno gli portasse via il posto e fece segno al cameriere che sarebbe tornato subito.

Col suo Irving stretto in mano, attraversò la strada ed entrò nel negozio. Un cliente stava discutendo di una macchina fotografica con teleobiettivo che a Michael parve un oggetto piuttosto costoso per un negozio di souvenir in Lettonia, specializzato in scialli e animaletti intagliati nel legno, ma poi capì che la stava solo mostrando al proprietario. Tutti e due, cliente e proprietario, smisero di occuparsi della macchina fotografica per ammirare Irving, le dimensioni, l'efficacia e la possibilità di funzionare con batterie in commercio ovunque; erano persone gentili, che parlavano in russo, come la maggior parte degli abitanti di Riga. Era questo che dispiaceva ai lettoni, Michael lo sapeva: Stalin aveva russificato il paese, inondandolo di centinaia di migliaia di immigrati e deportando i lettoni in Siberia. I russo-lettoni erano ormai il cinquanta per cento della popolazione, sparsi un po' dappertutto, ma presenti soprattutto a Riga; i lettoni, acquistata da poco l'indipendenza, concedevano a pochi residenti di lingua russa il diritto di voto. Irving, il reporter, non il computer, gli aveva detto che i Feliks erano russi che avevano scelto di operare in Lettonia, poco graditi a Riga, ma al sicuro dalla sezione del KGB, a Mosca, diretta da Davidov.

Quando tornò al ristorante, Michael trovò un uomo anziano seduto al suo tavolo.

«Mi scusi, ma questo è il mio posto. Ero andato per un momento al negozio qui di fronte».

«Lo so. Quell'uomo ci sta fotografando proprio adesso, mentre parliamo». L'uomo, che portava una vecchia giacca militare marrone, ordinò al cameriere del tè, senza parlare, facendo solo il gesto di versarsene una tazza. «Lavora per il KGB».

Michael provò una forte emozione, adesso era proprio in gioco. «Può anche sentire quello che diciamo?».

«No». L'uomo anziano prese la ciotola dello zucchero, rovesciò sul tavolo le bustine e poi le rimise dentro a una a una. «Si chiama "protezione visiva". Vogliono vedere chi viene da lei. E io voglio che vedano che io sono venuto da lei».

Irving, una volta, aveva detto a Michael di non fare mai domande a chi stava cercando di dare delle informazioni. Si era espresso così: «Non si uccide un uomo che si sta suicidando», ma questo era un modo tutto suo di aggiungere drammaticità a una semplice indicazione.

«Mi chiamo Arkadij Volkovich». Il visitatore sporse un braccio attraverso il tavolo. «Fingiamo di stringerci la mano». Michael rispose all'invito, chiedendosi perché quell'uomo volesse che una loro fotografia fosse esaminata a Mosca.

«Vuole sapere perché tengo tanto a essere fotografato insieme a lei?». Seguì, da parte di Michael, un silenzio incoraggiante. «Perché non abbiamo niente da nascondere. Lei ha conosciuto Liana, la nostra presentatrice televisiva, nella sala grande del Metropole di Mosca. Liana le ha consigliato di venire qui dove sarebbe entrato in contatto con uno di noi. Nessun segreto».

«Che cosa intende con "noi"?».

«Intendo la *organizatsija*, un gruppo sociale, così ci definiamo. Per voi siamo i Feliks. Il KGB o la Sicurezza sociale, o non so più come si chiama adesso, sospetta che stiamo complottando di ritrascinare le repubbliche dei "paesi esteri vicini" entro la vecchia Unione Sovietica. È un'accusa inventata, naturalmente, ma dà al KGB ciò di cui ha bisogno, un nemico e uno scopo. Crea lavoro per molti dei suoi agenti che, altrimenti, sarebbero disoccupati».

«Vuol dire che è tutta una questione economica?». Michael non ci credeva, ma la storia aveva una sua logica. L'impressione che gli aveva dato Liana Krumins, tuttavia, era che l'organizzazione Feliks fosse consistente come forza e come numero e che si stesse servendo di lei per estrarre informazioni dagli archivi del KGB. Aveva pensato di rivedere gli appunti su di lei e di rievocare quella bella cena al Metropole ora, quando gli avessero servito il dessert. Era un piacere che si era tenuto per ultimo.

«Liana non è russa», disse il suo commensale. «Alla televisione parla in russo, sua madre è russa, ma suo padre era lettone e anche lei è una vera lettone».

«È una ragazza interessante».

«Più di quanto lei immagini. Era a capo del movimento studentesco durante la lotta clandestina per l'indipendenza. Parla bene il russo, ha fatto da collegamento tra i dissidenti e i riformatori a Mosca e a Pietroburgo. Ma parla bene anche l'inglese ed è stata il punto di riferimento dei lettoni emigrati in America».

Ecco come l'aveva conosciuta Irving, ma a lui aveva detto soltanto che era una giornalista lettone e che l'avrebbe incontrato in un albergo di Mosca per metterlo in contatto con i Feliks.

Arkadij parlava con grande scioltezza. «Nessuno di noi la conosceva, a quell'epoca», stava dicendo, «ma, ripensandoci, ci si rende conto che a diciannove anni ha cooperato più di molti altri al crollo del regime. La chiave era qui, nelle repubbliche del Baltico, che gli Alleati non hanno mai voluto riconoscere come annesse all'Unione Sovietica».

«Avrà ambizioni politiche», disse Michael. Era un'osservazione, non una domanda.

Il commensale assentì, cercò nella ciotola qualche bustina di zucchero artificiale e se la mise in tasca. Forse poco prima, quando le aveva rovesciate tutte sul tavolo, aveva voluto controllare che non ci fosse una microspia. «Prima diventerà uno di quei visi che tutti conosciamo perché appare ogni sera sullo schermo della televisione. Poi, entro una decina d'anni, si candiderà alla presidenza delle Repubbliche Unite del Baltico e le condurrà al riparo dell'ombrello della Nato». Arkadij assentì, per affermare la possibilità di qualcosa che pareva incredibile. «Liana le ha parlato delle sue ambizioni?».

«No. Non mi ha detto niente di personale». Michael si sentì bruciare la fronte e le guance. Liana era stata molto esplicita a proposito del suo futuro, ma lui non aveva comunicato a Irving, a New York, quello che aveva saputo sulle sue grandi ambizioni politiche.

117

Né ora aveva intenzione di confermare le parole di quello sconosciuto.

«Sarebbe strano», concluse il suo ipotetico alleato, «però mi ricordo di aver detto la stessa cosa cinque anni fa a proposito delle idee di Liana sulla indipendenza della Lettonia. Come l'ha conosciuta il suo amico Fein?».

Questa, Michael lo capì immediatamente, era la domanda cui Irving gli aveva raccomandato di non rispondere. La verità era che Irving era stato a Riga, qualche anno prima, per scrivere un articolo riassuntivo sui dissidenti delle nazioni oppresse e aveva trovato in lei una amichevole fonte di informazioni. Non c'era possibilità di equivoco, non erano molte a Riga, in quegli anni, le giovani giornaliste in contrasto con il potere e che parlassero bene inglese. Forse l'unica era lei, si erano incontrati, avevano bevuto qualcosa insieme e lei gli aveva dato un quadro della situazione. Il mondo del giornalismo era piccolo, come forse anche quello dei commercialisti. Poi, quando Riga era diventata importante nella ricerca della spia in sonno, era stato utile a Irving mettersi in contatto con Liana Krumins, in Lettonia.

Una storia troppo semplice perché, nel mondo dei Servizi, qualcuno potesse crederla. Meglio che il KGB e i Feliks pensassero che Irving e Liana fossero in combutta, – a Michael piaceva quella espressione, Irving la usava sempre – perché faceva apparire Irving come un protagonista, qualcuno che agisse per conto della CIA o dell'FBI, forse qualcuno che avesse già un'idea sugli spostamenti dell'agente in sonno. Ai protagonisti viene sempre offerta la possibilità di trattare per avere un'informazione, o viene almeno fatta qualche domanda che costituisca un indizio. Irving vantava sempre la spinta che veniva dal fingere di sapere più degli altri.

«Non so come si siano conosciuti», rispose Michael senza fretta. «Forse è perché fanno lo stesso lavoro. E i Feliks come sono venuti in contatto con Liana Krumins?».

«Liana ha sempre avuto un sentimento di rivolta verso il KGB, come lei sa, del resto. Sentimento che noi condividiamo». Michael sapeva che Irving avrebbe voluto avere qualche indizio sulle ragioni che avevano indotto la mafia a servirsi proprio di quella giornalista, ma gli pareva che neanche Arkadij lo sapesse.

«Sì, ho avuto l'impressione che non considerasse favorevolmente il KGB», disse.

«Voi volete trovare, in America, quel russo che sa dove sono nascosti i soldi che appartenevano alle vecchie repubbliche sovietiche, compresa la Lettonia. Anche noi vogliamo trovarlo. Come possiamo aiutarvi?».

Michael Shu non esitò a rispondere. «Gli stati del Baltico hanno barattato cibo e manufatti con il potere centrale in cambio di elettricità e petrolio. Si dev'essere verificato uno squilibrio. Com'è stato risolto? Dove sono stati registrati i termini dello scambio? Siete collegati con qualcuno alla banca di Helsinki, che possa darmi qualche notizia sulle transazioni dall'88 al '91? La vostra associazione di giovani uomini d'affari, il Gruppo dei Cinquanta di Riga, ha un banchiere che si occupa di curarne gli investimenti a New York? Lei conosce una persona, non ad alto livello, che io possa vedere presso la vostra Banca Centrale, domani, e che si occupi dei trasferimenti via cavo?».

Per il momento poteva bastare. Michael aveva visto Arkadij prendere una matita e annotare le sue richieste su un taccuino malandato ma, forse per questo, adeguato alla circostanza. Ora avrebbe voluto che il rappresentante dei Feliks se ne andasse, così lui sarebbe tornato in camera sua, in albergo, per registrare una cassetta del notiziario serale di Liana, da Riga, per mandarla a Irving.

15

SAN PIETROBURGO

«È possibile che debba sapere dall'intercettazione del fax di un commercialista americano che ci sono dei documenti del KGB nello *spetsfond*?», gridava Davidov. «Il Cherlyabinsk-65 vi sembra una scoperta senza importanza? Il plutonio non è importante? Vi rendete conto che ci troviamo a dover affrontare una operazione globale che depreda le nostre risorse? O siete passati anche voi dalla loro parte?».

Il procuratore era allarmato, esattamente come Davidov voleva che fosse.

«Noi non sospettavamo che quegli incartamenti fossero all'Accademia delle scienze, Nikolaj Andrejevich. E nemmeno lei. È una biblioteca enorme, nessuno sa con esattezza che cosa contenga. Stanno trovando ancora libri, documenti nei frigoriferi industriali dove sono stati messi dopo l'incendio».

Il nuovo funzionario del KGB sbatté la giacca di pelle sul tavolo della riunione e rovesciò la tazza del tè.

«Questo non è l'assassinio di Kirov o il "complotto dei dottori" o l'esecuzione dello zar Nicola. Non sto parlando di storia antica, ma delle registrazioni dei pagamenti che una spia che lavorava per noi ha versato su conti correnti in Svizzera solo qualche anno fa».

«Quei conti sono chiusi. Il danaro è sparito», rispose l'altro, cercando di asciugare col suo tovagliolo il tè che si era rovesciato.

«Ma noi eravamo proprietari di una banca privata, con la copertura di uno svizzero», insisté Davidov, tutt'altro che sicuro di quello che diceva e ammantando di autorità la propria incertezza. «Almeno in questo caso dovremmo sapere dov'è finito il danaro».

«Dovremmo. Ma c'è stato un suicidio a Berna, il mese scorso». Era la conferma a quanto Davidov aveva solo creduto di sapere.

«La banca è chiusa e in casa del suicida non è stata trovata una registrazione dei conti». Il procuratore scosse la testa, sconfortato.

Davidov pensò che molto probabilmente era stato l'agente in sonno a provvedere alla morte dell'uomo di copertura i cui conti correnti comprendevano più di tre miliardi di dollari in oro.

«È sicuro che sia stato un suicidio? Dov'è successo?».

Il procuratore disse che le autorità svizzere avevano chiuso il caso. Consultò la sua agenda e lesse la data. Davidov assentì; corrispondeva a due settimane dopo che il controllore era stato ucciso alle Barbados, a due settimane dopo l'incidente aereo del funzionario che l'aveva preceduto alla direzione della Quinta sezione. Berenskij si era mosso in fretta e senza scrupoli per eliminare ogni possibilità di contatto.

Quell'omicidio a Berna, commesso o solo organizzato dal dormiente, non aveva nemmeno messo in sospetto il procuratore, che aveva accettato la spiegazione della polizia svizzera. Berenskij o il suo complice erano stati, evidentemente, molto abili nella simulazione di un suicidio e le autorità non avevano pensato di dover aprire un'indagine.

Davidov si sentiva sempre più inquieto man mano che vedeva estendersi la rete delle cose che non sapeva sulla spia in sonno e sul suo modo di operare. Peggio ancora, cominciava a dubitare della capacità dell'organizzazione della quale era a capo di far fronte alla complessità delle manovre e dei delitti di quell'uomo introvabile. Le "fonti internazionali di informazione" del KGB, in quel momento, non erano i quattromila agenti operativi che, dall'estero, facevano riferimento ai Servizi Esteri, non più sotto il controllo del KGB. Al contrario, la fonte di quella informazione, in particolare, era un commercialista americano, di origine russo-vietnamita, le cui scoperte quotidiane, stampate dalla memoria di un computer, andavano oltre il concetto di indagine del KGB. Era l'elenco degli interrogativi riuniti sotto la definizione "La merda che non so", a turbare Davidov, perché si riferivano a una ipotetica quantità di danaro che superava la conoscenza che il KGB aveva della somma all'origine affidata all'agente in sonno.

Il procuratore, scelto dal predecessore di Davidov, non aveva la percezione del rischio che si andava profilando. «Ci troviamo di fronte a un caso di furto», diceva. «Il più grande della storia. Rubli, per il valore di tre miliardi di dollari, trasferiti in lingotti d'oro da un nostro deposito della Banca Centrale alla Banca di Berna».

«E adesso dove sono finiti?».

«Abbiamo la data dell'inventario dal quale è risultata la sparizione del danaro».

«Un elemento che finora non ci ha portato a niente».

«Forse il vostro agente introvabile era il destinatario della somma, forse no. Per rintracciarlo dobbiamo partire da qui. Il lavoro della polizia non si svolge con le certezze del mondo accademico».

Davidov non raccolse quell'allusione puntigliosa, il suo interlocutore andava sostituito, ma per il momento era meglio lasciarlo stare. Prese la sua giacca macchiata di tè e andò alla sede del KGB. La guida di Arkadij Volkovich, l'agente del KGB all'interno dell'organizzazione Feliks, lo stava aspettando.

«Arkadij mi ha riferito che Madame Nina lo ha fatto incontrare ieri, a Riga, con il commercialista Shu al ristorante della Torre», disse la guida. «Tutto alla luce del sole».

«Gli abbiamo dato una copertura?».

«Tutti, intorno, hanno visto il nostro fotografo che li teneva sotto sorveglianza. Qui c'è la trascrizione dal microfono che avevamo messo su Arkadij».

Davidov pensò che i Feliks avevano un'altra trascrizione tratta dal loro microfono; era il risultato della doppia efficienza di un doppiogiochista. Le domande fatte da Shu erano sottolineate in giallo e corrispondevano all'elenco dei "non so" trasmesso dal commercialista la sera prima.

Davidov era sconcertato; i suoi investigatori, quaranta in questo caso, non erano in grado di porre interrogativi specifici come quelli di Shu. Un esame finanziario globale che richiedeva uno schema computerizzato non rientrava nella tradizione operativa del KGB. La necessità che tutte le informazioni venissero controllate dal nucleo centrale, protrattasi a lungo nell'Unione Sovietica e originata dalla paura del Cremlino della diffusione di notizie attraverso reti private computerizzate, aveva limitato l'ingresso di nuove tecnologie nella vecchia Unione Sovietica, col risultato che la Russia, nella seconda metà degli anni Ottanta, non conosceva, o quasi, quello che per gli americani era l'"hacking", la capacità di inserirsi nella memoria dei computer. Lo spionaggio industriale era controllato da alcuni agenti russi, piazzati in banche oltreoceano, ma dipendevano dai Servizi Esteri, fuori dall'intervento del KGB. Mentre i comunisti si inorgoglivano per le loro affermazioni sul fronte politico, i capitalisti dell'Ovest, silenziosamente, perfezionavano il loro fronte economico.

Tutto questo accresceva l'importanza dell'agente in sonno in America; Berenskij era uno dei pochi russi che conoscesse le sottigliezze delle manovre monetarie e delle malversazioni avvenute nel recente passato, quando tale conoscenza sarebbe stata vitale per preservare il patrimonio segreto dell'agonizzante stato sovietico. Davidov scosse la testa, pensando alla follia di affidare tanto danaro soltanto a un uomo e al suo vulnerabile controllore. E non era tutto. Il KGB non aveva agenti che sapessero vigilare sui mercati finanziari internazionali e sulle borse valori, o che conoscessero i metodi necessari a recuperare la fortuna che l'agente in sonno stava rubando.

«Mi sarebbe di aiuto», disse, con fermezza, la guida di Arkadij, «sapere quale direzione dobbiamo prendere con il nostro doppiogiochista». Era un teorico, promosso di recente dalle fila degli agenti sul territorio, non uno della vecchia guardia; Davidov si fidava di lui, o quasi.

«I Feliks usano questa presentatrice della televisione, Liana Krumins, come copertura», disse Davidov e si rivide scorrere davanti agli occhi le immagini della ragazza lettone tutt'altro che coperta. «Sperano che ottenga delle informazioni da noi e dai nostri archivi, che possano aiutarli a trovare l'agente in sonno che considerano uno dei loro, perché l'hanno trapiantato negli Stati Uniti quando erano alla guida del KGB».

«Anche loro hanno perso i contatti con lui?».

«L'agente in sonno non vuole farsi trovare da nessuno. Per ora, almeno».

«Io ho un'ipotesi, signore. Supponiamo che l'agente in sonno e la sua guida abbiano deciso di tradire l'Unione Sovietica, che tanto non esiste più, e di mettersi in affari da soli...».

Davidov non riusciva a convincersi che un figlio di Shelepin, cui erano stati inculcati i principi e i valori del vecchio KGB e che aveva passato la metà della vita a prepararsi per una missione, potesse mettersi contro i suoi per un interesse personale. O, peggio ancora, volesse entrare in una organizzazione come quella dei Feliks che si proponeva di strappare il potere ai rappresentanti eletti dal popolo russo. Era più verosimile, pensava, che in quel momento Berenskij stesse soppesando due eventualità: lo stabilizzarsi del governo attuale o il concretarsi dell'opposizione dei Feliks.

«Aggiunga questo alla sua ipotesi», disse alla guida di Arkadij, «la Krumins è il contatto degli americani Shu e Fein. Fein è un giornalista e potrebbe lavorare per una rete di informazioni segrete».

«Dunque noi cerchiamo l'agente in sonno controllando la *avto-*

ritet dei Feliks», disse subito l'agente guida, dando prova di aver capito, «e i Feliks cercano il loro uomo seguendo una giornalista della televisione che lavora con i media americani che sono un braccio della CIA».

«Esatto», disse Davidov, conquistato da quella esposizione simmetrica. «Qui, al di là delle nostre possibilità di intervenire nei Paesi Baltici, il vecchio KGB sovietico è legato ai delinquenti della mafja e usa i media lettoni per trovare il dormiente e i soldi. Inoltre, la CIA, probabilmente, usa i media americani per trovare la stessa persona».

«Non è screditante per noi», disse il giovane agente con una punta di orgoglio, «seguire altre organizzazioni invece di cercare il dormiente per conto nostro?».

La verità era brutta esattamente come appariva. «In questa marcia, noi ci siamo inseriti in coda», ammise Davidov, «ma ora passeremo in testa. Organizzeremo un gruppo di lavoro e troveremo da soli il dormiente in America».

Tutto lineare, ma chi, alla CIA, per trovare l'agente in sonno aveva scelto Fein, che spesso aveva criticato l'attività dei Servizi Segreti, provocando anche dei tagli nel bilancio? Il lavoro di Fein era qualcosa in margine o un'organizzazione anomala che conduceva un'indagine parallela a quella della CIA?

E perché i Feliks avevano scelto di servirsi di Liana, una giovane donna libera e politicamente inaffidabile, del tutto ignara di traffici internazionali? E perché lei aveva acconsentito, apparentemente senza difficoltà, a lavorare per i peggiori elementi della società russa?

Nei suoi studi accademici di epistemologia, la scienza che spiega i processi cognitivi umani, la domanda fondamentale era questa: "Come sappiamo ciò che sappiamo?". E quindi: "Come riconosciamo ciò che riteniamo sia falso?". Davidov pensò che a porsi quelle domande lui non si era ancora avvicinato, stava ancora cercando l'appiglio per arrivare a ciò che non sapeva. E, per scoprirlo, dove avrebbe trovato, in Russia, un gruppo di esperti in grado di competere con un cervello finanziario criptocapitalista in fuga?

Davidov andò da solo all'aeroporto, preoccupato che la propria capacità organizzativa fosse insufficiente a sostenere una minaccia a cui fino a quel momento non si era mai trovato di fronte. Se la coppia di segugi Fein e Shu avessero scoperto per primi dov'era l'agente in sonno, lui non sarebbe sopravvissuto al terribile imbarazzo di un governo russo che si umiliava a chiedere all'America la restituzione di un patrimonio di tre miliardi di dollari. Se il primato fosse toccato, invece, alla squadra Feliks-Liana, e se la posta in gioco fosse salita sensibilmente, come sembravano pensare gli americani, i Feliks avrebbero usato quel danaro per minare alla base l'economia dello stato, rovesciare il governo e ripristinare il dispotico imperialismo russo.

Ma finché non fosse riuscito a costituire un suo gruppo di esperti in alta finanza, sarebbe stato costretto a inseguire gli inseguitori. Per la sopravvivenza propria e del proprio presidente, doveva individuare e recuperare una vasta quantità di beni rubati. Gli era difficile credere che al KGB non potessero scoprire chi era un agente manovrato da loro. I dati d'archivio potevano essere stati cancellati, gli incartamenti rubati, i detentori del segreto forse erano morti, ma non poteva non esserci qualcuno, in quella illimitata burocrazia, che conservasse memorie che il computer non poteva distruggere.

Davidov salì sul treno per Mosca, accompagnato dalla folla dei suoi pensieri: se gli si stava nascondendo qualche notizia sul dormiente in America, allora la sfida dei Feliks era più grave di quanto non avesse pensato. Nel KGB si erano infiltrati non agenti stranieri, ma traditori provenienti dall'interno. Non sarebbe mai riuscito ad affrontare uno sforzo concreto per trovare un capitale sparso per il mondo fino a quando non avesse annientato la cricca che proteggeva l'agente in sonno.

Telefonò a Jelena dalla stazione di Mosca; voleva, appena arrivato, trovare il capo del settore K della Quinta sezione ad aspettarlo nel suo ufficio.

125

16

MOSCA

Yasenovo era la vecchia imitazione sovietica della sede della CIA a Langley, in Virginia. A sette, ottocento metri dalla circonvallazione esterna di Mosca, l'equivalente della Beltway di Washington, due edifici gemelli, di ventidue piani, si ergevano con una orgogliosa assenza di segretezza, in un contesto suburbano. Per un agente che svolgesse un lavoro esterno, venirsi a trovare "nei boschi" di Yasenovo equivaleva a sentirsi all'epicentro dell'attività dei servizi, alla sorgente di tutto ciò che era importante.

«È inconcepibile che non siate capaci di trovare un vostro agente». Aveva parlato restando in piedi dietro la scrivania finlandese, nella stanza tappezzata di pannelli di legno, senza invitare il suo subordinato a sedersi.

«La guida dell'agente in sonno, il suo controllore, si era assicurata che non ci fosse una documentazione scritta...».

«Ma c'è tanta gente qui che ha buona memoria. Lei è stato per quattordici anni a capo della Prima sezione. Conosceva persone presenti già negli anni di Shelepin, prima di Andropov. Qualcuno che ha lavorato per lei certamente sa chi è Berenskij. Voglio essere informato».

Quando i Servizi Esteri erano stati separati dal KGB, poco dopo che Eltsin era salito al potere, la responsabilità del controspionaggio era stata lasciata al KGB, che faceva parte del Ministero della Sicurezza Federale. In passato, la loro operazione combinata aveva avuto uno straordinario successo: la talpa sovietica nella CIA, Aldrich Ames, lavorava per i Servizi Esteri e mandava informazioni sugli agenti americani che erano a Mosca. Il controspionaggio del KGB, allora, una volta individuati, li rimandava indietro con tutte le notizie che a Mosca faceva comodo che arrivassero ai pianificatori strategici americani. Le due unità si erano valse l'una dell'altra per ingannare il governo americano, durante un decennio, sull'entità e la salute della debole economia sovietica. Com'era prevedibile il successo del KGB gli si era ritorto contro, perché gli americani avevano creduto veramente all'accrescimento della potenza sovietica e gli integralisti reaganiani avevano accelerato la corsa alle armi, costringendo il Cremlino a fare lo stesso e l'economia sovietica si era piegata sotto lo sforzo.

Ora le condizioni erano diverse. Al KGB, gli agenti della sicurezza interna diffidavano del potere indipendente dei Servizi Esteri e Davidov diffidava dei propri uomini della sicurezza interna. Per lui, che era quasi un nuovo venuto, diventava triplice la difficoltà di rintracciare un agente in sonno, che aveva disertato o si era comunque nascosto.

«Facile a dirsi, Davidov, ma creda che questo caso è stato seguito più da vicino di qualsiasi altro».

«L'agente in sonno aveva una vostra guida. A chi faceva riferimento la guida?».

«Kontrol aveva solo due agenti. Uno era la talpa di Washington e sul suo conto la guida riferiva ai Servizi Esteri, non a noi. L'altro era l'agente in sonno, incaricato di investire il danaro. Kontrol riferiva su di lui personalmente al direttore o al suo vice, ora morti entrambi. Tutto procedeva sempre in questo modo. Questa guida, in particolare, aveva avuto istruzioni negli anni Sessanta da Shelepin e poi dal direttore Andropov. Nessun altro sapeva chi fosse il suo agente».

«Non riesco a crederci», disse bruscamente Davidov. «E che cos'è questa storia delle Barbados?».

«Kontrol era stato mandato in un albergo alle Barbados, un bungalow sulla spiaggia. C'è stata un'esplosione, un incendio. Non è rimasto niente che fosse identificabile. Non possiamo essere sicuri che il corpo umano ritrovato, ridotto a ben poco, fosse quello di Kontrol, ma è probabile».

«Come sappiamo che era lì?».

«Il giorno prima, la Centrale di Mosca lo aveva informato della morte del direttore e del suo vice in un incidente aereo. La comunicazione era in codice. Kontrol era alle Barbados probabilmente per incontrare l'agente in sonno o la talpa di Washington».

«Lasciamo perdere la talpa... le due morti e l'incidente hanno un senso solo se riferiti al dormiente. Avete controllato il registro dell'albergo?».

«Certo, direttore. Apparentemente nessun altro era arrivato quella sera o la sera prima. La lista dei passeggeri degli aerei in arrivo non dice niente. Un uomo è morto, non c'è traccia della presenza di un altro».

127

Davidov pensava di aver capito quello che era successo: quando Berenskij aveva saputo dalla sua guida della morte dei due funzionari del KGB che conoscevano la sua identità, aveva ucciso sia questa, sia il banchiere di Berna, guadagnandosi così una totale libertà di azione. «Lei ha quarantott'ore», disse, «per scoprire tutto sul passato di Aleksandr Berenskij in Russia. La famiglia, la vita quotidiana, fino al momento in cui è partito per svolgere il compito che gli era stato assegnato».

«Abbiamo cercato e stiamo cercando...».

«Ne dubito. Voi sapete dove è stato addestrato, chi erano i suoi istruttori e dove sono adesso. Dovreste sapere chi ha preparato i suoi documenti, chi ha costruito la sua identità. Solo se lei mi darà una risposta entro dopodomani potrà conservare il suo incarico alla Sicurezza Federale».

«Raddoppieremo gli sforzi». L'agente salutò e si allontanò, a grandi passi.

Davidov si avvicinò alla finestra che dava verso il lago artificiale, al di là della circonvallazione, e osservò quel contesto bucolico scelto da un architetto che, a quell'epoca, aveva avuto una libertà assoluta nel decidere il luogo e lo stile della costruzione. A differenza del suo collega americano, autore del nuovo, grande "centro di ricognizione" in Virginia, non aveva dovuto nascondere il costo esorbitante dei lavori nel bilancio di un'altra organizzazione statale, perché quando i segreti sono tanti non è l'eccedenza di una spesa a dover restare segreta. Ora i giorni della vodka e dei funghi erano finiti; quando si era saputo che la massaggiatrice della palestra al pianterreno del KGB gestiva un bordello e si era dovuto licenziarla, le nuove restrizioni economiche avevano imposto di non sostituirla.

«Ora sappiamo che cosa è successo», disse Davidov a Jelena, che lo aveva ascoltato parlare con il suo subordinato, o forse insubordinato. «Kontrol è stato informato dell'incidente e si è reso conto di essere l'unico a conoscere l'identità dell'agente in sonno. Quando ha incontrato Berenskij, gli ha proposto di dividersi i soldi e sparire. E Berenskij lo ha ucciso per tenersi tutto lui».

«Oppure la proposta l'ha fatta Berenskij, Kontrol ha detto di no e lui l'ha ucciso».

Forse era andata così. Davidov avanzò un'altra ipotesi: «Oppure la guida ha esposto il suo progetto, il dormiente ha protestato in nome dell'amor di patria e l'altro l'ha ucciso».

«Lei però non ci crede, vero Nikolaj Andrejevich?».

«No, non ci credo. L'agente in sonno è un finanziere ad alto livello ed è guidato da una lucida determinazione. Non ha avuto alcuna limitazione nell'adempimento del suo compito. Io credo che, saputo da Kontrol che le uniche due persone che conoscevano la sua identità erano morte, abbia deciso di approfittare di quella occasione che gli consentiva di isolarsi completamente. Ha ucciso la guida e adesso sta decidendo che cosa fare dei soldi». Davidov era quasi sicuro che Berenskij, sovietico convinto, con una cultura più comunista che russa, sarebbe stato più propenso ad arricchire i Feliks, servendosi di quel danaro per destabilizzare il governo di Mosca. Bisognava fermarlo a tutti i costi.

«Voglio avere qui sulla scrivania tutto il materiale relativo alla Krumins».

«Non il nastro, credo, altrimenti si consuma».

Davidov finse di non aver sentito. «Certificato di nascita, passaporto, rapporti di sorveglianza, tutto. Abbiamo fotocopiato l'incartamento Berenskij che ha consultato in archivio, vero? L'avevamo già fotocopiato prima che lo chiedesse».

«Sì. E abbiamo aggiunto anche altro. Ho la copia del documento che ha rubato. Ho esaminato attentamente la sua pratica. Se vuole posso cominciare a darle qualche informazione».

Davidov la mise subito alla prova. «Quando è nata e dove?».

«Il 15 dicembre 1968 a Riga, nella repubblica lettone dell'URSS. Il certificato di nascita porta il nome di Liana Maria Krumins, è in copia trascritta, ma cercherò di trovare l'originale».

«Lo trovi». Davidov sapeva che c'erano spesso interessanti discrepanze nei documenti trascritti. «Genitori?».

«La madre, Antonia Krumins, è una maestra di ballo, di origine russa. Ora vive a Riga. Il padre era Ojars Krumins, architetto, lettone, morto quattordici anni fa».

«Quanti anni avevano quando è nata la figlia?».

«La madre diciassette. Il padre quaranta».

Una forte differenza di età. L'origine russa della madre spiegava perché Liana Krumins fosse bilingue. «Dove ha imparato l'inglese?».

«Glielo ha insegnato un uomo con il quale ha vissuto durante il periodo del movimento per l'indipendenza. A scuola era brava, ha rifiutato di entrare nel Komsomol, l'associazione giovanile comunista».

«Continui».

«Comportamento sedizioso, qualche traffico di marijuana, dissidente. Incarcerata dopo un raduno illegale per l'indipendenza, è però stata rilasciata la mattina dopo. I suoi compagni di protesta sono stati trattenuti tre mesi».

«E perché lei no?».

«Non saprei. Espulsa dall'università nel 1988», proseguì Jelena. «Portavoce del movimento per l'indipendenza, ha imparato l'inglese per poter comunicare con i giornalisti occidentali e parlare a una radio dell'opposizione. Dopo la caduta dell'Unione Sovietica, ha avuto un posto alla televisione, presenta un notiziario. È attualmente il suo lavoro. I colleghi la stimano, ha un alto indice di ascolto».

«Amanti?».

«Ha vissuto due anni con uno scrittore dissidente, poi l'ha lasciato. Ha avuto, e forse ha ancora, una relazione con un politico emergente. È, apparentemente almeno, attratta da uomini più anziani, ma li tratta malissimo. Si direbbe, però, che a loro non dispiaccia».

Davidov trattenne un sorriso. «Atteniamoci alla documentazione. Perché, secondo lei, è stata scelta dai Feliks per condurre la loro indagine?».

«Perché rappresentava il meglio che potessero desiderare. Giornalista affermata. Non conosce la paura. Parla tre lingue. Ha un fisico appariscente, quindi è facile seguirla o, eventualmente, rintracciarla. Ed è anche abile nella ricerca».

«E lei, perché ha accettato di lavorare con loro?».

«Probabilmente era entrata in contatto con quel giornalista americano, Irving Fein, che era venuto qui qualche anno fa e che, forse, lavora per la CIA».

Davidov non era soddisfatto di quella spiegazione. Un lungo esercizio epistemologico lo induceva a sospettare di quel matrimonio durato da maggio a dicembre che risultava dal suo certificato di nascita. E poi, i Feliks dovevano avere avuto qualche ragione di più per scegliere proprio lei, forse aveva avuto un amante nel consiglio interno. Per avere poco più di vent'anni non le erano mancate le esperienze. «Dov'è adesso?».

«Qui, a Mosca. Alla Lubjanka. L'archivista stavolta starà più attento».

Davidov non si aspettava che fosse così facilmente raggiungibile. Dal suo monitor a circuito chiuso si sintonizzò sulla Lubjanka, lasciò scorrere qualche canale e trovò Liana che parlava con l'archivista.

«Jelena, dove pensa che voglia andare, adesso, la Krumins?».

«Ha chiesto l'incartamento sulla famiglia Shelepin, che è al quarto piano, nell'archivio della Ceka».

Davidov conosceva la Sala studio, dominata da un enorme ritratto del fondatore della polizia segreta sovietica, il Feliks di Ferro Dzerzhinskij.

«Si assicuri che non ci sia nessuno, che non ci siano registratori, microfoni o cineprese. Nessun genere di sorveglianza. Ha capito? Dica all'archivista di farla aspettare un'ora». Davidov aveva calcolato che sarebbe stato a Mosca entro trenta minuti. «Avverta il mio autista che andiamo subito alla Lubjanka. Cerchi l'originale di quel certificato di nascita, voglio vederlo, e mi dia la pratica».

«Ecco gli altri documenti, Nikolaj Andrejevich».

Erano tre cartellette rigonfie. «Tutta questa roba per una donna così giovane?».

«È una che crea guai dovunque passi».

Liana Krumins si fermò davanti alla porta aperta dell'archivio della Ceka; vide un uomo, chino su tre grossi raccoglitori aperti alla estremità del lungo tavolo. Una lampada bassa illuminava le carte, e gli lasciava la faccia nell'ombra. Si vedeva, però, che era giovane, con dei baffoni spioventi, alla Stalin. Appesa alla sedia, alle sue spalle, c'era una costosa giacca di pelle, con i bottoni di metallo e la cerniera, di quelle che avevano conquistato Mosca negli ultimi anni. Era ricco, o era ricca la sua famiglia, o tutti e due.

Liana Krumins entrò, guardò il foglietto che aveva in mano, cercò la cassettiera che conteneva la documentazione sulla famiglia Shelepin. Il raccoglitore che corrispondeva al numero segnato era lì. Su un modulo d'inventario scritto a macchina, quindi inserito da poco, c'era un riferimento a un altro raccoglitore relativo alla famiglia Berenskij, ma non era indicato il numero della cassettiera. Liana prese i due raccoglitori Shelepin. Erano pesanti e urtò contro il tavolo con un colpo abbastanza forte.

«Silenzio», disse l'uomo.

«Pensi lei a far silenzio», ribatté Liana. Che cosa voleva? Lei aveva diritto a stare lì quanto lui.

«Sto cercando di concentrarmi. È un lavoro importante».

Liana lo guardò, trascinò rumorosamente una sedia vicino al tavolo e cominciò la sua ricerca. Voleva trovare un qualsiasi riferimento ad Anna Berenskij, la segretaria privata di Shelepin quando era da poco approdato al KGB, o al loro figlio illegittimo Aleks,

131

che lei sospettava fosse l'agente che alcuni dei Feliks avevano mandato in America quando ancora erano al vertice del KGB. Il criptico riferimento alla documentazione sulla famiglia Berenskij confermava la sua supposizione.

Dopo cinque minuti, l'uomo seduto in fondo al tavolo la guardò e disse: «Le chiedo scusa. Sono stato maleducato».

Liana rispose solo con un cenno della testa e passò, lentamente, all'esame di un altro documento. Era un bell'uomo, pensò, aveva dei bei baffi neri e folti, ma era uno stupido, come poteva non sapere che in tutte quelle stanze c'erano microfoni e microcamere?

«Sto cercando la verità su una donna affascinante», disse l'uomo con i baffi, battendo la mano sulle carte che aveva davanti.

Liana alzò gli occhi al soffitto con una espressione che in qualsiasi parte del mondo equivaleva ad avvertire che un ambiente era controllato.

«Ah, già!». L'uomo si alzò, si avvicinò a uno specchio appeso sulla parete di fondo, lo staccò dal gancio, lo posò a terra e appese la giacca sull'obiettivo nascosto dietro lo specchio trasparente. Poi tornò verso di lei, muovendosi con grazia, come un atleta o un ballerino, mise un braccio sotto il tavolo, estrasse un piccolo microfono e, con uno strattone, strappò il filo. «Non bisogna mai dimenticare la spia di riserva. Adesso siamo soli».

«Lei ci metterà in difficoltà, le guardie si accorgeranno che lo schermo è spento e tra un minuto saranno qui». Era proprio uno stupido.

«Stia tranquilla, io lavoro qui. Sono arrivato da poco ma riesco a mettere soggezione agli archivisti. Mi chiamo Nikolaj». Tese la mano, Liana la strinse con un bel gesto deciso, come faceva sempre. Sentì che lui aveva le dita sensibili e forti e pensò che forse invece che stupido era affascinante e quindi le conveniva stare doppiamente in guardia. Si accorse che non portava un pass sulla giacca e gli chiese perché. Lui si tolse di tasca il portafoglio e le mostrò la tessera del ministero: Nikolaj Andrejevich Davidov, libera circolazione. Liana pensò che questo significava che non era un funzionario di poca importanza. La fotografia, sulla tessera, mostrava un viso sorridente e le parve strano, perché non aveva mai visto sorridere nessuno sulle fotografie dei documenti. Aspettò, in silenzio.

Davidov tornò a sedersi al tavolo, batté di nuovo il palmo della mano sulle carte e disse: «È straordinario quello che si impara da questi documenti. Straordinario e impressionante: sa Dio quanto tempo e quanti soldi si sprecavano in passato per seguire gente che non aveva fatto niente di male, la si ascoltava, si riempivano fascicoli e fascicoli...».

Liana gli indicò la giacca appesa a coprire l'obiettivo e, sul tavolo, il filo strappato dal microfono. «Solo in passato?».

«Ha ragione. Alcuni di questi sono recenti», disse, accarezzando il raccoglitore. «Ma i rapporti risalgono per la maggior parte ai tardi anni Ottanta, quando la ragazza della quale mi sto occupando era impegnata nella lotta per l'indipendenza».

«Dove?».

«Nei Paesi Baltici».

Forse, pensò Liana, la conoscevo, forse era in Estonia, dove, più che in Lettonia, le donne avevano sostenuto la causa dell'indipendenza. «Io ho lavorato per l'indipendenza lettone», disse con fermezza. Non era un segreto. «Può darsi che l'abbia conosciuta».

Davidov le passò un raccoglitore.

Liana vide la fotografia di una stanza che sembrava la sede di un gruppo politico, e a poco a poco la riconobbe. Una decina di persone lavorava attorno a un ciclostile, come si faceva quando non esistevano fotocopiatrici e fax. Liana vide volti che le erano noti e guardò la fotografia più da vicino. Al centro c'era l'uomo che viveva con lei a quell'epoca. Quello era il luogo dove si ritrovavano.

Mise da parte la fotografia per vedere quella che c'era sotto, ed era la sua: nella notte in cui gli americani avevano riconosciuto l'indipendenza della Lettonia, eccitata, felice, agitava nell'aria una bottiglia di champagne. Si ricordò che, un attimo dopo, aveva versato lo champagne sulla testa di un suo compagno di lotta. A sinistra delle fotografie c'era un documento ufficiale scritto in russo. A casa ne aveva una copia uguale.

«Questi documenti riguardano me», disse, con un filo di voce.

«Sì, riguardano Liana Krumins. È per questo che siamo qui».

Nonostante soffrisse per quella violazione della sua vita privata, Liana non si lasciò intimidire. «Mi passi il resto, voglio vedere tutto».

Prima le vecchie fotografie. Suo padre e sua madre, Antonia e Ojar Krumins, il giorno del matrimonio, una immagine scura su un cartoncino ovale. L'aveva già vista, quando era piccola, sul tavolo da toilette di sua madre, ma qui la posa appariva leggermente diversa; evidentemente era stato il fotografo a darla al KGB. Poi una fotografia del giorno del diploma alla scuola superiore, che era stata comprata da tutta la classe. Una istantanea del suo professore di

133

storia, presa evidentemente di sorpresa. Non l'aveva mai vista prima. Era stato lui, gentile, arrendevole, che aveva scelto per lasciarsi alle spalle la verginità. Un'amica di sua madre, una ballerina, fotografata alla sbarra. Era venuta spesso a casa loro. Un uomo alto, che non conosceva, davanti a una casa che non aveva mai visto. Perché era in mezzo alle testimonianze della sua vita?

Vecchi documenti. La domanda per la patente. Una lettera al preside nella quale si scusava di aver guidato una protesta per migliorare il vitto della mensa scolastica e chiedeva di non essere espulsa.

Documenti più vicini nel tempo. L'ordine di espulsione dall'università, corredato dalle denunce dei compagni che non le era stato permesso di leggere. La richiesta, con il timbro NO a destra, in alto, di un visto per una conferenza, a Helsinki, sui mezzi di informazione, dove lei aveva sperato di conoscere qualche giornalista occidentale. Scorse qualche foglio per vedere chi aveva dato informazioni negative sul suo conto e provò una fitta al cuore nel leggere il nome della sua migliore amica. Si vedevano ancora, l'aveva anche aiutata a trovare un impiego alla televisione. Le era difficile accettare quei tradimenti.

L'arresto e il carcere, dopo la manifestazione di Riga. Il ricordo di quell'edificio ancora la opprimeva: la sede del KGB era stata, durante la guerra, il quartier generale dei nazisti. Il luogo più terrificante di tutta la Lettonia.

«Ci è rimasta poco», osservò Davidov, con un dito sulla data di rilascio. «Una notte. Gli altri dovevano aver fatto qualcosa di peggio».

Non era così, ma lei era l'unica ragazza nel gruppo dei dimostranti. Una guardia aveva detto: «Questa ha bisogno di un bagno», e le aveva versato addosso, tutta vestita, un secchio d'acqua. Poi l'avevano chiusa, da sola, in una cella. C'era una sedia, niente letto e una luce violenta che scendeva dal soffitto. Era gennaio, la temperatura era sotto zero. Lei aveva dovuto togliersi il maglione, la camicia, i pantaloni, strizzarli e sperare che si asciugassero prima che quel gelo la facesse morire. Un'ora dopo, esausta per aver continuato a camminare su e giù strofinandosi il corpo livido di freddo, aveva visto entrare nella cella un funzionario del KGB in borghese. Le aveva detto che poteva scegliere se restare lì o salire al piano di sopra e dividere con lui un letto caldo. Lei aveva accettato quella sorta di invito e, nonostante la brutalità subita, aveva giudicato una fortuna essere ancora viva. Prima dell'alba era stata rilasciata. Non odiava quell'uomo, aveva mantenuto la parola. Da allora, non avrebbe mai dimenticato quella lezione non richiesta sulla utilità del sesso.

«No», disse al rappresentante del nuovo KGB, «ho trovato un amico, per questo mi hanno fatto uscire».

«Un amico». Davidov lesse il documento allegato all'ordine di arresto. «Qui si dice che lei è stata rilasciata perché ha testimoniato contro i suoi compagni e ha fornito un elenco di altri nomi».

Liana gli strappò il foglio di mano e lo lesse, sentendosi soffocare dalla collera perché non c'era una parola che fosse vera. «È una bugia. Io non ho dato nessun nome. Non mi è nemmeno stato chiesto».

«Mi faccia vedere chi ha firmato il documento».

Lei glielo diede. Per tutta la vita quell'accusa avrebbe pesato sulle sue spalle. Era un invito al ricatto e chiunque avrebbe potuto servirsene per annientarla e infangarla il suo ingenuo patriottismo, troppo in anticipo sui tempi.

«Ah, ne ho sentito parlare», disse Davidov, «era il suo trucco per approfittare delle prigioniere e ha sempre funzionato, perché nessuna l'ha mai accusato di stupro e nessuno dei suoi superiori si è mai chiesto perché lasciasse sempre libere le ragazze. Non fa più parte del nuovo KGB. Credo che stia con i Feliks». Davidov mise da parte il documento.

Liana, pallida di rabbia per quella violenza subita in passato, che avrebbe potuto compromettere la sua carriera futura, seguitò a leggere l'incartamento. Verso la fine, nella parte aggiunta di recente, non c'erano più fogli scritti a mano, ma rapporti di sorveglianza dattilografati. Una notte passata nell'appartamento di un eminente uomo politico e la successiva in quello del capo dell'opposizione: era vero e non c'era niente di immorale o di illegale, ma sarebbe stato difficile spiegarlo se fosse stata accusata di usare il proprio corpo per ottenere delle informazioni. In realtà il contrasto tra le opinioni dei due uomini l'aveva divertita, ma non avrebbe mai rivelato all'uno i segreti dell'altro.

Trovò l'elenco di tutti i numeri di telefono che aveva chiamato da casa sua nel mese appena trascorso. Un rapporto di sorveglianza risaliva solo a una settimana prima: «Incontro con Michael Shu, figlio del disertore, ora cittadino USA, probabile investigatore CIA». Si scostò dal tavolo e si appoggiò allo schienale della sedia. Ora sapeva perché quell'uomo era lì con lei.

«Proceda pure all'interrogatorio», disse con dignità.

Lui alzò le mani come a parare un colpo, per significare che non intendeva cadere in quella trappola. «No, non voglio che lei torni a Riga e racconti alla televisione di essere stata interrogata da un prepotente e crudele funzionario del KGB». Davidov scosse la testa. «No grazie, signorina Krumins». Le indicò il ritratto del Feliks di Ferro, appeso sopra il camino. «È finito quel tempo».

Liana prese in mano una videocassetta. L'etichetta sul dorso diceva: LA KRUMINS CONSULTA L'ARCHIVIO SHELEPIN. La rimise sul tavolo e ne prese un'altra: LA KRUMINS CONSULTA LA DOCUMENTAZIONE BERENSKIJ – PERQUISIZIONE ALLA LUBJANKA. Sentì che le si copriva di rossore il collo mentre chiedeva: «Le ha viste?».

Davidov assentì. Sembrava che non gli dispiacesse che fosse lei a fare le domande.

«Che cosa ha visto?».

«Nella prima parte la prova di una infrazione non molto grave, il furto di un documento. Nella seconda parte ho visto lei perquisita dalle guardie, che facevano il loro dovere visto che erano state informate della probabilità che fosse stato commesso un furto. Le avevano proposto, correttamente, di essere perquisita da un'agente del corpo femminile, ma lei ha rifiutato».

«C'era un obiettivo come quello, vero?». Liana indicò la giacca di Davidov appesa a coprire l'obiettivo inserito nella parete. «Davanti a me? Ha avuto una visione completa?».

«No, solo laterale».

«Però ha visto che ero innocente. Non avevo rubato».

«L'unica accusa che le può venire mossa è che lei ha tolto una lettera da uno schedario, e non ci sono dubbi perché lo si vede chiaramente sul nastro. Poi, probabilmente, l'ha lasciata da qualche parte lì vicino. Come le ho detto, non è un'infrazione molto grave. Non si preoccupi. Forse non le toglieranno nemmeno la tessera della biblioteca».

«Perché ha lasciato che vedessi tutta la mia pratica? Di solito non si fa così. E perché lei adesso è qui con me? Che cosa vuole?».

«Detesto gli interrogatori», rispose Davidov. «Finisco sempre col confessare».

Liana sorrise nervosamente. «Smetta di giocare con me. Mi dica che cosa vuole».

«Lei sta conducendo una ricerca legittima su una vicenda che vuole presentare alla televisione», disse Davidov. Parlava con gentilezza, quasi come se non si trattasse di un interrogatorio. «Questa vicenda riguarda un agente del KGB che, a quanto le è stato detto, si trova in America. Non posso dirle se sia vero o no. Noi non discutiamo di queste cose». Aspettò che gli facesse un'altra domanda e lei pensò che volesse essere invitato a proseguire.

«E di che cosa si potrebbe discutere, su questo argomento?».

«La mia preoccupazione è che lei si lasci sfruttare da un gruppo di persone i cui interessi sono diversi dai suoi. Noi conosciamo, e lei lo sa», le indicò il fascio dei rapporti di sorveglianza più recenti, «l'esistenza della *organizatsija* Feliks. Quelli non fanno parte dei suoi, signorina Krumins. Lei li ha combattuti da quando andava ancora a scuola».

«Come può essere sicuro che non sia io a servirmi di loro?».

«Ah... è questo che lei crede. Ma loro la stanno manovrando, l'hanno mandata qui, hanno fatto in modo che incontrasse quell'investigatore americano al Metropole...». Davidov sorrise. «Buona, eh, la colazione sotto quell'enorme soffitto di vetro? Più europea che russa, a parte le maledette aringhe».

«Lei vuole che io interrompa i contatti con una delle mie fonti di informazione. È così?».

Davidov scosse la testa come se gli facesse male. «Lei può fare quello che vuole. Ma vorrei che almeno considerasse la possibilità di essere mossa come una pedina da un gruppo politico che si basa su valori diversi dai suoi».

«Finora mi hanno dato informazioni. E, Nikolaj, io sono interessata a una storia di grosse proporzioni».

Se Davidov era davvero turbato per i suoi rapporti con i Feliks, pensò Liana, lei avrebbe potuto approfittarne per farsi strada tra i segreti del KGB; era strano, ma quel mezzo sorriso che le rivolgeva in quel momento faceva pensare che anche a lui non sarebbe dispiaciuto... o forse era solo una reazione alla sua civetteria di chiamarlo per nome. Aveva letto poco prima come si chiamava, quando le aveva mostrato la tessera, e se n'era ricordata.

«Forse potrei convincere i miei colleghi a essere più volonterosi nell'aiutarla a trovare la persona che sta cercando. Ma non vorranno favorire i vecchi apparatchick, Madame Nina, Arkadij Volkovich, tutto quel gruppo di reazionari. Finché lei starà con loro sarà sempre alleata al nemico. Il mondo si è capovolto, Liana, e il suo nemico non è il nuovo KGB».

Liana prese in mano la seconda videocassetta. «Ho sentito dire che il vecchio KGB aveva microcamere dovunque nel vecchio Hotel Berlin qui accanto, per compromettere gli stranieri, riprendendoli in situazioni imbarazzanti, durante incontri sessuali... Lei pensa che siate diversi, ora?».

«Sì, sarebbe ingiusto pensare il contrario. La sua perquisizione è stata una ragionevole misura precauzionale. E l'unica copia di quel nastro è quella che lei ha in mano».

«Non mi fa piacere l'idea che i suoi colleghi si divertano a guardarmi nuda al videoregistratore».

«Lo rubi quel nastro. Trattenga il respiro e se lo infili dietro la schiena, sotto la camicetta, nella cintura. Mi hanno detto che è il sistema migliore. Poi passi tranquillamente davanti alle guardie. Nessuno se ne accorgerà».

Liana arrossì di nuovo. «No, lo prenda lei ed esca con me». Avrebbe voluto mangiarselo quel foglio di rilascio che era sul tavolo, vicino all'incartamento. Era una menzogna che avrebbe potuto rovinarla. Sapeva che cosa aveva pensato degli amici che l'avevano tradita e sapeva che cosa avrebbero pensato i vecchi compagni della lotta clandestina se quel documento fosse finito nelle loro mani. «Crede che sia l'unica copia?».

Davidov lo osservò attentamente. «È l'originale. Non c'erano fotocopiatrici allora, a Riga, e una copia scritta a mano non costituirebbe una prova».

Liana si chiese se in cambio le avrebbe offerto un letto caldo, come le aveva insegnato l'esperienza del carcere.

«Avvicini quel portacenere, il più grande», disse Davidov. Vi appoggiò il documento e, con l'accendisigaro, gli diede fuoco. Lo guardarono bruciare e accartocciarsi. Liana si passò una mano tra i capelli troppo corti, e aspettò che le venisse chiesto qualcosa in cambio. Una notte d'amore sarebbe stata una umiliazione solo per una questione di principio, perché Davidov era un bell'uomo.

Lui staccò la giacca dalla parete, fece una smorfia davanti all'obiettivo e rimise a posto lo specchio. Le fece segno di seguirlo e con la mano tracciò un aereo segno d'addio davanti alla faccia severa del Feliks di Ferro. Poi la guidò fuori dall'edificio. Le guardie scattarono sull'attenti. Passò per primo attraverso il controllo dei raggi X, con la cassetta in mano, senza nasconderla.

Appena usciti gliela diede, con un consiglio da vecchio amico. «Ci pensi bene prima di permettere che i Feliks si servano di lei. Se avrà bisogno di me, i miei numeri di telefono sono su questo biglietto, quello di casa e quello d'ufficio». Aggiunse il numero di fax, con un po' di ostentazione, o almeno così parve a Liana.

«Non è possibile che sia l'unica copia», gli disse, guardando il nastro che aveva in mano.

«Non nego di averlo guardato più di una volta», rispose Davidov, «lei, in un certo senso, è molto bella e ha una abilità da ballerina nell'ingannare, con la grazia dei suoi movimenti, chi la sta a guardare. Ad ogni modo, mi creda o no, questa è l'unica copia. E non appartiene alla Lubjanka». «Preferisco crederle». Non gli credeva, ma gli diede una forte stretta di mano. Poi, aggrottando la fronte, si chiese che cosa avesse voluto dire con quel "in un certo senso" molto bella.

Davidov piegò due o tre volte le dita, cercando di ritrovare la sensazione della mano di Liana, quasi ossuta, sottile, con una stretta non priva di intenzione ma brevissima. Gli era piaciuta anche l'espressione che aveva scelto: "preferisco" crederle. Ed era chiaro che non gli credeva.

Davidov si fermò sui gradini davanti alla porta d'ingresso e la guardò allontanarsi lungo la strada dei mercanti kazaki e girare attorno alla piazza con il passo lungo, armonioso ma non ondeggiante, controllato, il passo di una donna che sa di essere osservata dall'uomo dal quale si è appena congedata. Davidov si era reso subito conto di non essere il solo a guardarla, aveva visto l'uomo ombra dei Feliks individuarla e seguirla apertamente, seguito a sua volta, ma con più discrezione, dall'uomo ombra del KGB.

Gli pareva di avere compiuto un gesto nobile e generoso nel darle quel nastro dove appariva il suo bel corpo nudo. Per quanto ne sapeva, doveva essere davvero l'unica copia. Sul documento di rilascio che aveva bruciato, non aveva dubbi, glielo aveva scritto Jelena quella mattina, secondo le sue istruzioni, per inserirlo nell'incartamento su Liana Krumins, un esempio di disinformazione degno di Shelepin, il purista del potere che aveva elevato quella forma di inganno al livello di un'arte prima di essere deposto da un segretario generale spaventato dai suoi sistemi disciplinari.

Davidov prese l'ascensore e tornò nella sala della Ceka. Con le mani in tasca, la giacca sulle spalle, il capo dei Servizi Finanziari guardò il portacenere dov'era stato bruciato il documento e poi il ritratto del Feliks di Ferro la cui statua non dominava più la piazza lì davanti e il cui nome temuto era stato cancellato dalle targhe stradali e dalle piante della città.

L'agente in sonno poteva essere considerato un diretto discendente di Dzerzhinskij. Disponibile all'assassinio, ideologo del concetto di autorità, genio dell'organizzazione, utopista. Il germe si era trasmesso dal Feliks di Ferro attraverso Shelepin all'uomo nascosto in America, in una concentrazione di potere economico che avrebbe potuto destabilizzare una nazione e restituirla agli eredi di un unico principio Ceka ininterrotto.

«Un direttore non deve fare nessun lavoro esterno», protestò Jelena. «È un errore. Se il direttore sbaglia non c'è nessuno che intervenga a correggerlo». Davidov assentì. «Ci sono funzionari dei Servizi Esteri americani che evitano questi incontri al vertice. Dicono che se un presidente perde il placcaggio, non c'è nessuno tra lui e la linea di meta». Jelena non aveva molta dimestichezza con queste metafore prese dal football americano. «Si ricorda di quando il capo dei Servizi, alla CIA, aveva arrestato Casey da solo e tutti ridevano di lui e della CIA? Potrebbe succedere anche a noi, se lei insiste col lavoro esterno». Davidov si strinse nelle spalle. Jelena aveva ragione, ma in quell'ora passata con Liana Krumins si era divertito come non gli capitava da mesi.

«Voleva il certificato di nascita di quella ragazza», disse Jelena. «Eccolo. I dati sulla copia in archivio corrispondono uno per uno».

Davidov mise i documenti uno accanto all'altro sul tavolo e li confrontò. Poi esaminò l'originale. Abituato alla concretezza nell'esame pratico dei problemi di lavoro, aveva la capacità di cogliere la minima anomalia in un documento e si accorse subito di una sfumatura di colore che ad altri sarebbe sfuggita. Nome, giorno, ora, nome dell'ospedale erano scritti a mano, con l'inchiostro, ma il nome nello spazio riservato al padre del neonato aveva una sfumatura più chiara. Era un nome lettone, scritto giorni o mesi dopo, con una calligrafia che sembrava cercasse di imitare l'altra. Non c'erano cancellature o correzioni, lo spazio era stato lasciato in bianco e, quando si era trovato il nome di un padre che andasse bene, Ojars Krumins, l'impiegato dell'anagrafe l'aveva scritto.

«Quale nome avrebbe dovuto esserci invece di quello?».

«Perché non quello di Aleks Berenskij, il figlio naturale di Shelepin e della sua segretaria? Vorrei scommetterlo». Jelena assentì, anche se le sembrava impossibile. «Mi ascolti, costruiamo una storia assurda, mettiamoci nei loro panni: io e lei aspettiamo un bambino e io la mando in Lettonia a sposare un brav'uomo che l'aiuti ad allevarlo. Da lontano, però, seguito a occuparmi di mio figlio e quando cresce e, imprudentemente, si sposa e mette incinta una ragazza che non mi convince, me la prendo con lui».

Il pensiero si andava delineando nella mente di Davidov e ogni particolare sembrava trovare la propria collocazione. «Il figlio ha diciotto anni, è anche lui poco entusiasta di quella paternità ed è già stanco della ragazza che ha sposato. Si rende conto di aver compromesso il proprio avvenire. Ma io, suo padre, gli dico che potrà rifarsi una vita e avere un incarico molto interessante se, dopo un periodo di addestramento, accetterà di andare in America, con una copertura totale, senza contatti con altri agenti a iniziare una carriera, finché non sarà richiamato a servire il suo paese».

«E la moglie? E il bambino?».

«Una volta accettato l'incarico, la moglie e il bambino diventano ufficialmente un ingombro, soprattutto perché la ragazza vuole tenere con sé suo figlio. Aleks sparisce, non ha più identità e inizia l'addestramento al nostro Villaggio americano. La moglie indesiderata partorisce. Shelepin la manda in Lettonia con il neonato, anzi la neonata, e trova un lettone che la sposi o almeno allevi la bambina come se fosse sua. Si chiama Krumins, e quel nome va a riempire lo spazio che indica la paternità, lasciato in bianco sul certificato di nascita».

«E il figlio di Shelepin non ha più alcun legame in Russia...», mormorò Jelena, riflettendo. «È possibile. Negli anni Sessanta, il capo del KGB poteva fare quello che voleva. Aveva procurato un marito alla sua segretaria, Anna, quando era nato il loro figlio, Aleks, e perché non avrebbe dovuto fare altrettanto per la moglie di suo figlio che, come lei ha detto, era un ingombro?».

«Scommetterei che quell'uomo che una volta si chiamava Aleks Berenskij, oggi è il dormiente in America». Davidov aspettò che Jelena realizzasse la gravità della sua supposizione.

«Lei mi sta dicendo», concluse lei, infine, quando riuscì a rielaborare tutto quel ragionamento, «che Liana Krumins è la figlia dell'agente in sonno».

Davidov sentì per la prima volta, nel breve periodo del suo nuovo incarico, di essere veramente il capo di una sezione che faceva parte di un organismo di sicurezza dello stato. «Ci è molto utile saperlo. I Feliks sono collegati ai vecchi funzionari del KGB, e soprattutto ai nostri funzionari in pensione, i quali sapevano che l'agente in America era il padre di Liana. Ecco perché hanno scelto lei, tra tanti giornalisti, per condure le ricerche». Era la domanda che l'aveva tormentato a lungo: perché proprio lei? «E, Jelena, non trascuriamo un particolare deliziosamente ironico: lei non lo sa. Pensa di essere impegnata in una indagine importante, ma non sa che sta cercando suo padre».

Jelena si sentì di nuovo presa alla sprovvista. «Ma perché nessuno glielo dice?».

«Perché noi, e anche i Feliks, aspettiamo che sia suo padre a cercare lei. Liana Krumins è un'esca. E l'esca, quando è buona, non sa di essere un'esca».

Davidov si concesse per un po' di crogiolarsi nelle proprie riflessioni, poi si mise al lavoro. Telefonò all'unico ispettore del controspionaggio, alla Quinta sezione, di cui potesse, almeno in parte, fidarsi e gli disse di valutare, ora che sapeva chi era l'agente in sonno, quali funzionari della Quinta sezione potessero averlo conosciuto, personalmente o per averne sentito parlare. In questo modo, si sarebbe scoperto chi aveva tenuta nascosta la verità, le nuove talpe, fedeli ai vecchi colleghi che erano andati a far parte dei Feliks, smascherate dal loro silenzio, che ora sarebbero state interrogate, rimosse dall'incarico o incarcerate.

Gli serviva una nuova squadra di investigatori, tratti dalla Banca Centrale, dal Ministero del Petrolio, forse dal nuovo imprenditorato russo, per dare le risposte del KGB agli investigatori americani, Fein e Shu, che agivano controllati dalla CIA.

Sorvegliare Liana, da parte del KGB, sarebbe apparso ovvio; i Feliks se lo aspettavano e avrebbero considerato la diffidenza del governo russo come una prova della buona fede della ragazza nei loro confronti. Ma sarebbe stato necessario organizzare un secondo livello di sorveglianza, più sotterraneo, per cogliere il momento in cui si fosse avvicinato a lei suo padre, l'agente in sonno, provvisto di tutte le risorse che ne facevano, secondo la definizione intercettata dal rapporto del commercialista Shu, "l'uomo più ricco del mondo".

Ecco perché i Feliks l'avevano messa al lavoro, anche se lei non lo sapeva e poteva anche darsi che fosse la ragione che aveva spinto Shu, collaboratore di Fein, a mettersi in contatto con lei. E che Fein forse lavorasse per la CIA non contava, perché, in questo caso, la CIA e il KGB avevano interessi paralleli. Presto o tardi, ci si poteva aspettare che il padre si mettesse sulle tracce della figlia abbandonata, soprattutto quando avesse saputo che anche lei lo cercava. Quel secondo, più sotterraneo, livello di sorveglianza avrebbe controllato i movimenti dei Feliks mentre, a loro volta, controllavano il KGB nella indagine sulla figlia dell'agente in sonno e, nello stesso tempo, l'avrebbero protetta.

Era necessario, per questo, decise Davidov, che il direttore della Quinta sezione svolgesse ancora molto lavoro all'esterno: nessun incarico, in quel momento, era altrettanto importante per la stabilità nazionale della Russia e per la sua sicurezza interna, e lui aveva fiducia in se stesso.

PARTE SECONDA

L'ALTRA IDENTITÀ

17

MEMPHIS

A Edward Dominick, il noto giornalista Irving Fein fu istintivamente antipatico fin dal momento in cui lo vide entrare a grandi passi nel suo ufficio, senza un minimo di riguardo per la graziosa ragazza che lo accompagnava.

Al banchiere di Memphis aveva fatto tornare in mente un'osservazione fatta dalla sua defunta moglie mentre stava affacciata alla finestra dell'Hotel Plaza, durante una loro visita a New York. Guardando la statua dorata di William Tecumseh Sherman, generale dell'Unione, su un cavallo guidato per le briglie dalla dea della libertà, la signora Dominick, membro a vita della associazione nazionale Figlie della Confederazione, aveva osservato: «Tipico di un nordista viaggiare a cavallo mentre una signora va a piedi».

Fingendo di non vedere il braccio proteso di Fein, Dominick strinse la mano a Viveca. L'aveva vista solo alla televisione e sullo schermo, non capiva perché, gli era parsa più alta. Fein, invece, era abbastanza alto, ma curvo, con gli occhi pungenti, irrequieto, uno di quelli cui non si concederebbe mai un prestito rilevante senza curarsi di quali garanzie possa offrire.

Diede la mano anche a lui, naturalmente – la stretta di Fein equivaleva a un rapido, eloquente scossone, molto diverso dall'autorevole ma cordiale contatto concesso dalla sua compagna – e invitò entrambi a sedersi sul divano appoggiato contro il muro nella zona del suo ampio ufficio destinata alla conversazione.

«Una bella sistemazione per una piccola banca», osservò Fein.

«Anche se la riserva della Banca d'Affari di Memphis è di solo duecento milioni di dollari», ribatté allegramente Dominick, «alcuni nostri clienti ci ritengono in grado di soddisfare le loro necessità locali, e per le questioni più estese, il nostro riferimento è nella vostra città, a New York, presso la Chemical».

«Il signor Fein intendeva dire», intervenne la giovane donna, «che noi, all'Est, abbiamo un'idea convenzionale, e quindi sbagliata, di una banca del Midwest. Il suo ufficio è davvero imponente, signor Dominick». Viveca guardò, ammirata, la scultura di bronzo di un cowboy che scendeva a cavallo da un pendio. «È un Remington, vero?».

«Sì, una copia, naturalmente. Qualunque sia la ragione che l'ha portata a Memphis, signorina Farr, voglio che sappia quanto io apprezzi la sua trasmissione. Spesso, per me, è l'unico incentivo ad accendere il televisore». Il complimento aveva, in più, il vantaggio di essere sincero. Tutto il personale era stato avvertito della visita di Viveca e si disponeva al piacere di vederla di persona e di mostrare ai clienti che la banca era frequentata da un astro della televisione. «La sua notorietà l'ha preceduta, signor Fein. Io, purtroppo, non ho mai letto niente di suo, ma so che i miei amici del settore commerciale la apprezzano molto».

«Lei si è informato sul nostro conto...?», chiese Fein.

«Non è cosa di tutti i giorni avere degli ospiti così importanti». Il banchiere non pensava nemmeno a chiedere perché fossero andati da lui, bastava la presenza di Viveca a non farlo interessare ad altro. Da quel momento in poi, avrebbe guardato con altri occhi il notiziario della sera.

«Volevo sapere se lei ha parlato di noi con un nostro comune amico a Washington».

Poiché Dominick si limitò a conservare un imperscrutabile sorriso, Fein precisò qual era lo scopo della sua visita e, secondo il linguaggio della carta stampata, passò la storia al piombo. «Vorremmo che lei ci aiutasse a risolvere il più grande furto del secolo».

«Il più grande? Vediamo un po': la rapina Brink si aggirava intorno ai tre milioni di dollari».

«Era un furterello, paragonato al nostro». Fein smise di agitarsi sul divano e guardò Dominick negli occhi. «Si tratta di una grossa truffa. Altro che BCCI, altro che Keating e il suo S & L. Cifre da far paura, perché implicano una deliberata sottrazione di capitale al Tesoro di una grande potenza straniera. Le interessa?».

Fein tacque. Dominick, con in viso una espressione imperturbabile, rispose: «Mi dica qualcosa di più».

Irving si alzò e cominciò a girare per l'ufficio, toccando la coda del cavallo di Remington, gettando uno sguardo alle carte sulla scrivania del banchiere, dando un'occhiata a quello che si vedeva dalla finestra. Non gli importava che Dominick lo giudicasse indiscreto, l'indiscrezione era l'essenza della personalità di un giornalista.

146

«Negli anni Ottanta, al Cremlino cominciava a serpeggiare il nervosismo», disse. «Le riforme di Gorbaciov non funzionavano, ma erano un incoraggiamento, per le repubbliche come l'Ucraina e i Paesi Baltici, a staccarsi dal centro. A Mosca non erano stupidi, gli premeva non perdere il potere, e cominciarono a pianificare il peggio».

«Per il peggio si intende la disgregazione dell'Unione Sovietica», aggiunse Viveca tranquillamente, «e la perdita del potere e dei beni del partito comunista».

«Prudenza», l'ammonì Dominick. Irving ne dedusse che Dominick era un banchiere alla moda e si era allenato a inserire nella conversazione, appena possibile, quel commento insulso.

«Lei è mai stato in Russia?», gli chiese.

«Qualche anno fa, nell'ambito di una delegazione commerciale, sono stato in Ucraina», rispose Dominick e Irving osservò che non aveva detto "nella", ma "in", come preferivano gli ucraini, perché faceva pensare di più a una nazione, separata dal dominio di Mosca, piuttosto che a una regione, come la consideravano i sovietici. Immaginò che il banchiere, in passato, avesse fatto qualche lavoretto saltuario per la CIA, altrimenti Clauson non l'avrebbe tirato fuori dal cappello, come un prestigiatore, solo perché aveva l'età giusta ed era alto un metro e novanta.

«L'ultima cosa al mondo che il KGB poteva desiderare era che i suoi soldi finissero nelle mani dei riformatori», proseguì Fein, «così i cattivi, che si sono riuniti sotto il nome di Feliks, hanno ideato un piano per nascondere il capitale in giro per il mondo. Mi segue?».

«Per ora non mi sembra che ci sia niente di complicato. Direi che ci troviamo di fronte a una reazione logica».

«Infatti. Per dirigere l'operazione, però, serviva un banchiere, un bravo banchiere, qui, negli Stati Uniti. Rispettato. Pulito. Non di grosso e non di piccolo calibro. Intelligente, soprattutto, e completamente affidabile, fedele agli integralisti che erano a capo del KGB».

Dominick sembrava interessato. «Chi hanno scelto?», chiese, rivolto a Viveca.

Lei guardò Fein, che rispose: «Non lo conosce. Anni fa, una generazione fa, avevano trapiantato qui un agente in sonno».

«Una talpa, intende? Io sono un lettore entusiasta di Le Carré. Mi piacciono...».

«Ma il mio è uno scandalo che grida vendetta dal cielo», esclamò

Fein, «che scuoterà i governi, che farà saltare per aria un sacco di pezzi grossi! Possibile che il punto di riferimento siano sempre i libri, che nessuno voglia più avere a che fare con la realtà?».

«Una talpa è un agente che si infiltra nei servizi segreti di un altro paese», disse Viveca, con un'aria tranquilla un po' affettata, «e raccoglie delle informazioni che trasmette in patria, come faceva Aldrich Ames. Ma una spia in sonno è diversa. È un agente che diventa parte integrante della società del paese nemico. Viene lasciato libero di gestirsi come crede. Una volta definita la sua copertura e assimilata la sua biografia, ovvero una falsa identità curata in ogni dettaglio, deve restare solo, senza aiuto. Non avrà contatti in patria per anni, o addirittura decenni, fino al momento in cui sarà attivato».

«Dovrà avere motivazioni profonde», osservò Dominick e, con un cenno, invitò Viveca a proseguire.

«Occorre che sia non solo leale, infatti, ma profondamente convinto di ciò che fa e dotato di una forte capacità di autodisciplina. Una società libera offre molte attrattive», disse Viveca, accavallando le gambe. «Una nuova famiglia, una possibilità di carriera in America, possono rappresentare una tentazione violenta. L'agente in sonno viene posto continuamente di fronte alla tentazione di passare dall'altra parte, di scordare i propri impegni».

«Già», assentì Fein, chiedendosi dove aveva imparato tutte quelle cose.

Dominick pareva interessato a capire quanto Viveca sapesse sulle possibilità di penetrazione nei servizi segreti stranieri. «Lei parlava di una falsa biografia che l'agente in sonno deve assimilare...».

«È una nuova identità», spiegò Viveca, «costruita a partire dall'infanzia, atta a resistere a qualsiasi tipo di indagine. Gli archivi delle scuole, degli uffici di motorizzazione, delle aziende presso le quali dovrebbe aver lavorato sono predisposti in modo da avere tutti i documenti che lo riguardano, perciò tanto meglio se l'agente è molto giovane nel momento in cui viene trapiantato in un altro paese. Al controllo di un'agenzia di credito, per esempio, la biografia dell'agente in sonno deve poter rispondere adeguatamente, senza punti oscuri. E dentro di sé, il dormiente diventa la persona che la sua falsa biografia ha costruito».

«È quello che è successo all'agente di cui le stiamo parlando», proseguì Irving. «È venuto qui più o meno una generazione fa. È entrato nell'attività bancaria. Ha messo radici. Si è fuso con il paesaggio. Così, quando il vecchio KGB ha mandato una guida ad attivarlo, era pronto ad avviare l'operazione necessaria a seppellire i beni dei comunisti».

«Un capitale in oro?». Dominick sembrava incredulo. «Qui si sapeva che i sovietici, verso la fine, avevano una riserva aurea disastrosamente scarsa».

«Qualche miliardo di dollari, sciocchezze». Fein prese un lungo foglio uscito dal computer di Mike Shu e lo mostrò al banchiere. Il rapporto preliminare riguardava soprattutto la possibilità di un traffico illegale di petrolio, di un imbroglio sul prezzo dei cereali, di una produzione di moneta falsa, di una illecita vendita di plutonio. Niente di sicuro; l'indagine era appena cominciata e degli indizi più consistenti, avuti dal Ministero del Tesoro e dalle fonti federali, non bisognava parlare fino a quando il banchiere-sosia non avesse accettato il proprio ruolo.

«E volete un parere tecnico da me? Sono lusingato, ma perché proprio da me? Abitate a New York, avete infinite...».

Viveca prese una sigaretta, la batté sul pacchetto e, leggermente protesa verso Dominick, gli disse: «Perché riteniamo che lei sia il perfetto...».

Fein la interruppe. «Un momento. Che ne pensa di questa impostazione iniziale, Dominick? Siamo sulla strada giusta?».

«Sembrerebbe di sì», rispose il banchiere. «Devo cominciare col presumere che sia tutto esatto quello che mi avete detto sugli agenti in sonno, le false biografie e tutto il resto. A questo punto, prenderò per buono anche il presupposto che si possa accumulare una fortuna servendosi delle informazioni dirette del KGB. Ma questo modo di affrontare le ricerche basandosi su schemi fatti al computer, mi sembra un lavoro da ragionieri».

«E secondo lei, Edward, quale sarebbe l'impostazione migliore?». Era stata Viveca a chiederlo. Si guardò attorno per cercare un portacenere. Dominick ne prese uno da un cassetto dove lo conservava, evidentemente, per i clienti importanti, e glielo mise davanti. Irving pensò che, con quella piccola controscena, Viveca gli avesse fatto arrivare uno sbuffo del suo delicato profumo, come aveva fatto con lui la prima volta, quando era andato a casa sua. Era contento che lo avesse accompagnato, ma gli sarebbe piaciuto sapere chi le avesse dato quel concentrato di nozioni.

«La chiave per accumulare una grossa fortuna», disse Dominick, «non è il furto. La strada migliore consiste nel creare le circostanze che garantiscano un profitto. Se voi foste il governo dell'Unione Sovietica e voleste dare vita con una somma ingente a un fondo segreto, non creereste depositi nelle banche altrui e, soprattutto, non in banche di interesse nazionale; rilevereste, invece, personalmente, delle banche private, che potessero permettersi di comprare le proprie linee di navigazione e che trarrebbero profitto dal trasporto del vostro petrolio e dei vostri cereali. Costruireste così un coordinato ingranaggio mondiale. Questa sarebbe una strada, o una parte di essa».

«Una parte?», chiese Viveca, avvolta in una nuvola di fumo.

«La forza sta nell'informazione. L'informazione che viene da chi è dentro il meccanismo. L'equazione è questa: una informazione anticipata più una consistente forza economica, uguale un grosso profitto. Una superpotenza come la vecchia Unione Sovietica poteva manipolare i mercati su vasta scala. Poteva vendere dei beni da consegnare dilazionati e poi produrne in enorme quantità per lucrare sulla differenza del prezzo e un suo agente all'estero si sarebbe fatto i miliardi in un anno. Oppure, al contrario, accaparrare grandi derrate di merce, creando così una mancanza sul mercato, con conseguente rialzo dei prezzi e, ancora una volta lucrare sulla differenza».

«Lei sta andando troppo in fretta, per me. Mi è difficile seguirla», disse Viveca e Irving ne fu contento.

«Signorina Farr, signor Fein, o Viveca e Irving, se mi è permesso, io non so se questa storia dell'agente in sonno sia vera o no. Forse siete venuti qui solo per prendermi in giro e mi rivedrò in "Candid Camera" o qualcosa del genere. Ma sapere in anticipo ciò che una superpotenza farà in politica o in economia sarebbe come poter leggere oggi il giornale di domani. Si saprebbe che cosa comprare e che cosa vendere, dove scoppierà una guerra, quali carenze si produrranno... Ci si potrebbe costruire una ricchezza sopra un'altra ricchezza».

Suonò il telefono interno. Irving immaginò che Dominick avesse detto alla segretaria di interromperlo, a un dato momento, fingendo che ci fosse una telefonata importante. Mentre lui parlava all'interfono, disse sottovoce a Viveca: «Ha abboccato. Tira la lenza».

Viveca sapeva che non sarebbe stato tanto facile. Pensava a suo padre e le pareva di capire che, anche se fosse stato incuriosito come Dominick dalla vicenda sovietica, avrebbe cercato di evitare qualsiasi coinvolgimento potesse comportare una perdita di danaro. E Dominick le ricordava suo padre, Victor Farrano, al vertice della professione, quando lei era al Mount Holyoke. Impeccabile e disinvolto, immacolato e trasandato, moderatamente interessato alla propria figlia, ma preoccupato che fosse sufficientemente sicura di sé per paura che potesse deluderlo. Suo padre, che si era sempre dato da fare, e con successo, per piacere a tutti, si era sempre occupato molto di sé, fidando sulle proprie risorse intellettuali, fino a quando, a cinquant'anni, non era colato a picco, travolto da un progetto finanziario sbagliato e da una donna sbagliata, e aveva perso danaro, casa e famiglia. Viveca si passò la lingua sulle labbra; ogni volta che pensava a quell'uomo inghiottito dalle tenebre le veniva voglia di bere. Da una posizione sociale privilegiata, in una scuola importante, si era trovata a dover servire a tavola, mentre le compagne che prima aveva trattato con sussiego godevano della sua umiliazione. Da quel momento aveva sempre avuto la sensazione di trovarsi in piedi su una botola che poteva aprirsi da un momento all'altro. Almeno, pensava, era riuscita, con la televisione, a mettere insieme i soldi per ricomprare la casa di Pound Ridge.

Era rimasta colpita dalla scelta di Irving. Dominick era autorevole forse solo perché non faceva, apparentemente, nessuno sforzo per dare peso alla propria presenza. Sorrideva con gentilezza, senza falsa cordialità; la sua stretta di mano era ferma, ma non troppo prolungata né troppo confidenziale.

«Lasciami andare a pranzo con lui da sola», disse a Irving, mentre Dominick era ancora al telefono. «Ci vediamo al cancello delle partenze alle tre», e poiché Irving sembrava incerto, aggiunse: «Non gli sei simpatico».

«Non sono simpatico a nessuno, quindi è solo una prova della sua rapidità di giudizio», disse Irving con l'aria chi sa obiettivamente prendere in giro se stesso. «Però hai ragione, non ti leva gli occhi di dosso. Predisponi i segnali di stop».

«Solo quelli indispensabili».

«Ricordati che deve mettersi in contatto con Clauson a Langley e preparalo a non aspettarsi "né una conferma né un rifiuto". Fagli capire che abbiamo una fonte d'informazione all'FBI, perché è la verità, io ce l'ho davvero, e per i banchieri è come un profumo d'arrosto per il gatto. Soprattutto non insistere per concludere».

Dominick posò il ricevitore e Viveca si alzò in piedi. «Irving deve andare ad attingere a una delle sue fonti, o a mungere, come dice lui. C'è un posto, qua vicino, dove una donna, all'ora di pranzo, possa sedersi a un tavolo da sola?».

Come Viveca aveva previsto, Dominick la portò in un ristorante all'ultimo piano dell'edificio. Non cercò di investirla con tutto il suo fascino, né la ossessionò chiedendole perché le piacesse tanto il mondo delle spie, mentre a lei sarebbe piaciuto che lo facesse perché preferiva rispondere piuttosto che chiedere. Non le fece capire che voleva andare a letto con lei, non le mostrò le fotografie della moglie morta e dei figli che andavano a scuola lontano da lì, tenne la conversazione a un livello medio, le raccontò qualcosa di sé, si compiacque di sapere che anche suo padre era un banchiere, si mostrò sinceramente interessato al suo modo di presentare le notizie alla televisione. Forse il progetto era equilibrato, pensò Viveca, da una parte Irving, maleducato e irrequieto, dall'altra Dominick, e la sua calma da gentiluomo. A entrambi, piaceva rischiare, Dominick non doveva essere molto diverso da un giocatore d'azzardo per essersi fatto strada nel mondo delle banche del sud durante gli anni Ottanta, ma c'era in lui una innegabile componente di prudenza.

Era ormai importante, per lei, convincerlo a unirsi a loro, non solo per dimostrare a Irving e ad Ace i vantaggi della sua collaborazione, ma per garantire a se stessa autoconsiderazione e tranquillità. Per una volta, almeno, avrebbe fatto un lavoro divertente.

«E ora, signorina Farr, è il momento che lei mi dica perché avete scelto proprio me, tra tutti i banchieri del mondo, come vostro consulente tecnico».

«Veramente vorremmo da lei qualche cosa di più, Edward. Lei sa che avrei potuto proporre a Irving di scegliere tra i dieci banchieri più importanti del mondo per avere un parere strategico. Irving, per parte sua, avrebbe potuto indicarmi funzionari della SEC, la Commissione sicurezza e scambi, consiglieri della Federal Reserve, possibili fonti di informazioni bancarie all'FBI, dove ha molti, preziosi punti di riferimento». Viveca decise di azzardare un passo avanti. «Vede, Irving appartiene a un ambiente diverso dal nostro, ma è molto bravo».

«Lo credo. E voi due insieme potete fare un buon lavoro. Mi fa piacere trovarmi a tavola con un bravo poliziotto».

«Noi, Edward, facciamo conto non solo sulla sua consulenza tecnica, ma sulla sua abilità strategica. Quella sua equazione, informazione anticipata più forza economica, uguale profitto, mi ha aperto gli occhi. Non immaginavo che l'era della informazione arrivasse a tanto». Viveca sapeva che, citando la sua, peraltro ovvia, "equazione" lo avrebbe lusingato, ma aveva la sensazione di non essere stata ancora abbastanza chiara, perciò introdusse il discorso che lei e Irving avevano provato a ripetere più di una volta: «Noi vogliamo che lei lavori con noi, Edward. Io, naturalmente, se lei accetterà di collaborare, le dirò quello che sappiamo sul conto dell'agente in sonno, ma avremo bisogno di qualcuno che interpreti il suo processo mentale e si comporti in conseguenza. Vorremmo che lei diventasse come lui, seguisse l'evolversi delle sue decisioni, entrasse nel suo giro d'affari».

«Credo di capire. Voi volete un banchiere per catturare un banchiere. Ma io non sono un detective. Come potrebbe funzionare questo progetto?».

«Faremo in modo che il KGB e gli altri che, in Russia, cercano l'agente in sonno, pensino di averlo trovato, pensino che sia lei. E troveremo la strada per farli arrivare a lei».

«Perché?».

«Irving potrà spiegarglielo meglio di me, ma l'idea sarebbe di trasformarla in un attore. Allora comincerebbero ad arrivare delle informazioni. Lei scoprirebbe che cosa cercano e quanto sanno le agenzie investigative. È un sistema che Irving ha già sperimentato e con ottimi risultati... gli ha fatto vincere tutti i premi di giornalismo più importanti».

Viveca diede a Dominick un po' di tempo per riflettere e lui, infine, espresse l'obiezione sulla quale Irving aveva contato, mostrando così di avere il livello di immaginazione che il ruolo richiedeva. «Presto o tardi, l'agente in sonno avrà sentore di quello che sta succedendo alle sue spalle. Non si può allestire un'operazione parallela, inserirsi in uno schema di speculazione economica applicato per cinque anni con successo senza che il procione si accorga che ha un cane da procione alle costole».

Viveca era stata bene indottrinata sull'argomento e rispose subito: «C'è almeno una buona possibilità che il dormiente si renda subito conto del ruolo che lei si è assunto, Edward. Allora abbiamo ragione di credere che cercherà di avvicinarla per proporle di agire come suo intermediario in un grosso affare».

«Perché dovrebbe farlo? E qual è questo grosso affare?».

Viveca lasciò perdere quel perché a proposito del quale Irving non le aveva dato spiegazioni, e rispose: «I russi, sia il governo sia i suoi oppositori, rivogliono i soldi. Ma questo è affar loro. Lasciamo che l'agente in sonno tratti con ciascuno come vuole, a me non interessa. L'affare, per Irving e per me, sta nell'impossessarci di tutta la vicenda, nel capire che cos'ha fatto l'agente in sonno, chi ha coinvolto, soprattutto nel nostro paese, dove sono i soldi e dove andranno a finire».

«Se quello che lei mi ha detto è vero», rifletté Dominick, «stiamo parlando dell'uomo più ricco del mondo. E quasi nessuno sa che esiste».

«È, infatti, una storia fantastica, sulla quale costruirò la mia carriera».

«È una buona possibilità per lei, mia piccola signora, ma ancora non capisco perché abbiate scelto proprio me».

«Prima di tutto per il suo aspetto fisico. L'agente in sonno è alto un metro e novanta».

«Lei dovrebbe venire a una riunione dell'Associazione banchieri americani. La scelta si aggirerebbe su duemila persone».

«Ma lei ci è stato anche raccomandato da qualcuno che lavora per il governo».

«Chi?».

«Irving non me l'ha detto, è molto riservato per quanto riguarda le sue fonti d'informazione e non lo disapprovo. Anch'io mi comporto allo stesso modo. Ma certamente non ha trovato il suo nome sull'elenco telefonico di Memphis».

Dominick parve sollevato: quella ragazza gli stava dicendo la verità. «Io, Viveca, se posso chiamarla così, credo di potere immaginare con qualche esattezza il nome del nostro comune amico a Washington. Però sono un uomo d'affari, giusto? Non vorrei sembrare grossolano, ma questo lavoro comporterebbe molte complicazioni, e una gran perdita di tempo...».

Era chiaro che voleva sapere quanto ci avrebbe guadagnato. Viveca aveva la risposta pronta. «Lei sarebbe il fulcro del nostro libro, l'eroe, la star delle serie televisive. Lei e io racconteremmo al pubblico tutta la storia e lei diventerebbe uno dei più famosi banchieri di tutta l'America. Di tutto il mondo».

«La fama è importante, questo è innegabile, ma non porta danaro. Non compensa l'investimento di tempo».

Viveca sentì una stretta allo stomaco e bevve un sorso di vino. Non voleva perdere il suo banchiere e, per la prima volta, fece un passo indietro. «Il compenso economico è una cosa che potremmo trattare con i governi dei paesi che pagano per riavere il danaro perduto. Oppure con il nostro governo, in cambio di una denuncia di evasione fiscale, se l'agente in sonno non ha pagato le tasse, come è più che certo. O forse sarà lui, l'agente in sonno, ad accordarsi perché lei tratti con i russi...». Si strinse nelle spalle e lasciò la frase in sospeso. Irving le aveva detto che Michael Shu sospettava che se il sosia non fosse stato alieno all'idea del furto avrebbe potuto fare un patto con il vero agente in sonno per prendersi una fetta del suo capitale.

«Il rischio è maggiore di quanto lei non pensi, Viveca. Se accettassi di impersonare la figura di un potenziale delinquente, la nostra indagine dovrebbe almeno avere la veste della legalità».

Si era a buon punto e Viveca sapeva benissimo come rispondere. «Ci abbiamo già pensato. Lei dovrà telefonare... ha una penna? a Walter Clauson, della sezione controspionaggio della sede della CIA, a Langley, in Virginia. Il numero del centralino è sull'elenco, oppure potrà farselo dare alle informazioni». Era un modo per garantirgli che avrebbe parlato con una persona realmente esistente alla CIA e non con chi sa chi a un numero scelto per trarlo in inganno. «Gli dirà che vorrebbe parlare con lui a proposito di una persona che soffre d'insonnia. Si ricordi che la telefonata sarà registrata. Clauson le darà un appuntamento nel suo ufficio, a Langley o in F Street, nel distretto della Columbia, senza misteri, apertamente».

Viveca aveva imparato tutto a memoria, non aveva sbagliato una parola. Seguitava a tornarle in mente un personaggio di un vecchio film, I trentanove scalini, con Robert Donat, che ripeteva tutto a memoria; a Irving la citazione non sarebbe piaciuta, perché loro lavoravano sulla realtà e non sulla realtà virtuale. «Quando lo vedrà, gli dica che siamo venuti da lei e gli spieghi che cosa vorremmo che facesse per noi. Lui le risponderà con queste precise parole: "Non posso confermare e nemmeno negare la presenza di un agente del KGB tenuto 'in sonno' negli Stati Uniti. Lei lavorerà per conto proprio, al cento per cento. Grazie e buongiorno". Ascolti bene quel "al cento per cento"».

«Tutto qui?». Dominick non sembrava molto rassicurato.

«Dovrebbe essere per lei la prova che siamo in contatto con un alto funzionario del controspionaggio; che abbiamo stabilito con lui chi sarebbe andato a parlargli, che cosa vi sareste detti e, soprattutto, abbiamo stabilito che la registrazione del colloquio sarebbe stata conservata alla CIA nel fascicolo relativo all'agente in sonno».

Viveca aspettò che Dominick elaborasse mentalmente quello che gli aveva detto. Quasi subito arrivò l'obiezione che si aspettava.

«Questo non mi garantisce una protezione totale».

«Ma io so, e me l'ha confermato lei stesso, che situazioni del genere non le sono del tutto estranee. Abbiamo un amico comune a

Washington. L'esattezza delle parole con le quali Clauson le risponderà, saranno la conferma della nostra bona fides». Viveca pronunciò quel "bona fides" con molta naturalezza, come le era stato insegnato. «Non potrà darle via libera, ma sarà comunque la prova che è stato lui a consigliarci di venirla a trovare».

Dominick non disse né sì né no. Forse, pensò Viveca, voleva essere sicuro che tutto si svolgesse veramente come lei gli aveva detto. Irving l'aveva avvertita di non aspettarsi subito una risposta. Prese dalla borsetta un biglietto da visita, vi aggiunse i numeri di casa di New York e Pound Ridge, e glielo diede. La simpatia reciproca era importante, aveva la sensazione di essere riuscita a stabilire un rapporto diretto con Dominick che gli rendeva gradevole la prospettiva di lavorare insieme. «Aspetto la sua risposta», gli disse. «Mi piacerebbe che lavorassimo insieme».

Un gruppo di uomini passò vicino al loro tavolo, salutarono Dominick e la guardarono. Uno voltò la testa dando un'occhiata di congratulazione a Dominick e lei gliene fu grata.

«Lei non è stata completamente sincera con me, Viveca, e non è certo un rimprovero, data la natura della questione della quale si occupa. Io, però, voglio essere sincero con lei». Ora lo sguardo del banchiere era più penetrante che preoccupato. «Questo agente in sonno, ammesso che esista, non è certo privo di risorse, non avrà nessuna voglia di essere scoperto e nemmeno di avere un socio. Potrebbe rivelarsi pericoloso, non solo per il suo sosia, ma anche per lei».

«Io correrò il rischio. E lei?».

«Non capisco perché dovrei farlo. Il compenso economico del quale mi ha parlato appare problematico. L'idea di diventare famoso, nel caso la ricerca si trasformasse in un successo, potrebbe costituire un'attrattiva se volessi ottenere qualche incarico pubblico, ma non ho ambizioni politiche».

Viveca gli posò una mano sul braccio. «Eppure ci sta pensando. Vuole spiegarmi perché?». Si era ricordata di un consiglio che le aveva dato suo padre: offri sempre a un cliente potenziale la possibilità di vendersi nella contrattazione.

Dominick, per un momento, guardò dalle grandi finestre del ristorante la città e il fiume, poi disse: «L'impostazione del vostro progetto è buona. L'agente in sonno si accorgerebbe presto di un'attività parallela alla propria, sia pure su scala ridotta, perché questo mondo di banchieri ad alto livello rappresenta una cerchia ristretta e, in un modo o nell'altro, arriverebbe a noi. Aggiungo che

156

lavorare con dei giornalisti ha una componente di divertimento non trascurabile, non lo nascondo».

Piegò il braccio sul tavolo e Viveca ritrasse la mano. «Ma ciò che soprattutto attrae nella vostra proposta è l'idea della provocazione, della sfida. Inutile fingere di ignorarlo. Dati alcuni miliardi e, grazie alle informazioni segrete di una superpotenza, c'è stato chi li ha fatti fruttare fino a trasformarli nel più cospicuo capitale privato esistente al mondo». Per poco non si leccava le labbra nel dirlo. «Com'è successo? Quali strade ha seguito? Con l'aiuto di qualcuno veramente bravo, che riuscisse a ricostruire i movimenti del mercato, scommetto che riuscirei a capirlo. Una eccezionale ginnastica per la mente».

Dominick fece accompagnare Viveca all'aeroporto dal suo autista.

«Ti ha mandato sola? Non è venuto con te, a cercare di fare qualche porcheriola sul sedile posteriore? Eppure è quello il luogo privilegiato delle molestie sessuali, l'automobile aziendale».

Viveca sembrava così soddisfatta di sé che Irving non riusciva a non stuzzicarla un po'. Ma era stata brava, aveva saputo trattare meglio di lui con l'accorto banchiere e quando lo guardò, si affrettò a dirle che stava solo scherzando. Viveca non era spiritosa.

«Dove hai imparato tutte quelle cose che hai detto nell'ufficio di Dominick sulle talpe e gli agenti in sonno?», le chiese, per farsi perdonare. «Era tutto giusto e ti sei anche espressa con molta precisione».

«Ho letto il libro *Teoria e pratica del controspionaggio*, di Cooper e Redlinger. Ho studiato la lezione a casa. Queste storie di spionaggio non fanno parte dell'arcano, come credi tu».

«Mi riferivo a un arcano minore, come il tunnel dei misteri nelle fiere di paese. Piuttosto, ora che sai tutto su Cooper e Red... comesichiama, che cosa sapresti dirmi di Golitsin e Nosenko?»

«Non ho mai letto niente».

«Allora... pausa: Glolitsin era un disertore russo, venuto qui nel 1960 a raccontare tutta la storia del piano di disinformazione di Shelepin, che allora era a capo del KGB. Shelepin imbottiva le nostre spie di una quantità di notizie false, secondo il suo progetto di ingannare il mondo che non ha mai funzionato. Poi un altro disertore, che si chiamava Nosenko, è arrivato dopo l'assassinio di Kennedy e ha assicurato a tutti che il Cremlino non aveva niente a che vedere con Lee Harvey Oswald. Le dichiarazioni dei due disertori non coincidevano. La domanda è questa: Nosenko faceva il doppio gioco?».

«E la risposta?».

«Angleton, alla CIA, credeva a Golitsin, ma Hoover, all'FBI, credeva a Nosenko. Per decenni questa divergenza di opinioni ha spaccato in due il mondo dello spionaggio, finché alla CIA non è subentrato un nuovo gruppo di potere che ha deciso di credere a Nosenko e ha buttato fuori Angleton».

«Dovrei saperlo?».

«Naturalmente no. Ma se vogliamo parlare di arcano, sappi che in questo lavoro ci sono molti cadaveri nascosti non si sa dove».

Viveca tacque. Irving la lasciò tranquilla a dolersi per essersi fatta sorprendere solo superficialmente preparata sui misteri del controspionaggio e aspettarono così, in silenzio, che fosse annunciato il volo. Viveca disse, infine: «Allora Nosenko non faceva il doppio gioco?».

A Irving non dispiacque di aver smorzato il suo orgoglio, perché in quel lavoro un po' di modestia ci voleva ed era riuscito almeno a ridimensionarla. Avrebbe potuto mettere in difficoltà se stessa e anche altri con quelle nozioni apprese male e in fretta. La sua preparazione era troppo poco profonda, in parte letteraria e in parte basata su nozioni affrettate, in più mancava dell'esperienza cui ricorrere quando il gioco si fosse fatto più difficile. Era adatta a un notiziario di quarantacinque secondi, ma sarebbe stata inadeguata a un seminario di un giorno come a lavorare a un libro per un anno.

«Nessuno dei due faceva il doppio gioco, credo». Irving non ne era sicuro nemmeno mentre lo diceva. «Erano entrambi veri disertori, anche se sembra una contraddizione. Poiché Angleton, alla CIA, si era probabilmente sbagliato sul conto di Nosenko, i nuovi funzionari degli anni Settanta lo accusarono di una passione paranoica per l'indagine e lo buttarono fuori. Poi arrivarono le talpe come Ames. Jim Angleton era il nostro Shelepin, un teorico dell'inganno, che aveva ragione e torto nello stesso tempo. Coltivava le orchidee».

«Perché proprio le orchidee?».

«Perché ingannano le api per farsi impollinare».

«Oh, io me ne intendo», esclamò Viveca con orgoglio che Irving non raccolse, «sono disposte in asse come tre corpi celesti durante un'eclisse. Ho vinto anche un premio alle superiori, su questo argomento».

«Secondo me tu alle superiori eri un disastro».

«Tu e il tuo amico commercialista avreste fatto meglio a dirmi tutto quello che si sa sull'agente in sonno. Anche nei particolari. Dominick vuole trattare con me, non con te. E ci vorrà più tempo di quello che pensavo».

«Hai detto a Dominick che secondo noi la guida è saltata per aria alle Barbados?»

«No, non volevo spaventarlo, ma lui è molto preoccupato per i rischi che comporterebbe il suo incarico».

«Sì, a volte sarà un lavoraccio. Se il dormiente avesse in corso un'operazione finanziaria grossa, in contatto con la Russia, la scoperta del sosia lo farebbe imbestialire». Irving si era proposto di spiegare a Viveca la posizione controversa di chi faceva un doppio gioco per farle capire come avrebbero dovuto servirsi di Dominick per stimolare e mettere in moto il KGB, i Feliks, la CIA e l'FBI e lo stesso agente in sonno. Viveca aveva molto da imparare, e in fretta. Lui, per parte sua, poteva anche trascurare l'impollinazione delle orchidee.

Seguitò, con calma, a trasmetterle tutto quello che doveva sapere. «Ho fatto una ricerca Dialog sulle parole "Quinta sezione"». Dava per scontato che tutti, nell'ambiente giornalistico, conoscessero quell'archivio computerizzato che in un istante forniva la chiave di tutto quanto veniva pubblicato nel mondo. «Pare che un paio di mesi fa il direttore della sezione e il suo sostituto siano morti in un incidente aereo. Dopo pochi giorni c'è stata una esplosione, alle Barbados, ed è stato spazzato via un tale che, forse, era la guida dell'agente in sonno, cioè la persona che, in qualche modo, la controllava e teneva i rapporti con lui. Secondo me, la guida si è creduta libera dal controllo centrale, visto che quei due del KGB erano morti, ha cercato di estorcere un po' di soldi al dormiente ed è stata ridotta in briciole».

Viveca era diventata pallidissima. Irving cercò di convincerla che a lei non sarebbe successo niente, perché non voleva che gli voltasse le spalle e lo lasciasse a cavarsela da solo. «Non rientra nello schema mentale di chi lavora nel controspionaggio ammazzare un giornalista, Viv. È come se noi facessimo parte della famiglia. Ma possono esserci dei danni collaterali e il dormiente è tale da poterli procurare. Le persone di cui ci serviamo devono affrontare i loro rischi».

Viveca prese la sua valigetta e andò in bagno. Quando tornò indietro sembrava più tranquilla. Irving non pensava che fosse drogata, forse aveva bevuto un sorso di qualcosa di forte da una bottiglia che aveva nella valigetta o, per non voler pensare male, aveva avuto solo fretta di andare in bagno. Poi gli venne in mente Ace, l'anticipo che avrebbero potuto farsi dare e l'abilità di Viveca nel tentare di convincere il banchiere.

«Ti racconto una storiella», disse. «Un tale si compra un berretto da marinaio, va da sua madre e le dice: "Guarda, mamma, sono un capitano". La madre risponde: "Figlio mio, per te, sei un capitano. Per me, che sono la tua mamma che ti vuole bene, sei un capitano. Ma per un capitano, tu non sei un capitano"».

«È carina. Ma per un giornalista io non sono un giornalista».

«Non è questo che volevo dire». Viveca aveva capito male e quell'accidenti di storiella, invece di alleggerire il discorso lo aveva complicato. «Volevo dire che per una spia tu non sei una spia. Oggi hai fatto un buon lavoro da giornalista. Un ottimo lavoro. Hai disarmato, con garbo, un aguerrito banchiere, mentre io non ci sarei riuscito».

«Tu avresti fatto meglio a non farti neanche vedere». Era un buon segno. Si era ripresa, pronta a ricevere il nutrimento che intendeva somministrarle.

«Come ti ho spiegato, hai dei vantaggi».

«Il tuo cervello e le mie gambe? È così?».

«Non cominciamo col femminismo. Ci ho già scritto un libro».

«Vuoi che ti dica una cosa? Io quel libro non l'ho letto, l'ho solo sfogliato per poter fingere di averlo letto, come tutti. E vuoi che te ne dica un'altra? Buttando fuori Angleton, il controspionaggio si è rovinato da solo e i sovietici sono riusciti a infiltrare la loro talpa, Ames. E quando Ames gli ha dato i nomi dei nostri agenti al Cremlino, loro li hanno menati per il naso e ci hanno imbottito per anni di informazioni campate in aria. Ecco che cosa ti volevo dire. E sappi che non l'ho imparato sui libri, me l'ha raccontato un collega della televisione che si occupa del controspionaggio».

Irving finse di essere colpito dalla notizia che un giornalista sempliciotto aveva avuto da un amico alla CIA che voleva pararsi il culo. Viveca aveva usato l'espressione "informazioni campate in aria" mentre intendeva parlare di "disinformazione", cioè di dati trasmessi con l'intento strategico di trarre in inganno, ma si morse la lingua e tacque, perché a lei serviva una piccola vittoria e a lui un'altra discussione non sarebbe servita a niente.

Sentirono annunciare il volo. Consegnarono i biglietti. I camerieri di bordo, ora chiamati assistenti di volo, li accolsero sorridendo e un pilota con i capelli d'argento sbucò dietro di loro per dare un'occhiata alla passeggera famosa.

«Benvenuta a bordo, signorina Farr», le disse, portandosi la mano al berretto.

Viveca indicò il suo compagno di viaggio e sorrise. «Per il signor Fein, lei non è un capitano».

Il pilota non capì, ma Irving pensò che aveva avuto torto a pensare che Viveca non fosse spiritosa.

18

LANGLEY

«Questa storia non mi piace», disse il direttore Barclay, dopo aver letto il rapporto. «Non voglio che noi entriamo a farne parte in alcun modo».

Il vicedirettore operativo, che aveva informato il direttore centrale dei Servizi Segreti e l'avvocato, capo dell'ufficio legale, della inopportuna richiesta di Walter Clauson, funzionario del controspionaggio, si dichiarò d'accordo. «La CIA non si occupa più, ufficialmente, del controspionaggio all'interno degli Stati Uniti. Ora è l'FBI a incaricarsene, con la supervisione delle commissioni di sicurezza del Congresso». Poi si rivolse all'avvocato: «Harry, lei è il segretario della riunione ma, indipendentemente da questo... pensa che Clauson sia andato oltre le sue mansioni accettando di ricevere la visita del banchiere di Memphis?».

L'avvocato sapeva benissimo di essere stato invitato alla riunione perché ne trascrivesse i termini in modo che tutti avessero le spalle coperte. Sapeva anche che, quando il vice direttore operativo diceva che la CIA non si occupava più "ufficialmente" di una questione, significava che la CIA aveva una gran voglia di occuparsene, ma era decisa a non compiere passi che mettessero il direttore in contrasto con l'FBI o in difficoltà con il Congresso. E sapeva infine, per averne già redatti due, che un verdetto presidenziale, che si riferisse alle esigenze della sicurezza nazionale, avrebbe potuto cancellare le limitazioni sull'attività controspionistica della CIA entro gli Stati Uniti.

Per questa ragione prese un po' di tempo, facendo notare che Walter Clauson aveva agito secondo le regole rispondendo alla richiesta di Edward Dominick di Memphis. «Quando un cittadino rispettabile e, soprattutto, un cittadino che, in passato, ha collaborato con i Servizi, chiede di essere ricevuto per esporre un proprio sospetto... è giusto concedergli un colloquio».

«Allora lei, Harry, dovrà trovarsi nell'ufficio di Clauson quando

Dominick si presenterà», disse la Barclay. «Si assicurerà che Clauson, dopo avere ascoltato, dica esattamente quello che deve e non se ne vada prima che il visitatore si sia allontanato. Mi darà poi una registrazione del colloquio, accompagnata da un suo promemoria che possa essere presentato al Congresso».

«Perché tanta cautela?».

«Perché non mi fido completamente di Clauson», disse la Barclay, col suo modo di parlare cane-che-abbaia. «È l'ultimo dei seguaci del vecchio Angleton, che vedeva le talpe in agguato anche sotto i letti. Mi è stato detto che hanno rovinato decine di ottimi funzionari pubblici con le loro teorie paranoiche».

«Non ci sono altri agenti infiltrati nella CIA», la rassicurò il vice direttore operativo. «Posso giocarci la mia reputazione».

«Grazie». Dorothy Barclay guardò l'avvocato e disse lentamente, in modo da permettergli di assimilare ogni parola: «Tuttavia un agente in sonno, in determinate circostanze, può essere più dannoso di una talpa. Quanto tempo ci vorrà per sbarazzarsi di Clauson?».

Il vice direttore operativo rispose che un membro della Commissione senatoriale d'inchiesta sui Servizi se ne stava occupando ma, per il sistema di avvicendamento, sarebbe rimasto ancora in carica solo fino alla fine dell'anno.

«Le suggerisco di ergere una barriera antincendio tra noi e le curiosità di quel Dominick su un per ora immaginario agente russo negli Stati Uniti», disse il direttore Barclay al suo vice, mentre l'avvocato prendeva nota. «Avvertite il banchiere di Memphis che, se ha qualcosa da dire, vada pure all'FBI».

L'avvocato, capo dell'ufficio legale, era seduto nel piccolo ufficio di Clauson. L'attività di Clauson, nell'ambito del controspionaggio, era scesa di livello insieme a quella del suo settore, ormai screditato. In vari modi era stato incoraggiato ad anticipare il ritiro in pensione, ma era rimasto abbarbicato al suo vecchio posto, difendendosi dietro la velata minaccia di un'accusa per discriminazione generazionale.

«È stato gentile a darmi il suo appoggio per il colloquio che mi è stato richiesto da questo banchiere».

«Lei si è comportato come doveva», rispose l'avvocato, ed era la frase che tutti, alla CIA, volevano sentirsi dire. «Uno stimato cittadino americano si fa avanti per discutere di una persona affetta da insonnia, un'espressione che si suppone lei debba capire. Gli hanno

163

consigliato di rivolgersi a lei e lei avverte il suo superiore. Tutto regolare».

«E qual è il suo consiglio?».

«Ascolti quello che ha da dirle, Walt, senza commenti. Non coinvolga la CIA. Se dovrà fare un rapporto, avverta l'FBI. Il colloquio dovrebbe essere breve. Lei conosce questo banchiere? Chi gli ha fatto il suo nome?».

«Quattro o cinque anni fa, era vice presidente di un gruppo sponsorizzato dalla Associazione dei banchieri americani in visita a Kiev. Si era messo prima in contatto con noi per avere delle informazioni e aveva chiesto se sarebbe stato opportuno per lui seguire un corso di russo all'università, prima della partenza che sarebbe avvenuta nella primavera successiva. Stupidamente, senza riflettere, gli avevo detto di sì».

«Perché stupidamente?».

Clauson parve lievemente imbarazzato. «Perché a Kiev parlano l'ucraino. Beh, non gli avrà fatto male imparare un po' di russo».

Quello che l'avvocato avrebbe voluto sapere era se Clauson si era, in qualche modo, servito di Dominick durante quel viaggio a Kiev o se, almeno, si era fatto raccontare qualche cosa al ritorno. Ma Clauson non gli diede altre informazioni e l'avvocato non era molto incline a fare domande.

Quando Dominick entrò, Clauson e l'avvocato si alzarono per salutarlo e Clauson accese il registratore. All'avvocato, il banchiere di Memphis sembrò esattamente un banchiere di Memphis: sano, cordiale, con l'aspetto gradevolmente disordinato dell'americano medio tradizionalista, dotato, probabilmente, di una connaturata astuzia nascosta. Le notizie computerizzate che si era procurato sul suo conto non rivelavano niente di particolare. Era nato a Dyersburg, nel Tennessee, quarantaquattro anni prima; il padre era operaio in una fabbrica tessile. Un rinvio del servizio militare per ragioni di studio gli aveva evitato la guerra del Vietnam; in seguito aveva mostrato una particolare attitudine per i problemi della finanza internazionale e si era laureato, tra i primi del suo corso, a Wharton. Vedovo irreprensibile, iscritto al migliore country club, godeva di un rispettabile reddito medio di sei cifre su un capitale di sette milioni di dollari, anche se in azioni non registrate della sua banca. Non il minimo contrasto con la legge, nemmeno una multa per eccesso di velocità.

Clauson presentò l'avvocato come capo dell'ufficio legale, senza dire il suo nome. Con una voce sonora, di quelle che gli uomini alti e robusti perfezionano negli anni, Dominick disse: «Lo scopo della mia visita è parlare di una indagine da poco intrapresa e della quale sono stato informato. Vorrei accertarmi che non interferisca con nessuna azione in corso da parte del governo degli Stati Uniti».

«Forse sarebbe stato meglio cominciare col rivolgersi al Dipartimento di Stato», obiettò Clauson. «O al Ministero del Commercio, se è questione di traffici oltreoceano».

«L'indagine riguarda una spia, perciò sono qui. Questo ufficio conosce l'esistenza di un cosiddetto agente in sonno e di una associazione di russi i cui membri si chiamano Feliks?».

L'avvocato osservò che la faccia di Clauson era impassibile, mentre diceva tranquillamente al banchiere: «Prosegua».

«Mi è stato detto, da due noti giornalisti americani, che il KGB, in passato, ha trapiantato qui, tra noi, un suo agente, definito "in sonno". Qualche anno fa, a quanto pare, lo ha, diciamo, svegliato, perché si occupasse di amministrare e nascondere i beni del Partito Comunista russo ormai vicino al crollo. Queste notizie sono del tutto nuove per voi, o no?».

«La stiamo ascoltando. Vada pure avanti».

«Mi è stato proposto di assumere l'identità di questo agente. Dovrei condurre, cioè, un'operazione simile su scala minore, tutelandomi contro la perdita di tempo e di danaro con protezioni e baratti, ma identificandomi con lui e con il suo metodo operativo. Lo scopo sarebbe di attirare quelli che lo stanno cercando e, in definitiva, far drizzare le antenne anche a lui». Dominick si interruppe, guardando prima l'uno poi l'altro. «Giornalisticamente parlando, si tratterebbe di rendere pubblica l'attività segreta di uno degli uomini più ricchi del mondo».

Clauson si limitò a guardarlo, a sua volta. Dopo una lunga pausa, Dominick riprese: «Ed ecco che cosa vorrei sapere da voi, signori: questa operazione è in conflitto con qualsiasi iniziativa il governo abbia intrapreso per individuare l'agente in sonno? Accettando la proposta dei due giornalisti, correrei il rischio di interferire con un'altra indagine in corso?». Nel silenzio che seguì, il banchiere concluse, ancora più semplicemente: «In breve, è lecita questa avventura e, qualora decidessi di buttarmici, come potrei evitare di trovarmi in contrasto con la legge?».

«Un banchiere mio amico mi ha regalato una volta un portacenere di smalto», disse Clauson, «dov'erano scritte queste parole: "A tutto aggiunge fascino il rischio"».

«Capisco il rischio finanziario», ribatté vivacemente il banchiere. «Il rischio che, però, vorrei evitare è quello di rimetterci le penne e trovare la mia reputazione insozzata da un intervento del governo».

«Io non posso confermare e neppure negare l'esistenza di un agente in sonno messo dal KGB negli Stati Uniti», disse Clauson scandendo le parole, come se recitasse una lezione a memoria. «Lei lavorerà per conto proprio, al cento per cento». Si alzò e tese la mano a Dominick per salutarlo. «Grazie. Buongiorno».

«Torni a sedersi, signore. Io pago ogni anno duecentomila dollari di tasse al governo federale e credo che questo mi dia il diritto di avere ancora un attimo del suo tempo».

Mentre osservava e ascoltava, l'avvocato si sentì prendere dalla sensazione invincibile di essere testimone di un'altra messinscena, più complicata di quella cui aveva assistito nell'ufficio del direttore. Per esempio: se Clauson aveva fatto studiare il russo al banchiere per sei mesi, doveva pure esserci stata una ragione. Quella che aveva ascoltato e che era stata scrupolosamente registrata non era una conversazione spontanea; aveva sentito tante cassette in vita sua che non aveva difficoltà a capire quando qualcuno parlava sotto dettatura. Non interferì, tuttavia, e aspettò che la commedia continuasse.

«Lei mi sta dicendo», chiese Dominick, «alla presenza dell'avvocato, che assumendomi la personalità dell'agente in sonno non entrerei in conflitto con nessuna operazione già messa in atto dalla sede centrale della CIA?».

«Le sto dicendo, mio caro concittadino così pesantemente tassato, che non posso confermare e neppure negare l'esistenza dell'operazione da lei menzionata».

«E se questa azione giornalistica finisse col mettere in trappola un agente straniero in America, che controlla somme considerevoli, questione certamente di pubblico interesse, io diventerei a mia volta oggetto di indagine?».

Clauson si rivolse all'avvocato. «Forse lei, meglio di me, potrebbe dare al signor Dominick il parere legale di cui ha bisogno».

«Signor Dominick, lei conosce la differenza tra ciò che è giusto e ciò che è sbagliato, soprattutto nel mondo della finanza. Se lei ha la prova di una circostanza criminosa», disse l'avvocato, inserendosi in quel colloquio tutto registrato, «o ha motivo di sospettare che qualcuno sia un agente straniero infiltrato nel nostro paese, ha il dovere di sporgere denuncia presso la polizia locale o l'FBI. La CIA non è un comando di polizia. Se, nel corso della vostra "indagine giornalistica", come la chiama lei, sarà tentato di compiere un'azione illegale... ne faccia a meno. Tutto qui. Il fine, per quanto alto possa essere il suo valore, e nel nostro caso si potrebbe parlare di valore solo dal punto di vista giornalistico, non giustifica i mezzi».

«Mi ha dato un buon consiglio», rispose Dominick e si alzò per andarsene. Strinse la mano sottile di Clauson tra le sue manone e la scosse vivacemente. «*Da svidanija*», disse al funzionario del controspionaggio già nella lista dei pensionabili. «In russo significa arrivederci. Non so come si dica a Kiev».

«A proposito, mi dispiace. Spero che quel breve corso di russo le torni utile, prima o poi. Buongiorno».

Quando fu solo con Clauson, l'avvocato disse: «Che cos'è tutta questa storia?».

Clauson si alzò e lo guidò fuori dall'ufficio, nel corridoio, obbligandolo così a mettere in funzione il suo registratore personale, sempre che la vecchia volpe non ne avesse avuto già uno nascosto addosso.

«È un privato che cerca la copertura della legge», rispose Clauson, «ma non tocca a noi dargliela. Sinceramente, gli auguro buona fortuna. Sarei stato contento di potergli dire che l'agente in sonno è qui da vent'anni ed è stato attivato quattro o cinque anni fa, che l'Agenzia se n'è disinteressata perché non può recarci direttamente alcun danno, ma che è un pericolo per la stabilità politica della Russia, nostra alleata. Forse dovrei dire "amica", visto che non siamo in guerra. Come potrei definire un paese che è stato nostro avversario e che il mio vecchio capo definiva il nostro mortale nemico?».

«Ma lei non ha intenzione di fare un esposto, vero Walt?». La richiesta del riesame di una posizione già discussa e stabilita avrebbe portato con sé quello che una volta sarebbe stato un mucchio di cartacce e adesso un mucchio di lavoro al computer.

«No, no. Volevo solo che lei sapesse che all'Agenzia viene impedito di fare ciò che io considero il suo dovere in un problema di stato. Ritengo scandaloso che l'FBI non sia informato e che la Federal Reserve dorma. E che il nostro visitatore di poco fa, se deciderà di assumersi l'identità dell'agente in sonno, possa, con molte probabilità, venire ucciso».

«Mi mandi la trascrizione, Clauson, amico mio, e io la trasmetterò al piano di sopra. Non abbiamo contravvenuto in niente alle buone regole».

19

NEW YORK

«...Viveca Farr vi ha dato le ultime notizie».

La luce rossa si spense e lei distolse lo sguardo dal gobbo elettronico. Riunì i fogli bianchi dove avrebbe dovuto essere scritto il testo e, con un piglio autorevole che ancora le era rimasto dopo la trasmissione, li batté sul tavolo perché non sporgessero ai margini. Sentì la voce del regista: «Tutto perfetto come sempre, Viveca». Un'assistente di produzione si avvicinò per staccarle il microfono dal risvolto della giacca, ma le parve che impiegasse troppo tempo per un gesto così semplice, allora se lo staccò da sola e si liberò del filo. Si voltò, sulla sedia girevole, per guardare la registrazione sul monitor. Non la vide apparire subito e disse bruscamente: «Su, sbrighiamoci».

«Si sta riavvolgendo il nastro». Il regista si muoveva lentamente, sapendo di darle fastidio. Lei aveva chiesto che lo sostituissero ma la rete le aveva risposto di no, perché era la terza volta in un mese che chiedeva una sostituzione. La regia era molto semplice: una telecamera cominciava con un piano medio dove Viveca era sulla sinistra e alle sue spalle si alternavano le immagini relative agli avvenimenti che andava descrivendo. Negli ultimi dieci secondi, il suo viso occupava tutto lo schermo.

Quei dieci secondi appartenevano solo a lei. Erano il corrispondente del "Walter time", i sette minuti su ventitré in cui il viso del conduttore di una trasmissione sarebbe apparso, secondo contratto, da solo sullo schermo. Viveca aveva elaborato la tecnica di imparare sempre a memoria gli ultimi dieci secondi del testo, per poter tenere gli occhi rivolti verso il pubblico mentre scorrevano i titoli di coda.

Il cuore le batteva forte, come sempre, quando si spensero le luci. Era presente a se stessa, salda come una roccia, quando era in onda, ma prima si sentiva fuori dal mondo, concentrata solo nel pensiero di quello che stava per fare e dopo, senza alcun motivo, la prendeva la paura e cercava di nasconderla dietro la prepotenza. Lo sapeva, era fatta così e, gli altri, che non affrontavano ogni giorno la prova cui lei veniva sottoposta, dovevano capire e adattarsi. Per far tornare indietro un nastro bastavano pochi secondi. «Fallo girare in fretta!», esclamò.

Comparvero le prime immagini. La dizione era quasi perfetta, solo le sarebbe piaciuto che la voce avesse una differenza di tono più marcata tra l'annuncio di una conferenza al vertice e il necrologio di un'attrice, ma meglio di così non le riusciva di fare, e neanche ai suoi colleghi, del resto.

Il regista, osservò, aveva spostato avanti la macchina con almeno due secondi di ritardo, e così, nel primo piano, sembrava che qualcuno le avesse fatto fretta.

«Scusami, Viveca, vedrai che una di queste sere non sbaglierò».

Viveca gettò per aria, di scatto, i fogli del finto testo, che volarono da tutte le parti, in mezzo ai barattoli del trucco. Evelyn fu svelta e gentile, li raccolse e chiuse la porta, perché nessuno doveva entrare mentre Viveca Farr si affidava alla truccatrice. Le inclinò la sedia all'indietro e le mise delle compresse umide e fresche sugli occhi. «Lei è l'unica che sa quello che succede qui», disse Viveca alla sua premurosa assistente mentre le toglieva lo strato di cerone con la crema e poi le tamponava il viso e il collo con un tonico astringente.

«Posso dirle che è stata stupenda?», disse la truccatrice, spalmando e massaggiando. «Questa giacca ha un colore che le sta benissimo, soprattutto ora che ha i capelli più chiari». Fece un passo indietro e inclinò la testa per guardare meglio la giacca. «Per dire la verità, sullo schermo è meglio ancora. Lei ha il dono di sceglersi i vestiti adatti».

«Non mi vesto per me. Mi vesto per i cinquantenni che dirigono la rete e per tutte le donne che sono a casa e non vogliono sentirsi minacciate dalla mia presenza».

«Ha visto quello che è stato appena assunto per i testi? Carino. Giovane. Potrebbe essere mio figlio».

«Allora gli dica di fare le frasi corte, altrimenti devo riscrivere tutto». Viveca piegò indietro la testa, per farsi togliere il trucco dal collo. «Se sono stata un po' brusca con lei, Evelyn, prima della trasmissione, le chiedo scusa. Qualche volta, se il regista non va e i testi sono stati scritti dall'ultimo arrivato, mi lascio prendere dalla paura».

«Lei è sempre così prima di andare in onda. Qui la parola d'ordine è "girare al largo". E anche dopo la trasmissione, per qualche minuto, è molto nervosa. Poi ridiventa una creatura umana, come in questo momento. Forse è sentirsi truccata che la fa diventare cattiva».

«Cattiva? Sono cattiva?».

«Lei è una vera professionista, come me. Anch'io sono odiata, perché sono rappresentante sindacale e non guardo in faccia nessuno. S'impicchino. Lo sa che lei rappresenta un incubo per il telecronista della sera? Lui e il suo produttore hanno paura che lei gli porti via il posto».

«Lo sa per certo o l'ha solo sentito dire?».

«Nessuno parla con me, ma tutti parlano tra loro come se io non ci fossi. Dicono che secondo i sondaggi è lei quella che dà più fiducia».

Viveca sapeva che quello era il Santo Graal del conduttore di un programma: non la chiarezza dell'esposizione, non la conoscenza della materia e nemmeno la bellezza, ma la capacità di ispirare fiducia. Per questo non si faceva rifare il naso, che non era perfettamente dritto, perché avrebbe ispirato meno fiducia. In quella combinazione di notizie, spettacolo e immagine collettiva, che costituiva l'ingranaggio televisivo, la fiducia era tutto.

Lei aveva fatto carriera in fretta, troppo in fretta dicevano i colleghi, ma sapeva che la sua forza non stava nel conoscere le sfumature della politica o dell'economia. Lei sapeva fare un'intervista in modo che interessasse tutti da un punto di vista umano e mettendoci una grande partecipazione personale, sapeva infondere calore a una notizia data in poche parole e se lo scotto da pagare per far carriera era starsene sotto la pioggia per essere pronti a bloccare la notizia, bene, lei non lo avrebbe pagato. Andassero pure tutti a impiccarsi, come diceva Evelyn.

«Abbiamo finito. Vuole un velo di fondotinta e di ombretto per andare a casa?».

Irving Fein sarebbe venuto a prenderla allo studio, probabilmente era già in camerino, dove gli aveva detto di andare a guardare la trasmissione. Non aveva bisogno di fondotinta per piacergli, anzi forse lui preferiva le donne senza trucco. Quella sera sarebbe andato a casa sua per riesaminare insieme le notizie sul passato del vero agente in sonno e le caratteristiche fisiche che Edward avrebbe dovuto assumere il più fedelmente possibile. Sarebbe stato un bravo attore? Lei avrebbe potuto aiutarlo, perché sapeva bene come si interpreta un personaggio.

«Finga di non aver ancora finito, Evelyn». Irving poteva aspettare.

Evelyn capì; spense una delle due luci e la lasciò riposare, massaggiandole lentamente le tempie con un po' di crema. Viveca si sentì, a poco a poco, più calma; si trovò a pensare a un uomo con il quale aveva passato un po' di tempo e a come si era torpidamente abituata alla violenza verbale che aveva dovuto subire da lui. Aveva bisogno, a quell'epoca, di qualcuno che le facesse compagnia, non sopportava di restare sola, com'era adesso. Ma non avrebbe accettato più di essere criticata e umiliata, ecco perché doveva guardarsi dal tono protettivo di Irving Fein, anche se aveva bisogno di quel lavoro per dare una spinta alla sua carriera.

Il ricordo dell'incontro con il banchiere di Memphis, pochi giorni prima, la confortò. Edward Dominick non era come suo padre, che sotto molti aspetti si era dimostrato poco affidabile, forse era più simile a come le pareva di ricordare suo padre quando lei era bambina. Dominick era sicuro di sé e di quanto sarebbe stato in grado di fare, ma non era mai sprezzante, se non con Irving, che era un invito a rintuzzare le sue arie da grande giornalista. E Dominick si era rivelato anche coraggioso, perché quell'incarico, per quanto Irving cercasse di parlarne con leggerezza, poteva essere pericoloso.

Era stato piacevole, a Memphis, stare a tavola con lui, in cima al grattacielo. Lui le era anche parso sessualmente attraente, in parte forse per l'assenza di qualsiasi prospettiva di coinvolgimento in quel senso. Avrebbe avuto, nel lavoro, il rispetto di un uomo che rispettava, un privilegio del quale non ricordava di aver mai goduto. Cercò di pensare che sarebbe stato bello occuparsi della storia dell'agente in sonno e che Edward sarebbe potuto apparire un vero eroe nel film-verità che sarebbe seguito al successo del libro.

Due colpi forti alla porta per poco non la fecero cadere dalla sedia. «Viveca, sei qui?».

La truccatrice, con un solo gesto, le tolse la crema dalla fronte e aprì. Sulla porta, agitatissimi, comparvero il capo redattore e il regista.

«È stato dirottato l'aereo presidenziale! Dio! Vieni in studio... interrompiamo il programma e andiamo in onda».

«È già stata confermata la notizia? Siete sicuri?».

«Abbiamo visto il bollettino della Associated Press da Washington. Vieni, fa' presto».

Viveca si alzò dalla sedia e, per prima cosa, si ricordò che era senza trucco. Poi chiese: «Ma il presidente era a bordo?».

171

«Non si sa con certezza. È probabile». Stavano correndo tutti e tre lungo il corridoio.

«Dov'è Connie?».

«Nelle Hamptons, a due ore da qui. Manderemo un elicottero».

«E Sam... dov'è?».

«Dovrebbe arrivare tra un'ora, ma è irraggiungibile, non risponde al cellulare. Finché non arriva, ci sei solo tu per dare la notizia. Sei pronta?». Viveca fece segno di sì, ma era terrorizzata. Dare una notizia all'improvviso, interrompendo un altro programma, non era il suo forte. Come se la sarebbe cavata senza niente di scritto e nessuno da intervistare? Poteva essere la fine della sua carriera.

Sempre di corsa, entrarono nella redazione, dove tutti stavano con gli occhi fissi sui monitor dove scorrevano le notizie delle agenzie.

«È solo che non voglio pestare i piedi ai colleghi. C'è un po' di materiale su cui lavorare? La copia di un bollettino? Nessuno ha scritto niente?».

«Hai un monitor sul tuo tavolo. Puoi leggere il comunicato d'agenzia», disse il regista. «Io ti farò arrivare all'auricolare tutte le notizie che riuscirò ad avere».

«Il presidente è a bordo», disse qualcuno al telefono, «con il segretario di stato e la first lady. C'è anche l'addetto stampa con i suoi assistenti e, più o meno, i soliti».

«Cercate il vice presidente!», gridò il produttore. «Qui c'è fame di notizie dalla Casa Bianca!». Si rivolse a Viveca. «Cercherò qualcuno che sieda al tavolo vicino a te e ti aiuti. Bisogna trovare subito un esperto di terrorismo. O un altro giornalista».

Solo allora a Viveca venne in mente che Irving aveva scritto addirittura un libro sul terrorismo in Medioriente e che adesso era nella sala d'aspetto, a venti passi da lì.

«Ecco la CNN!». Il regista indicò un monitor con un gemito. «Forse ce la facciamo a battere le altre reti».

Viveca si provò a parlare, ma le mancò la voce. Corse verso la sala d'aspetto, inseguita dal produttore che diceva no, no, dove scappi...

Irving Fein, disteso sul divano, attingeva copiosamente al vassoio straripante, allestito per gli ospiti su un tavolino e, intanto, guardava una commediola alla televisione. Viveca, in vita sua, non era mai stata così felice di vedere qualcuno: un giornalista famoso avrebbe diviso le sue responsabilità.

Gli affondò le dita in un braccio come artigli.

«Hanno dirottato l'aereo del presidente. Il presidente è a bordo.

Andiamo in onda subito. Devi venire con me e parlare del terrorismo».

«Accidenti! Ce la farà?». Mentre si lanciava verso il tavolino per mettersi in bocca un'ultima forchettata di gamberetti, Irving si rese conto di essersi istantaneamente identificato con l'audace dirottatore. Viveca lo fece alzare tirandolo per un braccio.

«Nessuno sa ancora niente». Era una ragazza robusta, doveva riconoscerlo; gli teneva il braccio stretto in una morsa. Sfrecciarono per il corridoio fino a una grande porta azzurra. Un assistente si affrettò a farli entrare.

«Siediti vicino a me», disse Viveca, «e, appena vedi che non so cosa dire, parla tu».

«D'accordo. Mollami il braccio. Ma se non sappiamo niente, facciamo la figura di due cretini».

«Ecco Irving Fein», disse Viveca al produttore. «Tu sai già chi è: un grande giornalista. Ha scritto un libro sul terrorismo, dirottamenti compresi. Fagli mettere un microfono sul risvolto della giacca. Si è saputo nient'altro?».

«È una fortuna che lei sia qui», disse il produttore a Irving e, rivolto a Viveca, aggiunse: «La Whacka dice che sono in contatto con l'aereo e cercheranno di soddisfare la nostra avidità di notizie».

Irving ebbe il sospetto che Viveca non avesse mai sentito nominare la Whacka e, per darle una mano, chiese al produttore: «Che cos'è la Whacka?».

«È la White House Communication Agency. Ma lei è sicuro di intendersi di terrorismo?».

«Non si preoccupi». Venne attivato il tavolo del notiziario. Irving chiese al produttore se c'era un telefono a portata di mano.

«Le passerò le notizie attraverso l'auricolare».

La luce rossa si accese sulle telecamere puntate su Viveca. Irving, per il poco che ne sapeva, capì che erano in onda. All'altezza del suo ginocchio, sotto il tavolo, c'era un telefono. Sperò di riuscire ad avere una linea esterna facendo il 9. Il produttore non gli sarebbe stato di aiuto se non nel fare, passivamente, affluire le notizie, mentre lui, per seguire un avvenimento, lavorava soprattutto al telefono. Viveca stava già parlando.

«... rileggo la notizia, così come l'abbiamo ricevuta noi tre...», un'occhiata all'orologio, «quattro minuti fa dalla Associated Press. "È stato dirottato l'aereo presidenziale. A bordo sono il presidente, la first lady e alcuni alti funzionari di stato". Arriva in questo momento un secondo bollettino, questa volta della Reuters: "Dall'aereo presidenziale, l'addetto stampa conferma che il presidente è illeso. Il dirottatore è solo. Dalla cabina di pilotaggio dichiara di avere su di sé una forte carica di esplosivo". Per il momento non abbiamo altre notizie. Qui con noi c'è Irving Fein, vincitore del premio Pulitzer, esperto in terrorismo. Qual è la sua opinione, signor Fein?».

«Un'azione temeraria. Il dirottatore dev'essere salito a bordo mentre l'aereo si trovava alla base Andrews. Si sapeva che il presidente sarebbe partito in volo stasera per trovarsi domani mattina a Seattle, per una colazione destinata a una raccolta di fondi». Irving l'aveva letto sul giornale. «Il dirottatore, si è introdotto, non visto...».

«Com'è possibile. Non è sorvegliato l'aeroplano?».

«È giusto chiederselo, infatti; in qualche modo, però, dev'esserci riuscito». Irving rifletté un momento e aggiunse: «O riuscita. Dovremmo pensare anche alla possibilità che si tratti di una donna che si sia fatta passare, ad esempio, per un'addetta alle pulizie. Non appena quindi l'aereo, l'aereo presidenziale... non sappiamo se si trattasse del solito apparecchio o se non fosse stato sostituito da un altro che, comunque, con il presidente a bordo, sarebbe automaticamente diventato l'"aereo presidenziale"...». Irving seguitava a parlare a vuoto, in attesa che arrivassero altre notizie. Ricordò un dirottamento avvenuto al Cairo, che aveva seguito a suo tempo, anche quello con un solo dirottatore che la moglie o la madre avevano poi convinto ad arrendersi.

Viveca lo interruppe. «Passiamo ora nel nostro studio di Washington, dove Mike Whelan ci leggerà un comunicato dell'FBI». Dovevano averle detto qualcosa all'auricolare. Anche la comunicazione dell'FBI era solo una variazione sul tema, ma diede a Irving la possibilità di ricorrere al telefono. Fece il 9, ma non gli arrivò il segnale che la linea era libera. «Devo telefonare», bisbigliò a Viveca.

«Dagli una linea esterna, per carità», disse, sottovoce, Viveca al regista, poi aggiunse, rivolta a lui: «È proprio necessario? Dimmi che cosa posso chiederti appena tocca di nuovo a noi. Aspetta, c'è un'altra notizia di agenzia». Si introdusse bruscamente nella trasmissione che da Washington alimentava la curiosità degli ascoltatori. "Alimentare" la curiosità, soddisfare la "fame di notizie", erano espressioni, pensò Irving, che ricorrevano spesso in quel mondo in cui tutti osservavano una dieta. Viveca annunciò, leggendo sul monitor: «"Dall'aereo presidenziale dirottato, l'addetto stampa comunica che il presidente è tuttora illeso. Il dirottatore chiede che l'aeroplano cambi rotta e venga diretto di là dall'Atlantico". Ed ecco ora un comunicato della Whacka, cioè», spiegò con tono appena appena saccente, «la White House Communications Agency: "L'addetto stampa sarà collegato al multplug entro due minuti". Questa è una buona notizia, non è vero, Fein?».

«È una prova della straordinaria efficienza della Casa Bianca», disse Irving, per non contraddirla. «Come sai meglio di me, Viveca, il multplug ci offre la possibilità di trasmettere una notizia attraverso le reti collegate. Quindi noi, tra due minuti, avremo notizie dirette dall'aereo presidenziale, a meno che non ci sia un ritardo, come capita spesso».

Viveca si spostò di nuovo a Washington e Irving si rallegrò che a lui nessuno desse mai ordini con un auricolare. Provò di nuovo a telefonare, ma con quell'apparecchio si potevano fare solo chiamate urbane, ai numeri fuori città corrispondeva ancora quel suono fastidioso. «Dov'è il centralinista?», chiese a Viveca. «Ho una carta di credito».

«Fa' in modo che quel telefono funzioni in tutte le parti del globo, ti scongiuro», sussurrò Viveca al regista. Poi chiese a Irving: «Ti pare che sia stata abbastanza brava, finora?».

«Ti manca solo un po' di cipria sul naso», rispose Irving. Viveca era sudata e a lui piaceva di più così, gli sembrava che avesse appena fatto l'amore. «Per il resto sei molto meglio degli altri». Indicò, in giro per lo studio, i monitor delle altre reti, che avevano appena cominciato a dare la notizia. «Annaspano nel vuoto».

«Oh Dio, sono senza trucco. Alla prossima interruzione, mandami Evelyn con qualsiasi cosa possa spalmarmi sulla faccia. Irving, che domanda potrei farti, adesso?»

«Chiedimi che succederebbe se il dirottatore saltasse per aria».

«Adesso gli chiedo che succederebbe se il dirottatore saltasse per aria», comunicò Viveca al produttore, in cabina o dovunque fosse. «...Va bene, allora non glielo chiedo». Rivolta a Irving, disse: «Non vuole. Ha paura che tutti si spaventino. Che altro potrei chiederti?».

«Chiedimi che cosa potrebbe fare il presidente in questo momento».

Si accese la luce rossa. «Eccoci di nuovo a New York con Irving Fein, l'esperto di terrorismo. Per il momento non abbiamo altre notizie, Irv. Aspettiamo di entrare in comunicazione diretta con

175

l'addetto stampa, a bordo dell'aereo dirottato. Possiamo però assicurare tutti che il presidente, come ci è stato detto, è illeso. Illeso. Vorrei farti una domanda, Irv: Che cosa potrebbe fare il presidente in questo momento?».

«Prima di tutto dovrebbe mettersi in contatto con il vice presidente per avvertirlo di andare nel salotto della Casa Bianca e tenersi sempre reperibile». Mentre parlava, Irving pensava che stava dicendo una stupidaggine: che altro poteva fare il vice presidente? «Poi, il presidente potrebbe avvertire i Servizi Segreti di organizzare un attacco... sparare al terrorista nella cabina di guida... ma si tratterebbe di un intervento cui ricorrere in caso estremo. È probabile, invece, che il presidente ritenga più opportuno assecondare il dirottatore e cambiare rotta, riducendo la velocità per risparmiare carburante», Irving prese un appunto per informarsi sull'autonomia di un aereo che avesse dovuto sorvolare il paese, «e cercando, nel frattempo, qualche strizzacervelli che potesse intervenire al telefono. Sempre che il dirottatore parli inglese. Bisognerebbe scoprire prima che lingua parla, contro chi protesta e che cosa vuole».

«Nel nostro studio di Los Angeles», intervenne Viveca, riferendosi a quell'accenno a uno strizzacervelli, «so che abbiamo costantemente a disposizione uno psichiatra che ha una grande esperienza nel trattare con chi trattiene qualcuno in ostaggio. Ma... ecco, restate in ascolto, siamo in comunicazione con l'aereo presidenziale».

«Dall'aereo dirottato, con a bordo il presidente e il suo seguito, vi parla l'addetto stampa». Il regista era stato pronto a passare sullo schermo un'immagine dell'addetto stampa, presa da un telegiornale. «L'aereo è stato dirottato da una donna, che si trova, in questo momento, nella cabina di guida. È armata e afferma di avere su di sé del materiale esplosivo. I Servizi Segreti ritengono che sia più prudente crederle. Ci ha presentato un documento in cui si chiede che il piano di volo sia modificato e che l'aereo faccia rotta verso l'Atlantico. Abbiamo accettato la richiesta. Pare che la donna non conosca l'inglese e questo rende difficile comunicare. Ci ha consegnato anche una dichiarazione, in inglese, accompagnata da un opuscolo, dai quali risulta che lo scopo del dirottamento è ottenere l'intervento degli Stati Uniti nel Nagorno-Karabah, a sostegno degli armeni che, si afferma, muoiono a centinaia ogni giorno. Ci troviamo in una situazione difficile, ma non c'è motivo di allarmarsi. Il presidente ha parlato con il vice presidente che trasmetterà dalla Casa Bianca il succedersi degli avvenimenti. Il presidente ha nominato il consigliere per la Sicurezza nazionale, che si trova qui sull'aereo, come suo secondo in costante comunicazione con il pilota. Il presidente e la first lady sono tranquilli e perfettamente illesi. Resteremo in contatto con la Casa Bianca a Washington e vi terremo man mano informati. Il nostro ufficio stampa, a bordo, trasmetterà le notizie via radio qualora il sistema di comunicazione di emergenza venisse interrotto. Il presidente mi ha chiesto di farvi pervenire questo messaggio: "A ciascuno di voi raccomando di non preoccuparsi: supereremo questa difficoltà nel migliore dei modi"».

Mentre ascoltava, Irving, chiamò con un cenno un assistente di studio e gli chiese come poteva fare una telefonata all'estero. L'assistente rispose che ora anche l'apparecchio che aveva a disposizione era stato attivato e che il prefisso per l'estero era due zeri, due zeri, prefisso del paese straniero e numero desiderato. Irving prese l'agenda che aveva in tasca e chiamò un tale che per dieci anni aveva sempre dimostrato di essere una buona fonte d'informazione. Il numero era sempre quello.«Ralph? Sei a letto o stai guardando la televisione? Puoi rispondere a qualche domanda della conduttrice?».

Mise in comunicazione Viveca con l'ufficiale della Air Force che aveva pilotato l'aereo del presidente quasi per dieci anni. Scrisse le domande sull'agenda e gliela mise davanti. «Com'è salito a bordo il terrorista? Qual è, in questo caso, l'autonomia dell'aereo? Per quanto tempo può restare in volo? Il pilota è preparato a questo tipo di emergenza? Qual è il posto meno pericoloso su un aereo, in caso di esplosione? Quale l'altitudine migliore? C'è una pistola nella cabina di guida?».

Lo schermo inquadrò il viso di Viveca e partì l'intervista, con il pregio indiscutibile della tempestività. Sui monitor, i conduttori delle altre reti annaspavano, riepilogavano, senza niente di nuovo da aggiungere.

Fuori dal raggio della telecamera, Irving chiamò a casa un'altra sua fonte d'informazione, un funzionario della CIA. Gli fece una domanda, ebbe una rispostaccia e, minacciandolo che, prima o poi, gliel'avrebbe fatta rimangiare, riattaccò. Sfogliò le pagine della rubrica di indirizzi – una volta aveva provato a usare una di quelle veloci, ronzanti, sbalorditive agende elettroniche, ma si era accorto che per lui sfogliare le pagine era ancora il sistema più rapido – e chiamò la CIA, a Langley. Disse il suo nome e si fece mettere in comunicazione con il direttore centrale dei Servizi, Dorothy Barclay, a casa. Dopo un attimo sentì la sua voce.

«Sono in automobile, sto tornando in ufficio e non parlo da una linea privata».

«Mi serve subito il numero di casa di Davidov. È sul tuo elenco delle comunicazioni in diretta, circa al decimo posto, nel portacarte che hai nella borsa».

«Irving, a Mosca sono le otto del mattino. Forse è già in ufficio».

«No, non è il tipo. E poi a Mosca è già sabato. Sai che cosa sta succedendo, Dotty. Ci conosciamo da tanto tempo e quel numero mi serve. Insomma... mi serve davvero. Non dirò a nessuno chi me l'ha dato».

«Ma non ce l'ho. Davidov è stato nominato da poco».

«Tu stai dicendo una bugia a un vecchio amico, Dotty. Mi meraviglio di te».

«Ti posso dare il numero di casa di Viktor Gulko. È il braccio destro del presidente. Sul tavolino da notte ha una linea rossa che lo collega con lui. Per il tuo scopo, ti giuro, è meglio di Davidov, che è troppo legato al KGB».

Dorothy Barclay gli diede il numero di casa e quello della linea privata, in ufficio, del braccio destro del presidente e gli promise, se non fosse riuscito a parlargli, il numero di chiunque altro gli fosse stato utile. A Irving parve strano che non avesse il numero di Davidov, ma fu contento di avere avuto quello di qualcuno più alto in grado. Aveva sempre pensato di aver fatto bene, anni prima, a custodire il segreto di Dorothy Barclay, quando il lesbismo l'avrebbe fatta apparire pericolosa alla sicurezza nazionale. Era stato un buon investimento. Pochi altri giornalisti avrebbero potuto permettersi di telefonarle di sera, a casa, per avere un'informazione e nessun altro avrebbe potuto permettersi di chiamarla Dotty.

Trovò Gulko al primo tentativo, a casa. Doveva averlo svegliato, ma gli rispose subito che lo conosceva di nome per i suoi articoli e il suo libro sul controterrorismo. Non sapeva ancora del dirottamento, era, però, perfettamente informato su quello che stava succedendo nel Nagorno-Karabah. Irving gli diede i particolari essenziali e gli spiegò che cosa si aspettava da lui. Gulko, che Dotty, probabilmente, aveva scelto perché era un antiburocratico, reagì con prontezza e positivamente. Irving, con un colpetto sul braccio, interruppe Viveca mentre parlava con il pilota. «Siamo in linea con Mosca. Viktor Gulko, braccio destro del presidente della Federazione Russa, ci spiegherà che cosa sta succedendo nel paese dal quale proviene la dirottatrice. In questo momento lei, Viktor Gulko, sta parlando a tutta l'America. La prima cosa che chiediamo è di informarci sugli sviluppi della guerra in Nagorno... non ricordo mai bene l'altro nome».

Era un modo blando per introdurre l'ospite, lasciandogli il tempo di svegliarsi e raccogliere le idee. Irving sapeva che cosa voleva da Gulko e sapeva che quello che avrebbe chiesto avrebbe giovato agli interessi della Federazione Russa. La domanda, posta in modo da farsi rispondere con un assenso, avrebbe accelerato lo svolgersi degli eventi e forse avrebbe aiutato il presidente a superare quello che l'addetto stampa aveva definito "un momento difficile".

Mentre il russo tracciava un quadro del conflitto etnico tra armeni e azeri, Irving pensò, improvvisamente, che avrebbe potuto trasformare in una grande giornalista la donna che gli era seduta vicino. Le scrisse un appunto. «Chiedigli perché non chiama qualcuno con cui sia in contatto nel paese in guerra e non lo incarica di trovare la persona adatta a distogliere quella donna dal suo progetto. Digli che siamo in grado di collegare chiunque all'aereo in volo».

Viveca aveva una qualità: in una situazione incerta accettava di farsi guidare. Aspettò che Irving fosse a metà di una domanda sulle ragioni della ribellione armena, gli posò una mano sul braccio, mentre la telecamera li riprendeva entrambi, e disse: «Vorrei interromperla, Viktor Gulko, per chiederle se non le sarebbe possibile chiamare ora, in questo momento, qualcuno con cui lei sia in contatto in quella repubblica, perché trovi la persona adatta a distogliere la dirottatrice dal suo progetto».

«Ma... sì, certo», disse Gulko dopo aver esitato solo un attimo, forse perché si era reso conto di parlare, dal letto, a milioni di persone.

«Chiamerò prima il mio superiore, che interpellerà il nostro presidente. Sono sicuro che approverà una iniziativa che ha lo scopo di allontanare un grave pericolo dalla vita del presidente degli Stati Uniti. Quando avrò trovato la persona che abbia l'autorità necessaria allo scopo, o forse un parente della dirottatrice, dovrò usare la linea diretta per avvertire la Casa Bianca?».

«Il centralino potrebbe essere sovraccarico», rispose Irving, per non perdere il controllo della situazione. Senza accorgersene, aveva parlato con l'inflessione di voce del russo. «Chiami il nostro numero e noi, attraverso la Whacka, la metteremo in contatto con l'aeroplano». Si tolse il microfono dal risvolto della giacca e gli diede il numero, sperando che non andasse in onda perché non ci fosse qualche altro matto sulla terra che si sentisse invitato a telefonare. Gulko sapeva che cos'era la Whacka, il KGB intercettava spesso le sue comunicazioni.

Viveca, poi, chiese a Irving che parlasse al pubblico di Gulko e della sua posizione nella Federazione Russa; la linea telefonica rossa sul tavolino da notte, per comunicare con il presidente, aggiunse un particolare simpatico, ma non si poteva insistere troppo e Viveca passò al significato che un intervento a favore di un antico avversario poteva assumere per il futuro. Finalmente le venne detto all'auricolare di concludere l'intervista con Irving e passare a Washington. Ebbe un attimo di esitazione, senza essere veramente disorientata per tutto quello che stava succedendo, ma fu ancora vivace e autorevole nel cedere la linea a Washington.

«Sam è arrivato in questo momento», disse l'assistente di studio. «Ti potrà dare il cambio».

Viveca rispose soltanto con un: «Va bene». Irving pensò che si era sentita sollevata, ma non voleva dimostrarlo. Dopo un minuto di notizie da Washington, tuttavia, la vide raddrizzarsi sulla sedia mentre le arrivava un altro messaggio all'auricolare. Luce rossa. «Interrompiamo il collegamento con Washington per trasmettervi una comunicazione dall'aereo presidenziale».

Era il giornalista dell'Associated Press: «L'autrice del dirottamento è stata uccisa sul colpo da un proiettile sparatole alla testa dal copilota che aveva nascosto una pistola nella cabina di guida. La decisione di affrontare il rischio di una esplosione a bordo era stata presa dal consigliere per la Sicurezza Nazionale secondo il parere espresso dal capo dei Servizi Segreti».

Parlarono altri giornalisti del Servizio stampa e infine il presidente stesso trasmise un messaggio per rassicurare la nazione e ringraziare l'equipaggio. Irving pensò che quel ritardo fosse da attribuire alla lentezza di chi gli aveva scritto l'intervento, ma lo perdonò quando sentì che diceva: «So che il governo russo aveva aderito con prontezza alla richiesta di aiuto avanzata da un giornalista americano e intendo manifestare la gratitudine del popolo degli Stati Uniti». Ora i russi avevano un grosso debito nei confronti di Irving. E anche Dotty avrebbe fatto bella figura, nel suo ambiente, quando si fosse saputo che era stata lei a metterlo in contatto con Gulko.

Il collega della rete entrò, si congratulò con Viveca e le disse di portare pure a termine la trasmissione, insistendo che di lui non c'era bisogno. Quei piranha, pensò Irving, sapevano rendersi graditi.

180

Quando tutti finì, Viveca gli disse:«Sei stato bravissimo». Non un abbraccio, non un: «mi hai salvato», solo un sussiegoso apprezzamento per la sua professionalità.

Per lui era meglio così. La televisione non era mai stata il suo mezzo di espressione preferito. Gli aveva fatto piacere mostrare, a lei come a qualsiasi altro giornalista fosse stato davanti alla televisione, come si tratta lo svolgersi di un avvenimento. Il produttore, traboccante di gratitudine, li fece accompagnare a casa ciascuno con una limousine. Irving lo vide colpito dalla abilità dimostrata da Viveca nell'intervenire con la domanda chiave al russo e si affrettò a dirgli che gli avrebbe mandato il conto per la propria collaborazione, un conto sul migliaio di dollari. Non era mai apparso in televisione per ammantarsi di gloria, si teneva incollata al computer una citazione di Samuel Johnson: "Chi scrive, se non è un imbecille, lo fa solo per danaro".

All'autista, Irving disse di andare avanti e indietro per un'ora lungo la Fifth Avenue, attorno a Times Square, su fino a Columbus Circle. Più piacevole del lusso che si concedeva era la sensazione che quel lusso lo pagava qualcun altro. Telefonò, dall'automobile, a tutti quelli che gli vennero in mente, in giro per il mondo.

20

NEW YORK

Michael Shu si lasciava facilmente sbalordire e lo sapeva, ma gli uffici di quell'agente letterario, sia pure importantissimo, gli parvero veramente sbalorditivi. Anche il livello della riunione cui era stato chiamato a partecipare gli pareva sbalorditivo.

Due sere prima, appena tornato da un viaggio a Mosca, Riga, Parigi e Bahamas, aveva visto alla televisione Irving Fein e Viveca Farr, la giornalista con la quale Irving doveva scrivere il suo nuovo libro, parlare del dirottamento. Ed ecco che era stato invitato a partecipare, con questi astri della comunicazione, a un incontro, in Madison Avenue, negli uffici di Matthew "Ace" McFarland, noto come l'uomo capace di arricchire chiunque. Shu era orgoglioso di far parte del gruppo e grato a Irving per aver voluto che ci fosse anche lui. Dopo pranzo, avrebbe conosciuto il sosia dell'agente in sonno, un banchiere internazionale, che frequentava solo gli ambienti finanziari delle sei più importanti nazioni del mondo. Michael Shu pensò che quella era la giornata più importante della sua vita.

Era arrivato troppo presto. Guardò, sul tavolino, i libri degli scrittori rappresentati da McFarland – «Chiamalo Ace, gli fa piacere», gli aveva consigliato Irving –, ma preferì prendere una copia del *New York Times*. La recensione sulla cronaca televisiva del dirottamento parlava soprattutto di Viveca, non solo perché la sua rete era stata la prima a interrompere i programmi per dare la notizia, ma per la partecipazione degli ospiti stranieri che avevano contribuito a inquadrare storicamente l'avvenimento. "Viveca Farr, pur con qualche brevissima incertezza per la necessità di cedere e riprendere continuamente la linea e pallida, vagamente affaticata, senza trucco, è andata in onda con un tempismo assoluto e ha dato un contributo significativo alla serata con una precisa richiesta al rappresentante del Cremlino, al quale ha proposto di mettersi in contatto con la zona di guerra per stabilire un contatto

182

tra la dirottatrice e un compatriota che la convincesse a desistere dalla violenza".

Michael Shu rilesse tutto l'articolo un'altra volta, ma gli parve che fosse senz'altro molto favorevole a Viveca. Gli dispiacque solo che non si dicesse che Irving aveva suggerito per primo che il dirottatore potesse essere una donna, che avesse superato le barriere di sicurezza fingendosi addetta alle pulizie. Ma anche Irving era menzionato nell'articolo: "Irving Fein, giornalista noto per la coraggiosa tenacia con la quale conduce le proprie inchieste, si è distinto per la tempestività con la quale si è messo in contatto telefonico, in Russia, con un personaggio ad altissimo livello, che evidentemente consulta spesso. Sono i vantaggi del possedere un buona agenda di indirizzi. Per quanto non fosse perfettamente a proprio agio davanti alle telecamere, e tendesse a lasciarsi scivolare sulla sedia e a mormorare più che a parlare, col proprio atteggiamento spontaneo Irving Fein ha fatto gradevolmente da contrappunto alla vivace professionalità televisiva di Viveca Farr".

Michael ebbe un moto di stupore, sulla poltroncina della sala d'aspetto. L'articolista aveva colto, in quei pochi minuti di trasmissione, la tendenza di Irving a farsi tutt'uno con qualsiasi oggetto sul quale fosse seduto. Le porte dell'ascensore si aprirono e ne uscì Irving, risvegliando nella mente del commercialista la vecchia immagine poetica di un grosso animale che "avanzava pesantemente verso Betlemme". Gli mostrò il giornale. «"... si è distinto per la tempestività...". Un successone».

«Non leggo mai le critiche. È una perdita di tempo. Sono in ritardo?».

«Viveca non c'è ancora. Ho preferito non entrare senza di te. Sì, siamo in ritardo di sei minuti. Vedrai i risultati delle Bahamas».

«Che risultati? Un bella abbronzatura? Una dose di cocaina? Dovresti imparare a stare più attento a quelle bambolone del casinò, Mike, le mettono lì come trappole per i gonzi».

Michael scosse la testa. Irving lo prendeva in giro, gli parlava sempre in modo paradossale, ma sapeva che stavano facendo un lavoro serio, cercavano le prove di grossi movimenti di danaro e trasferimenti di titoli al portatore attraverso le banche delle Bahamas alla o dalla Unione Sovietica e paesi satelliti tra il 1988 e il 1989. Così avrebbero saputo come e dove operava l'agente in sonno.

Un amico di Irving, un vecchio truffatore costretto a vivere dove era meno probabile che venisse riconosciuto, aveva indirizzato Michael da un funzionario di governo che aveva la possibilità di dare un'occhiata a certi documenti computerizzati in cambio di una piccola cifra e della promessa di un favore sui giornali, un giorno o l'altro. «Irv, quel tuo amico imbroglione che vive là, ha detto di dare un'occhiata allo scambio petrolio zucchero con Castro, a Cuba. Dall'Unione Sovietica è arrivato molto più petrolio di quello stabilito nell'accordo, è stato venduto a Puerto Rico, qualcuno ci si è fatto un mucchio di soldi e li ha ficcati in una banca delle Bahamas».

«L'hai scritto in un promemoria da dare a Dominick?».

Michael stava per cercare la relazione in cartella, ma Irving gli disse di aspettare perché era arrivata Viveca.

«Rossetto e tutto il resto», la salutò Irving. «Peccato. Ti preferivo "pallida, vagamente affaticata"».

Dunque aveva letto l'articolo. Michael Shu lo sapeva che gli piaceva scherzare. Viveca rispose a Irving con una smorfia e si avviò verso l'ufficio di Ace, senza aspettare di essere annunciata.

«Viveca! Irving! E lei, mio giovane amico! Ho grandi notizie. Sedete, sedete!».

Sedettero, sedettero. Michael osservò sulla parete di fronte a sé un quadro che gli parve non rappresentasse niente. Era tutto bianco, con una sottile cornice dorata, sulla parete bianca. Irving si accorse che lo stava guardando. «Ti piace? È una mucca bianca che mangia un sedano in una tempesta di neve. È costato un capitale. È un simbolo di decadenza, purezza e di qualsiasi altra cosa tu riesca a vederci». Shu pensò che era un sistema per evitare le tasse del quale non aveva ancora sentito parlare.

«Devo dirvi, prima di tutto, che sono orgoglioso di lavorare con voi», esclamò Ace, sorridendo. «Vi siete rivisti sul nastro? Eravate stupendi».

«Non mi rivedo mai su nastro», disse Viveca.

«Non leggo mai le critiche», aggiunse Irving.

«Il segno della professionalità. Ho sfruttato immediatamente l'occasione», proseguì Ace. «Trenta milioni di persone, da ieri sera, sanno chi siete e come lavorate insieme. Viveca, tu eri già entrata nelle case, il tuo viso era già noto, ma non può non giovarti la improvvisa crescita di credibilità che ti viene da questa nuova esperienza». Ace si rivolse a Irving. «E tu, mio vecchio amico, eri il più grande giornalista del mondo per quelli del tuo ambiente, ma per il grosso pubblico eri solo un nome stampato su un foglio di carta. Adesso è cambiato tutto. Oggi, fusi l'uno nell'altro, formate, nel giornalismo, una coppia seguita da milioni di persone».

«Basta con le sviolinate, Ace. Quanto ti sei fatto dare di anticipo?».

«Io sono contenta di dedicarmi a questo progetto», disse Viveca, «ma al concetto di fusione non ero preparata. Hai venduto il libro, Ace?».

«Ho detto all'editore con cui stavo trattando, sull'esclusiva perché si tratta di una storia da tenere segreta, che i trecentomila sui quali eravamo quasi d'accordo non bastavano più. Dopo il successo di ieri sera alla televisione, gli ho detto, avevo avuto varie pressioni da altri, e per correttezza ero costretto ad aprire un'asta».

«Senza spiegare, però, di che si tratta», gli ricordò Viveca. «Noi non vogliamo intromissioni da parte di nessuno e, soprattutto, non vogliamo far correre dei rischi alla persona che dovrà assumere l'identità dell'agente in sonno. Siamo solo in tre a sapere: Irving, io, e lui, Michael.

«Sta' tranquilla», le disse Irving, «Ace l'ha fatto solo per alzare il prezzo».

«Gli ho poi proposto di non aprire l'offerta ad altri», proseguì l'agente, confermando indirettamente l'opinione di Fein, «in cambio di un anticipo di mezzo milione di dollari. Naturalmente era la richiesta di base per indurli, diciamo, alla munificenza».

Poiché né l'uno né l'altro degli autori voleva avanzare la domanda che la logica suggeriva, intervenne Michael. «E loro su che cifra stanno?».

«Trecentocinquanta di anticipo in due parti, come voleva Irving, non in tre; più venticinquemila per la ricerca, affidata al vostro simpatico socio qui presente, e altri venticinquemila rimborsabili per le spese, soprattutto di viaggio». Ace alzò un dito, in segno di trionfo. «E... e... la ripartizione settanta-trenta sulla edizione economica, come voleva Viveca. Novanta-dieci sulle anticipazioni a puntate, ottanta-venti sulle cessioni all'estero. Naturalmente terremo per noi tutti i diritti cinematografici, televisivi, elettronici, compresi i CD-ROM e Internet».

«Arraffa tutto», disse Irving.

«Sono d'accordo», confermò Viveca.

«Anch'io».

«E anch'io», aggiunse Michael.

Ace parve riflettere un momento. «Dovrei aggiungere una clausola sui diritti teatrali, per avere il diritto di perseguire chi cercasse di allestire uno spettacolo sui fatti che avete raccontato». Arrestò con un gesto la protesta di Irving. «Ti confermo, comunque, che quando tutto sarà concluso, ci saranno ancora possibilità nel campo della narrativa...».

«Ti prego, non parlare di narrativa», ripeté Irving, con un lamento, come se recitasse un'invocazione indù. Michael conosceva l'unico romanzo che Irving aveva tentato di scrivere, era la storia di un editore di periodici ucciso da un autore rifiutato. Il titolo, secondo Michael, era brillante, "Il rinculo", ma gli editori avevano trovato l'intreccio contorto e l'ambientazione così sovraccarica che il libro non riusciva a sollevarsi da terra.

«Devo cambiare l'impostazione teorica del libro», affermò Irving.

Michael Shu sapeva a che cosa stava pensando Irving, ma Viveca no.

«Che cosa vuoi dire?», chiese.

Michael fu sorpreso dal suo tono ostile. Era come se si fosse sentita troppo unita a Irving nel dare la notizia del dirottamento e ora volesse allontanarlo. Erano a una tavola calda vicino all'ufficio di Ace. Irving stava mangiando a grosse forchettate i crauti messi sui tavoli gratis, nelle ciotole, a disposizione dei clienti, e si teneva una mano sotto il mento perché il sugo non gli gocciolasse addosso.

«Anche la pubblica accusa, all'inizio, procede sempre secondo una impostazione teorica», spiegò Michael a Viveca. «Si comincia sempre a lavorare su un'ipotesi, ma non è detto che, a un certo punto, non si debba abbandonarla».

Senza dargli ascolto, Viveca seguitò a rivolgersi a Irving. «Michael ha un appuntamento con Edward e con me, stasera, per mostrargli la sua relazione sulla banca delle Bahamas. E adesso tu prendi un'altra strada?». Al commercialista l'obiezione non dispiacque; Irving tendeva, nel lavoro, a cambiare idea, e il tempo dedicato alla ricerca andava spesso sprecato.

«C'è un elemento nuovo, ragazzina. Noi volevamo usare il falso agente in sonno per favorire il KGB contro i Feliks. Non avevamo altri mezzi per infiltrarci nella loro lotta». Sembrava che, parlando, Irving chiarisse il proprio pensiero anche a se stesso. «Pensavamo che gli uni e gli altri avrebbero seguito il falso agente in sonno per mettere le mani sui soldi. Noi, così, saremmo entrati nel gioco e, studiandoli da vicino, avremmo capito che cosa sapevano, sia il KGB sia la mafia russa, all'origine, su quei soldi».

«E ci sarebbe stato più facile scoprire dov'erano finiti», precisò Shu.

«Ora, però, il governo russo è pronto a rendere agli Stati Uniti un grande favore e il nostro presidente ha espresso pubblicamente la sua gratitudine. Tutti amici. Fino a questo momento la CIA, a parte la mia fonte, si era deliberatamente disinteressata della storia dell'agente in sonno, ma io, ieri sera, ho avuto il numero di casa di Gulko da Dorothy Barclay e sono sicuro che lei lo ha detto al presidente e che ne vorrà anche trarre qualche beneficio personale. I presidenti considerano con benevolenza gli agenti che cercano di salvargli la vita».

«E tutto questo che cos'ha a che vedere con il nostro libro?», chiese Viveca. Lei non aveva capito, ma Michael vedeva chiaramente dove portavano le parole di Irving.

«Ora la CIA potrebbe voler restituire il gesto di amicizia al KGB, e mettersi dalla parte dei russi buoni contro i Feliks».

Il commercialista lo interruppe. «Noi entreremmo pesantemente nell'attualità della vita russa, ma che cosa succederebbe se Davidov e i buoni che sono al potere venissero spazzati via dai cattivi Feliks?».

«Avremmo perso». Irving alzò tutte e due le braccia, come se stesse per arrendersi. «La nostra storia andrebbe in fumo, non troveremmo mai i soldi. L'agente in sonno, quello vero, li userebbe per finanziare i Feliks, che non sono certo migliori dei comunisti che, a suo tempo, lo avevano mandato qui».

Viveca cominciò a vedere chiaro che cosa era in gioco. «L'agente in sonno potrebbe usare il danaro per fomentare un'altra rivoluzione russa». Vide un cenno incoraggiante di Michael e proseguì: «Sollevazioni. Panico finanziario. Forse una guerra civile».

«E il rischio potrebbe essere più esteso. La Russia è una potenza nucleare», osservò Michael. Ormai era convinto che l'importanza della loro indagine andasse ben oltre la curiosità giornalistica.

«Come ho detto, si tratta di una vicenda molto grave», disse Irving con un'aria vagamente parrocchiale, «e c'è il rischio che il nostro governo si trovi dalla parte di chi perde. Credo che per questo Dotty volesse che l'Agenzia non fosse coinvolta. Forse alla CIA si pensa che alla fine vinceranno i Feliks».

«Ma ora il principio della non-interferenza non sussiste più», intervenne Michael, seguendo il ragionamento di Irving, eccitato dal delinearsi di quei disegni strategici. «La Casa Bianca forse vorrà mostrarsi più apertamente favorevole al regime attuale. Vorrà aiutarlo a trovare il danaro necessario a stare a galla. Irv, tu hai una buona fonte di informazione alla CIA e adesso puoi appoggiarti addirittura al direttore centrale, alla Barclay. Credi che potremmo lavorare tenendoci più vicino a Langley?».

Arrivarono sul loro tavolo pesanti piatti di panini di segale superimbottiti, inzuppati di insalata di cavolo in olio di solza e maionese. Viveca sollevò la fetta di pane che stava sopra, la mise da parte e mangiò, col coltello e la forchetta il tacchino affumicato e il manzo salmistrato. Irving la guardava come se non avesse mai visto trattare il cibo a quel modo.

«Sono panini strapieni», disse Michael, sperando di evitare una discussione, «è difficile dargli il primo morso». Anche il cameriere si era fermato, incredulo, a guardare Viveca e Michael gli fece segno di allontanarsi.

Irving stava riflettendo sul suggerimento di Michael, che pure sapeva quanto lui detestasse il contatto diretto con gli agenti del controspionaggio, di qualsiasi paese, anche del suo, perché riteneva che l'informazione e il mondo delle spie si trovassero su posizioni diametralmente opposte. Ma la spinta dell'Agenzia ad aiutare il KGB poteva aprire una nuova strada.

«Veramente si era deciso di non andare a letto con nessuno, né con la CIA, né con il KGB, né con i Feliks, ma di raccogliere notizie qua e là e di muovere il falso agente come un'esca per vedere chi abboccava».

«Che cosa ne penserà Edward?», disse Viveca che era diventata molto protettiva nei confronti del banchiere da quando era riuscita a convincerlo. «Dopo tutto è lui l'esca».

«Stasera a cena, lanciagli l'idea che si potrebbe lavorare con la CIA», rispose Irving e affogò il boccone in tre grossi sorsi di birra. Michael era sicuro che fosse molto contento di non essere lui a dover dire al sosia come fungere da esca. Distolse lo sguardo mentre Viveca si metteva delicatamente in bocca, con la forchetta, un altro pezzetto di panino inzuppato.

«Irving, sei tu?»

«Se la voce è la mia e tu hai fatto il mio numero, ci sono buone probabilità che sia io».

«Sono al grill del Four Season», disse Shu, tenendo una mano sul ricevitore. «Ed Dominick si è appena allontanato per andare in bagno. Ti parlo dal cellulare che è sul tavolo».

«Sapevo che ti saresti trattato bene, Mike».

«Il ristorante l'ha scelto lui. Ascoltami, ti racconterò tutto quando ci vedremo, ma è meglio che tu sappia subito che al nostro amico non è piaciuta per niente la mia nuova idea delle Bahamas. Non si è fatto nessuno scrupolo di dirmelo. Vuole muoversi, non ha intenzione di restare fermo nello stesso posto».

«Gli piace essere usato come esca? Meglio per lui. Resteremo fedeli al nostro progetto. Che cosa pensa del tuo rapporto?».

«Pensa quello che ne può pensare un banchiere e ha le sue idee. Credo che voglia tenersi l'indagine stretta tra i denti come il cavallo tiene il morso».

«Io non vado a cavallo. Passa da me in albergo quando hai finito. Vedi se ti riesce di farti dire dal banchiere qual è la sua tesi».

«Sì. A proposito, come mi devo regolare quando porteranno il conto?».

«Tu sei un commercialista che conta zero, lui è un grande banchiere. Come pensi di doverti regolare?».

Michael Shu schiacciò il pulsante e restituì il telefono alla cameriera, molto bella, dall'aspetto severo, vestita come un uomo, che in cambio gli diede un dolcetto con le noci. Era il terzo. Non l'aveva ancora finito che gliene venne portato un altro.

«C'è qualche persona nota, stasera?», chiese.

La cameriera indicò gli scomparti contro la parete di legno scuro. Michael riconobbe un Consigliere per la Sicurezza Nazionale, in compagnia di una graziosa ragazza dalla espressione aperta, che pensò fosse la sua ricercatrice. In un altro scomparto, una giornalista della televisione, più famosa di tutta la gente famosa che avesse mai intervistato nel suo programma, ascoltava un anziano critico che Shu aveva già visto alla televisione. Quando chiese alla cameriera se ci fosse qualcuno del mondo dell'editoria o della finanza, la cameriera sorrise e disse: «Tutti gli altri».

Edward Dominick, con un vestito scuro, da banchiere, salì a passo svelto le scale che portavano al grill, salutò con un cenno del capo due uomini seduti a un tavolo, ma non si fermò a scambiare qualche parola. Michael ne dedusse che non sarebbe stato corretto. Appena ebbe ripreso posto, alla sua sinistra, venne servito il "pranzo energetico": una fetta di pesce alla griglia, un'insalata verde per iniziati e una bottiglia di acqua minerale importata dall'estero.

«Sto pensando alla teoria del suo amico Fein», disse Dominick. «Mi piace l'idea di cominciare basandosi su quella ipotesi. Permetta, però, che le esponga anche la mia, perché potrebbe rivelarsi più utile».

Shu lo ascoltò analizzare e scartare buona parte del lavoro che aveva fatto, soprattutto alle Bahamas. «La maggior parte dei giornalisti, purtroppo, vede sempre, in un grosso capitale, un guadagno illecito. Voi ora volete sapere... dov'è questo danaro che scotta e

189

concentrate le vostre ricerche sul gioco d'azzardo, sulla droga e sugli armamenti. Ed è lì che avete le vostre fonti d'informazione. Giusto?».

Il commercialista assentì; era quella la traccia che lui stava seguendo.

«Non sono d'accordo, e le spiego perché: il danaro tratto dal traffico della droga viene ripulito attraverso le operazioni del gioco d'azzardo che si svolgono in contanti. Le linee del potere sono già tracciate e sarebbe sciocco, da parte di un esordiente nel campo delle operazioni finanziarie, come il nostro agente in sonno, cercare di introdurvisi».

«Ma il traffico di armamenti porta megadollari», disse Michael. Cosa si poteva dire più di mega? «Maxidollari».

«Ma le armi sono pesanti da trasportare e difficili da rubare senza lasciare traccia. Lei ha mai cercato di nascondere un carro armato o un aeroplano?». Il commercialista scosse la testa. Il banchiere proseguì: «Supponiamo che, verso la fine degli anni Ottanta, i capi del Partito Comunista abbiano detto all'agente in sonno, qui ci sono duecento dei nostri carri armati più recenti, valgono dieci milioni di dollari ciascuno. Oppure un centinaio di aerei da combattimento, cento milioni ciascuno. O la produzione di missili di un anno. Come li avrebbe trasportati? Come li avrebbe venduti, senza che nessuno se ne accorgesse, nell'Armata Rossa o nella CIA? È assurdo».

Michael riconobbe che aveva ragione. «Avrebbe poi dovuto rivolgersi a qualche trafficante d'armi, che gli avrebbe portato via buona parte del guadagno».

«Come succede a una nazione fuori dal circuito, credo che si dica così. Quindi, signor Michael Shu, commercialista, mettiamo da parte l'ipotesi di un traffico di armamenti. Quello è il modo per guadagnare qualche miliardo. Poca cosa. Come trasferire qualche miliardo in oro nelle banche che entrambi conosciamo».

«E i diamanti? La Russia è una grande produttrice di diamanti».

«Duecento milioni di dollari. Una perdita di tempo».

Shu, cui piaceva molto quella conversazione, avanzò l'ipotesi che gli pareva più attendibile: «Plutonio?».

Il banchiere questa volta fu costretto a riflettere. «Facile da trasportare. Facile da rubare. Ed è la sostanza più costosa esistente al mondo. Compratori come la Libia e l'Iran potrebbero pagare cinque miliardi di dollari per dieci chili di plutonio, sufficienti a costruire una mezza dozzina di bombe. Lei ha toccato un punto interessante. Vale la pena di pensarci».

Ricomparvero i dolcetti alle mandorle. Shu, automaticamente, ne prese uno. Dominick rifiutò e bevve un sorso di acqua minerale frizzante. «Prodotti del suolo», suggerì Michael, animato. «La BCCI è finita con un omicidio, la Banca del Lavoro peggio... una piccola filiale, ad Atlanta, presta più di cinque miliardi di dollari in cereali che finiscono in armi sotto gli occhi del governo federale».

«Questo significa già pensare più in grande. L'importante, per trarre grossi profitti dai cereali, sta nel sapere quale sarà il fabbisogno mondiale. Io credo che l'agente russo in sonno sia fortemente coinvolto nel commercio dei cereali. Servendosi per i suoi prestiti delle garanzie del Dipartimento Americano dell'Agricoltura, potrebbe essersi avvantaggiato dal conoscere in anticipo i rapporti segreti sul raccolto russo e, attraverso i servizi segreti dei paesi sovietici satelliti, la produzione canadese e australiana».

Shu suggerì qualcosa ancora. «Potrebbe aver usato, all'origine, parte del capitale per comprare una banca in una delle isole al largo del Brasile, dell'Argentina o del Cile, dove ci sono meno tasse e più facilitazioni. Per pagare un mediatore a Chicago e un agente di cambio in Canada. Io, al suo posto, avrei fatto anche un piccolo, elegante investimento in una banca di New York».

«Buona idea. E il trasporto?».

«Beh, navi. Avrei creato una compagnia di copertura o, meglio ancora, avrei comprato una compagnia di navigazione e l'avrei svuotata per mettere insieme una flotta di navi cisterna e navi da carico. Il mio capitale avrebbe viaggiato su tutti i mari, trasportando altro capitale che mi avrebbe garantito un profitto a ogni consegna».

«Il trucco non sta nell'arricchirsi, ma nel non perdere quello che si ha. Prosegua».

«Entro due anni», proseguì Michael, «mi sarei procurato anche un agente di cambio di più alto livello. Avrei scelto Londra. Chi ha tratto un enorme profitto dal declino della sterlina nel 1990? Chi ha venduto i rubli puntando sul quel ribasso? E dov'è finito il guadagno?».

Il banchiere scosse la testa. «Noi ora siamo tentati di metterci a inseguire derivati finanziari, scambi, opzioni inquietanti, tutto quel traffico che avveniva con un margine sottilissimo e che era diventato di moda nei primi anni Novanta. Ma l'agente in sonno, nel 1988, '89, doveva muoversi in fretta. Provi a mettersi nei suoi panni, a quell'epoca». Dominick s'interruppe, perso in una momentanea divagazione. Shu fu contento di non doversi inoltrare nel mondo dei derivati finanziari, del quale sapeva ben poco. Inoltre, in quel mercato, si potevano avere grosse perdite e il trucco, nell'accumulare rapidamente una grossa fortuna, lo aveva detto Dominick, stava nel non perdere. «Lei che cosa sa del valore di trasferimento del rublo?».

Michael non ne sapeva niente. «Facciamo come se il giorno che a scuola si è parlato del valore di trasferimento del rublo io fossi assente».

«Il valore della moneta corrente che le banche del Comecon, il consiglio di aiuto economico reciproco, istituito dall'URSS, usavano nel commercio, ad esempio, tra l'Unione Sovietica e la Polonia era stabilito dai burocrati, non dal mercato. Dio, se l'immagina quanti soldi si potevano far deviare in conti segreti giocando sul divario tra il valore reale e il valore fittizio del rublo? L'agente in sonno non avrebbe speculato su valuta comune, ma solo su quella dove sapeva di non perdere».

«Fermiamoci qui», disse il commercialista con autorità. «Dobbiamo organizzarci. Non possiamo nemmeno cominciare a stabilire una linea di penetrazione nell'intreccio che lei ha in mente e che io ho in mente, se non cerchiamo di coordinare le indagini. Lei ha bisogno di una sede, di una organizzazione di base da cui partire. Di un "ufficio strategico", come nelle campagne elettorali. La sua banca è sufficientemente attrezzata per questo?». Irving aveva detto a Michael di convincere Dominick a usare il suo ufficio di Memphis. Poiché il falso dormiente doveva attirare l'attenzione di quello vero, sarebbe stato utile che la sede in cui operava avesse avuto un indirizzo facilmente accessibile.

«Noi non siamo quegli zoticoni che Fein immagina, Michael. Memphis è il centro della Federal Express». Michael cominciò a balbettare qualche scusa, ma Dominick lo interruppe con un cenno di noncuranza. «Crede che i Feliks, con i loro contatti con il vecchio KGB, siano avanti a tutti in questa caccia all'uomo?».

«Non è l'impressione che ho avuto parlando con Liana Krumins a Mosca, la settimana scorsa. I Feliks ritengono che la spia in sonno sia una loro creatura e sono molto infastiditi dalla sua scomparsa».

«Mi parli di Liana Krumins».

Michael non sapeva da dove cominciare. Come descrivere la forza libera e prepotente di una camicetta lettone di colori vivaci? Non aveva mai conosciuto una ragazza come quella: seria ma pronta a sorridere, sexy ma riservata, un'idealista dotata di un grande potere di persuasione. Seguitava a ripetersi che non doveva fidarsi di lei perché era d'accordo con i Feliks, che erano persone spregevoli, ma non ci riusciva, aveva avuto la percezione esatta della sua autenticità e aveva letto nei suoi occhi una esperienza dolorosa e profonda che sembrava impossibile in una donna così giovane. Ma non erano cose che potesse dire a Dominick.

«È molto matura per la sua età... ha ventisei anni e potrebbe averne quaranta. È strettamente legata ai Feliks e li aiuta a cercare di trarre quante più notizie è possibile dal nuovo KGB». Michael sentì che era necessario aggiungere: «Ma è una giornalista, segue una vicenda, anche se per incarico della gente sbagliata. Sembra nata per ricavare tutto quello che può da chiunque, e si serve dei Feliks lasciando che i Feliks si servano di lei. Non so se mi sono spiegato».

«Lei è molto perspicace», disse Dominick, poi chiese, bruscamente: «La CIA si serve di Irving Fein, di Viveca Farr, di lei?».

«Oh, no!». Michael si rimproverò per aver potuto far credere di essere legato alla CIA. Ora Dominick era diventato sospettoso.

«Irving ha attaccato la CIA quando nessuno aveva il coraggio di farlo. Quando era una potenza. Se ora non lo fa più è perché la CIA si è indebolita, è senza speranza. Irving sa essere cattivo, ma non infierisce mai su chi è già ferito. Questo non significa che noi ci lasciamo manovrare dalla CIA».

«Mi fa piacere sentirglielo dire, anche se non sarebbe male avere una sorta di copertura legale in questa avventura».

Shu consultò mentalmente l'elenco delle questioni da affrontare durante quel pranzo. Una era questa: «Irving si raccomanda che lei vada da un otorino. Dovrà avere l'orecchio sinistro leggermente difettoso, come l'agente in sonno».

«Sì, me l'ha già detto Viveca. Ho un appuntamento con uno specialista domani mattina al New York Hospital». Dominick si toccò il lobo sinistro. «Qualunque cosa lei riuscirà a sapere, da qualsiasi fonte, magari anche dalla Krumins, sui primi vent'anni dell'agente in sonno nell'Unione Sovietica, mi sarà di grande aiuto».

Dominick fece un cenno al capocameriere e si alzò. Michael si rese conto che non firmava nemmeno un assegno, lo avrebbe fatto il capocameriere stesso, aggiungendo, probabilmente, una mancia già concordata. Una volta di più, Michael era rimasto sbalordito.

«Michael, perché non stabilisce il suo quartier generale a Memphis per le prossime settimane?».

Michael Shu assentì e il banchiere parve sollevato. «Mi sentirei più tranquillo se lei lavorasse con me».

21

RIGA

Liana non era mai sola.

Appena compariva davanti alla stazione, Arkadij o qualcun altro dei Feliks sbucava da un portone e si metteva a seguirla a venti passi di distanza. Lei pensava che quando fosse diventata vecchia e brutta le sarebbe convenuto, in qualsiasi modo, entrare nel mondo delle spie, così avrebbe sempre avuto qualcuno intorno. Dal giorno in cui aveva parlato con Nikolaj Davidov e lui le aveva dato la cassetta, testimonianza del suo trionfo sulle guardie della Lubjanka, aveva sempre sentito, anche se raramente visto, qualcun altro vicino a sé. Qualche volta era un uomo, che si teneva lontano, dietro il Feliks che già la seguiva, altre volte una donna che le camminava avanti, diretta a casa sua; era anche capitato che fossero in due. Raramente, però, gli stessi; il nuovo KGB aveva a disposizione parecchie persone cui affidare una minuziosa sorveglianza.

Spesso si scopriva a pensare a Davidov, e non sempre perché era legato alla esperienza che lei stava vivendo. Lo risentiva mentre le diceva: «Detesto gli interrogatori. Finisco sempre col confessare», e, senza volere, sorrideva.

Chi sa se era sposato. Ma non le interessava. Era una nuova faccia sorridente nel quadro immutato del vecchio KGB? Questo sì era importante. Doveva fidarsi di lui? Certamente no; aveva abbandonato certe ingenuità molto tempo prima, in una cella di quello che era stato il comando nazista e poi sovietico. Avrebbe usato il numero di telefono che Davidov le aveva scritto sul biglietto da visita, quando se ne fosse presentata l'occasione?

Cercò di pensare a un modo perché l'occasione si presentasse subito. Il cervello di Davidov doveva essere un labirinto intricato, affascinante quasi quanto la sua bocca quando sorrideva. Ma perché, allora, quella giacca di cuoio nero con le chiusure lampo, come se fosse un cantante rock o un commerciante mafioso? Non era adatta a lui, che era un uomo serio, un funzionario di stato. Era sicura che si fosse tenuto una copia della cassetta in cui lei si spogliava durante la perquisizione. Le piaceva pensare che la guardasse tutte le sere prima di dormire.

Una babushka sedeva su una coperta, con un bambino al petto, davanti a una fila di bambole *beriozka* e a un mucchio di vecchi cappelli militari che bloccavano la stretta strada all'uscita dalla stazione. Le offrì una bambola, con la mano tesa. Liana scosse la testa, ma la babushka disse, e la sua voce era la voce di un uomo: «Ho un messaggio per te dall'America».

Liana prese la bambola e finse di guardarla. «Un messaggio di chi?».

«Di uno che dorme. Dice: "Non farmi trovare da nessuno di quelli che si servono di te. Ti cercherò ancora". Non comprare la bambola. Vai via».

«Posso mandare un messaggio di risposta?».

«No».

Liana restituì la bambola, come se avesse deciso di non comprarla e stava per andarsene, ma poi si voltò di nuovo verso l'uomo travestito da babushka. Perché quel messaggero le dava degli ordini?

«La risposta la do lo stesso». Il giornalista Fein le aveva insegnato di fare sempre una domanda, prima di andarsene, ma non era preparata, in quel momento, a chiedere niente di importante. Le venne in mente solo questo: «Quando e dove ci vedremo?».

«Riferirò. Adesso vai via».

Bene. Mai assumere un atteggiamento passivo. Si allontanò a passo svelto. Dopo avere incrociato due o tre strade, vide un uomo con in testa un vecchio berretto dell'Armata rossa che, insieme a un ragazzino, vendeva, come la babushka, oggetti provenienti dalla Russia. Per dimostrare a chi la seguiva che aveva l'abitudine di fermarsi quando incontrava un ambulante, Liana indicò una bambola, discusse sul prezzo e infine comprò un portafortuna di marmo, a forma di fungo.

Riprese a camminare, più lentamente, ripensando a quel messaggio. Chi glielo aveva mandato? I Feliks no, perché potevano mettersi in contatto con lei ogni volta che volevano, attraverso Arkadij, e poi, il loro scopo era trovare l'agente in sonno, non aspettare che fosse lui a presentarsi a loro o al KGB. Se Nikolaj avesse voluto farle sapere qualcosa, l'avrebbe cercata tranquillamente a casa sua. E il commercialista americano, Shu, che agiva per conto del giornalista Fein, le aveva dato appuntamento in un luogo pubblico, senza misteri.

Possibile che il messaggio venisse proprio dall'agente in sonno in America? Liana si trattenne dall'arrivare troppo rapidamente a questa conclusione. Poteva darsi che fosse una manovra del KGB per ingannare i Feliks, o viceversa. Gli uni e gli altri la consideravano una pedina del loro gioco. Ma era più probabile che il messaggio venisse da Davidov, che voleva dissuaderla dal lasciare liberi i propri avversari, per lui ora ufficialmente irraggiungibili nei Paesi Baltici, di sfruttarla come giornalista perché li guidasse, in America, fino all'agente in sonno.

Ma forse il messaggio era del dormiente ed era stata una buona idea farglielo avere da un ambulante, perché non c'era stato il rischio che venisse intercettato o registrato. Liana cominciò a crederci un po' di più, pensò che forse l'agente in sonno era vivo e attivo, non più il prodotto teorico della mente di vecchie spie.

Affrettò il passo. Forse proprio a lei sarebbe toccato scoprire una notizia che non solo avrebbe scosso il governo, a Riga, come quella che aveva trasmesso poco prima alla televisione sulla corruzione amministrativa in Lettonia, ma sarebbe stata diffusa nel mondo e avrebbe sorpreso tutti. Era decisa, ormai, a cercare di conoscere Madame Nina, che, a quanto pareva, era a capo di una organizzazione capace di far tremare di paura molti cuori, in Russia.

Nikolaj Davidov sapeva certamente di più sul suo conto. Pensò di chiamare il numero che lui le aveva scritto sul biglietto da visita, ma poi ci ripensò. Meglio aspettare che fosse lui a farsi vivo; gli uomini, di solito, finivano sempre col cercarla, per una ragione o un'altra. Non poteva chiamare Michael Shu, in America, e dirgli di avvertire Irving Fein che forse l'agente in sonno le aveva mandato un messaggio, perché una telefonata poteva essere ascoltata da chiunque.

Nell'incertezza, meglio andare avanti per la propria strada. Voleva essere la prima a conquistare la notizia. Decise di tenere per sé il messaggio dell'agente in sonno. Avrebbe seguitato a consultare l'archivio di Mosca, cercando di coltivare i rapporti con Davidov, che era una fonte preziosa di informazioni dal KGB, e di restare in contatto con gli americani Fein e Shu. Se il messaggio di quella sera si fosse rivelato autentico e se la sua risposta avesse fatto capire al dormiente quanto le premeva incontrarlo, lei sarebbe diventata la più importante giornalista dei Paesi Baltici.

22

CHICAGO

L'agente in sonno, conosciuto da chi lo cercava solo con il suo nome russo, quello vero, di Aleksandr Berenskij, congiunse le mani, nella stanza d'albergo immersa nel buio, e si dedicò a riflettere sugli sviluppi dell'inseguimento.

I direttori del nuovo KGB, che non avevano rivendicazioni sulla sua onestà, inseguivano sua figlia per arrivare a lui. Berenskij trovava divertente che Liana Krumins, che non aveva mai visto il suo vero padre, non sapesse di essere la figlia dell'uomo che stava cercando. Era sicuro che ignorasse anche la sua identità americana e il luogo dove si trovava. Fino a quel momento era ignara di tutto, cercava un agente messo in sonno in America solo per un interesse giornalistico, senza sapere di essere usata come esca. Lui aveva guardato le cassette della sua trasmissione, procurategli dal suo premuroso agente di controllo prima della esplosione alle Barbados e l'aveva ammirata. Aveva quella che comunemente si chiama "grinta"; il messaggero che aveva mandato a Riga gli aveva riferito il suo rifiuto di ricevere ordini e la richiesta di un incontro. Per un po' di tempo non avrebbe risposto.

In quel momento, prima di tutto, doveva occuparsi della propria sopravvivenza. Sapeva, il nuovo capo della Quinta sezione che l'agente in sonno del vecchio KGB si chiamava Aleksandr Berenskij? Sapevano, alla Lubjanka, che era il figlio di Shelepin, il massimo agente dello spionaggio sovietico?

Probabilmente a entrambe le risposte avrebbe dovuto rispondere con un sì. Una mezza dozzina dei suoi compagni di studi al Villaggio americano del KGB sapevano del suo tirocinio, due di loro avevano avuto la stessa guida e certamente avevano informato Davidov della identità russa dell'agente mandato a mettere le radici negli Stati Uniti. Ma non sapevano altro. A conoscere la sua identità americana erano solo i due funzionari del KGB morti nell'incidente aereo e, in più, Kontrol, morto per aver tentato di ucciderlo. La sua storia era stata architettata con una raffinata precisione e resisteva alle indagini. C'era solo un altro agente russo che doveva sapere, il suo socio che stava a Washington, ma a Mosca nessuno sospettava che lavorassero insieme.

Con gli occhi semichiusi, nel buio, la spia in sonno si chiese se la sezione diretta da Davidov ignorava che Anna Berenskij, un tempo segretaria di Shelepin, era sua madre. E Davidov, l'uomo nuovo, che non si era formato all'interno del KGB, sapeva che il figlio di Shelepin, cui suo padre non aveva mai dato il proprio nome, aveva sposato a Riga una donna che si chiamava Antonia e l'aveva abbandonata, incinta, per svolgere il suo compito in America? Sapeva Davidov che Liana Krumins era sua figlia?

Quasi certamente no. All'inizio dell'incarico che avrebbe segnato tutta la sua vita, era stato chiamato da Shelepin, che gli aveva detto di aver cancellato tutti i legami tra la sua famiglia, in Russia, e l'agente che avrebbe lavorato da solo in America. Berenskij aveva sempre pensato che quell'azzeramento totale riguardasse non solo la documentazione d'archivio, ma anche quei membri del KGB che rappresentavano una testimonianza potenzialmente fastidiosa. Almeno in questo, riteneva che la spietatezza di suo padre fosse stata la sua fortuna.

Quella sciocca di sua moglie, Antonia, ora gestiva, a Riga, la scuola di ballo che era stata di sua madre e la intraprendente Liana si era votata al giornalismo. Se ne poteva dedurre che il KGB fosse all'oscuro di tutto, almeno per quanto riguardava la Quinta sezione. L'agente in sonno riteneva di poter concludere che sia Davidov sia i suoi agenti del cosiddetto nuovo KGB, non sapessero che Liana discendeva per linea diretta dalla stirpe del Cremlino.

Sequestri di persona, torture, favori concessi in cambio di un indizio... a tutto questo sarebbe stato naturale che Davidov, sapendo, facesse ricorso. Così si sarebbe comportato lui, al suo posto, se avesse pensato che arrestando le due donne sarebbe riuscito a trovare Aleks Berenskij in America. Per quanto lo riguardava, con Antonia potevano fare quello che volevano; era stato felice, a suo tempo di liberarsi di lei e tanto meglio se la loro separazione avesse avuto il suggello della morte. Ma sua figlia lo interessava e l'interesse cresceva col passare degli anni.

L'agente in sonno si alzò e andò alla finestra della stanza d'albergo, che dava su Grant Park. Gli pareva quasi di conoscerla, sua figlia, ora che aveva visto le cassette delle sue trasmissioni più recenti, da Riga, in russo. Nell'aspetto, nella cultura, nell'atteggiamento, quella ragazza appassionata, vibrante, indipendente gli sembrava più simile a lui delle figlie che aveva avuto dopo. Loro due, nel fisico e nel carattere, assomigliavano alla madre, che adesso era morta, bionde, e profondamente americane... predatrici materialiste, vaganti nella giungla dei centri per gli acquisti.

Sulla strana inefficienza del KGB non sapeva che altro pensare. Le ricerche dei Feliks partivano da presupposti diversi. La loro base era la Lettonia, ora fuori dall'orbita sovietica; formavano una rete della quale facevano parte vecchi esponenti della polizia segreta e molti imprenditori della nuova mafja, che erano la fonte di sostegno della organizzazione. Tra questi ultimi, c'era chi sapeva delle possibilità offerte da Berenskij per portare i profitti del traffico del petrolio fuori dal paese.

La potente Madame Nina e quelli che erano legati a lei, presumevano, giustamente, che Berenskij stesse accumulando quella enorme fortuna a loro vantaggio e Berenskij era incline a pensare che la loro fiducia fosse ben riposta, purché prima si riuscisse a portare i nuovi "riformatori" russi sull'orlo del disastro economico. Ma si rendeva conto che i capi dell'organizzazione apparivano via via sempre più impazienti nei suoi confronti, anche se sapevano che non avrebbero potuto permettersi di mancargli di rispetto, sia pure a distanza.

Berenskij voleva essere sicuro che la grande ricchezza che stava accumulando fosse usata per il fine primario che Shelepin gli aveva inculcato e al quale doveva la sua formazione: salvare e servire la grande Russia. Lui la concepiva come una nazione il cui popolo fosse soggetto al controllo di un governo centrale, con sede a Mosca, guidato da un capo che fidasse nel suo destino imperiale. Il comunismo aveva fallito, ma la Russia doveva essere una superpotenza. Il nuovo regime, a Mosca, si stava lasciando trascinare a una convergenza con l'Occidente; Berenskij doveva essere certo che l'organizzazione, i cui beni gli erano stati affidati, fosse veramente l'erede della visione di Shelepin.

Avrebbe voluto sapere di più sul conto di Madame Nina. Kontrol non era riuscito a dargli informazioni più precise su quella donna misteriosa.

Gli altri suoi inseguitori erano quasi risibili. I due giornalisti americani, l'esuberante Fein e quella nevrotica ragazza della televisione, la Farr, avevano il peso di uno scherzo fastidioso, non erano una minaccia. Aveva trovato un sistema per intercettare la loro indagine dilettantesca, sul modello che gli aveva descritto suo padre a proposito del Trust, una operazione segreta condotta dal KGB, cominciata nel 1920. Niente di quello che stavano facendo gli dava motivo di preoccuparsi.

Fatta eccezione per il loro aiutante, il commercialista euroasiatico Michael Shu. Berenskij si staccò dalla finestra e guardò verso il buio della stanza. C'era un particolare che lo inquietava, anche se si trattava solo di una coincidenza. Tra tutte le banche delle isole, possibile che quel commercialista avesse tanti amici alla Yellowbird delle Bahamas? Era la banca che lui, cinque anni prima, aveva comprato e portato in salvo dal rischio di riciclare il danaro sporco proveniente dalla droga, per essere libero poi di compiere più lucrosi traffici valutari e trasferimenti di capitali. Era una vera sfortuna che Shu conoscesse quasi tutti gli impiegati che erano lì fin dai tempi in cui la banca era coinvolta nel mercato della droga.

Berenskij decise che avrebbe tenuto d'occhio i movimenti di Shu. Se si fosse spinto troppo avanti e non si fosse lasciato corrompere, sarebbe stato necessario rimuoverlo.

L'agente in sonno non considerava la prospettiva di un'azione violenta né inquietante né gradevole, non era la prima volta che difendeva la propria missione creando una vittima accidentale. Ripensò a quando, per custodire la propria identità, nei primi tempi in cui era in America, aveva organizzato il suicidio apparente di un collega, perché si era accorto che, segretamente, lavorava per la CIA. Più di recente, quando il proprietario della banca svizzera dove era stata depositata la somma iniziale di tre miliardi, aveva avanzato una minaccia, lui era stato costretto a mandare a Berna il suo socio di Helsinki, a inscenare un altro suicidio. Ora, con un impero di trenta miliardi di dollari in gioco, mentre i tempi non erano ancora maturi per finanziare una contro-controrivoluzione, non gli restava che tenersi pronto a fare tutto il necessario per proteggere il proprio lavoro.

Suonò il telefono. Non rispose, perché sapeva che nessuno poteva cercarlo.

Si sentiva fisicamente oppresso da una grande responsabilità, da lui dipendeva addirittura la rinascita della Russia come una grande potenza, in grado di ricostituire un impero. Aveva vissuto una vita basata sull'inganno, da solo, in territorio nemico, per essere pronto a questo momento. Immaginava che suo padre, un sovietico di straordinaria preveggenza, avesse pensato all'eventualità della rovina economica dello stato socialista e lo avesse mandato nel cuore del capitalismo per raccogliere i mezzi necessari al recupero del potere della nazione. L'agente in sonno non era disposto a subire interferenze nella sua missione storica. Soprattutto ora che la realizzazione era prossima.

In un'epoca in cui informazione significava potere, lui aveva sempre posseduto l'informazione: prima da parte della Russia, quando conoscere in anticipo le notizie finanziarie e gli interventi politici che avrebbero influenzato il mondo degli affari lo aveva messo in condizione di moltiplicare per dieci il capitale iniziale sul mercato dei conti correnti numerati, poi, negli ultimi tempi, applicando la stessa tecnica in occidente.

Alcuni ex quadri della Stasi, subito dopo la caduta del muro di Berlino si erano messi in vendita e Kontrol non se li era fatti sfuggire. Lui, personalmente, ci aveva guadagnato una collaboratrice preziosa, Sirkka Numminen, una economista finlandese, molto intelligente, che disponeva di una fonte d'informazione presso la Federal Reserve americana. La sua conoscenza diretta dei movimenti della Bundesbank e della Federal Reserve avevano aiutato Berenskij a costruire la sua fortuna. E quando l'aveva chiamata per un lavoro, a Berna, di quelli che si chiamavano "bagnati", lei gli aveva dato la prova dell'utilità di un addestramento durato tutta la vita.

Berenskij si era messo, finanziariamente, nelle condizioni di un grosso colpo finale, che avrebbe portato il suo capitale a cento miliardi di dollari. Era una cifra sufficiente a influenzare la bilancia del potere in una Russia impoverita, anelante alla prospettiva di un potere globale, secondo la visione di Shelepin.

Pensando a suo padre, che era stato un po' sordo, l'agente in sonno si toccò l'orecchio sinistro, dove, nel condotto uditivo era inserito un piccolo apparecchio acustico. Una delle sue figlie americane si era lamentata di non riuscire, a scuola, a sentire con chiarezza le lezioni. Lui si augurò che Liana fosse indenne da quella infermità genetica.

23

MOSCA

«Abbiamo i primi risultati ufficiali sulla sorveglianza della figlia dell'agente in sonno, direttore Davidov», disse Jelena. Era irritata con se stessa, le dava troppo fastidio l'interesse costante del direttore per quella ragazza che lavorava alla televisione di Riga.

«Finalmente».

«È stata una operazione costosa: due persone con turni di dodici ore ciascuna. Per non parlare della parte tecnica».

«Ritirerò qualche guardia di confine. I risultati?».

«Questa volta la trasmittente sul fermaglio del pendente d'ambra ha funzionato», disse Jelena. Era una minuscola, sensibile microspia, costruita a Taiwan, che copriva un raggio di quasi cento metri; l'altra, prodotta anni prima nell'Ucraina sovietica e applicata con molte difficoltà nell'appartamento di Liana, aveva prodotto solo inutili pigolii che avevano provocato una insolita esplosione di collera da parte di Davidov. «È stata avvicinata da una donna, con un bambino in braccio, che, seduta su una coperta, vendeva per strada delle bambole *beriozka*. Questa è la trascrizione del testo».

Jelena diede a Davidov un foglio soltanto.

Davidov lesse a voce alta quello che si erano detti Liana e il messaggero travestito da babushka, da «Ho un messaggio per te dall'America» a «Adesso vai via».

«Mi dia il rapporto sull'interrogatorio. Immagino che la persona che ha portato il messaggio sia stata presa immediatamente in custodia».

«Purtroppo non è così».

Davidov chiuse gli occhi e trasse un respiro profondo. «Ho dato ordini precisi di fermare chiunque entrasse in contatto con quella ragazza per trasmetterle qualsiasi informazione. I tre agenti nel furgoncino hanno sentito tutto. I due che erano per strada hanno visto tutto. La babushka, chiunque sia, è l'unico collegamento che abbiamo con l'agente in sonno. Dov'è andata a finire?»

« È scomparsa dietro l'angolo della strada».

«Col bambino, le bambole, la coperta...?».

«Quelli li ha lasciati dov'erano. Il bambino si è scoperto che era una bambola. La babushka forse era un uomo. Dalla voce registrata non si capisce».

«Ci sono impronte sulla bambola?».

«Nessuno ha pensato a controllare, direttore. Dirò che provvedano subito».

«Le impronte non ci saranno», osservò Davidov, scoraggiato. «Il messaggero era un professionista. Gli unici dilettanti, in tutta questa storia, sono quelli che lavorano per me. A meno che non siano anche loro raffinati professionisti che lavorano contro di me».

L'analista dei Servizi Segreti non poteva biasimare il suo capo per quel momento di debolezza; era stata persa un'occasione preziosa. Cercò di rassicurarlo. «Sono tutti nuovi gli agenti che se ne occupano, di nessuno si può sospettare che sia fedele al vecchio regime».

Davidov aveva appoggiato i gomiti alla scrivania e si teneva la testa tra le mani. Poi alzò gli occhi. «L'agente in sonno è vivo. Agisce. Sa che lo cerchiamo. Sa che anche i Feliks lo cercano. E sa certamente che tutti, noi e loro, ci serviamo di sua figlia per arrivare a lui. E, a quanto pare, se ne preoccupa».

«Una cosa non sa», gli ricordò Jelena, «non sa che noi sappiamo che la giornalista di Riga è sua figlia».

«Non sa nemmeno se lei sa che lui è suo padre. Ma noi sappiamo che lei non lo sa. Una interessante situazione epistemologica». Jelena aspettò che arrivasse alla conclusione logica sulla posizione di Liana, e si accorse che gli ci voleva un po' più di tempo del solito. «Questo significa che la ragazza è una sorta di ostaggio. E non se ne rende conto», disse infine Davidov.

«La parola che lei aveva usato è "esca"», disse Jelena. In passato, con un altro genere di direttore, la figlia dell'agente in sonno sarebbe stata qualcosa di più che "una sorta di ostaggio". Sarebbe stata usata, con crudeltà se necessario, per attirare suo padre, sempre che l'agente in sonno nutrisse sentimenti paterni. Ma forse no, circa venticinque anni prima si era lasciato alle spalle, apparentemente senza rammarico, la moglie incinta per assumere il proprio incarico in America. Doveva essere uno di quegli uomini decisi a tutto per i quali il sangue ha meno spessore dell'acqua.

«Se vogliamo seguitare a parlare di pesca», Davidov si alzò e andò a sedersi sull'angolo della scrivania, «il messaggio a Liana non significa che il pesce abbia abboccato, ha dato solo un piccolissimo morso. Però sappiamo che è lì».

24

NEW YORK

«Ci sono precedenti di perdita dell'udito nella sua famiglia?».
Il banchiere aggrottò la fronte. «Mia madre, mi ricordo, ci sentiva meglio dall'orecchio destro. È morta trent'anni fa, non ha mai
portato un apparecchio acustico. Ma lei ha proprio bisogno di una
storia della mia famiglia?».

L'operatrice tecnica scorse rapidamente il suo elenco di domande; il paziente doveva essere uno di quei dirigenti d'azienda osses-
sionati dalla paura di perdere tempo. Yolanda Teeter, specialista in
audiologia, come testimoniava il diploma appeso al muro, era la
prima donna nera ad aver raggiunto il livello massimo della professione e non sopportava di essere poco scrupolosa. «Quando si è
reso conto per la prima volta di avere un disturbo all'orecchio sinistro?».

«Mi è difficile risponderle, signora. È una sensazione che risale a
molto tempo fa. Probabilmente non volevo ammetterlo».

«Ritiene di essere peggiorato recentemente? Che cosa prova
esattamente?».

Dominick inclinò la testa da una parte. «Così, ci sento meglio»,
inclinò la testa dall'altra parte, «e così, peggio».

«Ha qualche difficoltà a distinguere le voci quando più persone
parlano nella stessa stanza?».

«Sì, anche questo, sì. Possiamo procedere all'esame?».

Anche lui era uno di quelli che davano più importanza alla tecnologia che ai tecnici. «Ho bisogno di sapere, signore», disse Yolanda Teeter, con un tono quasi severo, «se, in passato, lei ha subito
un trauma in seguito a una esplosione, a un rumore particolarmente forte, a una qualsiasi lesione alla testa, che abbia potuto provo-
carle una diminuzione dell'udito».

«No. Il disturbo è andato aumentando lentamente. Sono anni
che penso di aver bisogno di un apparecchio acustico».

La specialista annotò sulla cartella clinica, "precedenti di presbiacusia da parte di madre", e lo fece entrare nella cabina per l'esame audiometrico.

«Metta queste cuffie. Io starò dall'altra parte del vetro. Mi avverta quando sente arrivare il suono». Dominick, munito di cuffie, venne sottoposto a una misurazione della capacità auditiva per via aerea. In base alle sue risposte fu possibile stabilire che aveva una perdita moderata dell'udito (quarantacinque decibel) all'orecchio sinistro.

Yolanda Teeter entrò nella cabina, tolse le cuffie e innestò un vibratore per determinare la conduzione del suono nell'orecchio interno. Poi, di nuovo attraverso il vetro, eseguì la prova di audiometria vocale. Inserì in un registratore un nastro che diceva: «Ripeti con me: topo, rincorsa, battello». Abbassò il volume della voce registrata e il paziente le disse che, invece di battello, aveva sentito cappello. Riuscì poi a cogliere la differenza tra seno e fieno, ma affermò di aver avuto l'impressione che la specialista dicesse ciocco, mentre aveva detto sciocco, facendole così concludere che il suo disturbo consisteva nella difficoltà di distinguere i suoni ad alta frequenza, come nelle lettere sibilanti.

Per averne la conferma, assolutamente incurante dell'impazienza del cliente, Yolanda Teeter gli mise un tappo nell'orecchio sinistro per una prova di impedenza dell'orecchio medio. L'esame non richiedeva una risposta verbale da parte del paziente, sottoposto a sbalzi di pressione e suoni intermittenti. La macchina faceva rimbalzare le onde sonore dal timpano e analizzava l'onda di ritorno, come un radar; la reazione dell'orecchio sinistro risultò diversa da quella dell'orecchio destro.

«Ho bisogno di un apparecchio acustico, vero?», chiese Dominick e, senza aspettare una risposta, aggiunse: «Vorrei il migliore. Il prezzo non ha importanza».

Yolanda Teeter gli spiegò che avrebbe inoltrato una richiesta al suo medico di base, ad Atlanta che a sua volta, le avrebbe mandato, in duplice copia, un certificato il quale attestasse che il paziente non presentava controindicazioni per l'uso di un apparecchio acustico. Non aggiunse, anche se lo pensava, che per i medici era un modo per tenersi stretti i pazienti e guadagnare di più.

«La prossima settimana, quando dovrà scegliere l'apparecchio, le mostrerò i modelli disponibili». Lo giudicava un vanitoso ed era sicura che avrebbe scelto un apparecchio invisibile, da applicare nell'orecchio interno.

«Per piacere», Dominick diede un'occhiata al diploma, «dottoressa Teeter, me li mostri adesso».

Yolanda Teeter gli disse che non era una dottoressa, ma una tecnica di audiologia e gli mostrò tre modelli. Uno, lungo cinque centimetri, andava applicato dietro l'orecchio, ma non lo voleva più nessuno perché era troppo antiquato. Un altro, più piccolo, modellato secondo la forma dell'orecchio, si portava all'interno, era visibile, ma non ingombrante e il volume del suono si poteva controllare direttamente con la mano o con un apparecchietto che si teneva in tasca. Il terzo, che veniva introdotto nel canale, era completamente invisibile, ma più difficile da applicare e da regolare. La Teeter era sicura che il paziente, vestito con un abito firmato ma tutto sgualcito, prova che teneva più che al proprio aspetto al valore di ciò che comprava, avrebbe scelto l'apparecchio più piccolo, che era anche il più costoso. Fu sorpresa, invece, nel vedere che Dominick preferiva il modello medio.

«Non sono vanitoso, dottoressa». Il paziente era rimasto, evidentemente, colpito dal suo livello di studi che, pensò la Teeter, forse esigeva una disciplina maggiore di quella che lui s'imponeva nel proprio lavoro. «Non voglio nascondere di essere un po' sordo. Voglio solo avere un apparecchio da far funzionare senza difficoltà. Potrebbe mandare il suo referto al mio medico con la posta della sera, dicendo che vorrei avere l'autorizzazione il più presto possibile?».

La Teeter disse che l'etica professionale non le vietava di consegnare direttamente a lui l'autorizzazione quando fosse andato a farsi dare l'apparecchio. «Ma l'avverto che sarà scritta con una terminologia che potrebbe mettere in allarme un profano».

«Non mi lascerò spaventare, qualunque cosa legga, dottoressa Teeter», rispose Dominick, insistendo nel ripetere il suo nome, come fanno i banchieri quando vogliono ottenere qualche cosa. «Ci tengo, però, ad avere indicata con chiarezza sul certificato l'entità della menomazione. Preferisco guardare in faccia la realtà».

25

POUND RIDGE

«È una trappola. Vogliono rovinarmi».

«Sono dei vigliacchi», assentì Ace. Enfatizzare quello che diceva il cliente non era solo un suo talento particolare, ma il principio sul quale aveva costruito la sua vita.

«Non sono ancora pronta. Sarà un fiasco e loro lo sanno». Viveca bevve l'ultimo sorso di vino e riempì di nuovo il bicchiere di Ace e il suo fino all'orlo. «Perché mi odiano tanto, i miei capi? Io sono un dente che fa male e loro ci masticano sopra».

«Economicamente non hanno nessuna ragione per volere un tuo insuccesso», azzardò Ace, ma incontrò il suo sguardo e mascherò subito quella osservazione troppo razionale. «Secondo me è invidia». Vide Viveca riflettere, in silenzio sulle sue parole, e aggiunse: «Bella, comunque la metafora. Un dente che fa male e loro...».

«Non è mia, è di Fein. Questo è il punto: lui ha delle trovate, io no. Lui è sulla breccia da sempre, io sono l'ultima arrivata. Lui è un giornalista di grosso calibro e io... oh, io non so nemmeno che cosa sono».

Tu sei una presentatrice, Viveca, pensò Ace, tu presenti un notiziario. Una volta, quando c'era solo la radio, si diceva una annunciatrice. Niente da vergognarsi, a meno che non si cerchi di passare per una giornalista d'assalto, perché allora i motivi per vergognarsi sarebbero tanti.

«È da te che il grosso pubblico si aspetta di essere informato su quello che succede nel mondo», le disse per calmarla. Viveca era quasi una star, le star andavano costantemente rassicurate e provvederle di quella sicurezza era un altro dei talenti di Ace. Viveca era fatta apposta per lui, la sua fragilità nervosa attenuava la severità della sua bellezza e la rendeva ancora più attraente ai suoi occhi. Avrebbe voluto ripeterle quello che il vecchio statista Bernard Baruch aveva detto alla bellissima Jinx Falkenburg, prendendo in prestito un verso di Oliver Wendell Holmes: «Oh, avessi ancora settant'anni!».

«Non devi perdere la fiducia in te stessa e sminuire la tua esperienza di giornalista», l'ammonì Ace, assumendo uno sguardo austero. «Una esperienza che hai dimostrato di avere ieri sera, in una situazione di emergenza».

«No, accidenti, non è vero! Io ho dimostrato proprio il contrario. È stato Irving a rimorchiarmi, lo so benissimo e anche i miei capi lo sanno. Perciò vogliono che lavoriamo insieme. Lui ha alle spalle un mestiere che ha fatto per tutta la vita, io non ho niente. Se ne accorgeranno tutti».

Ace vedeva tutto da un altro punto di vista. Lo spettacolo di due persone così diverse, che già aveva toccato le corde del pubblico la sera prima, corrispondeva esattamente a quello che lui voleva ottenere nell'arena letteraria. Si ripromise di ricordarlo al mondo intero, quando fosse venuto il momento. Avrebbe parlato di una "combinazione trasversale", l'esordiente e la vecchia volpe; una ragazza e un uomo; un bel viso e un grosso nome; l'entusiasmo e il distacco pensoso, due ruoli tradizionali, come la Bella e la Bestia, anche se Irving una bestia non era. La contrapposizione di due personalità diverse, separate da un tratto di penna e presentate come un ossimoro vivente. E il successo di un momento di emergenza, pensava Ace, poteva diventare il successo di ogni giorno, cementato dalle esigenze economiche. La proposta dei dirigenti della rete televisiva era tutt'altro che sciocca e il proprietario della rete non aveva certo interesse ad affondarla, anche se Viveca pareva crederlo.

A lei non poteva dirlo, naturalmente. Viveca aveva fatto troppi progressi in breve tempo e adesso era come se si muovesse su uno strato di ghiaccio sempre più sottile, temendo che una crepa potesse aprirsi sotto i suoi piedi e inghiottirla. Le importava solo della sua carriera. Peccato, umanamente parlando, ma per un abile agente letterario, interessato più alla persona nella sua funzione pubblica che nella essenza della sua natura, quella paura di un insuccesso era utile e utilizzabile. Se Viveca temeva di essere umiliata, tanto più le sarebbe stata necessaria la protezione contrattuale unita alla persuasività materna che lui, tanto spontaneamente, sapeva prodigare. E il segreto per convincere Viveca, decise Ace, che conosceva da un pezzo certe vezzose instabilità, stava nel dire il contrario di quello che si voleva ottenere.

«Avvertirò la rete che continuerai a fare quello che fai adesso, senza cambiamenti, e contemporaneamente approfondirai la tua esperienza di giornalista scrivendo un libro molto importante.

Quanto a loro, dovranno impegnarsi a rispettare la tua decisione».
«Il rispetto è l'ultima cosa che ho avuto da quegli...». Le labbra di Viveca formarono una s, ma la parola le si fermò lì, perché si ricordò che stava parlando con un uomo che aveva molti anni più di lei.
«Sai che cosa risponderanno? Che se accettassi di collaborare con Irving in televisione, tu con la tua disinvoltura professionale, lui con la sua affascinante goffaggine, un libro scritto da voi due, insieme, diventerebbe immediatamente un best-seller». Ace s'interruppe, come se intendesse riflettere. «Diranno così, e io fingerò di non sentire. A proposito, come va il libro?».
Viveca vuotò il bicchiere. Il vino sembrava non avere effetto su di lei. Ace pensò che apparteneva a quel genere di forti bevitrici dall'aspetto delicato e dalle gambe salde.
«Mike Shu, il commercialista incaricato delle ricerche, si sta occupando di qualcosa che non ho ancora ben capito, alle Bahamas. Irving si dibatte in un mare di incertezze... Dio, che carattere! È così che lavora, di solito? Corre a destra e a sinistra e poi si blocca di colpo?».
Ace avvertì un campanello d'allarme, ma non lo diede a vedere. Sapeva, per averlo constatato altre volte, che Irving si comportava così quando era alle soglie di un coinvolgimento sentimentale, limitato per il momento a un lavorio interiore. Un pessimo auspicio, ora, per l'indagine e poi, in ogni caso, per i tempi della stesura del testo. Irving era facilmente attratto dalla vulnerabilità femminile e Viveca, nonostante la padronanza dello schermo, emanava da tutta la sua persona una sensazione di fragilità che suscitava le qualità protettive degli uomini sensibili a quel fascino.
«Per fortuna», disse Viveca, «il banchiere che dovrà fingersi l'agente in sonno è una persona eccezionale. Mi dispiace che tu non possa conoscerlo... insiste sulla necessità di una assoluta segretezza... Ma è riuscito a dare un indirizzo preciso, una concretezza, al nostro lavoro. Non fosse stato per lui...», scosse la testa e guardò l'orologio "millegiorni", sulla mensola del camino. «Lo aspetto stasera a cena».
Ace approfittò della via d'uscita che gli veniva offerta e si alzò in piedi. «Non vorrei dovermi nascondere nell'armadio quando busserà alla porta. I tempi della pochade sono finiti per me».
Viveca lo accompagnò alla limousine, con le braccia strette al petto per vincere il freddo e gli porse la guancia per essere salutata con un bacio. Ace pensò che era un passo avanti rispetto alla

stretta di mano della volta prima; Viveca sembrava avere, a poco a poco, sempre più fiducia in lui e non si sbagliava. Le diede un bacetto ben calibrato e tacque, per darle la possibilità di scagliare la freccia del Parto.

«Mi fa piacere che tu non abbia colto al volo l'offerta della rete come un mezzo per dare una spinta al libro», disse Viveca. «Credo che una interruzione pubblicitaria durante uno spettacolo in prima serata basterà a farne un best-seller».

«E non è tutto, mia cara. Se leggi la parte in corpo 6 del contratto, ti accorgerai che ho inserito una clausola, che ti ripeto esattamente: ogni segnalazione nella classifica del *New York Times* comporterà un premio per l'autore di ventimila dollari». Ace lasciò che Viveca assimilasse bene la notizia, e aggiunse: «Il doppio se il libro sarà tra i primi tre».

«Evviva. Meglio non dirlo a Irving».

«Irving legge tutto quello che si stampa al mondo, tranne le voci in corpo 6 sui suoi contratti. Non è il corpo che preferisce». Ace avvertì la goffaggine della frase che aveva pronunciato e cercò di farla passare per una battuta. «"Altri corpi, altre anime"... ti piacerebbe come titolo per una raccolta dei suoi articoli da far uscire dopo il successo del vostro? Per quanto ti riguarda, naturalmente...». Ace s'interruppe. «Ma, piccola, hai la pelle d'oca, sei, praticamente, livida. Torna in casa e vai a scaldarti vicino al camino».

Viveca si strofinò le braccia e abboccò all'amo. «Che cosa dicevi? Per quanto mi riguarda...».

«Un premio di quella portata obbligherà l'editore a una seconda edizione, che significa più copie nei negozi, poster, vendite all'estero, con un bilancio per la pubblicità triplicato, un'asta per l'edizione economica, un...», concluse facendo un gesto circolare con la mano e s'infilò, disinvolto e allegro, sul sedile posteriore della limousine. La tecnica del partire dal contrario di quello che si voleva ottenere aveva dato i suoi frutti. Avrebbe aspettato tranquillamente una telefonata di conferma.

Viveca sentì scricchiolare la ghiaia del viale sotto il peso delle ruote di un grossa automobile e uscì, incontro al banchiere, di nuovo senza giacca, strofinandosi le braccia per scaldarle. Le piaceva vedere che il freddo sulla sua pelle suscitava, con una reazione immediata, l'istinto protettivo degli uomini, di tutti gli uomini, perfino dei grandi capi della rete che di solito, con animo perverso, cercavano di mortificarla.

Ma le braccia gelate non ebbero alcun effetto su Edward Dominick, che restò a lungo sulla soglia a contemplare il paesaggio che si dominava dall'alto della collina. «È bello», disse a bassa voce, lasciando scorrere uno sguardo triste lungo le cime violacee. «Mi ricorda casa mia».

Dopo un breve silenzio, Viveca disse: «Lei ha ragione, è un bello spettacolo, ma io ho molto freddo», gli posò una mano sul braccio e lo fece entrare in casa.

Dominick passò i primi minuti a guardare i libri negli scaffali alle pareti dello studio. Lei pensò che anche suo padre avrebbe fatto lo stesso. Gli versò il Saratoga che le aveva chiesto e ne riempì un bicchiere anche per sé, con una goccia di amaro, per ricordarsi che c'era anche qualcosa di meglio del solito da bere. «I libri sui Servizi Segreti sono nello scaffale di mezzo», disse.

«Quelli non li leggo», rispose Dominick, ancora con lo sguardo sui titoli, «non sto per trasformarmi improvvisamente in un agente segreto, col suo armamentario, la pastiglietta di veleno e la retorica del romanzo di cappa e spada».

«Se dovrà identificarsi con l'agente in sonno...».

«...sì, dovrò entrare nella sua mente, cercare di pensare come lui».

«Ma lui è una spia».

«No, è un banchiere. Si sta costruendo, in segreto, una grossa fortuna. Che cosa ha fatto, come spia? In vent'anni, niente, per quanto ne sappiamo».

«Ma tutta la vita dell'agente in sonno è una lunga storia di spionaggio».

«Non attivo, per quanto ne sappiamo. Lo spionaggio ha sempre rappresentato per lui, a quanto sembra, qualcosa che avrebbe dovuto fare un giorno, in un futuro lontano. E neanche adesso è ricercato come una spia, ma come un agente segreto che opera nell'alta finanza». Dominick fece scorrere un dito lungo una fila di libri che riguardavano le lotte clandestine. «Le mancano le opere di R.V. Jones. L'unico che abbia scritto veramente qualcosa di utile».

«Davvero? Perché? Chi è R.V. Jones?», chiese Viveca, colpita.

«È un inglese che insegna come mettersi nei panni dell'avversario. Come sedersi a entrambi i lati della scacchiera».

Viveca cercò di ricordarsi che cosa le aveva detto Irving a questo proposito. «Come Angleton?».

Dominick la guardò, senza capire. Quel nome non significava niente per lui. Viveca pensò che era un banchiere, non un agente

211

segreto e si ripromise di procurarsi qualche libro sui banchieri più famosi, una biografia di J.P. Morgan, per esempio, e qualche buon testo di finanza internazionale.

Dominick scelse la poltrona più ampia, quella dov'era più facile sprofondare. Lei si mise a sedere sul bordo del divano, da dove poteva guardarlo col vantaggio di un dislivello di qualche centimetro. Le era parso giusto vestirsi con un completo, gonna e giacca, senza gioielli, era un modo forse troppo formale per ricevere qualcuno in casa propria, ma aveva pensato che Dominick avrebbe apprezzato quel rigore e voleva piacergli.

«A che punto siamo?», chiese vivacemente. «E come posso aiutarla?».

«Abbiamo allestito, a Memphis, quello che Michael Shu chiama "l'ufficio strategico". Ho assunto due contabili molto esperti nell'uso dei computer, provenienti dagli uffici del Controllo Monetario, un funzionario del Ministero del Tesoro in pensione e un impiegato della dogana, per il quale è un secondo lavoro. Lo scopo apparente sarà una ricerca sul flusso globale di danaro a partire dal 1989 in avanti, al fine di un seguito di riforme della tutela esercitata dal governo federale che intendo polemicamente proporre».

Ma come avrebbe potuto, Viveca, offrire il suo aiuto? In che modo sarebbe riuscita a inserirsi? Voleva lavorare con lui, ma senza apparire completamente sprovveduta.

Dominick parve leggerle nel pensiero. «Non ho bisogno di lei per questioni che riguardino l'alta finanza. Shu è molto bravo, anche se, in parte, è sviato da una storia di riciclaggio di danaro alle Bahamas che, secondo me, è una perdita di tempo. D'altra parte bisogna ammirare il suo entusiasmo. Al momento opportuno lo riporterò sulla strada da seguire: cereali, alluminio, petrolio. Se fossi io il dormiente è lì che cercherei di arricchirmi».

«Irving può esserle utile in questo campo?».

«Irving seguita a parlarmi della vecchia CIA e dei contatti con il KGB, ma non è da lì che emergono le informazioni di cui ho bisogno. A me serve una traccia delle operazioni dell'agente in sonno prima dei grossi movimenti del mercato». Tacque, aspettandosi che, com'era naturale, gli chiedesse di spiegarsi meglio, ma Viveca lo sconcertò limitandosi a uno sguardo partecipe, senza parlare. Irving le aveva spiegato che una lunga occhiata silenziosa valeva più di una domanda ovvia.

«Presto o tardi, e spero che sia tardi, dovrò assumere l'identità dell'agente in sonno nel suo paese d'origine, in Russia. Dovrò incontrare sua figlia, forse sua moglie. Sarà necessario che mi premunisca con delle informazioni specifiche, non basterà questa stupida scatoletta che ho nell'orecchio».

Dominick inclinò la testa come se attraverso l'apparecchio acustico gli fosse arrivato un rumore fastidioso. «Nei prossimi giorni lei dovrà vedere quella ragazza, la Krumins, e cercare di farsi dire tutto il possibile su sua madre... particolari della vita familiare, i nomi degli animali domestici, le ricorrenze, nel caso dovessi fingere di essere suo padre. Non vorrei essere costretto a brancicare nel buio».

A Viveca piacque l'idea di dovergli procurare le informazioni che chiedeva per proteggere la propria incolumità. «Andiamo in cucina», disse. «Mangiamo lì».

Il pranzo, che si era fatta portare già pronto, era contenuto in vari recipienti messi sulla cucina a gas. Le avevano spiegato che doveva mettere in tavola prima i gamberetti con i funghi sautés, poi l'insalata e poi ancora i tournedos di vitello con le patate rissolées. Immaginò che quelle cosine scure nel tegame fossero le patate rissolées. Il pranzo avrebbe dovuto concludersi con una sua produzione personale, una torta di noci, quella che piaceva tanto a suo padre, che aveva riempito la cucina di un odore di melassa bruciacchiata. A un ospite che veniva da Memphis una torta così non poteva non piacere e quando lei gli avesse descritto nei particolari la ricetta, avrebbe pensato che anche il resto del pranzo fosse opera sua.

Gli porse una bottiglia di vino con un cavatappi, perché avesse qualcosa da fare. Lui l'aprì in un secondo. Invece di mostrare di apprezzare il vino, del quale si era preparata a dirgli tutto, passò una mano sul tavolo di cucina.

«Dove ha trovato questo tavolo della campagna francese?».

«In Francia», rispose, come se gli rivelasse un segreto. Non sapeva dove l'avesse preso l'arredatore. Era un bel tavolo solido. «L'ho fatto arrivare per mare, con un intero container di altri oggetti». Aveva sentito qualcuno che diceva qualcosa del genere, durante una cena, a New York.

«Lei ha una casa bellissima», disse Dominick. «Calda e vissuta». Dominick assaggiò il vino, fece con la testa un breve cenno di apprezzamento e le riempì il bicchiere. Viveca aveva deciso che mettere le candele sul tavolo sarebbe stato come voler accelerare i tempi, la luce regolabile della lampada al centro della grande cucina era abbastanza morbida e soffusa. «Dunque suo padre era un

213

banchiere», disse Dominick. Come lo sapeva? Viveca si ricordò che glielo aveva detto lei, quando avevano fatto colazione insieme, a Memphis. Che altro sapeva? E, per parte sua, sarebbe stato opportuno un riferimento indiretto alla moglie morta? Meglio di no. Le parve che il pranzo si potesse giudicare perfetto, esclusa la torta, che era un po' troppo asciutta. Lei se la prese col pasticciere. «Avrei dovuto farla io. La torta di noci mi riesce benissimo».

Dominick aprì il frigorifero, trovò una fetta di emmenthal, lo infilò dieci secondi nel microonde per togliergli il freddo e lo tagliò a fettine sottilissime con un coltello affilato per mangiarlo con una seconda bottiglia di vino. Così, anche la torta non riuscita diventò un elemento positivo. Viveca pensò che quello era un uomo che dava sicurezza.

L'aiutò a sgombrare il tavolo, quello che ormai anche lei considerava un bel tavolo della campagna francese (molto ci sarebbe stato da dire sulle abitudini di chi era già stato sposato), poi sparì per qualche momento e lei pensò che fosse andato in bagno. Tornò con una cartella, l'aprì e ne tolse dei fogli che distribuì, in gruppi bene ordinati, sul tavolo.

Il seminario ebbe inizio. Dominick le mostrò, ritornandovi più volte, vari movimenti finanziari che avrebbero potuto essere la strada seguita dall'agente in sonno, possibili mediazioni di copertura, società di comodo...Viveca manteneva il viso improntato a una espressione di profondo interesse. Edward aveva una personalità molto forte, s'imponeva su di lei senza averne l'aria, era, almeno apparentemente, estraneo alle profonde debolezze di suo padre.

«Credo che lei avrebbe molte domande da farmi», disse infine Dominick, con un tono comprensivo, «ma è tardi». L'aria assonnata di Viveca era calcolata e seducente, lo sapevano tutti e due. Lei sapeva anche che il loro prossimo incontro sarebbe stato a un'altra ora e in un luogo diverso, scelti da lui, con un interesse nei suoi confronti serio e consapevole, senza quel bisogno di mortificarla che guidava gli uomini che si sentivano attratti da lei. Con Edward Dominick, non avrebbe mai dovuto vergognarsi o difendersi, perché non sarebbe mai stata messa alla prova per il gusto di umiliarla.

«Farò la mia parte in questo lavoro», gli promise. «Mi dica quello che vuole da me e io eseguirò».

«So che c'è una certa aura di successo intorno alla sua persona», osservò Dominick.

Viveca rispose a quelle parole con un sorriso amaro. «Io vivo nella paura di perdere quello che ho. Se mai dovessi fallire in questa carriera, andrei a nascondermi in una buca e non mostrerei più la mia faccia a nessuno. Lo dico davvero. Sono in molti a pensare che io non sia al posto giusto. E si danno da fare per mettermi nella condizione di sbagliare».

«E se capitasse? Ha mai visto in faccia la sconfitta?».

«L'ho vista sulla faccia di mio padre». Si ritrovava davanti agli occhi quella espressione di paura e disperazione ogni volta che pensava a lui. «Se dovessi sbagliare... sbagliare in modo grave, tanto da essere licenziata, umiliata, correrei il più lontano possibile e farei qualsiasi lavoro schifoso da qualche parte. Forse nello Yucatan». Troncare i rapporti con gli altri era l'ultima cosa che avrebbe voluto fare, il suicidio era una scelta troppo drammatica, ma si poteva anche prendere in considerazione. Non trattenne un brivido, il crollo della sua carriera era per lei un ricorrente incubo a occhi aperti.

Aveva la sensazione precisa, e capiva che anche lui l'aveva, del carattere sentimentale che avrebbe avuto il loro lavoro. Ora tutto si sarebbe accentrato attorno a un uomo con i piedi ben saldi sulla terra e anche l'agente in sonno le avrebbe fatto meno paura. A partire da quella sera, si sarebbe preoccupata più per Edward che per se stessa.

Lo accompagnò all'automobile e stavolta le braccia fredde non vennero meno alle aspettative. Il sosia la baciò e gliele accarezzò per riscaldarle.

26

MEMPHIS

«Dovresti vedere, Irv. Vieni a Memphis!». Michael Shu era entusiasta. «Abbiamo un ufficio strategico qui, alla banca. Siamo perfettamente organizzati. Posso dire che abbiamo fatto grandi progressi».

Irving Fein non ne era completamente convinto. Dal momento in cui era stato reclutato Edward Dominick, era stato istituito un piccolo corpo specializzato di professionisti della finanza che veniva a costare un occhio della testa, anche se dello spazio occupato alla banca di Memphis si poteva usufruire gratuitamente. Dominick, per individuare le tracce dell'agente in sonno, aveva elaborato una "strategia di ricerca" che aveva fatto una grande impressione sull'animo da commercialista di Shu, ma che a Fein sembrava rientrare in un sistema troppo metodico e privo di immaginazione.

Una seconda telefonata lo portò di colpo nel Tennessee. «In Edward abbiamo trovato un leone», gli disse Viveca, come se presiedesse un ufficio di cacciatori di teste. «Mi preparerà per domani uno schema di istruzioni. Dovresti leggerlo anche tu».

Viveca riceveva istruzioni da Dominick. Tutto regolare, ma Fein si sentiva escluso. Se avevano imbastito una storia di sesso erano affari loro, ma certe implicazioni all'interno di un gruppo di lavoro fomentavano emozioni che alteravano le capacità di giudizio. Era un po' una spina nel fianco il pensiero che Viveca si fosse innamorata di quell'affascinante, disinvolto, beneducato banchiere del sud. Disse al suo euforico socio che quella sera doveva parlare con un tale che si occupava del riciclaggio del danaro sporco, alla sezione frodi del dipartimento della giustizia, ma che l'indomani avrebbe preso il primo aereo per Memphis.

Dominick e Shu si erano preparati a ricevere lui e Viveca con una rutilante esibizione di diapositive, grafici, studi analitici, quasi a giustificare il tempo impiegato fino a quel momento.

«Partiamo dal presupposto che il primo obiettivo dell'agente in sonno fosse quello di trasformare tre miliardi in oro in cinquanta miliardi, nello spazio di tre anni, a partire dalla fine del 1988», disse Dominick. «Il secondo obiettivo è stato quello di nascondere e accrescere il capitale».

Via le luci. Sullo schermo del proiettore comparve una diapositiva. Il primo titolo era: "Vantaggi sui comuni investitori di mercato", e sotto: "Possibilità di usare: a) il potere commerciale dell'URSS per influenzare i mercati, b) la frequentazione dei Servizi Segreti per ottenere informazioni".

«Queste sono le considerazioni che l'agente in sonno deve aver avuto in mente per ottenere il massimo dalla propria posizione», disse Dominick. Sullo schermo c'erano cinque indicazioni:

1) Possibilità di influenzare i prezzi
2) Possibilità di prevedere i prezzi
3) Liquidità
4) Influenza
5) Visibilità

«Poteva influenzare i prezzi delle merci di cui Mosca era la principale fornitrice», fece osservare Dominick.

«La grande rapina dei cereali», mormorò Fein, quasi tra sé.

«Esatto. Il grano, per esempio. L'URSS produceva un quinto del grano di tutto il mondo e ne importava un altro decimo. Le previsioni sul raccolto influenzavano il prezzo futuro del grano, insieme alla entità delle prenotazioni. Era possibile quindi organizzare una operazione economica sui successivi movimenti dei cereali, che noi abbiamo riprodotto nel nostro ufficio strategico, qui, in fondo al corridoio, e ricavarne enormi profitti».

«Molti soldi, molta liquidità», aggiunse Michael Shu. «Il fabbisogno di grano, dichiarato dagli Stati Uniti, era di undici miliardi circa».

Nuova diapositiva. «Un altro bene: l'alluminio. Non è liquido come l'oro, ma si potevano nascondere grossi scambi con circa cinquanta miliardi commerciati a New York nel 1989. Il prezzo è variabile, circostanza ottima per la manipolazione, e l'URSS produceva il quindici per cento del mercato mondiale. Una seconda opportunità si poteva avere ancora, trattando le azioni delle tre grandi compagnie dell'alluminio».

«Ho scoperto», disse Shu, «che la metà dell'alluminio del mondo quell'anno è passata attraverso il Belgio. E il Belgio non produce alluminio. Quindi un intervento c'è stato, e in forma vistosa. L'agente in sonno potrebbe aver fatto passare il danaro attraverso il Belgio».

«Ma l'oro è più liquido?», chiese Viveca, palesemente per partecipare alla conversazione. Irving aveva avuto qualche difficoltà a togliersi dalla mente il quadro di Dominick che saltava sopra le sue ossa eleganti, delle sue gambe sottili che cercavano di allacciarsi intorno al grosso corpo del loro socio, un evento che forse non si era ancora verificato, ma per il quale non si sarebbe dovuto aspettare molto. «Se il capitale, all'origine, era in oro, perché non continuare così?».

«Sarebbe stata la soluzione più semplice», rispose Dominick, «ma, se fossi stato io l'agente in sonno, me ne sarei tenuto ben lontano e avrei scelto strade più segrete».

«Farò qualche ricerca anche in questo senso», disse Shu. «La produzione dell'oro era controllata dalla Glavsolot, che non ha mai rilasciato dati ufficiali e anche adesso tiene le labbra ben cucite, ma i lingotti vengono esportati attraverso la Vneshtorgbank, la banca per il commercio estero, nella quale uno dei nostri ex funzionari del Tesoro ha una via d'accesso».

Dominick si strinse nelle spalle e passò a un'altra diapositiva. «Petrolio. Qui si parla di grosse variazioni di prezzo, completamente segrete. I sovietici producevano un quinto del fabbisogno mondiale».

«Sì, ma era l'OPEC, l'organizzazione dei paesi esportatori di petrolio, a sovrintendere su tutto», gli ricordò Irving, cercando di intervenire con qualche obiezione, «e i sovietici adeguavano il prezzo». Aveva qualche notizia sul mercato del petrolio, perché tra i suoi informatori sul riciclaggio del danaro sporco, ce n'erano alcuni interessati anche al petrolio, che usavano continuamente la parola "fungibilità".

«L'agente in sonno si deve essere mosso pesantemente anche nel petrolio», disse il banchiere. «Come lei ci ha ricordato, i sovietici erano in stretto accordo con gli arabi nello stabilire i prezzi. E gli agenti del KGB potevano facilmente nascondere una cimice durante le riunioni dell'OPEC, per controllare l'esattezza delle proprie informazioni».

«Sarebbe stato possibile occultare un traffico di quattrocento miliardi di operazioni a termine, quell'anno», confermò Shu, «soprattutto a New York e a Londra. E mettersi via una bella scorta nelle navi cisterna. L'agente in sonno, per prima cosa, avrebbe potuto occuparsi di trasporti marittimi».

«Sono in grado di garantire che il petrolio è fungibile», disse Irving, guadagnandosi uno sguardo di rispettosa considerazione da parte di Viveca; ma diverso era lo sguardo che avrebbe rivolto al suo amico banchiere, davanti a una bottiglia di buon vino rosso, non quella specie di inchiostro che aveva offerto a lui: «E i soldi?». Ecco, di nuovo, l'immagine fotografica nel cervello: per evitare di finire schiacciato, avrebbe cercato di prevaricare. «E le operazioni finanziarie?». Irving non capiva niente di operazioni finanziarie.

«Michael e io abbiamo riflettuto molto sul mercato monetario», disse Dominick, e spense il proiettore. «Prestiti eccellenti, possibilità di nascondere tutto e un po' di abilità nell'influenzare i mercati. Ma il rischio è troppo alto. Una mossa sbagliata e si torna indietro di miliardi». Irving sentì quegli occhi fissi su di lui. «Il gioco per riuscire ad accumulare rapidamente una grossa fortuna sta nel non rischiare mai di perdere, ma di concentrarsi solo su operazioni sicure. Secondo me, questa è la strada seguita dall'agente in sonno. Dubito che abbia speculato sul danaro».

Solo perché Dominick pareva non dar peso ai suoi interventi, Irving insisté. «E se ci fosse una talpa nella Federal Reserve?». Alla domanda seguì un silenzio. Irving riprese. «Noi tutti facciamo un gran caso di un agente infiltrato nella CIA, ma come vi comportereste se aveste un amico seduto vicino al presidente della Federal Reserve durante gli incontri di New York dove stabiliscono i tassi d'interesse? Basterebbe una microspia per scoprire quello che succederà il giorno dopo. Non sarebbe facile mettere insieme una montagna di soldi?».

«Il posto dove collocare una talpa di questo genere», rispose Dominick , un po' più interessato, «sarebbe la Bundesbank. Oppure no... troppo rischioso. Non si può mai agire con sicurezza quando si tratta di danaro corrente, anche se il governo si prova a intervenire. Il trucco, ripeto, sta nel limitarsi agli investimenti sicuri. È l'unico modo per procurarsi una fortuna in qualche anno». Si alzò. «Vogliamo dare un'occhiata all'ufficio strategico?».

Shu fece strada. In uno spazio di media grandezza, senza finestre, quindi più sicuro e meno utilizzabile da altri, i dipendenti del commercialista lavoravano ai computer con gli occhi fissi sugli schermi.

«Contemporaneamente», disse con orgoglio il commercialista, «abbiamo creato un fondo di riserva nelle Antille. Lo amministra, ufficialmente, un avvocato registrato nel Liechtenstein. Edward Dominick, consigliato da me, ha comprato una piccola banca alle

Bahamas – non dimenticate che alle Bahamas abbiamo una fonte di informazione, il vecchio amico imbroglione – e possiamo effettuare le nostre transazioni commerciali senza che nessuno ci chieda niente».

«Nelle ultime tre settimane, abbiamo avviato circa trenta operazioni con banche commerciali e di investimento», spiegò Dominick a Viveca, che stava con le braccia incrociate sul petto, in un atteggiamento di difesa. «Ciascuna delle nostre transazioni era completamente coperta da rischi, e questo significa che ciò che guadagniamo comprando da uno, perdiamo vendendo all'altro».

«E lo scopo qual è?». Era la domanda giusta e Irving si rallegrò che fosse stata Viveca a farla.

«Lo scopo è quello di farci entrare nel gioco come gente che paga subito, gente di cui fidarsi. Ecco... pensa a qualcuno che compra e vende petrolio simultaneamente con operazioni a termine. Siamo in pari, forse ci costa un po' di soldi, ma stabiliamo un rapporto con due banche nello stesso tempo su affari di milioni di dollari. E così, certamente, ha fatto l'agente in sonno all'inizio».

«Mentre noi, oggi, lo imitiamo, ripercorrendo il cammino a ritroso», disse Shu, servendosi dell'espressione cara a Irving.

«Mike vuol dire che, attraverso il presente, potremo conoscere il passato», disse Irving a Viveca. Nel seguire le tracce dei primi passi che portavano al danaro sovietico oltreoceano affidato al dormiente, si sarebbe scoperto quanto la conoscenza anticipata degli avvenimenti gli aveva consentito di capitalizzare e come i nuovi fondi e le nuove banche fossero stati attrezzati a nascondere i profitti.

A ciascuno dei sette tavoli, un ricercatore cercava la testimonianza di traffici su vasta scala di grano, petrolio, alluminio e oro. I trasferimenti dei capitali sovietici in Svizzera, Panama e nelle banche delle isole, in gran parte monitorizzate da controllori finanziari occidentali e da agenzie investigative, erano indicati vicino alle date di grandi eventi mondiali: la rapida caduta della borsa negli Stati Uniti, la tragedia della piazza di Tienanmen, il sorprendente rialzo dei prezzi dei prodotti agricoli, la caduta del muro di Berlino.

Tutto molto bene organizzato, ma era l'impostazione che non convinceva del tutto Irving. Guardò lo schermo dietro le spalle di qualcuno, punzecchiò qualcun altro con delle domande e complessivamente si mostrò così acido che Viveca ne rimase turbata.

«Lei ritiene che abbiamo trascurato qualche cosa, o è solo una mia impressione?», gli chiese Dominick, mentre tornavano nel suo ufficio. «Se è il mercato azionario, non ci pensi nemmeno. Si dovrebbe aumentare il margine del cinquanta per cento e non è detto che sarebbe sufficiente. Non esistono alternative, perché le regole sono troppo severe».

«C'è mancanza di immaginazione», disse Irving. «Seguite un manuale, giocate a non perdere. Ho il sospetto che l'agente in sonno sia più intelligente di così».

«Bisogna muoversi con metodo», disse Shu.

«Tu devi pensare come un banchiere, Irving, non come un giornalista», disse Viveca.

«Stupidaggini».

«Via, caro Fein», intervenne Dominick, «non ci nasconda quello che pensa davvero. Ci dica tutto».

«Lei prima parlava di beni. Qual è il bene più prezioso del mondo? Che cosa avevano i comunisti che tutti avrebbero voluto?».

Dopo un silenzio, Viveca chiese: «I diamanti?».

«Irving parla del plutonio, Viveca», disse Dominick, «e ha ragione. È raro. Facilmente trasportabile. E, nell'Unione Sovietica, meno controllato di quanto non si pensi».

«Se fossi l'agente in sonno», disse Irving, «e fossi incaricato da Mosca di far fruttare un mucchio di danaro, direi al mio agente di controllo che ho bisogno di un materiale più prezioso dell'oro e comincerei con un omicidio». Si affrettò ad aggiungere: «Un omicidio finanziario. L'Iran era col culo per terra dopo la guerra con l'Iraq. Voleva la bomba. L'Iraq voleva il controllo del Golfo e Saddam voleva i missili. Il Pakistan voleva essere alla pari con l'India con la Libia, con Israele e la Corea del Nord con il resto del mondo. Ma chi può permettersi di pagare ciò che è necessario a raggiungere questi scopi? I governi. Se fossi a capo di una nazione e volessi conquistare rapidamente il potere, sputerei cinque miliardi o pressappoco per comprarmi il plutonio e farmi cinque o sei bombe».

«Lei ha toccato una questione innegabile», ammise Dominick.

«Irving ha certamente chi lo informa», disse Shu agli altri. «È così, Irv? Se potessi avere delle notizie concrete procederemmo più in fretta».

Ma Irving non aveva informatori, aveva solo una sua teoria che non era ancora pronto a manifestare perché non l'aveva ancora elaborata a sufficienza. «Un mio amico che lavora alla Sezione mineraria mi ha detto che esiste un materiale radioattivo, il mercurio rosso». Era una indicazione molto vaga, ma Irving non volle aggiungere altro prima di aver parlato con un giornalista suo amico che stava a Roma. «I russi hanno una rete clandestina che si occupa di venderlo».

«Durante l'anno scorso», affermò Viveca, «la Russia ha esportato più del suo prodotto interno lordo. Ho parlato anch'io alla televisione della corruzione che c'è in Russia. Forse dieci secondi, ma ero rimasta molto colpita».

«Cerca di saperne il più possibile», disse Irving. «Guarda che cosa trovi nel Dialog». La rete televisiva di Viveca aveva accesso a quella sorta di memoria di massa e Irving non voleva pagare quello che poteva avere gratis. «Il KGB insegue i soldi del nostro amico in sonno e, probabilmente, la mafja russa fa lo stesso. È una gara a chi arriva primo e lui forse ormai lo sa e se ne preoccupa».

«Non è solo un'indagine attraverso l'attività delle banche», spiegò Shu a Dominick. «Irving pensa che ci sia una organizzazione internazionale sotterranea. E questo ci riporterebbe al riciclaggio del danaro sporco, scopo delle nostre ricerche presso le banche. Tutti, in conclusione, vogliono sapere dove sono finiti i soldi». Rifletté un momento. «Ne potrebbe conseguire che qui, negli Stati Uniti, anche la criminalità organizzata si sia messa alla ricerca dell'agente in sonno, incaricata dai Feliks, dalla mafja. Oh, Dio!».

«Sempre più divertente».

Il commento di Dominick lo fece salire nella stima di Irving, che lo giudicò un temerario o un pazzo. Oppure uno che fingeva e non aveva nessuna intenzione di correre rischi.

«Andrò in Russia e riuscirò a capire», disse Irving. Il primo elemento da approfondire era la divisione tra interessi ufficiali e non. Sarebbe andato da Davidov cui, probabilmente, era stato affidato l'incarico dal Cremlino proprio perché arrivasse prima dei Feliks a rintracciare il capitale. Poi c'era la ragazza di Riga, che aveva conosciuto l'anno prima e con la quale aveva già messo in contatto Michael. Sospettava che Liana Krumins sapesse più di quanto non credesse di sapere e si chiedeva come riuscire a portare in superficie tutto quello che lei teneva dentro di sé.

E se la montagna fosse andata da Maometto? Poteva essere un'idea. Se avesse portato Liana negli Stati Uniti, forse il KGB, forse Davidov stesso, l'avrebbero seguita. Aveva l'impressione che sia il KGB sia i Feliks si servissero di lei. Oltre tutto, convincendola a venire negli Stati Uniti, con Davidov a rimorchio, avrebbe risparmiato moltissimo. Non sopportava di avere una cifra fissa dalla quale detrarre le spese, perché gli sembrava di usare soldi suoi. E poi avrebbe fatto bene a Viveca vedere com'era una scalpitante giornalista televisiva dell'Europa dell'Est, una ragazza che aveva sofferto sotto il regime comunista e che aveva poco più di vent'anni, non poco più di trenta.

Si rese conto in quel momento che Liana, nonostante fosse così giovane, era al centro di tutte le operazioni per ritrovare l'agente in sonno. «Perché una puttanella di una cittadina del Baltico», si chiese a voce alta, «è l'unica giornalista che si occupi di questa storia? Non ha i titoli per farlo».

Viveca si ribellò: «Sei uno schifoso sessista, Irving Fein!».

Lui rivolse a tutti un'occhiata; lasciando intendere che sapeva che erano d'accordo con lui, ma gli era rimasta l'impressione di qualcosa che non quadrava. Si batté il palmo di una mano sulla tempia, adagio, una volta e poi ancora. Faceva sempre così quando voleva aiutarsi a liberare un pensiero. Con una decina di colpetti ci riuscì. Si tolse di tasca il libretto degli indirizzi.

27

RIGA

«Era lì, sulla scrivania, l'ho letta senza accorgermene», disse Nikolaj Davidov, tutt'altro che a proprio agio nello spazio soffocante di un piccolo ufficio, negli studi della televisione di una città che era diventata da poco la capitale di un paese straniero. «Lei non ha il diritto di leggere una lettera indirizzata a me. Lei, in Lettonia, è uno straniero. Non ha nessuna autorità». Liana Krumins lo martellava con un seguito di affermazioni, categoriche come le sue opinioni. «La Lettonia non è più schiava dell'Unione Sovietica. Avrei dovuto farla arrestare».

«Io ho la responsabilità della sua sicurezza personale», rispose l'uomo che da poco era stato messo a capo della Quinta sezione. Era di buonumore, non solo perché si trovava di nuovo in compagnia di quella ragazza così particolare, ma perché, da una settimana, il suo incarico era stato esteso a tutto il controspionaggio finanziario.

Era aumentato l'interesse, a livello alto, circa la possibilità di trovare l'agente in sonno e mettere le mani su un capitale più consistente di quanto non si pensasse. A seguito delle pressioni personali di Davidov, un investigatore svizzero aveva scoperto che il banchiere di Berna, del quale si sapeva che si era suicidato subito dopo che l'agente di controllo di Berenskij era saltato per aria alle Barbados, aveva trasformato, anni prima, tre miliardi d'oro in titoli commerciali. Se ne poteva dedurre, quindi, che il capitale fosse stato investito con profitto e non mantenuto in oro, senza interessi. Il valore doveva essere aumentato in modo considerevole.

Ora Davidov era seduto nell'ufficio di Liana Krumins, si era tolto la giacca e l'aveva appesa allo schienale di una traballante sedia di produzione lettone. Lo scopo principale del suo viaggio a Riga era quello di indagare nell'attività di una donna che si faceva chiamare Madame Nina ed era, a quanto pareva, a capo dei Feliks. Nello stesso tempo, si era proposto di dissuadere Liana Krumins dall'accettare l'invito in America.

La United States Information Agency, "su segnalazione di un gruppo di importanti giornalisti americani", invitava la giovane cronista della televisione di Riga a un seminario della durata di un mese, con tutte le spese pagate. Davidov sapeva che non era stata lei a presentare una domanda e che mai nessuno si era sognato di invitare a un seminario una giornalista della televisione lettone. Era, probabilmente, la CIA che la voleva in America al più presto e aveva usato l'agenzia di stampa americana come una calamita. Forse la CIA aveva saputo qual era il legame che univa Liana Krumins all'agente in sonno.

La giustificazione per l'invito c'era: la Krumins aveva da poco scosso la struttura del potere locale con una denuncia sulla corruzione del governo e i commenti di approvazione del pubblico, citati favorevolmente dai giornali, avevano reso impossibile alle autorità lettoni un intervento disciplinare. La giovane pioniera del giornalismo televisivo postcomunista avrebbe, quindi, visitato gli studi delle reti americane per apprendere le tecniche più recenti e avrebbe preso parte a un seminario sul ruolo del giornalista nelle indagini giudiziarie presso la prestigiosa Newhouse School of Journalism della università di Syracuse, nello stato di New York.

«Questa è una iniziativa di Fein», disse Davidov, «che, come lei sa, è uno strumento del controspionaggio americano».

«Tanto per cominciare io non lo so. E a lei, chi l'ha detto che è una iniziativa di Fein? Avete ancora una talpa nella CIA?».

Davidov chiuse gli occhi. Quella era una domanda che lui non avrebbe osato porre a nessuno dei suoi colleghi. All'interno della sezione, non aveva mai saputo se i Servizi Segreti Esteri, che ora non dipendevano più dal KGB, avessero ancora qualche agente infiltrato nei Servizi americani corrispondenti. Ora però che il suo incarico era stato esteso ai Servizi Finanziari, era venuto a conoscere l'esistenza di un agente di penetrazione sovietico, da molto tempo negli Stati Uniti, che avrebbe potuto fornire informazioni molto utili a Berenskij: da decenni il KGB aveva un suo agente nella Federal Reserve di New York.

Era al corrente Berenskij dell'esistenza di questo agente alla Federal Reserve, il cui nome in codice era Mariner? E Mariner sapeva di Berenskij? Certo, la conoscenza anticipata dei tassi di sconto avrebbe permesso a Berenskij di fare miracoli nella sua missione di accrescimento del capitale, ora che la morte dell'agente di controllo aveva interrotto la sua possibilità di accesso ai dati registrati in Russia. Il nuovo incarico di Davidov gli dava il diritto di essere al corrente dell'attività di Mariner, ed era anche per questo che aveva fatto qualche pressione per avere quella responsabilità in più, certo non per proteggere i segreti finanziari della Russia, che ne aveva così pochi.

«Liana, lei è già stata presa nella rete dei Feliks e di Madame Nina, che sono nemici della libertà. Vuole diventare anche una pedina del servizio spionistico americano?».

«Certamente no. Penso a quel viaggio in America come a un'occasione per diventare una brava giornalista».

«Però non ha ancora deciso di accettare».

«Guardi che se mi dice di non andare parto subito».

Davidov questo lo sapeva. «Come potrei, almeno, cercare di persuaderla?».

Liana si alzò in piedi, gettò un fascio di carte, due o tre libri, alcune cassette in una grossa sacca di tela e se la mise su una spalla. «Potrebbe offrirmi l'unica cosa che voglio da lei e che lei ha: l'informazione».

Scesero insieme i gradini di pietra. Fuori era quasi buio. Gli uffici della televisione erano in un labirinto di stradine della Città Vecchia, vicino alla chiesa di San Pietro. Davidov arrischiò una domanda che aveva preparato accuratamente. «Qual è il suo legame con questo agente in sonno, così forte da farle desiderare di compromettere il suo rigore professionale andando a lavorare per gli americani pur di trovarlo?».

«È così che pensa di darmi delle informazioni? Facendomi delle domande?».

Davidov capì che non lo sapeva. Se l'avesse saputo, con la sua inclinazione alla teatralità, non avrebbe resistito alla tentazione di dargli una risposta diretta, per lasciarlo sbalordito, per vederlo impallidire: Sono sua figlia. Ma a lei non l'aveva detto nessuno, non i Feliks, non il KGB, non la CIA attraverso Fein, se alla CIA lo sapevano. E nemmeno glielo aveva detto l'agente in sonno, quando l'aveva messa in guardia con quel messaggio della falsa babushka.

Cercò di prenderla sottobraccio e lei, invece, gli passò la sacca da portare. Le diede un'informazione: «Syracuse, d'inverno, è quasi come Mosca». A Riga il clima era relativamente temperato.

«Mi aspetti qui». Liana entrò in un negozio di generi alimentari, ritirò un sacchetto messo da parte per lei, chiuso con uno spago, uscì e prese sottobraccio Davidov, dalla parte dove non teneva la sacca. «Venga a casa mia, le do da mangiare, da bere e mi racconta tutto».

La sua casa, al numero 13 di Janvara Jela, al di là dell'esiguo letto del fiume, stava, come ci si poteva immaginare, tutta in una stanza, con dei manifesti rivoluzionari appesi al muro, qualcuno un po' di traverso; mobili tristi, degli anni prima dell'indipendenza; la fotografia di un uomo e una donna che Davidov immaginò fossero i suoi genitori; un divano che, probabilmente, serviva da letto. Era chiaro che a Liana non interessava quello che aveva intorno. Portò il sacchetto nel cucinino e diede a Davidov la bottiglia del vino da aprire mentre lei accendeva due candele consumate a metà.

«Prima mi spieghi perché al capo della Sesta sezione del KGB interessa tanto che io non accetti l'invito degli americani».

«Perché vedo che la stanno manovrando, la stanno usando come un'esca. Ma chi le ha parlato della mia sezione?».

Liana sorrise misteriosamente, come se sapesse chi sa che cosa, ma Davidov aveva capito che tentava solo di indovinare. Alla Sesta sezione, un tempo dimora degli ideologi dissidenti, era adesso affidato il "controllo delle norme costituzionali", zona di parcheggio per giovani che gravitavano nell'area presidenziale prima di trovare un lavoro più redditizio. La sezione diretta da Davidov, la Quinta, era il centro dei Servizi Segreti Finanziari e del controspionaggio. Liana sembrava non sapere veramente niente delle varie sezioni, ma Davidov pensò che forse aveva usato un vecchio espediente giornalistico, buttando là un numero qualsiasi perché la correggesse, dicendole che la sezione che dirigeva era la Quinta, ma lui non disse niente.

«Quando ho chiesto a Michael Shu di parlarmi un po' di Irving Fein, perché l'anno scorso non avevo fatto in tempo a conoscerlo bene», disse Liana, «mi ha spiegato che, anche in una conversazione qualsiasi, Fein finisce sempre ogni frase con una domanda. Lei fa la stessa cosa».

Davidov avrebbe voluto chiederle ancora molte altre cose, ma lei glielo aveva reso più difficile e ora se la prendeva con se stesso per essersi lasciato sviare. Aveva anche fame. Con un ridicolo sforzo per mostrarsi sicuro e disinvolto, aprì il sacchetto e prese un pezzo di pane.

«Io ammiro molto Fein», riprese Liana. «È un giornalista eccezionale, lo dicono tutti. Non credo, come pensa lei, che sia uno strumento del governo. Lei, Davidov, è russo, deve avere circa quarant'anni, che cosa può sapere della libertà di stampa? Noi, qui, siamo appena agli inizi. Se anche fosse stato Fein a farmi invitare al seminario dalla Information Agency, l'avrebbe fatto per gentilezza, per generosità, nient'altro. Non perché è manovrato dal governo».

«Io ho trentotto anni», disse Davidov e aggiunse: «Fein ne ha quarantotto».

«Lo ha visto alla televisione la sera del dirottamento? Non è stato bravissimo?». L'aveva detto per innervosirlo e Davidov lo capì.

«Sapeva con chi era giusto parlare in quel momento, aveva perfino il numero di telefono del braccio destro del presidente della Federazione Russa, lo teneva scritto su un'agendina. È stata una lezione di giornalismo». Con un sospiro ben calcolato, Liana aggiunse: «Lei mi piace, Nikolaj Davidov, per varie ragioni, ma in un uomo io apprezzo soprattutto l'integrità dello spirito. Credo che il suo lavoro, che consiste nel corrompere le persone, anche se per ragioni di stato, le impedisca di capire la purezza delle motivazioni di un giornalista come Irving Fein».

«L'altro giorno le ha mandato un messaggio. L'ha ricevuto?».

«No».

«Uno dei miei uomini, a New York, dice che Fein aveva fatto in modo che un agente della CIA, travestito da babushka, le portasse un messaggio». Davidov si mise in bocca un pezzo di pane e masticò per un po', non era il pane scuro che gli piaceva, ma per essere in Lettonia poteva andare. Non tentò di elaborare la propria bugia, era sicuro che Liana gli avrebbe fatto delle domande e aspettò. Nel frattempo, quasi con aria oziosa, guardò le fotografie appese al muro. «Questa non c'era nel suo fascicolo. Sono i suoi genitori?».

«Mio padre è morto quando ero piccola. Mia madre disapprova il mio modo di vivere». Davidov osservò il viso arcigno della donna della fotografia, e aspettò ancora che Liana parlasse. «Cinque anni fa mi ha buttato fuori di casa. Mi ha chiamata brutta puttana controrivoluzionaria».

«E ora che la sua controrivoluzione ha vinto?».

«Sono diventata una comune cialtroncella. Ho fatto un passo avanti, no? Vive nel passato. Abbiamo fatto una litigata spaventosa e adesso non ci vediamo più. Le ho anche detto che non andrò al suo funerale e che mi auguro che sia presto». Liana allontanò quel ricordo con un gesto e riprese il discorso che interessava entrambi. «Che cosa intendeva dire con quella storia del messaggio di Fein?».

«Controlliamo normalmente il suo telefono di New York, come lei può immaginare. Ha avvertito il vostro comune amico Shu, alle Antille, di avere un piano per mandarle un messaggio, a quanto pare dell'agente in sonno, per dirle di non cercarlo perché si sarebbe fatto vivo lui».

Liana ascoltava, irrigidita. Come se stesse chiacchierando tranquillamente, Davidov aggiunse: «Immagino che non si siano mai messi in contatto con lei, altrimenti lo avremmo saputo. Non biasimo Fein, o il suo agente di controllo alla CIA, anche noi incontriamo molte difficoltà nel trasmettere messaggi negli Stati Uniti. Ci sono sempre degli inconvenienti tecnici».

Liana rifletté a lungo, rigirandosi il bicchiere tra le mani. «Se Fein, la settimana scorsa, voleva che non mi muovessi di qui, perché oggi mi avrebbe fatto invitare in America?».

Era una domanda giusta e Davidov non trovò la risposta giusta. Cercò di cavarsela con una affermazione di buona fede. «Non lo so. Gli americani non sono molto coerenti. Ecco perché vorrei che lei rifiutasse l'invito, almeno per un po'».

Davidov sperava, con quel semplice inganno, di attirare Berenskij a Riga, per vedere sua figlia. In quel caso, sarebbe stato facile prenderlo, portarlo a Mosca e interrogarlo. Oppure farlo incontrare con Liana, registrando la classica scena del riconoscimento. In un modo o nell'altro, con la coercizione psicologica, i sieri della verità o altri metodi più antiquati, l'agente in sonno avrebbe finito col rivelare l'entità e la disponibilità della fortuna che gli era stata affidata per il futuro della Russia. Non per quello che restava del partito comunista, né per gli apparatchik corrotti, che erano provvisti dell'astuzia necessaria a sopravvivere nella nuova atmosfera. Il compito di Davidov era lineare: riprendere il danaro e consegnarlo al governo russo, legittimo perché democraticamente eletto. Se non ci fosse riuscito, la sua carriera, in rapida ascesa, avrebbe, con altrettanta rapidità, percorso la parabola discendente.

A Liana non poteva dire perché voleva che restasse nell'Europa dell'Est, ma era obbligato a dissuaderla dal fidarsi di Fein e il modo migliore stava nell'attaccare la sua fama di giornalista indipendente. Per quanto lo inquietasse ingannarla sull'episodio della falsa babushka, che quegli idioti o sovversivi alle sue dipendenze si erano fatti sfuggire, sospettava di non essere, pur nell'inganno, del tutto lontano dalla verità. Forse Fein lavorava per o con qualche fazione dei Servizi americani, forse all'interno di una operazione eversiva singola o limitata a un piccolo gruppo. Perciò la bugia così smaccata che aveva detto a Liana poteva essere considerata un sotterfugio all'interno di una verità più grande.

Liana si sentì colpita da quell'inganno. Con calma, disse: «L'ho portata qui promettendo di darle da mangiare, Nikolaj Andreijevich». Preparò salsicce e formaggio, scaldò una zuppa di fagioli su un fornello elettrico, gli mise tutto davanti sul tavolo e lo guardò mangiare. Prese per sé solo un pezzetto di pane, come se avesse perso l'appetito, si appoggiò allo schienale della sedia e si scostò dal viso una ispida ciocca di capelli. Niente domande. Davidov cercò di immaginarla con i capelli lunghi, ma non ci riuscì.

Quando ebbe finito di mangiare, lei versò nei bicchieri il vino rimasto nella bottiglia e lo guardò, con quel suo modo diretto di fissare l'interlocutore negli occhi. «Avevamo detto che l'avrei portata a casa mia, avremmo mangiato e lei mi avrebbe dato delle informazioni».

«Sì, questo era l'accordo».

«Ciascuno di noi ha fatto la sua parte. Ora le darò io una informazione. Lei mi ha parlato di un messaggio. Bene: l'ho ricevuto».

Davidov inarcò le sopracciglia.

«Sì, una babushka che vendeva delle bamboline mi ha bisbigliato che aveva per me un messaggio "di uno che dorme". Io ho pensato che me lo mandasse l'agente in sonno, come potevo sapere che era di Fein e che c'entrasse anche la CIA?».

«No, non poteva saperlo». Davidov cominciò a provare un po' di rimorso, perché Liana non aveva nessuna esperienza dei sistemi di controspionaggio e lui ne aveva approfittato, ma pensò che l'aveva fatto per un fine superiore. Aggiunse un tocco di autenticità, sapendo che lei si era accorta di essere sorvegliata. «Mi meraviglio che il nostro uomo che la seguiva non abbia capito che lei aveva ricevuto un messaggio».

Per molto tempo, o così parve a Davidov, Liana guardò, in silenzio, il vino rosso nel bicchiere che aveva in mano, poi disse: «Le voglio mostrare una cosa, Nikolaj». Si slacciò la camicetta, gli ultimi due bottoni in alto, infilò una mano e tirò fuori un medaglione di ambra attaccato a una lunga catena d'argento. «Me l'ha dato qualcuno che amavo, il giorno prima della liberazione».

«Era molto giovane, allora». Davidov si ricordò di quello che sapeva di lei, di come era riuscita a farsi rilasciare; pensò che era maturata presto. «Molto giovane e, così si dice, molto coraggiosa. Da lì è cominciato il crollo dell'Unione Sovietica».

Liana fece segno di sì con la testa. «Questo medaglione è il pegno di un affetto. L'altro giorno lo avevo al collo, fuori dalla camicetta. Il tecnico della regia mi ha chiesto se poteva guardarlo da vicino. Gli ho detto di sì».

Davidov non sapeva dove lo stesse portando quel racconto così particolare, ma non si sentiva tranquillo.

«Il tecnico del suono lo ha osservato bene e poi con un piccolo cacciavite ha sollevato il fermaglio. Proprio qui, vede? E cosa pensa che abbia trovato? Ha trovato un piccolo trasmettitore». Liana si alzò dal tavolo, andò a un cassettone e tornò tenendo tra il pollice e l'indice una microspia del KGB. Davidov notò che era una di quelle che funzionavano molto bene, fatte a Taiwan. «Straordinario il progresso della tecnologia, vero? È stato possibile sentire tutto quello che dicevo, parola per parola».

Davidov, in silenzio, aspettò che proseguisse.

«L'avevo al collo, naturalmente, quando la babushka mi ha offerto la bambola *beriozka*. Il messaggio dell'agente in sonno è stato trasmesso alla unità di sorveglianza del KGB in questa parte della città. E lei l'ha sentito».

Negare era impossibile. «È vero. Il suo amico della televisione ha disattivato la microspia martedì scorso».

«E l'informazione che lei mi ha dato, in cambio del mio cibo e del mio vino, era falsa».

Davidov riuscì a rispondere solo con un sì.

«Il messaggio della babushka», proseguì Liana con voce calma e fredda, «non veniva dalla CIA o da Fein, come lei voleva farmi credere, ma da Aleksandr Berenskij, l'agente in sonno».

«Lei, oggi, ha imparato che non bisogna mai fidarsi di chi fa parte del KGB».

«Infatti. Se ne vada».

Davidov si alzò e cercò la giacca. Era scontento di sé, perché si era lasciato prendere la mano da un eccesso di sicurezza o dalla necessità di mentire.

Liana aveva tra le mani la sua giacca, la teneva un po' scostata, davanti alla camicetta sbottonata e al medaglione di ambra. Alla luce delle candele, che non sembrava più così romantica, Davidov vide che aveva gli occhi pieni di lacrime. «Odio questa giacca», disse lei con la voce rauca, la buttò in terra e la spinse via con un calcio. Poi gli si avvicinò e gli mise una mano sul petto, con le dita aperte. David si sentì spingere con forza, era vicino al divano e vi cadde sopra.

Lei gli slacciò la cintura, gli abbassò i pantaloni e si mise sopra di lui che non si era ancora ripreso dallo stupore e avrebbe forse voluto togliersi del tutto i pantaloni e le scarpe. Liana si frugò sotto la gonna, si sfilò la camicetta dalla testa e restò con il seno nudo. «Dal vivo e a colori», sussurrò, «è meglio che al videoregistratore». Lo stupore di Davidov si trasformò immediatamente, e lei lo spinse dentro di sé, pallido cavallo su cavaliere impalato.

Andarono avanti forse per quaranta minuti, perché ogni volta che stava per arrivare alla fine, Davidov si accorgeva di avere i pantaloni a fisarmonica sopra le scarpe e quell'assurdo pensiero lo faceva tornare indietro al punto giusto per ricominciare. Poi lei ammorbidì la violenza del suo attacco, lui rallentò e tutti e due gridarono insieme mentre lei lo portava alla consumazione di quell'incontro. Dopo un momento scoppiò in una risata che sembrava un pianto, ma Davidov era troppo stanco e non poteva fare altro che cercare di rallentare i battiti del proprio cuore, con la imbarazzante consapevolezza di avere i pantaloni attorcigliati intorno alle scarpe.

«Ti serve un uomo più giovane di me». Guardò la schiena sottile di Liana torcersi e chinarsi per levargli le scarpe. Libero, finalmente, allungò le gambe accanto alle sue sul divano e rifletté sulle conseguenze del tentare di ingannare un'esponente, evidentemente sottovalutata, di un paese estero vicino.

«C'era una cosa che avevo voglia di fare fin da quel pomeriggio alla Lubjanka», le disse, con una tenerezza appena repressa, «ed è questo». Le passò le dita sui capelli tagliati cortissimi e gli parve di toccare una di quelle spazzole per le scarpe che si usano nelle caserme.

Lei tirò via la testa. «Non farlo. Non sono una tua proprietà». Davidov, bruscamente portato a ricordare chi era e dov'era, compì una rapida ritirata sentimentale.

Liana se ne accorse, perché si alzò e, ancora tutta nuda, gli portò un asciugamano e glielo offrì, così parve a Davidov, con una parvenza di affettuosità. «Ci vado, sai, al seminario di Syracuse».

«Ogni volta che andrai in America ci verrò anch'io. Non ti lascio sola con Fein, non mi fido».

«Sei di nuovo possessivo, e senza nessun diritto». Liana si mise a sedere vicino a lui sul divano e fece scorrere le dita sul suo petto. «Non sentiranno la tua mancanza, alla Quinta sezione?».

Allora prima non si era sbagliata, l'aveva fatto apposta, qualcuno le aveva detto dove lui lavorava e che cosa faceva. A trentotto anni, un'età in cui non gli si richiedeva più l'adesione totale alla disciplina del KGB, si stupì della propria reazione.

28

NEW YORK

Con il cappotto di pelo di cammello sulle spalle, Aleksandr Berenskij, che da più di vent'anni nessuno conosceva col suo vero nome, scese i gradini di Sutton Place pochi minuti dopo le dieci del mattino.

Come uno sfaccendato, sedette su una panchina nel triangolo di asfalto e azalee, chiuso da una siepe, e osservò il traffico dell'East River Drive. O forse era la Franklin D. Roosevelt Drive; non riusciva mai a capire dove finisse una e cominciasse l'altra. Di là dall'acqua, il Dipartimento dei Vigili del Fuoco di New York, per addestrare le proprie reclute, mandava a fuoco sempre lo stesso edificio. Questa costruzione adibita a scopi incendiari era sulla Roosevelt Island che, aveva letto da qualche parte, una volta si chiamava Welfare Island e, prima ancora, Blackwell Island; l'isola aveva cambiato nome con la stessa frequenza della Ceka, OGPU, NKVD, o Comitato di Sicurezza dello Stato, come ora veniva chiamato il KGB. Il traffico sulla strada lungo il fiume dava alla sua oasi una rumorosa serenità, riposante come un praticello vicino a una cascata. Colpiva l'orecchio, per contrasto, il silenzioso avanzare sull'acqua di una chiatta carica di carbone.

Alle dieci e quindici esatte, Berenskij andò alla cabina del telefono pubblico, sull'angolo del giardino. Al primo trillo inserì sul ricevitore codificatore e decodificatore, rispettivamente all'altezza della bocca e dell'orecchio. La conversazione risultava alterata tanto che l'FBI vietava la vendita di entrambi i dispositivi che, tuttavia, oltre al vantaggio di rendere irriconoscibili le voci, rendevano più igienico l'uso di un telefono pubblico.

All'altro capo del filo, c'era qualcuno attrezzato allo stesso modo; la sua voce aveva un suono curiosamente metallico. Non era la guida di Berenskij; l'agente in sonno non era più controllato da nessuno e così intendeva restare. Avrebbe operato per conto proprio.

Chi lo chiamava al telefono era un agente russo, che ufficialmente faceva capo ai Servizi Esteri e non al KGB, ma che in quel momento lavorava con Berenskij attraverso un loro canale, diretto e non autorizzato. Con la morte di Kontrol, quel contatto non ufficiale costituiva per l'agente in sonno la fonte di dati, dall'interno, sui futuri movimenti del governo americano.

Berenskij, che ora pensava a se stesso come a un patriota senza patria, non perse tempo e chiese subito: «Che cos'ha detto Mariner?».

«A New York, martedì prossimo, alla riunione della Commissione per il Libero Mercato», disse la voce metallica, «il tasso di sconto della banca centrale sarà alzato di un intero punto percentuale. Ci saranno tre voti. E il presidente sarà d'accordo».

«Il presidente si riferisce ancora, prima di tutto, al prezzo dell'oro? Non a un paniere di beni?»

Quell'agente, che prima lo informava attraverso Kontrol mentre lui spostava le sue fonti a ovest, dopo la fine dell'Unione Sovietica era probabilmente l'unico che potesse portargli le risposte della loro talpa infiltrata nella Federal Reserve. Le previsioni degli economisti erano influenzate da una varietà di indicatori; conoscere il principale fattore delle decisioni del presidente della Federal Reserve costituiva per lo speculatore non solo un suggerimento ma un vantaggio strategico. L'agente di contatto che ora gli parlava al telefono, fuori dai canali ufficiali, conosceva la talpa della Federal Reserve, così come il controllo che stava a Bonn, Sirkka Numminen, ma l'identità della talpa la teneva per sé. Berenskij accettava questa divisione a compartimenti stagni perché faceva parte della consuetudine; conosceva l'agente dei Servizi Esteri, infiltrato nella Federal Reserve, solo con il suo nome in codice: Mariner.

«A molto meno, dice Mariner. Il nuovo indicatore sono i semi di soia. Qualcosa che ha a che vedere con la corrente dell'Humboldt».

Berenskij, a differenza del suo informatore, capì che cosa aveva voluto dire Mariner. Lungo la costa orientale del Sudamerica, i pescatori chiamavano la fredda corrente oceanica dell'Humboldt El Niño, il Gesù Bambino; quando la corrente diventava più calda o era troppo carica di pesce, la disponibilità di acciughe diminuiva disastrosamente e la gente ne mangiava di meno. Contemporaneamente, allora, sui mercati mondiali saliva il prezzo della soia, come proteina alternativa. El Niño influenzava anche il clima di tutto il mondo e veniva ritenuto responsabile degli uragani dell'emisfero occidentale.

«Rowboat lo conferma?». Rowboat era un climatologo che lavorava per la CIA, con la copertura dell'Ufficio Natura e Pesca, e misurava i venti e le correnti da una piccola imbarcazione sulla costa del Perú.

«È stato falciato con gli ultimi tagli al bilancio», disse la voce.

«Può darsi che io sia il prossimo».

«Che cosa farà, in quel caso?».

«Tornare a casa è impossibile. Potrei organizzare un trust di cervelli, o forse una fondazione. Conosco un filantropo molto generoso».

Berenskij non volle disilludere la sua unica fonte di notizie.

«Forse, un giorno, potrà farmi conoscere Mariner».

«Perché vuole esporsi? E poi, Mariner parla solo con me. Inoltre quelli che operano con lui in un altro canale non sarebbero contenti. Non bisognerebbe mai mescolare due operazioni diverse».

Era un riferimento ai Servizi Esteri russi. «Senza contare che, se lei lo conoscesse, sarebbe forse tentato di eliminare l'intermediario. Che sono io».

«Non scherziamo. Lei sa quello che penso della violenza, e cioè che non conviene a chi lavora con le banche». Se quell'agente fosse stato congedato per una riduzione di numero a livello governativo e poi si fosse ritirato dal KGB restando negli Stati Uniti, avrebbe ancora potuto essergli utile mantenendo i contatti in forma non ufficiale con la fonte d'informazione alla Federal Reserve. La continuità del lavoro dell'intermediario offriva un vantaggio in più: era più prudente tenere la talpa all'oscuro della vera identità dell'agente in sonno nell'eventualità che la Federal Reserve si accorgesse che la propria sicurezza era stata violata. Presto o tardi qualcuno avrebbe scoperto quell'attività tanto redditizia basata sulla conoscenza del tasso di sconto della banca centrale. «Sarebbe abbastanza semplice», disse Berenskij, «convogliare un rispettabile patrimonio in una fondazione benefica. Pensi seriamente all'idea di un doppio pensionamento. Non ha niente da guadagnare a ritornare in patria».

«Siamo nella stessa barca, lei e io. Non la preoccupano le telefonate di quel commercialista da quello che lui chiama l'"ufficio strategico"?».

«No, gira a vuoto. E il giornalista si è messo a rincorrere il mercurio rosso. Potrebbe perderci dei mesi. Le ha registrate tutte le telefonate?».

«Non ufficialmente. L'unica noia è che continua ad alludere alla "talpa della Federal Reserve". Da noi nessuno ne ha mai parlato. Mai».

«Mena fendenti nel buio», lo rassicurò Berenskij. «Per un giornalista fa parte della professione inventarsi cospirazioni. Per fortuna l'FBI non lavora basandosi sui sospetti».

«Fein è sicuro di avere fiuto, ma gli mancano le doti del segugio. Segue l'intuito. O il sospetto, come dice lei. Ma anche il migliore analista di servizi segreti lavora d'intuito».

«Non perda tempo a pensare al giornalista. Tutto il suo gruppo ora insegue cereali e petrolio. Lasciamoli correre, è una caccia all'anitra selvatica, come dicono qui. E il Grande Cinque?». Chiamavano così il capo della Quinta sezione, Davidov. Berenskij sapeva che non c'era bisogno di nominarlo in quella forma più o meno in codice, o i convertitori funzionavano o no, ma l'abitudine di tutta una vita lo faceva sentire più sicuro se evitava di pronunciare nomi e parole compromettenti. Per un agente in sonno la prudenza era un dovere morale.

«Mi hanno detto che il Grande Cinque ha presentato una richiesta per una visita negli Stati Uniti». La voce, per quanto arrivasse alterata, aveva un fondo di preoccupazione. «Soprattutto a New York. Ora che l'FBI ha un ufficio a Mosca, non può essere la CIA l'oggetto della visita. E credo che la Barclay lo voglia incontrare».

«Il Grande Cinque mi preoccupa meno degli indipendenti con sede a Riga. Veda che cosa riesce a scoprire sulla donna che li guida». Berenskij sapeva che la chiamavano Madame Nina, ma l'agente infiltrato a Washington poteva avere accesso al suo fascicolo, negli archivi della CIA. «Qualcuno sta cercando di riunire i membri autorevoli della famiglia e i nostri vecchi amici. Può darsi che sia lei».

«Io non credo a un mondo che si vada dilatando sotto i nostri piedi».

«Quello che so è che qualcuno è entrato in competizione con me». La competizione nei canali del riciclaggio del danaro sporco era diventata accanita; le coperture sempre più difficili da trovare. Berenskij guardò l'orologio. «Devo ridurre il programma sulla base di quello che dice Mariner e buttarmi sui contratti a termine per i derivati della soia».

«Contratti a farfalla?».

«Lei non sa nemmeno che cosa sia un contratto a farfalla. Deve averlo letto da qualche parte».

«È vero. Spero che lei ne sappia di più».

«È un contratto di borsa con il quale si acquisisce la facoltà di ritirare o di consegnare, alla fine di un dato periodo, il quantitativo di titoli pattuiti. Si conclude sempre con un acquisto o con una vendita. La mia idea, se le informazioni di Mariner sono esatte, dovrebbe farci arrivare a cinquantamila».

«Andremmo oltre la metà del massimo desiderabile».

«Arrivati a quel momento, saprò che cosa fare». Berenskij avrebbe voluto avere una patria dove tornare come un eroe o avere un buon posto al tavolo da gioco in quel mondo che, secondo l'immagine del suo interlocutore, "si andava dilatando sotto i loro piedi". C'era una terza possibilità: mettersi in affari da solo. Patriota senza patria, disprezzato da tutti come un traditore, ma ricco, molto ricco. Era quello il progetto che Kontrol aveva in mente alle Barbados, e l'aspirante disertore con la libidine del danaro, l'aveva pagato con la vita. «Sta diventando più difficile nascondere i profitti che ricavarli. Il suo incaricato ha parlato con...», stava per dire "mia figlia", «... con la ragazza, a Riga?».

«Sì, lei gli ha dato un messaggio di risposta».

Berenskij aggrottò la fronte. «Non doveva. Avevo spiegato chiaramente che sarebbe stato un canale a senso unico».

«La ragazza ha detto al messaggero di lasciar perdere gli ordini e di portare la risposta. Vuole stabilire dove e quando incontrarla. Ha insistito molto».

Quell'aggressività avrebbe potuto essere rischiosa per entrambi, ma il coraggio e la vitalità di quella reazione non gli dispiacquero. «Lasciamo che impari la virtù della pazienza», disse.

«Non è stata l'unica a ricevere il messaggio. Come si aspettava, l'hanno sentito tutti. E tutti la stanno cercando. Ora lei è in gioco».

29

NEW YORK

«Con tutte queste spese a Memphis, ti stai mangiando l'anticipo», disse severamente Ace a Irving. «E non mi risulta che tu abbia ancora scritto una riga».

«Sì, lo so. Le storie importanti richiedono tempo».

«Sono passati tre mesi, e il più grande giornalista del mondo, a quanto pare, non ha molto da dire».

«Quell'accidenti di mercurio rosso mi ha portato fuori strada. È risultato che non esiste neanche, è solo una copertura per piccole vendite di plutonio e uranio con l'aggiunta di non so che cosa. Quattrocento grammi di uranio russo sono finiti in Iran il mese scorso per ottanta milioni di dollari. Una sciocchezza. È stata una caccia all'anitra selvatica, «non ci ha portato a niente».

«E in che cosa consistono queste tue ricerche segrete a Memphis?».

«Mike Shu pensa di essere sul punto di scoprire qualche cosa, ma l'ha sempre detto, fin dall'inizio».

«E Viveca?». Ace non aveva avuto più sue notizie ed era strano, da parte sua.

«Si sbatte un tale che lavora con noi. Va avanti e indietro come un pendolare».

Ace assentì; probabilmente era solo il tarlo della gelosia a distrarre Irving. «E non c'è un modo per allontanare questo...», Ace pensò che "ragazzo" non si adattava all'età di Viveca e "compagno" sarebbe parso un eufemismo, «innamorato, in modo che voi possiate lavorare senza turbamenti sentimentali?».

«No. La settimana prossima arriverà una ragazza dalla Lettonia che forse smuoverà gli intestini all'agente in sonno. Dice che porterà con sé un pesce più grosso, il tuo amico moscovita, Davidov. Dovrebbe servire a dare una mescolata al minestrone».

Troppe metafore, pensò Ace, intestini, pesci, minestroni; Irving non aveva classe e lui non era nemmeno suo socio in quella impre-

238

sa, ma la prospettiva di una visita di un alto funzionario del KGB fece entrare in una agitazione creativa le sue cellule nervose.

«Irving, mi farebbe piacere dare una delle mie leggendarie, piccole cene per il direttore Davidov. Forse adesso ci porterà qualche cosetta dalla quale prima era stato riluttante a separarsi».

Fein non era un animale mondano, ma l'idea di servirsi di una cena elegante in Park Avenue per mescolare diverse fonti di informazioni lo affascinò. «Lasciami dare un'occhiata, prima di invitare qualcuno. Ho un amico che potrebbe suggerirmi il nome di due o tre persone da invitare».

Ace si disse che Irving avrebbe cercato un suggerimento presso i suoi informatori del mondo di cappa e spada. «Sii scrupolosamente selettivo», si raccomandò, da ospite esperto. «Le mie cene sono per dodici. Non uno di più, non uno di meno».

30

MEMPHIS

Viveca era sbalordita dalla violenza con la quale Irving si rivolgeva a Michael Shu.

«Sono tre mesi che vai opprimendo tutti con le tue cartine, i tuoi grafici che non significano niente», li prese in un fascio e li gettò per aria, «e che cos'hai concluso? Zero!».

«Abbiamo un punto di riferimento in una banca delle Antille. Può darsi che sia di proprietà dell'agente in sonno».

«Cinque uomini ai computer, una cronologia di tutti i grandi scambi commerciali degli ultimi cinque anni, e tutto quello che mi presenti è il merdosissimo indizio di una banca che usano quelli che trafficano la droga per riciclare i loro soldi? Lo giudichi un progresso?».

Shu non trovò niente da rispondere.

«A quest'ora dovremmo avere lo schema delle operazioni del dormiente, luoghi e modi, e sapere dove nasconde il capitale».

La sfuriata avveniva nell'ufficio di Edward Dominick che, ostinatamente, guardava dalla finestra il Mississippi.

Ma Viveca non era tipo da lasciar passare quella manifestazione di prepotenza senza intervenire. «Cinquecento milioni di dollari in operazioni a termine a una società importatrice di petrolio non equivalgono a zero, Irving! Michael l'ha scoperto e l'ufficio strategico ci sta lavorando. Forse da questo nasceranno altri indizi».

Fein si servì della difesa di Viveca per ribadire le accuse a Shu. «Ci sono forse cinquanta miliardi di dollari nascosti chi sa dove e tu scopri l'uno per cento? Un'inezia! Dopo due mesi di ricerche con questo macchinario supersonico? Ti senti soddisfatto, Shu? Dillo un po' a Viveca».

«Che posso dire?», rispose Michael. «Non abbiamo ottenuto la forza trainante sulla quale contavamo».

Irving, allora, dirottò su Viveca. «E da te, abbiamo avuto una sola notizia utile? Vieni a Memphis tutti i weekend. Mi vuoi spiegare perché?».

«Pensa piuttosto al tuo mercurio rosso», ribatté Viveca. «Ho parlato col nostro direttore di rete e ha detto che è la più grossa presa in giro giornalistica dell'anno. Il mercurio rosso non c'è, era una copertura per due o tre vendite di uranio alla Germania, roba da pochi milioni di dollari. E tu ci hai perso un mese».

«Non tutti gli indizi portano a buon fine», mormorò Irving.

«Perché, quali altri risultati hai raggiunto? Zero! L'elenco delle cose che non sai a questo punto sarà molto lungo».

«Ero sicuro che le operazioni a termine sul grano ci avrebbero dato un risultato risolutivo», disse Michael Shu, ancora turbato dall'aggressività di Fein. «Noi, ora, sappiamo sui cereali tutto quello che c'è da sapere. Sappiamo che, sicuramente, Berenskij non si è arricchito col grano».

Irving tornò all'offensiva. «Speri di trovarlo procedendo per eliminazione? Cercando di capire che cosa non ha fatto? Ci lavorerai all'infinito e noi non abbiamo soldi all'infinito».

Viveca guardò Dominick che, finalmente, voltò la sedia girevole e intervenne in favore di Shu.

«Non ho sentito una parola di quello che hai detto, Fein». Diede un colpetto all'apparecchio acustico. «Lo sai che sono un po' duro d'orecchio. Il nostro collega Shu ha svolto un lavoro eccezionale in un procedimento molto più complesso di quanto si potesse immaginare. È attento, scrupoloso. Leviamoci il cappello davanti a lui».

Irving, chino in avanti, batté le nocche delle dita sul tavolo. «Ehi, sveglia! Abbiamo fatto un tonfo, Eddie. Questa è la verità». Si rivolse a Viveca e aggiunse: «Ho un amico all'USIA, l'agenzia d'informazione, e gli ho fatto invitare qui, dalla Lettonia, Liana Krumins per un seminario del tutto campato in aria. Davidov è stato attirato a seguirla, tanto da farmi pensare che la usi come esca per non so che. Avremo l'occasione di lavorarceli sul nostro terreno. Io, per parte mia, mi sono messo d'impegno, non so se posso dire altrettanto di voi».

«Andiamo a bere una tazza di caffè noi due, Irving», disse Shu e, rivolto a Viveca, aggiunse, come se Irving non fosse presente: «Fa sempre così quando una storia non riesce ad avviarsi. Ma qualche volta Irving quando è al peggio di sé dà il meglio».

Mentre si allontanavano, Viveca disse: «Sei fortunato, Irving, ad avere un collaboratore così comprensivo!».

Irving diede un'occhiata a Dominick e rispose: «Anche tu».

«Che cosa voleva dire, secondo te, con quest'ultima frecciatina?».
Dominick rise. «È geloso, tutto qui. Crede che io sia partito alla conquista della sua ragazza».

«Io non sono la sua ragazza». Viveca si accorse che stava parlando troppo in fretta, mangiandosi le parole, ma non riuscì a fermarsi. «Non sono mai stata la sua ragazza. Mi è parso contro ogni tentazione fin dall'inizio e lui lo sa. Non ha il diritto di essere geloso».

«Non si tratta di diritti», Dominick rideva ancora, con quella calda risata sommessa che di solito le piaceva tanto e che adesso la innervosiva, «ma di sensazioni. Lui ti guarda, poi guarda me e vede che tra noi c'è un affetto sincero, che a lui è stato negato. È chiaro come il giorno».

Viveca tacque per un momento. Era convinta che Dominick si sbagliasse e che al fondo della collera di Irving non ci fosse la gelosia, ma la frustrazione professionale di non riuscire a venire a capo di una indagine, quello che l'aveva colpita, però, era che Dominick finalmente avesse alluso ai loro rapporti personali. «E quell'affetto sincero che Irving vede... c'è davvero?».

«Certo, Viveca. Lo sai».

«Ah, sì. Il processo graduale». Si morse le nocche delle dita per stare zitta. Dominick avrebbe dovuto capire che le sarebbe piaciuto fare l'amore con lui e basta e che non aveva nessuna intenzione di iniziare una storia seria. Dominick seguitava a parlare di un "processo graduale", come se fare l'amore fosse come fare la pace in Medio Oriente o dirimere una questione in tribunale. Così, a parte qualche abbraccio affettuoso e qualche bacio fraterno, niente era successo che rendesse la sua vita più interessante. Di solito succedeva perché tutti dicevano che era una ghiacciaia, o perché intimidiva gli uomini con cui lavorava, ma se le piaceva qualcuno non mancava di trasmettergli inconfondibili segnali di disponibilità. Edward Dominick non poteva non averli ricevuti, era, se non altro, una persona sensibile, eppure continuava a dire che non voleva affrettare "il processo".

Riprese l'argomento iniziale. «Secondo te è vero, come dice Irving, che stiamo girando a vuoto?».

«Siamo sulla strada giusta, non ti preoccupare. Ti ricordi la storia della tartaruga e del coniglio? Io sono la tartaruga, vado avanti lento e sicuro. È così che si vince».

Viveca avrebbe voluto dirgli che quella era la storia della tartaruga e della lepre, non del coniglio, ma si trattenne, quegli uomini del sud avevano le loro idee sul folclore. «Devo riconoscere che non ti sto aiutando molto», disse.

«Forse potresti scoprire a che cosa allude Irving quando parla di una talpa nel settore esecutivo della Federal Reserve», suggerì Dominick. «È un pensiero non privo di attrattive. Potrebbe venircene qualche informazione utile».

«Perché non glielo chiedi tu? Formiamo un gruppo di lavoro, siamo tutti interessati allo stesso modo».

«Sì, ma non gli farebbe piacere sapere che potrei attingere anch'io alle stesse fonti, si sentirebbe più libero con una collega». Viveca promise che avrebbe parlato con Irving. Non sarebbe stato sleale verso di lui passare un'informazione a Edward, formavano un gruppo di lavoro, l'aveva detto prima. Ma si sentì costretta ad ammettere che forse qualche motivo di gelosia Irving poteva averlo.

«Mi piacerebbe anche conoscere Liana Krumins», proseguì Dominick. «Ti sarei grato se potessi stabilire un rapporto con lei. Shu dice che ha consultato l'archivio del KGB e sa tutto sui primi anni di Berenskij in Russia, ha soprattutto notizie sulla sua famiglia. Piccole cose: soprannomi, feste di compleanno, scuole. Nella mia nuova identità, potrei trovarmi a dover rispondere a delle domande, devo essere informato».

Viveca si assunse anche quest'altro compito. Per recitare la parte dell'agente in sonno, anche con dei russi che forse avevano conosciuto Berenskij da giovane, Dominick avrebbe dovuto, come un attore, provvedersi di molte notizie particolari. Vent'anni e più giustificavano un cambiamento nei lineamenti, ma un particolare che solo chi avesse fatto parte della famiglia avrebbe dovuto sapere, poteva trasformarsi in una trappola.

Michael Shu, con un tovagliolo di carta, asciugò le gocce di caffè che erano cadute sul piattino. «Credi che gli abbiamo dato una scossa a Dominick?».

«Tu, però, potevi lagnarti un po' di più. L'epoca dello stoicismo è finita da un pezzo».

«Mi è piaciuto sentirmi difendere da Viveca».

«Non difendeva te, difendeva quello che la scopa».

«Io credo che non ci sia niente tra di loro, Irving. Non sarebbe importante se ci fosse, ma non credo».

Avevano imbastito quella commedia per distogliere Dominick dal suo metodico, scrupoloso sistema di indagine senza offenderlo e senza rischiare di perdere la sua collaborazione. Se Fein se la fosse presa con Shu, forse il banchiere avrebbe recepito il messaggio. L'intervento di Viveca era risultato inatteso. Shu avrebbe preferito pensare che fosse nato dal rispetto che lei provava nei suoi confronti, ma sospettava, come Irving, che fosse un tributo a Dominick. «E se lui lavorasse per sé, invece che per noi?».

«Certo che è così. Come tutti». Irving ebbe uno di quei sorrisi acidi che erano la sua specialità. «Preferisce mettersi in contatto con l'agente in sonno da solo, quando vuole e come vuole per infilarsi nel mucchio di soldi più grosso al mondo. Ci venderà in un attimo, senza esitare».

«Se lo dici tu». Shu non era d'accordo. Dominick operava con buon senso, con esperienza; anche se la sua strategia non aveva prodotto veri, grossi movimenti di danaro nelle banche più qualificate. «Tu tendi a essere un po' troppo impaziente, Irv».

«Quando mi arrabbio esagero, d'accordo. Tu, però, se avessi veramente un indizio su Berenskij, dillo prima a me... non possiamo fidarci ciecamente di Dominick, lui la nostra piccola ghiacciaia ce l'ha in tasca. Di' quello che vuoi, ma è così».

«Rientra nel lavoro di squadra».

«Funzionerà. Noi stiamo solo dandoci da fare per rintracciare Berenskij sul filo del danaro. Non stiamo andando male, direi, se lo scopo è...», Irving si mise in bocca un pezzo di caramella al formaggio e non fu facile per Michael capire quello che diceva mentre masticava.

«Se lo scopo è quello di fare in modo che sia lui a venire da noi?», suggerì.

«Esatto, l'ho appena detto. Conosco un tale alla Federal Reserve che è in debito con me perché, la settimana scorsa, gli ho messo il sospetto di una talpa cinese nella sua agenzia».

«Come sei riuscito a scoprire una talpa cinese?». Fein, pensò Shu, doveva avere degli informatori eccezionali.

«Pausa: io non ho la minima idea se ci sia o ci sia stata una talpa nella Federal Reserve, né cinese né marziana. Però è logico che ci sia, no? Ci sono nella CIA, nel Ministero della Difesa, perché nella Federal Reserve no? Mi sono inventato una pulce e l'ho messa nell'orecchio del mio amico dell'esecutivo. È stato come offrire la trippa al gatto. Lui adesso può andare dal suo capo, dirgli quello che gli ha raccontato Fein, noto giornalista, e farsi dare soldi e aiuti per mettersi alla caccia della talpa cinese. Il potere burocratico è una forza inarrestabile. Chi vuoi che, alla Federal Reserve, corra il rischio di venire accusato di avere interrotto un'indagine che, va a sapere, avrebbe potuto approdare alla scoperta di una talpa bulgara o di qualsiasi altro paese?».

Shu pensò che Irving riusciva sempre a stupirlo, gli bastava una idea per crearsi dei crediti presso un informatore prezioso. «E che cosa fa per te il tuo amico della Federal Reserve? Ti racconterà tutto, se i tuoi suggerimenti campati in aria daranno un risultato?».

«Non bisogna stare col fiato in sospeso ad aspettare. Non è cosa per te, Mike». Fein alzò severamente un dito sporco di formaggio. «Uno: posso avere una risposta da lui subito su tutti i trasferimenti che sta seguendo dalla fine dell'89».

«Ci farebbe risparmiare una quantità di tempo».

«Due», Fein alzò il pollice dell'altra mano. «Semina le trappole per conto mio».

Shu sapeva che quella era una delle metafore di Irving che lui doveva afferrare al volo. Seminare le trappole doveva essere una espressione che si usava a caccia, la mattina presto il cacciatore cerca le trappole disposte la sera prima per vedere se qualche animale vi è rimasto imprigionato. L'informatore di Irving controllava per lui tutte le altre indagini in corso sui trasferimenti di danaro.

«Tre», alzò un terzo dito dopo aver leccato via la crema di formaggio. «Durante questa indagine sulla talpa cinese, darà un'occhiata alle recenti attività bancarie segrete di un certo Edward Dominick di Memphis, Tennessee».

Michael si sentì morire. «E mie».

«Non aver paura, ho provveduto a pararti il culo. Una parte della mia tesi è questa: l'agente in sonno, una volta attivato, doveva avere già aumentato il capitale sovietico negli Stati Uniti. I luoghi più adatti ad avere informazioni in anticipo erano: il Tesoro, forse l'Istituto di Statistiche sul Lavoro, la Federal Trade Commission ma, soprattutto, la Federal Reserve».

Danaro corrente. Quello che, secondo Dominick, l'agente in sonno avrebbe giudicato troppo rischioso. «Allora perché vuoi che la Federal Reserve indaghi nelle operazioni del nostro falso agente in sonno?».

Irving fece con una mano un gesto d'invito. «Dimmelo tu».

Il panorama si era improvvisamente illuminato. «Perché qualunque sia il contatto di Berenskij con la Federal Reserve, è chiaro come il sole che verrà informato dei nostri movimenti paralleli ai suoi. E dei nostri contatti con le banche. Allora penserà che siamo vicinissimi a rintracciarlo e verrà da noi per cercare di comprarci»

«Semplice, no?».

«Gesù, Irving, spero solo che tu sappia ciò che stai facendo».

31

WASHINGTON

«Pronto. Sono il suo arciamico, o meglio archiamico».

Irving riconobbe la voce di Walter Clauson della CIA e, dopo una frazione di secondo, colse anche l'allusione agli archi del McDonald, impenetrabile, innocente teatro del loro ultimo appuntamento.

«Le ciambelle sono più buone a Memphis», rispose.

«Dio, sembra un incontro in codice tra due agenti del Mossad».

«Si dice che per me sia diventato un vizio», confessò Irving.

«Nessuno capisce più quello che scrivo. Ha qualcosa per me?».

«Pensavo che le sarebbe piaciuto, per un giorno, andare a pesca».

Irving era andato a pesca una sola volta, quando era ragazzo, dal parapetto del Riverisse Park, e, con i suoi amici, non avevano trovato altro che preservativi nelle acque inquinate dell'Hudson. Ma Clauson era la sua principale fonte d'informazione all'Agenzia, e gli rispose che avrebbe pescato volentieri, metaforicamente e non.

«Il Friends' Creek è il posto migliore in questo periodo dell'anno», disse Clauson. «Su per le Catoctins, poco lontano da Camp David. Ci è mai stato? È bellissimo».

«Ma questa non è la stagione della caccia? Giacche rosse che inseguono Bambi?».

«Fa un po' freddo per la pesca», ammise Clauson, «ma è un'attività più contemplativa. Il suo impegno è un albatro che porto appeso al collo. Voglio divertirla con una storia, come l'invitato a nozze».

Doveva essere qualche misterioso riferimento letterario che esulava dalle conoscenze di Irving. «L'avverto, Clauson, che lei è scivolato di nuovo nello stile Angleton. Parli più semplicemente. Sto dando fastidio a qualcuno?».

«Più di quanto non pensi. Lei, con i suoi amici, mi ha fatto diventare più triste e più saggio».

«È il mio lavoro. Giusto? Ora, visto che sono stato invitato, vuol dirmi dov'è la festa di nozze?».

«Vediamoci a Thurmont, Maryland, alla vecchia locanda della Mountaingate Family. Prenda la Beltway, quando arriva al 270 a Nord, superi Frederick finché non trova la Route 15. Sono circa centocinquanta chilometri da Washington, poco più di un'ora di automobile. A quindici minuti da lì, nella Harbaugh Valley, vicino al miglior torrente per pescare, c'è il mio capanno».

«Aspetti, è meglio che prenda un appunto». Irving non poteva soffrire quelle complicazioni inutili nel lavoro, ma bisognava essere accomodanti con chi poteva essere utile. Creò un piccolo tramestio, come se stesse cercando carta e penna per guadagnare un po' di tempo e fare la domanda giusta. «Quale delle mie ricerche ha toccato un nervo scoperto?».

«Certo non quella sul mercurio rosso».

«Non mi prenda in giro. È la banca delle Antille, vero? Ho invaso il campo dell'Agenzia, eh?».

«Si metta gli stivali e porti un impermeabile, nel caso dovesse piovere. Io, una volta, ho preso una trota stupenda sotto un velo di neve».

«Senta, se devo rischiare la polmonite, merito almeno un piccolo anticipo. Poca cosa, tanto per cominciare a prepararmi».

«Ho già detto abbastanza». Clauson fissò l'ora dell'appuntamento e riattaccò. Irving prese subito nota, scrupolosamente, di quella misteriosa conversazione. Sapeva per esperienza che, qualsiasi cosa sentisse, riusciva, pochi minuti dopo, a trascrivere tutto minuziosamente, ma quando rimandava di un paio d'ore, le parole non erano più le stesse.

Restò due ore, sempre più impaziente, al Mountaingate, con gli stivali pesanti e i vestiti vecchi, ad aspettare Clauson. Ogni quarto d'ora andava al tavolo dove era disposta, con estrema abbondanza, una prima colazione di gusto montanaro. Tornava al suo posto, mangiava, guardava l'orologio e pensava che forse si era sbagliato e il giorno dell'appuntamento era un altro. Chiamò la sua segreteria telefonica. Ace voleva parlargli, Mike Shu aveva una domanda da fargli, l'avvocato della sua ex moglie sollecitava il versamento della quota mensile e uno studente di giornalismo gli chiedeva una dichiarazione sui problemi etici inerenti alla cronaca di un'indagine. Schiacciò il tasto e cancellò gli ultimi due messaggi.

Dov'era andato a finire Clauson? Non poteva chiamarlo in ufficio. Provò a telefonargli a casa, ma non c'era e non lasciò un messaggio sulla segreteria.

Aveva mangiato troppo, si sentiva quasi male, ma quelle tavole cui si poteva attingere continuamente erano una provocazione. Stava andando a prendersi ancora qualche salsiccia, quando entrarono gli agenti della stradale.

Quattro, massicci come vuole la tradizione, pesanti come due autobotti, si ammassarono nello scomparto dietro il suo.

«Non poteva essere uno statale qualsiasi, come è scritto sul documento», disse uno di loro. «Avevo appena avvertito che già mi chiamava l'FBI e, subito dopo, anche la CIA».

«Sta per arrivare qualcuno da Annapolis, l'ha detto il tenente», intervenne un'altra voce. «Doveva essere un pezzo grosso».

«E allora perché non ci sono i giornalisti? Sono passate dodici ore da quando è annegato, quattro da quando ci hanno chiamato e quasi tre da quando l'abbiamo detto alla Federale».

«Perché non lo diciamo al *Frederick News-Post*?»

«Non c'è violenza. A loro piace solo quella. Gli incidenti non interessano».

Una cameriera grassoccia versò il caffè e consigliò il dolce di biscotti e fragole. Gli agenti si alzarono tutti e quattro insieme e andarono al tavolo dei dolci. Irving li seguì fino a quello accanto, ancora apparecchiato per la prima colazione, prese due salsicce e restò ad ascoltare.

Un uomo bianco, di sessantadue anni, era stato ritrovato a faccia in giù nel Friends' Creek, morto annegato, si calcolava, circa alle dieci della sera prima. Vicino non c'erano attrezzi da pesca. Sulla riva, una bottiglia di gin. A quanto sembrava, aveva perso l'equilibrio durante una passeggiata dietro il suo capanno, era caduto nell'acqua ed era annegato. Non c'erano tracce di colpi né di strangolamento. Il portafoglio, nella tasca posteriore dei pantaloni, conteneva una tessera del governo degli Stati Uniti, alcune carte di credito e ottanta dollari. Pensare a un delitto era inverosimile e anche il furto era da escludere. Nel capanno le luci erano accese; un grosso terranova, abbaiando, aveva svegliato, in un altro capanno a centoventi metri di distanza, il vicino che poi, alle prime luci, aveva trovato il cadavere e avvertito la polizia. Le circostanze non erano sospette, ma la polizia federale probabilmente avrebbe ordinato le analisi del sangue e forse anche un'autopsia.

Irving Fein pagò il conto e si accorse che da tempo non aveva mangiato così tanto spendendo così poco. Uscì, andò al distributore di benzina e chiese come si arrivava a Friends' Creek. Il nome, gli venne spiegato, l'avevano dato i quaccheri che si erano stabiliti nella zona. Salì sulla sua utilitaria presa a nolo, arrivò fino a Sabillasville e vide le indicazioni per Fort Ritchie, dove, da sottoterra, il presidente e tutti gli altri personaggi importanti avrebbero seguitato a guidare il paese se ci fosse stato un attacco nucleare. Poi seguì il Sunshine Trail fino al luogo dell'incidente.

Il cadavere era già stato messo in un sacco di plastica, gli disse uno dei tre agenti sotto il portico del capanno di Clauson e portato all'obitorio di Frederick. Aspettava l'arrivo di «un'altra autorità», presumibilmente da Washington, prima di andarsene.

Irving si presentò come un vicino di casa e, con una ispirazione improvvisa, si offrì di occuparsi del cane. Gli agenti sotto il portico accolsero la proposta come una benedizione del cielo e lo lasciarono entrare. Fein cercò di consolare il cagnone, comprensibilmente turbato dalla scomparsa del suo padrone. Gli diede un po' di Milk-Bones, misura massima, che trovò in un armadietto in cucina. Poi si guardò un po' attorno, senza toccare niente.

Su un tavolo di legno grezzo, c'era il computer portatile di Clauson, con la spina inserita per ricaricare la batteria. Era un portatile pesante, forse vecchio di cinque anni. Irving pensò che il governo probabilmente usava un sistema Word Perfect, che conosceva, e accese. Seguitando a dire una quantità di sciocchezze al cane, che chiamava Blackie, a uso degli agenti ancora in attesa sotto il portico, cercò, nell'archivio appunti, le parole "in sonno", "Berenskij" e "Feliks", ma non trovò niente. Cercò di scoprire se ci fossero file in codice, ma inutilmente. Le indicazioni non presentavano niente di inconsueto. Chiamò la lista dei modem e vide una decina di numeri memorizzati. Li trascrisse e, col fazzoletto, tolse le impronte dai tasti.

Sul bracciolo di una poltrona, vicino a un tavolino dov'era appoggiata una lampada, c'era un libro aperto. Fein lo prese in mano e lesse il titolo *Cento classici: Poesie scelte di tutti i tempi*. La legatura era incrinata alla pagina in cui era aperto, quella di una lunga poesia di Samuel Taylor Coleridge. Cercò se c'era una sottolineatura o un appunto in qualche altra parte del libro. Niente. Cancellò anche da lì le impronte e rimise il libro sul bracciolo, aperto come l'aveva trovato. C'era un altro libro sul sedile della poltrona, *Franklin Delano Roosevelt e l'ordinamento economico costituzionale*. Era tutto sgualcito. Lo sfogliò in fretta, vide che parlava della politica economica durante la presidenza Roosevelt, lo scosse per vedere se c'era un foglietto con un appunto, non trovò niente e lo rimise dov'era. Il cane guaiva, un piccolo gemito candido di un grosso animale nero; Fein gli parlò a bassa voce, con un tono rassicurante e gli mise la mano all'altezza della bocca, per farsela leccare. Il cane non la leccò, l'annusò soltanto, ma smise di guaire.

Irving guardò il computer chiuso, tormentandosi al pensiero che potesse custodire un messaggio del morto che a lui era sfuggito. Sentì scricchiolare una sedia del portico e vide che uno degli agenti si era alzato; non c'era più tempo.

Il povero cane senza padrone lo seguì all'automobile. Irving lo guardò, a lui era servito come pretesto per dare un'occhiata al capanno, ma gli agenti si aspettavano che seguitasse a occuparsene. Tornò in casa, diede al cagnolone ancora un paio di Milk-Bones e mise una ciotola d'acqua sotto il portico. Confortato dal suono di forti lappate, Irving assunse, meglio che poté, un ruvido atteggiamento campagnolo. «Ho sentito dire a Thurmont che il nostro Walt beveva».

«Sembra di sì». Un agente indicò una bottiglia di gin dov'era stato attaccato un cartellino, probabilmente perché fosse inserita tra gli elementi utili all'indagine. «Che cosa beveva? Gin?».

«Mah», rispose Irving, «per quanto ne sapevo io, beveva poco o niente. Perché, per essere più sicuri, non gli fate un esame del sangue, o qualcosa del genere?».

«Sono passate dodici ore. È difficile capire».

Il cane seguì di nuovo Irving all'automobile. Un agente disse, dal portico: «Gli trovi un buon padrone». «Dovrò portarlo al canile di Thurmont», rispose Irving mentre si metteva al volante. Gli agenti parvero delusi. Il cane si mise sul sedile davanti, doveva essere abituato a fare così con Clauson e aspettò, sbanfando fuori dal finestrino, di partire per la gita. Irving avviò l'automobile e andò a chiedere in tre capanni vicini se qualcuno voleva il cane di Clauson, che due bambini accolsero affettuosamente, chiamandolo Occhio (Clauson gli aveva dato un nome adatto al cane di una spia), ma nessun adulto volle addossarsi il costo di un animale che pesava, almeno all'apparenza, più di sessanta chili.

Non c'era tempo per andare alla Protezione degli animali. Con accanto il respiro pesante del cane, Irving si avviò a sud, verso la Virginia. Non aveva esperienza di cani, non ne aveva mai posseduto uno; spesso anche cani buoni con tutti, quando lo vedevano ringhiavano, forse perché era sempre nervoso e aveva un passo irregolare. Ai cani piacevano le persone tranquille e lui non lo era. Questo, però, sembrava che si fidasse di lui, e Irving capì, improvvisamente, che era abituato a un padrone inquieto che fingeva di essere calmo.

«Occhio, credi che Clauson sia caduto a faccia in giù nell'acqua perché era ubriaco?». Il cane, addestrato da un padrone che conosceva gente che resisteva agli interrogatori e ingannava la macchina della verità, mantenne un silenzio circospetto. «No, vero? Niente succede per caso, in queste circostanze. Per questo io ora andrò dal suo capo, che è una mia vecchia amica, e le dirò di non correre subito alle conclusioni più facili, come hanno fatto gli agenti. Tu, però, dovrai aspettarmi seduto qui, prima che ti porti al canile. Mi hai aiutato, lo riconosco, ma ho già troppe responsabilità».

Irving consultò una carta stradale e vide che era nei pressi di Fort Ritchie. Ritrovò la strada per Frederick, rifece il percorso e curvò al segnale CIA, sulla George Washington Parkway. Arrivò fino alla recinzione del palazzo e disse alla guardia: «Non ho un appuntamento, ma devo parlare col direttore». Prima che la guardia schiacciasse il pulsante per avvertire che c'era un pazzo alla porta, aggiunse: «Chiami la segretaria di Dorothy Barclay e le dica che c'è Irving Fein. Mi conosce».

La guardia telefonò, restò sorpresa dalla rapidità con la quale l'ospite veniva ricevuto, ma disse: «Il cane no, nemmeno quelli che lavorano qui possono entrare con un cane».

«Nemmeno se è un cane che accompagna un cieco?».

«Lei non è cieco, perché guida l'automobile».

«Giusto. Lascerò il cane al parcheggio per i visitatori. Niente di male. Mi farò fare un permesso dal direttore, siamo molto amici». E Irving se ne andò, prima che la guardia potesse decidere se chiamare qualcuno.

«Uno dei tuoi uomini è stato eliminato, diciamo pure con maestria».

«Walter Clauson beveva», affermò Dorothy Barclay, con un colpetto secco sul fascicolo che aveva davanti, sulla scrivania, «ma era un analista stimato, lavorava all'Agenzia da più di trent'anni e ne abbiamo sempre tenuto conto. Quest'anno, però, sarebbe andato in pensione, o forse l'avremmo rimosso dall'incarico. L'alcolismo non è estraneo, dicono le autorità del Maryland, all'incidente avvenuto presso il suo capanno da pesca».

«E io ti dico che non è stato un incidente».

251

«Tu eri lì, Irving? Gli agenti che sono andati sul posto hanno steso un rapporto preliminare, ho ricevuto un fax...».

«Gli agenti non si sono mai mossi dal portico mentre ero nel capanno di Clauson, stamattina, a frugare tra la sua roba».

La Barclay, un po' meno sicura di sé, rilesse il fax. «Non dice che la stampa si sia interessata all'incidente, né, tanto meno, parla della presenza di un giornalista...».

«Ero lì un'ora fa. Ho il cane di Clauson in automobile, un bel terranova. Vuoi che te lo faccia vedere?».

«No, ti credo, Irving. Ma la tua sospettosità è leggendaria, quindi non la ritengo un motivo sufficiente a iniziare un'indagine. So che se ne sta già occupando l'FBI. Ho parlato col direttore, mentre stavi arrivando dal cancello e mi ha detto che pare si possa escludere l'aggressione».

«Attieniti pure a questa versione, direttore Barclay. Non schivarla di un millimetro. Non indagare. E quando risulterà che hai coperto l'omicidio di uno dei tuoi vecchi dipendenti, filerai fuori di qui alla svelta, il presidente dirà che non ti aveva mai sentita nominare e che mai più affiderà a una donna un incarico tanto importante, tanto meno a una lesbica, fino a quando la CIA non diventerà un centro ricreativo per deviati sessuali».

«Irving, che cosa vuoi da me? Sto cercando di fare in modo che questa Agenzia, per la prima volta nella sua vita, eviti di mettersi nei guai. Un vecchio esperto di sporche faccende, notoriamente dedito all'alcol, è stato trovato a faccia in giù in un torrente. E io dovrei mettere tutto sossopra e cercare tutte le operazioni cui ha partecipato solo perché tu avevi un appuntamento per andare a pescare con lui? Non togliermi il respiro, Irving».

Irving non aveva detto a Dorothy che doveva andare a pescare con Clauson. «Come hai saputo che avevo un appuntamento?».

La risposta tardò a venire. «Il tuo telefono non era controllato, solo il suo». Ormai Dorothy cercava di giustificarsi. «Non pensare male, Irving. Non c'era niente di strano anche se lui era una tua fonte o se volevate andare a pesca insieme o non so che altro. Io sono favorevole ai legami tra uomini».

«Clauson stava cercando un agente in sonno. Anch'io lo sto cercando. E anche il KGB. Ed è un'offesa alla mia attività di segugio che la tua Agenzia non partecipi alla caccia».

«Il controspionaggio è compito dell'FBI, non nostro. Va' da loro».

«Dotty, tu stai parlando con Irving Fein. Te lo ricordi o no?».

«Tu mi conoscevi quando il mondo era diverso», disse la Barclay, con un laborioso sospiro, «hai messo a tacere una storia che mi avrebbe nuociuto nella professione. Solo un mese fa mi hai fatto apparire un'eroina agli occhi del presidente e io ti sono grata e ti voglio bene, non tratterò con altrettanta considerazione nessun altro giornalista. E ti assicuro, inoltre, che solo a te, per essere ricevuto dal Direttore dei Servizi Segreti, basta presentarsi ai cancelli».

Placato, ma solo un po', Irving disse: «Non mi è stato facile far passare anche il cane».

«Ti farò fare un tesserino con la sua fotografia. Scusami, Irving, ma quella storia dell'agente in sonno che ha accumulato una enorme fortuna è un'altra barzelletta come quella del mercurio rosso e qualsiasi coinvolgimento da parte della CIA avrebbe conseguenze imbarazzanti. Sarebbe contro i nostri principi. Quanto a Clauson, lascia che la legge faccia il suo corso. Se ti fa piacere, posso venire al suo funerale e anche dargli una medaglia alla memoria».

"Una enorme fortuna"... Era la seconda volta che Dorothy si lasciava sfuggire una frase inattesa. Irving pensò che avesse voluto fargli capire che l'agenzia era interessata e che a lei non dispiaceva affatto vederlo condurre l'indagine con i suoi amici, ma che era costretta, ufficialmente, a non interferire. Ma era stato Clauson a parlarle dell'agente in sonno e di quella enorme fortuna o Clauson l'aveva saputo dall'Agenzia e, per ragioni sue personali, lo aveva raccontato a lui?

«Farò tutto quello che potrò per te, bambina», disse Irving, e questa volta toccò a lui emettere un laborioso sospiro, «quando si saprà che un funzionario della CIA è stato ucciso con la copertura dell'FBI e della CIA messi insieme, e tutti i senatori con la fobia degli omosessuali e gli editorialisti col cuore in mano cercheranno di scuoiarti viva». Irving si alzò per andarsene. «Hai un appartamento qui o abiti da un'altra parte?».

«Abito in McLean».

«Hai una casa grande e comoda?».

«Non molto, mi conosci. Perché lo vuoi sapere?».

«Non hai un po' di spazio all'aperto? Un cortile?».

«Sto al sesto piano. Irving, a che cosa miri?».

«Ti farebbe comodo un grosso cane nero? Ti proteggerebbe più dei tuoi gorilla».

«No. Tienitelo tu. Come si chiama?».

«Pensavo di cambiargli nome e di chiamarlo Feliks».

Dorothy Barclay scosse la testa e lo spinse fuori dalla porta. «Irving, Felix è un gatto».

32

POUND RIDGE

«Non sognarti di lasciare qui quel bastardaccio. La mia casa non è un canile».

«È un bel posto, grande, acri e acri di terreno, c'è perfino uno stagno e, inoltre, tu hai bisogno di essere protetta». Irving aveva lasciato fuori il cane, ad annusare in giro, mentre lui, nella biblioteca della casa di Westchester, cercava di appiopparlo a Viveca.

«L'hai portato fin qui da Langley? Dalla Virginia?».

«Sette ore. Non potevo chiuderlo in una cassa e farlo viaggiare in aeroplano. E non chiamarlo bastardaccio, è un terranova purissimo». Glielo indicò, dalla finestra. «Guarda il mantello, la linea... È un campione. E sta' attenta, se qualcuno lo chiama bastardaccio è capace di inghiottirselo in un boccone».

Per Viveca era difficile capire Fein. Un giorno brutalizzava i suoi compagni di lavoro, il giorno dopo si trasformava nell'Amico degli animali, e cercava una casa per un cane senza padrone.

«No, mi dispiace», disse. «Una volta avevo una piccola yorkshire, non pesava neanche un chilo e mezzo, ma dava un gran fastidio lo stesso. Quel mostro nero e peloso là fuori peserà quaranta volte di più. I cani grossi mi fanno paura, soprattutto i maschi». E, in più, le ricordavano suo padre che, al tempo in cui era sulla cresta dell'onda, andava fiero dei suoi due danesi.

«Si chiama Occhio». Viveca scosse ancora la testa, con un sospiro triste e definitivo. «E va bene», concluse Irving, «lo porterò al canile. Decideranno loro, pietosamente, con una iniezione». Voleva farla sentire un'assassina e le pareva già più simile al Fein cui era abituata.

«Il suo padrone, che è morto, era quello che mi aveva consigliato di andare da Dominick», disse Irving, con un tono più concreto. «Credo che avessero lavorato insieme, Clauson e il banchiere, non aveva certo tirato fuori il suo nome da un cappello come un prestigiatore».

«È da lui che avevamo mandato Edward?».

«Sì. Vedi un po' che cosa può dirti il tuo amico di Memphis sul conto di Walter Clauson».

Viveca non si soffermò su "il tuo amico di Memphis", dopotutto se Irving era afflitto da una gelosia infondata, come Edward sospettava, poteva anche sentirsene lusingata. «Com'è morto?».

«Un banale incidente, a pesca. La polizia non ha trovato segni di violenza. Beveva molto, come la maggior parte dei suoi vecchi colleghi».

«A guardarti, direi che hai bisogno di bere anche tu». Viveca riempì due bicchieri di vino.

Irving si tolse di tasca il taccuino e lo sfogliò finché non trovò gli appunti che cercava. «Continuo a pensare a quello che mi ha detto Clauson la sera prima di morire. Ascolta, vedi se ti ricorda qualche cosa. Voleva che andassimo a pescare al Friends' Creek».

«I quaccheri. Non mi viene in mente altro».

«"Il suo impegno è un albatro che porto appeso al collo"», lesse Irving. «Significa niente per te?».

«Solo che era oppresso da un peso. Mi sembra un modo desueto per esprimere una condizione infelice».

«Mah... "Voglio divertirla con una storia come l'invitato a nozze"».

Viveca si soffermò su quel "divertirla". «Voleva divertirti? Farti ridere?».

«Forse». Viveca avrebbe voluto riuscire a essergli più utile, perché capiva che era importante per lui. Fino a quel momento, il suo contributo all'indagine era stato minimo. Per fortuna aveva un contratto.

«Ripeti, "come..."».

«"Come l'invitato a nozze". Che cosa si racconta a...»

«L'Invitato a nozze. È in una poesia famosa, credo di averla qui». Viveca andò a guardare tra i libri di suo padre, negli scaffali al muro.

Irving rilesse gli appunti. «È di Samuel Taylor Coleridge?».

«Sì. *The Rime of the Ancient Mariner*».

Irving non la conosceva. Viveca sapeva che aveva ricevuto una istruzione eclettica, vasta e anche profonda, ma con delle grosse lacune e la poesia, forse, era una di quelle lacune. «Allora, chi è l'Invitato a nozze?».

«È la persona cui il vecchio marinaio racconta la sua storia di orribili sofferenze». Viveca, con in mano il volume con la rilegatura di pelle delle poesie di Coleridge, guardò l'indice e trovò la ballata. «Ecco, qui parla dell'albatro. Era un uccello di buon augurio, ma il Marinaio lo uccide con la balestra e da quel momento gli capitano disgrazie a non finire». Chiuse il libro. «La fine me la ricordo a memoria: "Andava come colui che per un colpo/ In testa brancoli fuor di sentimento;/ L'indomani mattina si levò/ Più triste e più saggio"».

Irving trasalì. «Clauson mi ha detto anche che lo avevo fatto diventare più triste e più saggio».

«Allora Clauson era il Vecchio Marinaio, che portava appeso al collo l'albatro del buon augurio che lui aveva ucciso e raccontava la sua terribile storia a te, l'Invitato a nozze».

«Io non sono fatto per queste cose. A me piacerebbe che questi funzionari di agenzia non si esibissero in giochi letterari quando ci sono delle questioni gravi da risolvere».

«Forse si lasciano influenzare dai romanzi di spionaggio».

«No, no. È stato Angleton a cominciare, con una rivista di poesia, negli anni Trenta e gli altri non sono più riusciti a smettere».

Viveca insisté per cercare di chiarire quella citazione misteriosa. «Che cos'hai fatto, o non hai fatto, Irving, per rendere Clauson più triste e più saggio?».

Fein sembrò turbato. «Credo di aver creato un po' di confusione alla Federal Reserve. Era solo un'idea, per smuovere le acque. Non avrei mai immaginato che le conseguenze sarebbero state queste». Irving abbandonò l'espressione colpevole, si scosse ed esclamò, con rabbia: «Clauson aveva capito qualcosa sull'agente, alla Direzione centrale non l'avevano ascoltato e voleva dire tutto a me».

Ebbe un momento di esitazione. Edward, che pure conosceva il morto, forse sapeva qualcosa di più. Viveca acconsentì, senza entusiasmo, a tenere il cane per qualche giorno, finché non gli si fosse trovata un'altra sistemazione. Irving si sentì, almeno in parte, sollevato. Aprì lo sportello posteriore della sua automobile e lasciò a Viveca due sacchi da dodici chili di cibo per cani, un guinzaglio nuovo di cuoio, una ciotola di acciaio inossidabile, un nodoso osso di midollo di bue lungo quasi un metro e un giochino di gomma rossa da masticare che a schiacciarlo emetteva un pigolio.

Il cane trotterellò dietro l'automobile, vide che era impossibile raggiungerla e tornò indietro. Guardò Viveca, soffiò un po' d'aria dal naso e si acquattò sul prato davanti a casa per fare pipì.

«Non sai niente di cani», disse Viveca all'automobile che si allontanava. «È una femmina».

256

33

NEW YORK

Per tutta la vita aveva dato le cene più eleganti e più importanti di Manhattan, serate a tema, perfettamente orchestrate, partecipare alle quali era privilegio più ambito di qualsiasi ammissione alle sfere sociali più elevate, eppure Ace McFarland non aveva mai dovuto affrontare un problema di distribuzione di posti a tavola difficile come in quella occasione.

Aveva sempre osservato scrupolosamente la regola di mettere a sedere vicini ospiti di sesso diverso ed era ben deciso a non abbandonare questo principio. Nella sala da pranzo, al livello più alto del suo appartamento su tre piani in Park Avenue, non era ammesso un numero di commensali dispari. Due uomini vicini a tavola, o due donne, erano il contrario dell'eleganza. Se, all'ultimo minuto, qualcuno telefonava per avvertire che era ammalato o che non riusciva ad atterrare perché gli aeroporti erano chiusi, c'era sempre un sostituto pronto, di genere femminile o maschile, a seconda dell'occorrenza.

Ora, le consuetudini della vita di società gli ponevano questo enigma: come si comporta l'ospite accorto se il Direttore centrale dei Servizi Segreti è una famosa e dichiarata lesbica? Invitare un'altra lesbica avrebbe mandato all'aria le regole dell'alternanza nei posti a sedere, ricorrere a uno scapolo impenitente o anche a un gay sarebbe stato giudicato sconveniente dall'invitata lesbica. Ace avrebbe voluto essere l'agente di "Miss Bon Ton", i cui libri sulle buone maniere nella vita moderna avrebbero avuto probabilmente una diffusione in CD-ROM che lui non aveva saputo prevedere.

Dopo aver riflettuto molto, trovò la soluzione per il suo problema di posti a tavola: telefonò alla segretaria della Barklay, dicendo che il Direttore avrebbe ricevuto quanto prima l'invito a una cena nella quale avrebbe avuto a fianco uno dei due ospiti d'onore, il Direttore della Sezione Finanziaria del Ministero per la Sicurezza della Federazione Russa, Nikolaj Andrejevich Davidov. L'altro ospite d'onore era lei, il direttore Barclay.

Per fortuna Davidov sarebbe arrivato da solo. La ragazza lettone che Irving Fein gli aveva chiesto di includere nella lista degli invitati era a New York, secondo la sua misteriosa definizione, per una"visita parallela" a quella del funzionario del KGB e poteva quindi essere bene appaiata a un altro uomo solo, nella fattispecie a Irving. Viveca Farr, invitata con un ospite scelto da lei stessa, aveva fatto il nome di un banchiere di Memphis, Edward Dominick, che Ace presumeva dovesse essere una persona presentabile. Il repubblicano, copresidente della Commissione Senatoriale sui Servizi, Harry Evashevsky, sarebbe venuto con la moglie e avrebbero potuto, secondo un punto di vista rigorosamente corretto, approfittare dell'aereo del governo che avrebbe portato da Washington a New York il direttore Barclay, cui non era consentito viaggiare su aerei di linea. Una combinazione che avrebbe fatto risparmiare soldi allo stato, offrendo ai viaggiatori la possibilità di una copertura reciproca se Stati Uniti e Russia fossero venuti di nuovo a confronto e a chi aveva fraternizzato durante il disgelo si fosse guardato con sospetto.

Vedovo da molti anni, sacerdote di riti artistico sociali, libero di accompagnarsi a una ragazza di cinquant'anni più giovane di lui senza perdere la propria rispettabilità, Ace avrebbe ravvivato la tavola con la scelta tradizionale della più famosa attrice della stagione. Per l'occasione, aveva invitato Ari Covair, sensuale, emaciato prodotto di importazione francese. Era l'eroina di un film che stava riscuotendo grande successo di cassetta, basato su un romanzo di spionaggio di Jim Lehrer, *Blue Hearts*, e poteva legittimamente affermare di non essere una spia se non sullo schermo.

Nella stima dell'editore cui sarebbe stato addebitato il costo di quella meravigliosa mescolanza, Ace era salito di un gradino. Irving aveva avuto da una delle sue fonti la notizia che il presidente della società alla quale era affiliata la casa editrice, la Unimedia, era arrivato a New York da Francoforte. Questo particolare socialmente saporoso, lasciato cadere con noncuranza da Irving, era stato raccolto immediatamente da Ace. Karl von Schwebel era anche membro del consiglio della Bundesbank, aveva una conoscenza profonda delle difficoltà economiche in cui versava la Russia ed era anche molto interessato a conoscere l'importante ospite russo che sarebbe stato presente quella sera.

La moglie di von Schwebel, il cui patrimonio familiare stava alla base dell'impero di suo marito, sarebbe stata, con ogni probabilità, un po' scialba, ma Ace poteva contare già sulle affascinanti, famose Viveca e Ari e forse su una terza interessante ragazza, la giornalista lettone. Evangeline Evashevsky era, notoriamente, una buona ascoltatrice. Una donna un po' scialba sarebbe servita da contrasto. La tavola, rettangolare, era apparecchiata per dodici. Il numero perfetto, secondo Ace, per consentire a tre diverse conversazioni, di quelle che hanno luogo durante una cena, di svolgersi contemporaneamente, seguite poi da qualche discorsetto accattivante, capace di raccogliere l'attenzione di dodici persone diverse. Volle accertarsi che il sorbetto alla passiflora avesse sostituito quello meno profumato, al mango, della cena precedente e assentì, soddisfatto, nel constatare che figurava stampato nel menu. Si occupò, quindi, di disporre i biglietti con il nome dei commensali. Lo schieramento in battaglia era determinante per il successo di una cena.

Procedendo in senso orario da Ace, a capotavola, la disposizione era questa: l'attrice, Ari, alla sua sinistra, vicino a lei Davidov, poi la scialba, o almeno così se l'immaginava, signora von Schwebel, il banchiere di Memphis invitato da Viveca e la garbata moglie del senatore. Irving era all'altro capo del tavolo. Risalendo verso Ace ci sarebbe stata la ragazza lettone, Karl von Schwebel, Viveca, il senatore e Dorothy Barclay, al posto d'onore accanto al padrone di casa.

In quel modo, Viveca avrebbe avuto il senatore Evashevsky da un lato e il barone dei media dall'altro; Davidov, anche se con la scialba von Schwebel incollata alla sua sinistra, sarebbe stato ampiamente compensato da quel bel bocconcino francese a destra, e avrebbe avuto di fronte il senatore; Irving si sarebbe trovato con la moglie del senatore a destra e, a sinistra, la ragazza lettone che voleva, appunto, avere vicina. Ace avrebbe diviso le proprie attenzioni tra la piccante Ari a sinistra e la autorevole Barclay a destra. Un bel gruppo, ben distribuito. L'ultimo posto, il meno appetibile, tra la von Schwebel e la graziosa moglie del senatore, sarebbe toccato al banchiere di Memphis, ma era il prezzo che doveva pagare per essere assolutamente nessuno.

Ace scelse un Piesporter Goldtröpfchen per accompagnare la prima portata, "minuscole gocce d'oro" da offrire con particolare riguardo all'ospite tedesco, e un Château Margaux per l'agnello, in segno di riguardo a se stesso. Nessuno, però, avrebbe bevuto molto, perché, per la maggior parte, i commensali avrebbero temuto di lasciarsi sfuggire qualche parola che sarebbe stato meglio non dire, o di perdere un prezioso accenno sfuggito ad altri; i camerieri tenevano pronte le bottiglie di San Pellegrino per chi amava l'acqua frizzante e di Evian per chi la preferiva naturale come quella del rubinetto. Per concludere la cena, sarebbe stato adatto, il Taittinger, il Dom Pérignon sarebbe parsa una ostentazione. L'orchestrazione era completa. Ace, il maestro, era pronto a salire sul podio. Con le gambe accavallate, una sigaretta spenta nel bocchino d'argento come il pomolo del bastone, aspettò il suono del campanello.

Mentre un cameriere l'aiutava a lasciarsi scivolare dalle spalle nude una di quelle mantelle di cashmere che avevano segnato l'era di Halston negli anni Settanta e ora erano tornate di moda, Viveca valutò i termini della competizione. L'attrice francese era deliziosa e immediatamente accattivante, con una figura che induceva le femministe ad attaccare sui suoi manifesti degli striscioni con la scritta DATELE DA MANGIARE, ma aveva, probabilmente, la testa imbottita di bambagia. Dorothy Barclay, al contrario, Direttore centrale dei Servizi Segreti, era di quelle che non perdevano un colpo, appariva seria, volitiva, seducentemente severa, con tutto il peso che dava alla sua presenza il privilegio di essere la prima donna a occupare una posizione di tanto potere. Viveca decise che avrebbe fatto in modo di conoscerla. Evangeline Evashevsky le parve uguale a quasi tutte le prime mogli dei senatori: sottomessa, semplice, preoccupata delle attenzioni che le belle donne dedicavano a suo marito. Avrebbe lasciato a Irving il compito di intrattenerla.

Ace le aveva detto che la moglie dell'editore tedesco doveva essere poco più che uno gnocco bollito, ma era evidentemente male informato, o forse il barone dei media aveva avuto un'altra moglie e questa era la seconda. Portava un abito morbido, sciolto e non ci volle molto a rendersi conto che era una economista finlandese, che parlava varie lingue e che piaceva moltissimo agli uomini perché la sua rinomata intelligenza era accompagnata da un corpo statuario e da una bella, classica faccia nordica. Durante i cocktail fu subito oggetto di un seguito di domande di argomento economico da parte del direttore Barclay e Viveca non dubitò che, nei quarantacinque minuti in cui lei sarebbe stata costretta ad allontanarsi per il notiziario, Edward si sarebbe dedicato alla bella Sirkka von Schwebel.

Con Liana Krumins non c'era da mettersi in gara. Il vestito lungo, stile Europa dell'Est, il trucco inadeguato, il taglio di capelli la facevano apparire del tutto fuori posto in quella riunione sofisticata. Davidov la teneva a distanza; Ace aveva cercato di coinvolgerla, non ci era riuscito e aveva lasciato perdere; Edward la osservava da lontano, ma non faceva nessuno sforzo per avviare una conversazione; Irving era troppo occupato a osservare Davidov e non aveva tempo per lei. Solo il senatore, un'anima gentile, le stava accanto per metterla a suo agio, povera ragazza sola in un paese straniero, e lei lo ascoltava, attenta, raccontare lunghi aneddoti del tempo in cui era stato un eroe della guerra fredda.

A un'occhiata insistente di Edward, Viveca strappò la ragazza lettone a Evashevsky e la invitò, più avanti nella settimana, a vedere, dalla regia, come si svolgeva un notiziario della sera. Avrebbe portato con sé Edward perché potesse raccogliere dalla giovane giornalista televisiva tutte le notizie sulla vita dell'agente in sonno che risultavano dal fascicolo dell'archivio di Mosca alla voce Berenskij. Viveca catalogò la giovane lettone come una campagnola impacciata, bisognosa di una seduta dal parrucchiere. Che cosa c'era in lei che aveva tanto interessato Irvin e Michael Shu? Doveva ammettere, però, che alla prospettiva di assistere dall'interno alla produzione di un notiziario televisivo americano si era notevolmente ravvivata.

Vide che Davidov, messo quasi spalle al muro da Irving, guardava verso di lei. Capì che la stava catalogando: piccolina, trent'anni, aria intelligente, abito ampio di Donna Karan con lunga catena d'oro. Niente che potesse interferire col suo ego come forse sarebbe avvenuto con la intelligentissima, sconvolgente finlandese; il funzionario del KGB si sarebbe fidato della fredda giornalista americana più che del potente Irving Fein. Viveca rimpianse che non ci fosse tempo di suggerire a Irving qualche domanda determinante. Prese un piatto di crudités, le offrì a tutti e due, Irving e Davidov, poi mise il piatto in mano a Irving e lo lasciò lì, in piedi, mentre lei guidava Davidov verso il divano e si sedeva accanto a lui.

«Non dia retta ai giornalisti», disse, «lavorano sempre e dovunque. Io le prometto che non le chiederò che cosa l'ha portata in America».

Il funzionario russo non era mai stato in una casa come quella. Tre piani in un vecchio edificio su una grande strada con lunghe isole verdi al centro, un soffitto da cattedrale che gli ricordava la sala di

San Vladimiro al Cremlino e un giardino pensile di sempreverdi e meli selvatici, eppure quel McFarland era un agente letterario, niente di più. Com'era possibile arricchirsi tanto solo con una piccola percentuale sui guadagni altrui? Se Ace, ma sapeva che non bisognava chiamarlo così, viveva a quel livello doveva essere stato legato sempre a grandi successi. Mettersi in affari con lui, si lasciò andare a pensare Davidov, poteva essere una buona idea. L'occasione di quella cena era senz'altro la promozione di un libro e, in una società capitalista, era naturale che la mondanità servisse allo scopo. Davidov aveva parlato di quell'invito con i suoi superiori, chiedendo il permesso di rifiutarlo per la presenza del direttore Barclay; ma loro avevano agito d'autorità e gli avevano imposto di andare, raccomandandogli addirittura di considerare la possibilità che qualcuno potesse avere un registratore nascosto addosso. Gli aveva fatto piacere quella prova di fiducia nelle sue capacità di lavorare in campo aperto.

Un ricevimento che si rispetti deve avere la sua sorpresa e quella sera la sorpresa venne servita prima di cena. Davidov non si era aspettato di trovarsi accanto a Sirkka von Schwebel. Conosceva la bella economista finlandese: gli archivi della Stasi, salvati dal KGB prima che cadessero nelle mani dell'Ovest, includevano lunghi rapporti sul suo conto a proposito dell'operazione della Bundesbank. Per evitare che fosse accusata di essere una informatrice della polizia della Germania Est, come altre decine di migliaia di persone, i Servizi Esteri l'avevano presa sotto la loro protezione e avevano fatto di lei un'agente di produzione, anche se non c'era da stare del tutto tranquilli perché il pericolo di una denuncia sussisteva, ora che la pietra tombale dello spionaggio della Germania Est era stata ribaltata. Forse lei viveva quotidianamente con quella preoccupazione. L'Ufficio dei Servizi Esteri non gli aveva detto niente sul suo conto, come al solito, e Davidov aveva preferito non chiedere, ma era sicuro che avesse il compito di sfruttare i propri legami con la Bundesbank; si ricordava che di lei si era detto che avesse anche accesso alla attività della Federal Reserve a New York. Una volta, in passato, si erano incontrati, a una conferenza all'università di Helsinki, ma il suo interesse non professionale per lei non era stato ricambiato.

Perché Sirkka era lì, quella sera? Suo marito era proprietario della casa editrice di Fein e la sua presenza, insieme alla moglie, era spiegabile, ma Davidov si chiese se non fosse lei la fonte dell'agente in sonno presso la Bundesbank. In questo caso i due sarebbero stati separati da un taglio netto, ma forse lei aveva un'idea della identità di Berenskij in America. Gli era impossibile credere che Fein e il direttore della CIA non conoscessero il passato di Sirkka von Schwebel alla Stasi, se non la sua carica attuale presso i Servizi Esteri russi.

Davidov ricordò a se stesso il rischio burocratico di superare i limiti del proprio incarico: i Servizi Esteri erano particolarmente sensibili ai contatti iniziati dal controspionaggio del KGB. Eppure lui e Sirkka erano stati messi insieme nella stessa stanza forse, ma non gli sembrava verosimile, per caso.

Prese nota mentalmente di mettersi in contatto con i suoi agenti che cercavano di sorvegliare la Banca d'Affari di Memphis, un lavoro che era nato sulla base di una intercettazione telefonica su Fein, per far fare un controllo su Edward Dominick. Per superare le eccezionali misure di sicurezza nella rete di comunicazioni della banca del Tennessee avevano puntato un sensore vibratile a lunga portata sulle finestre della banca. Alcune stanze d'angolo, probabilmente quelle del presidente della banca, erano munite di un dispositivo di blocco che faceva vibrare le finestre e rendeva impossibile captare una conversazione a distanza. Era una contromisura così sofisticata da far nascere dei sospetti. Era Dominick il banchiere di Memphis? Improbabile, ma facile da controllare. E se, addirittura, quel banchiere superprotetto fosse stato l'agente in sonno? Era ancora più improbabile, ma nessun indizio andava trascurato.

In una nazione di duecentocinquanta milioni di abitanti, pensò Davidov, le possibilità che un funzionario del KGB s'imbattesse nella persona che cercava proprio la prima sera in cui era invitato a una cena in casa di un americano erano, a dir poco, remote, ma che cosa l'aveva portato a sospettarlo? Era in atto una messinscena. Una messinscena, ecco la risposta. A una voce su una banca di Memphis, era seguita, quasi immediatamente, una serata cui partecipava un banchiere di Memphis. Davidov, all'improvviso, sentì che si tentava di attirarlo; chi aveva scritto la lista degli invitati a quella cena ci aveva messo una cura infinita, qualcuno (Fein e l'affascinante giornalista della televisione?) voleva radicare nella sua mente il sospetto che Edward Dominick fosse l'agente in sonno.

Harry Evashevsky si accorse che Irving Fein, con le spalle agli ospiti, guardava Park Avenue, di là dai vetri del finestrone da cattedrale. Si scusò con le persone con le quali si era intrattenuto fino a quel momento, si avvicinò al piatto dei gamberetti con i piselli in

263

salsa bianca e poi si mise accanto a Fein, come se guardasse anche lui dalla finestra.

«Dorothy mi ha detto, mentre venivamo qui in aereo, che lei, stamattina, è stato al capanno di Clauson».

«La sua commissione procederà a una indagine?».

«Dorothy ritiene che sia stato un incidente. E anche l'FBI».

«Ah, sì?».

«Mi pare di capire che lei non ci creda».

«Conosceva Clauson, vero? Gli piaceva bere, come alla maggior parte dei suoi colleghi, ma non era quello che si dice un bevitore. Pensa che si sarebbe ubriacato, sapendo che la mattina dopo aveva un appuntamento con un giornalista? No, è impossibile».

«Se lei scrivesse una lettera alla commissione...».

«Non lo faccio mai. Io scrivo sui giornali e, ogni tanto, scrivo un libro. Perché non interessare l'ispettore generale?».

«Clauson aveva testimoniato, insieme a un direttore centrale dei Servizi, quando noi eravamo stati ingannati...». Ricordava che il vecchio funzionario si strofinava il lato del naso con il pollice, palese allusione a Pinocchio, ogni volta che l'ex direttore scalfiva la verità. «Potrebbe essere una buona idea farsi dare dall'Ispettore generale, a Langley, un rapporto sulle questioni di cui Clauson si stava occupando, se non altro in omaggio al passato». Evashevsky si voltò e gli cadde lo sguardo sull'attrice francese. «Evangeline, mia moglie, mi ha chiesto: come può una donna così magra essere anche così sexy?».

Ari Covair bevve un lungo sorso di acqua frizzante per farsi passare la fame. Anche quella sera, davanti a una cena squisita, avrebbe dovuto fingersi inappetente.

Tra tutti gli uomini presenti, Ace, premuroso e innocuo, rappresentava per lei il vantaggio a più breve scadenza: a Hollywood come a New York. Il russo era bello, faccia decisamente ben costruita, baffi ragguardevoli, corpo forte e agile, perfetto per recitare la parte della spia che viveva nella realtà. Il senatore sembrava un bambino grassoccio e coccolone, il famoso giornalista aveva un'aria trasandata e presuntuosa. Il magnate tedesco dei media emanava potere e, probabilmente, lo stesso potere avrebbe esercitato anche a letto, con delle buone prospettive a lungo termine per la carriera di una giovane attrice, ma c'era il rischio che venisse interrotto durante un orgasmo da una telefonata sul cellulare. I loro sguardi si incontrarono e lei abbassò gli occhi con ritrosia, sicura che l'indomani mattina le avrebbe telefonato.

Ari sperava che a offrirsi di riaccompagnarla a casa fosse il banchiere, con quell'aria così disponibile, alto, con la faccia da giramondo e lo sguardo sentimentale. L'attiravano a lui misteriose correnti sotterranee, ma l'aveva visto arrivare con quella ragazza della televisione, dall'aria dura e un po' puttanesca, tutta fatta di tenacia americana; poverino, avrebbe avuto bisogno di consolarsi con una dose di vera femminilità.

Edward Dominick trovò un punto del salotto dal quale poteva osservare Liana Krumins riflessa nello specchio, senza che lei se ne accorgesse. Perché metteva tanto impegno nell'imbruttirsi? Quel modo di annullarsi nel vestiario, nel trucco, nella pettinatura, tradiva uno sforzo; teneva anche le spalle curve, come per difendersi in una gabbia di predatori.

Lo sguardo di Dominick cadde su Irving Fein, che aveva rinunciato a Davidov, per il momento, e aveva rivolto la propria attenzione a von Schwebel. Curioso di conoscere le strategie del suo nuovo socio e le reazioni del direttore della Bundesbank, si unì alla conversazione.

«Sono un suo autore».

Von Schwebel assentì cortesemente. «Lo so e ne sono onorato».

L'editoria rappresentava una parte piccola, ma non insignificante, del suo impero multimediale; l'acquisto recente di una casa editrice raffinata, con una storia alle spalle e un buon catalogo, aveva aggiunto il peso del valore intellettuale all'impresa commerciale. Era stato criticato per aver pagato a un prezzo alto la crescita di prestigio, ma l'importanza di una casa editrice andava oltre le cifre contabili, offriva la possibilità di conoscere persone come quelle che Ace McFarland aveva invitato quella sera. Von Schwebel ne era rimasto profondamente colpito.

«Lei ha comprato un maiale nel sacco, una prova di coraggio», disse Irving.

Von Schwebel non capì quell'espressione americana e fu grato al banchiere che gliela spiegò. «Il signor Fein ha voluto complimentarsi con lei per la fiducia che ha dimostrato nei confronti suoi e della signorina Farr, senza sapere molto del loro progetto».

«Ah, sì».

«Ma io credo che abbia fatto un buon investimento», proseguì

Dominick, «Fein, devo dirlo anche se è presente, è un giornalista le cui inchieste hanno risonanza mondiale. Viveca darà al libro la dimensione necessaria a diffonderlo attraverso tutti i suoi canali di informazione».

Von Schwebel pensò che quelle parole, lusinghiere per tutti, preannunciassero un ritardo nella consegna del manoscritto, ma non volle entrare in particolari. Vide la giornalista avvolgersi nella sua mantella nera e uscire. «La signorina Farr se ne va così presto?».

«Il suo notiziario è alle nove», rispose Dominick. «Tornerà prima che sia finita la cena».

Fein chiese all'improvviso: «Che cosa ha saputo dal vecchio marinaio?».

Il tedesco non capì, pensò che si trattasse di un'altra espressione americana e guardò Dominick per avere una spiegazione, ma il viso di Dominick restò impassibile.

«Non importa. Qual è stato l'avvenimento più importante, in Germania, nel 1989?». Fein aveva una riserva di domande inesauribile.

«È ovvio», rispose Schwebel, «la caduta del muro di Berlino, in novembre».

«Come sarebbe stato possibile, secondo lei, guadagnare un mucchio di soldi, sapendo che cosa sarebbe successo?».

«Nessuno lo sapeva». Era la verità. «Quando Gorbaciov ha annunciato che l'Armata Rossa non avrebbe più mantenuto il potere dei partiti comunisti nell'Europa dell'Est, siamo stati colti tutti di sorpresa, come lei sa».

«Ma supponiamo che lei l'avesse saputo in anticipo. Come ne avrebbe approfittato per arricchirsi?».

«Io sono membro del consiglio della Bundesbank. Non avrei mai potuto, per un principio etico, fare una cosa simile».

«Dominick, però, non avrebbe avuto questo problema», insisté Fein. «Come sarebbe riuscito a mettere insieme una fortuna?».

«Fein parla per ipotesi», disse Dominick, un po' imbarazzato, «l'iniziativa di Gorbaciov è giunta inattesa per me come per chiunque altro».

«Beh, lei avrebbe comprato i marchi e ridotto la sua scorta di yen e di dollari», rispose von Schwebel. «Negli ultimi tre mesi dell'anno, lo ricordo bene, il marco tedesco aveva fatto un balzo in avanti rispetto alle maggiori monete. Con i vantaggi che offre il traffico di danaro, qualsiasi operatore avrebbe guadagnato il diecimila per cento su quanto possedeva prima. E anche di più, se fosse stato così abile da calcolarne gli effetti».

«E così, appena avuta la notizia, i soldi dei furbi hanno preso la direzione opposta. Vendere in base alle notizie. Giusto?».

«Sbagliato». Il tedesco sorrideva, man mano che ricordava. «La Bundesbank parlava di ribasso del dollaro perché la nostra sensazione era che l'apertura dell'Europa dell'Est avrebbe dato impulso alla economia tedesca, accrescendo, alla fine, i nostri tassi d'interesse. Nessuno si rendeva conto, tranne i sovietici, di quale forza prosciugante avrebbe rappresentato, per anni, la Germania Est per la Germania Ovest».

«Ma chi sedeva al Cremlino doveva sapere quale canestro bucato era la Germania Est e, di conseguenza, vendere i dollari e comprare i marchi. Un mio amico, però, sostiene che il traffico di danaro è un rischio... Ha ragione?».

«Certo, a meno di non possedere una sfera di cristallo».

«Ho letto la traduzione di un articolo di sua moglie sulla minaccia di una interruzione della intermediazione sulle banche in Svezia», intervenne Dominick, cambiando argomento. «Un bell'articolo, intelligente, interessante».

«Glielo dirò, le farà piacere», rispose von Schwebel. «Io, purtroppo, non l'ho letto». Si scusò, dicendo che andava a prendersi qualcosa da bere; parlare del recente passato lo aveva depresso. Era a quell'epoca che aveva divorziato e aveva tenuto testa ai suoi parenti nelle trattative, poi, dopo un periodo di tempo richiesto dalle convenienze, aveva sposato Sirkka e solo allora aveva scoperto il suo legame con la Stasi. Per quanto tempo sua moglie aveva passato i segreti della Bundesbank a Lipsia e poi a Mosca? Neanche ora Sirkka sapeva che lui aveva scoperto il suo passato di spia né che aveva mosso cielo e terra per impedire che il suo fascicolo, negli archivi della Stasi, fosse reso pubblico.

Von Schwebel guardò, dall'altra parte della stanza, il funzionario del KGB Nikolaj Davidov che chiacchierava amabilmente con il senatore e il direttore centrale dei Servizi Segreti, Dorothy Barclay. Era compito della Quinta sezione scoprire e uccidere le spie che la Barclay infiltrava nel Cremlino, ma quei tre che aveva davanti agli occhi rappresentavano qualcosa di nuovo, che rientrava nello spirito secondo il quale i russi avevano permesso all'FBI di aprire a Mosca un ufficio operativo, apparentemente per promuovere un'indagine comune sul traffico della droga.

A von Schwebel non importava molto che la CIA fosse al corrente delle attività di Sirkka, ma il KGB aveva portato via dalla Germania il suo fascicolo appena in tempo. Davidov lo sapeva? Era ai Servizi Esteri, ma qualche volta, ad alto livello, ci si scambiava un'informazione e von Schwebel si sentì stringere la bocca dello stomaco quando vide che il padrone di casa chiamava da parte la Barclay e Davidov si avvicinava a Sirkka. Lo vide ammirare una spilla che portava sul vestito e rivolgerle qualche parola, forse in tedesco, non riuscì a capire che cosa le dicesse, ma vide che lei gli rispondeva con un sospiro, sorridendo. Aveva un cuore troppo facilmente incline all'allegria.

Perché, si chiese l'editore tedesco, il giornalista americano gli aveva fatto quelle domande sulla possibilità di avere informazioni anticipate sulla Bundesbank? Mai credere alle coincidenze. Forse Fein stava indagando su Sirkka, anche se era con l'anticipo di una delle società di suo marito che finanziava il proprio lavoro. Scoprirlo sarebbe stato amaro, grottesco, ma i giornalisti americani, lo si diceva, provavano un perverso piacere nel mordere la mano che gli dava da mangiare. Il magnate dei media avrebbe detto al responsabile delle edizioni di incaricare un redattore della divisione libri di chiedere ad Ace qualche informazione in più sul progetto Fein-Farr.

«Sono d'accordo con te sui rischi del traffico di danaro», disse Dominick a Irving.

«Hai montato la testa a Mike Shu con quella storia dell'alluminio».

«Darà i suoi frutti, vedrai. L'alluminio era sceso nel 1989 con i grandi investimenti dei russi. Forse hai ragione, chi traffica danaro corre dei rischi. A cominciare da quelli che hanno speculato con successo sul marco nell'89».

«Spiegalo tu a Mike, io sono soltanto un ragazzo di campagna».

Dominick sorrise. «Chi è il tuo bersaglio, stasera? La moglie di von Schwebel?».

«Mi sembra il tuo tipo, se hai voglia di perdere tempo». Fein seguì con lo sguardo la finlandese bella e altissima che si muoveva per la stanza.

«Ammiro il tuo distacco, non molti giudicherebbero una perdita di tempo una donna come quella».

«Io, vedi, fiuto le notizie a distanza, riconosco le buone fonti, come von Schwebel, e posso dirti che una moglie-trofeo non lo è. Ma corteggiala pure, spezza il cuore della povera Viveca. Le farà bene».

Dominick, stabilito un rapporto cordiale con il suo imprevedibile compagno d'avventura, non rievocò il tempo perso a rincorrere il mercurio rosso. «Mi lavorerò il nostro amico tedesco fumando un sigaro dopo cena. Come ha saputo Ace di doverlo invitare?».
«Gli ho fatto dire due parole da un vecchio amico».
«Irving, io e te ci siamo reciprocamente sottovalutati». Il banchiere emise, con prudenza, un tentacolo. «Che ne diresti se io la smettessi di chiamarti "fratello Fein" e tu "il placido Eddie"?».
«D'accordo. Ma ora non perdiamo tempo».

Liana, trascurata da Nikolaj Davidov, decise di ripagarlo dedicando la propria attenzione a Irving Fein e alla tecnica con la quale si muoveva per la stanza. Guardarlo all'opera era una lezione di giornalismo. Perché non cercava di parlare con il direttore dei Servizi americani? Forse perché lavoravano insieme e non voleva che si sapesse. Anche se Nikolaj voleva farle credere che Fein fosse un agente della CIA alla ricerca di Berenskij, Liana non ne era sicura. Decise, perciò, di affrontare la questione direttamente e scelse la fonte che Fein aveva, fino a quel momento, evitato.
«La sua nomina ha dato coraggio a molte donne, in tutto il mondo», disse a Dorothy Barclay, e presentò le proprie credenziali anticomuniste. Aspettò il solito «come mai è venuta in America?» e, quando arrivò, rispose:«Il pretesto è un seminario di giornalismo a Syracuse. La ragione vera è la ricerca di un agente russo, che è scomparso».
«È meraviglioso che nel vostro paese ora ci sia la libertà di stampa», disse la Barclay, dirottando la conversazione su un altro argomento, «dopo decenni di occupazione nazista e comunista».
Liana non intendeva lasciarsi mettere a tacere tanto facilmente. «Con chi potrei parlare per avere qualche notizia su un agente tanto ben protetto?».
«Con l'FBI, ma senza dire che l'ho mandata io. O, meglio ancora, con Irving Fein. Dio solo sa quante cose potrebbe farsi dire da lui. Scoprirà che non è solo un grande giornalista, ma un uomo eccezionale». La Barclay fece un cenno attraverso la stanza e Fein si avvicinò. «Irving, tu e questa giovane amica avete un interesse in comune. Aiutatevi a vicenda», e il Direttore dei Servizi Segreti si allontanò.
«Quando abbiamo fatto quella stupenda colazione insieme, l'anno scorso, lei era una bellezza mozzafiato, perché adesso fa di tutto per sembrare una zotichella?».

«Che cosa vuol dire "zotichella"?».

Irving non rispose alla domanda e gliene fece un'altra: «Lei, come me, cerca l'agente in sonno, ed è tanto importante che Davidov l'ha seguita fin qui. Perché? Perché i russi s'interessano tanto a lei?».

Liana apprezzò quella franchezza. «Il mio programma non è limitato a Riga. È visto anche a Pietroburgo e, pare, a Mosca».

«Chi è Madame Nina?».

Liana era stupita di sentirsi interpellare senza preamboli e con tanta insistenza durante una cena. Era fatto così il giornalismo americano? «Non lo so. Non ancora».

«Ha una traccia da seguire per trovare Berenskij qui, in America?».

«No. Lei?».

«Sì. In che albergo sta?».

Liana gli diede il nome di un albergo a buon mercato. Lui disse che era una topaia, un'altra parola da cercare sul vocabolario. Poi aggiunse: «Lei è simpatica. Si fidi di me. Andiamo via di qui insieme, stasera. Faremo una lunga passeggiata per la Fifth Avenue, che è un luogo sufficientemente sicuro. Confronteremo i nostri dati e parleremo ancora. Voglio dar fastidio al suo amico Davidov».

«D'accordo su tutto».

«Bene. Mi intratterrò con lei il minimo indispensabile, per non insospettire nessuno finché non sarà ora di andare. Ho dato un'occhiata ai posti a tavola e ho visto che lei è seduta tra me e von Schwebel. Parli di televisione con lui, non le nuocerà certo alla carriera e forse vale la pena di coltivare la sua amicizia se vogliamo trovare Berenskij. Questa non è una riunione mondana. Bisogna sfruttare tutte le possibilità, minuto per minuto. Non dimentichi perché è venuta qui».

Liana assentì, convinta. Si sentiva molto meglio. Aveva detto a Fein, attraverso Michael Shu, che l'agente in sonno si chiamava Berenskij; Fein era in debito con lei per questo. Andò in bagno, un bagno che la lasciò a bocca aperta, tutto marmi e specchi, la vasca con delle meravigliose bocchette all'interno e, in omaggio alla vanità, si mise un po' di ombretto sugli occhi.

Seduto a tavola, tra Liana e l'accorta moglie del senatore, Evangeline, la cui conversazione era, evidentemente d'abitudine, improntata a una paternalistica banalità, Irving si dedicò al gioco che lo divertiva di più durante un ricevimento, indovinare chi sarebbe finito tra le lenzuola e con chi, non necessariamente quella sera, ma molto presto.

Ace, vicino agli ottanta, era escluso; buona la mandria se vecchio è il mandriano, i texani dicevano qualcosa di simile. Aveva accanto a sé quella attrice francese così attraente e così indebolita dai digiuni che sarebbe andata a letto con chiunque, ma il candidato più probabile era von Schwebel, lo si capiva dalle occhiate eloquenti che le rivolgeva frequentemente, e chi aveva in pugno il mondo dello spettacolo difficilmente colpiva a vuoto.

Viveca ed Edward, poiché il "placido" Edward non era poi tanto placido, o stavano già vivendo quella che comunemente si sarebbe detta una torbida storia d'amore o, se aveva ragione Mike Shu, le avrebbero dato il via quella sera, per la prima maledettissima volta. Viveca guardava l'amato guardare le altre, non era una provocazione ma finiva col diventare eccitante. L'odiosa immagine fotografica strappò un sospiro a Irving; Dominick era troppo alto per lei e aveva un atteggiamento troppo distaccato, Viveca sarebbe uscita male da quell'esperienza, ma non avrebbe potuto lamentarsi perché l'aveva cercata lei. Un pensiero che servì a consolarlo, in parte.

Davidov, il funzionario del KGB, stava per balzare su Sirkka von Schwebel. Si evitavano, si scambiavano solo qualche parola ogni tanto ed era così che si tradivano perché in realtà avrebbero avuto molto da dirsi se solo avessero voluto parlare di servizi segreti e alta finanza. E, soprattutto, Irving sentiva la corrente che passava tra loro. La capacità di individuare il sentore di corruzione e, insieme, la prontezza nel riconoscere la tensione sessuale facevano parte del suo patrimonio professionale. Non avrebbe saputo dire perché, eppure era certo che il funzionario del KGB avrebbe perso parecchio tempo in America in compagnia della brillante economista finlandese. Meglio così, avrebbe seguito meno i movimenti di Liana Krumins.

Posò sul piatto una delle tre forchette – Ace non lesinava argenti e cristalli –, chiuse gli occhi e si passò e ripassò, cinque o sei volte, il palmo della mano su una tempia, ma non gli servì a capire che cosa rendesse tanto interessante la ragazza lettone agli occhi sia del KGB sia dei Feliks. La guardò, seduta alla sua sinistra, riprendere fiato ogni tanto mentre parlava con Karl von Schwebel, come le aveva raccomandato, della base radar che i russi pagavano per mantenere in Lettonia.

Non avrebbe saputo dire se, vestita così, Liana mostrasse di ave-

271

re una bella figura, ma era fresca e vivace e forse disponibile. No, scacciò dalla sua mente quel pensiero; non solo sarebbe stato disonorevole oltre che ridicolo farlo con una fonte d'informazione, ma l'aspetto più grave era l'età della ragazza. Comunque non quella sera. Forse a Syracuse, dove si sarebbe fatto invitare da un amico della facoltà di giornalismo a tenere una conferenza durante il seminario.

Anche in quel caso si ripromise di fare un passo avanti solo se fosse stato certo che il passo avanti lo avrebbe fatto contemporaneamente anche l'indagine e se lei si fosse mostrata interessata: forse, insieme al corpo, gli avrebbe concesso anche qualche informazione utile. Era una di quelle ragazze impegnate, ne era sicuro; qualcosa in lei rifletteva l'integrità professionale, un valore simile alla verginità, e non sarebbe stato lui a violare né l'una né l'altra. Si accorse che anche Dominick, mentre si preparava a partire alla conquista del corpo di Viveca, seguitava a captare le immagini di Liana nello specchio, e non lo si sarebbe detto attratto ma incantato.

E Dorothy Barclay? Anche quella sera sarebbe andata a letto, a Washington, con la sua compagna di tutta la vita, una relazione che Irving avrebbe potuto rendere pubblica quando poteva fare notizia, molto tempo prima, ma gli erano simpatiche tutte e due e la lealtà individuale qualche volta ostacola la stampa pettegola. Pensò che quell'occasione mancata aveva trovato recentemente un largo compenso quando c'era stato il dirottamento dell'aereo presidenziale, un episodio molto più importante.

Il senatore avrebbe dormito con sua moglie. Harry ed Evangeline Evashevsky godevano da quarant'anni della compagnia reciproca, con qualche lagnanza nella quale non credevano loro stessi fino in fondo e ciascuno era custode di un diverso ordine di segreti nazionali. Irving non riuscì a reprimere un sorriso. Se quei due avessero improvvisamente manifestato tutto quello che sapevano su chi faceva che cosa e a chi a Washington e a Mosca, i Servizi Segreti degli Stati Uniti si sarebbero trasformati in un colabrodo come i Servizi Segreti in Russia.

Ace alzò una coppa di champagne. «Questa serata è il simbolo di una nuova era, che qualcuno chiama il "dopo guerra fredda", ma che forse troverà una definizione migliore nel titolo di un libro. Qui, attorno a questa tavola, sono riunite le menti che occupano i più alti livelli delle grandi potenze del ventesimo secolo. In alcune questioni, e non specificherò quali, sono ancora competitive, l'una rispetto all'altra, anche se ora con la competitività di pacifici rivali e non di irosi avversari. In altri campi, quali l'antiterrorismo e la criminalità mondiale, questi professionisti dell'intelligenza sono compatti come un corpo unico. Ma chi sono io, che mi occupo di letteratura, per brindare a questa nuova, eccezionale amicizia? Cedo la parola al senatore del Nebraska, che sovrintendeva allo spionaggio quando Dorothy Barclay e Nikolaj Davidov erano ancora due ragazzi che sognavano di diventare l'uno avvocato, l'altro epistemologo».

Il senatore si alzò in piedi per brindare ai due capi dello spionaggio, ricordando le divergenze del passato, sottolineando la collaborazione del presente, ancora lenta e incompleta, ed esprimendo la sua fiducia nella completezza dei rapporti futuri. Fu un bel brindisi, reso più saporoso dall'aggiunta di aneddoti che Ace conosceva già, e così accuratamente formulato da non poter causare fastidi al senatore se, durante la notte, fossero nati nuovi contrasti tra le due nazioni. Davidov rispose con poche, semplici parole. La Barclay si alzò in piedi, a sua volta, e rievocò, dilungandosi, l'aiuto russo nel momento in cui la vita del Presidente degli Stati Uniti era stata in pericolo. Un messaggio di stima che, pensò Ace, Davidov avrebbe portato ai suoi superiori alla Lubjanka, a meno che non fosse già stato trasmesso e ascoltato. Si chiese quanti furgoncini con dei registratori in funzione fossero fermi in strada.

Più tardi, accompagnando Irving e Liana alla porta, Ace chiese: «È andata bene la serata?».

«Il suo invito è stato un onore», rispose Liana.

«Il libro ha fatto un passo avanti», disse Irving.

34

NEW YORK

«Non sono esattamente segreti di stato», disse il Capo dei Servizi centrali della Federal Reserve, spingendo le fotocopie attraverso il tavolino del bar, «ma non credo che tu voglia trarne più di quello che dicono».

Fein infilò i fogli nella tasca del cappotto appeso alla parete dietro le sue spalle. «E che cosa dicono, appunto?».

«C'erano due fondi di investimento e una banca in testa al corteo di quelli che compravano marchi e vendevano dollari nell'ultimo trimestre dell'89», disse il funzionario della Federal Reserve, Hanrahan. «Il fondo Vasco de Gama aveva fatto una speculazione azzardata che forse, con il cambio al novantacinque per cento, era arrivata a due miliardi di dollari. Neanche l'altro era un grande fondo e nessuno dei due era conosciuto, a quell'epoca».

«E adesso?».

«Adesso, almeno, sappiamo che non sono investimenti sicuri, con la Commissione di controllo sulle azioni e obbligazioni e le regole della Borsa Valori. Questo è il mercato del danaro, Irving. Girano mille miliardi di dollari al giorno, e anche di più quando il traffico è forte. Abbiamo perso moltissimo».

«Avete perso con l'imbroglio della Banca del Lavoro. Miliardi per far costruire armi nucleari all'Iraq attraverso una oscura filiale di Atlanta. Te lo ricordi?».

Hanrahan assentì, con la fronte aggrottata, e mescolò il caffè che aveva nella tazza. «Io sono convinto che tu stia operando nel pubblico interesse ed è la sola ragione per cui forzo le regole, consentendoti uno sguardo sui vecchi traffici».

«Mi stavi dicendo qualcosa sul Vasco de Gama. Era un fondo italiano?».

«No, molti fondi portano il nome di esploratori famosi, come se si trattasse di partire per un viaggio di scoperta. Questo ha sede nel Liechtenstein, è rappresentato qui da un avvocato che fa da copertura; la proprietà è nelle Antille, ma i nomi elencati laggiù sono fittizi».

«Hanno fatto due miliardi di dollari. Dove sono andati a finire?».

«Abbiamo individuato alcuni grossi trasferimenti alla fine di quell'anno in banche degli Stati Uniti, forse la metà del totale, di cui la parte più consistente è andata alla Chicago National. Un altro trasferimento è stato fatto a una multinazionale controllata da un magnate del commercio marittimo. Troverai tutto scritto nelle fotocopie. Per i trasferimenti oltreoceano dovrai informarti presso qualcuno che abbia orecchie adatte».

«Non la NSA?».

La National Security Agency aveva la fama di raccogliere segreti. A Irving non piacevano quei costosi ficcanaso e aveva scarsi contatti con la loro sede di Fort Meade.

«Sì, quella», rispose Hanrahan. «Ora ti dirò quali sono gli altri motivi di scoraggiamento che ho incontrato in questa ricerca. Primo: Il Privet Fund aveva fatto quasi quattrocento milioni di dollari di profitto in valuta la settimana in cui era caduto il muro di Berlino; secondo: quella è la società che, da allora, uccide la competizione nelle operazioni a termine sull'oro. Io tengo d'occhio gli amministratori del Privet, che vivono quasi sempre a Coral Gables, per capire come mai sono così bravi nell'indovinare i movimenti della Federal Reserve. Ritengo che sia lì la chiave delle transazioni, te lo dico, anche se non me l'hai chiesto».

«E adesso è il momento di saldare il conto. È così?».

«Esatto. Tu ci ha messi in agitazione dicendo che c'era una talpa nella Federal Reserve e io ora devo dimostrare come procedono le indagini. Il presidente quasi si pisciava addosso, non l'avevo mai visto così eccitato. Dunque, che cosa puoi dirci, in particolare?».

«Ci dev'essere qualcuno che ha cominciato a fare parecchi soldi nell'89. Sai di un funzionario o di qualcun altro che abbia, a quell'epoca, accresciuto il proprio profitto o fatto molti viaggi alle Bahamas e in Svizzera?».

«È quello che stiamo cercando di capire. Mi serve un nome, Irving, o più nomi».

«Non ne ho. Ma ho un buon indizio: prova a pensare se conosci un vecchio lupo di mare che occupi un posto cruciale, un veterano della marina militare o uno yachtsman. Oppure un marine in pensione».

«Che cosa c'è alla base di questo indizio?».

Irving scosse la testa. Non se la sentiva di citare una poesia. «Un'altra parola da cercare sui vostri computer è "albatro"».

«È quello che diventerai per me, un albatro che porto appeso al collo, se non emergerà una notizia utile».

«Storie. Chi potrà provare il contrario e cioè che non esiste nessuna talpa? Puoi dedicarti alle ricerche in tutta sicurezza fino al giorno in cui andrai in pensione».

«Sì, ma il pensiero non me lo toglie nessuno. Irving, sinceramente, che cosa ti dice il tuo fiuto?».

Irving si passò un dito sul naso. «La talpa c'è. A misura transoceanica. È così che devi cercarla».

«Un aggancio ora l'abbiamo», disse Michael Shu durante uno dei suoi viaggi a New York. «Il Privet Fund? È lo stesso che ha tratto grandi profitti dal calo dell'alluminio quando l'agente in sonno è entrato in gioco. E i rapporti dei due fondi con le banche sono quasi paralleli».

«Che significa?».

«Irv, è come se qualcuno dicesse di non concentrare tutto il movimento su un fondo solo, ma di dividerlo in due».

«Perché non in tre?».

«Io sono un passo avanti a te. Stiamo facendo un controllo su computer degli schemi di trasferimento di quei due fondi rispetto a fondi di pari dimensioni e banche che hanno cambiato di mano durante l'ascesa di Berenskij. I due fondi, più la banca delle Antille... sono come la stele di Rosetta. Abbiamo tutte le indicazioni che portano ai veri luoghi dove si fanno i veri soldi».

«Hai un elenco di tutti gli avvenimenti politici dell'89 e del '90 che hanno influenzato i mercati? Avvenimenti dei quali Berenskij avrebbe potuto essere avvertito in anticipo?».

«Con l'elenco in mano, stiamo controllando tutte le attività basate sui fondi di cui sospettiamo e sulla banca».

«Ora facciamo velocemente un passo avanti di qualche anno. Berenskij, alle Barbados, uccide il suo controllo del KGB e, a Berna, il banchiere, e si prosciuga così il flusso di informazioni dalla Russia». Irving aveva la sensazione che avessero ottenuto veramente quella che Shu aveva chiamato la forza trainante. «Comincia a usare i collegamenti del KGB nell'Ovest. Avete scoperto se c'è qualcuno che abbia guadagnato un sacco di soldi conoscendo in anticipo le variazioni della Federal Reserve sui tassi d'interesse?».

«Ci stiamo lavorando. È solo questione di tempo».

«E la Bundesbank?».

«Non abbiamo ancora cominciato, ma ci arriveremo tra poco».

Irving guardò il telefono. «Questo apparecchio, come saprai, è controllato». La sua attrezzatura per il controspionaggio, un apparecchietto elettronico che era costato un capitale, indicava almeno due spie su quella linea.

«Io qui non dico mai niente d'importante, Irv, e non ti ho fatto mai neanche un fax. Mando tutto per postalumaca, come si usa dire, o se si tratta di una cosa urgente, uso la Federal Express».

«Voglio che mi chiami su questo apparecchio da Memphis, dicendo che, in base a una informazione, sospetti che la Banca d'Affari di Memphis serva da copertura all'agente in sonno. Non chiamarlo così, chiamalo "quel nostro amico che russa", perché si pensi che hai paura di essere ascoltato. E poi chiedimi se ho qualche indizio su Mariner».

Shu prese un appunto. «Ho capito. Qualcuno così sospetterà che Dominick sia Berenskij, a meno che chi sente la registrazione non sia rincretinito. Chi è Mariner?».

«È la prima voce nell'elenco delle cose che non so. Potrebbe essere il nome in codice di qualcuno in contatto con l'agente in sonno».

Irving sperava che ora Berenskij, e forse il KGB, e forse i Feliks a Riga, e forse perfino l'FBI su richiesta di Dorothy, cercassero di controllare le comunicazioni telefoniche dalla banca di Memphis. Le misure di controintercettazione (che includevano il controllo due volte al giorno delle microspie e l'uso di un circuito decriptatore taiwanese per bloccare l'accesso dell'FBI al circuito informatico) erano organizzate in modo da sembrare quelle che avrebbe adottato nella sua casa base il vero agente in sonno. Qualsiasi ufficio così protetto sarebbe apparso sospetto a tutte le parti interessate, soprattutto quando, ascoltando la telefonata a casa di Irving, si fosse saputo che Shu stava in guardia. Solo Berenskij, allora, avrebbe potuto essere certo che la banca di Memphis non era la copertura dell'agente in sonno.

Lo scopo di tutta la costruzione della falsa identità era quello di costringere Berenskij a mettersi in contatto con Dominick. Il gioco stava nell'ingannare tutti gli altri portando Berenskij a credere che Dominick fosse l'uomo che cercavano. Irving non entrava in competizione con il mondo dell'informazione, che l'avrebbe costretto a tenersi stretto quel poco che sapeva, ma era in competizione col mondo delle spie, trascinato a far parte di un vasto, multiforme esercito; per questo la sua impresa era diversa da qualsiasi altra e richiedeva astuzie così elaborate. Finché gli altri non sapevano che lui sospettava di avere il telefono controllato, il suo telefono di casa sarebbe stato il canale di diffusione della sua duplicità, attraverso il quale avrebbe sviato gli avversari. Facendo credere a chi lo sorvegliava di sapere chi era Mariner, la talpa della Federal Reserve, avrebbe fatto emergere, come spinto dalla forza di un idrante, il vero Berenskij.

Irving si chiese che cosa avrebbe fatto lui, nei panni dell'agente in sonno, se avesse scoperto che gli investigatori stavano per individuare Mariner, alla Federal Reserve. Nonostante la possibilità che fossero stati sempre tenuti lontani, per prudenza, supponeva che Berenskij e Mariner conoscessero l'identità l'uno dell'altro. Con il destino di Clauson impresso nella mente, mormorò: «Lo anniento».

«Che cosa hai detto? Perché parli a bassa voce, Irving?».

«Niente. Ho detto che non so niente». Irving si sorprese a chiedersi: è questa la disinformazione?

35

NEW YORK

«Spero che non le sia stato troppo difficile lasciare suo marito per qualche ora», disse Davidov.

«Mio marito», rispose con freddezza Sirkka Numminen, «molto probabilmente si trova con la giovane attrice che era a cena da McFarland ieri sera, per una *matinée*, come si dice in America e, credo, pressappoco, anche in Francia».

Graziosamente amareggiata, pensò Davidov, e interessata alle sfumature linguistiche. «Sa che lei aveva fatto parte della Stasi?».

«No, e farò di tutto perché non lo sappia mai».

Allora non era bene informata. Davidov ricordava i documenti che provavano, oltre ogni possibilità di dubbio, che Karl von Schwebel era al corrente del lavoro che la sua seconda moglie svolgeva alla Stasi, i servizi segreti della Germania Est, e lasciavano pensare che fosse, almeno in parte, informato della sua successiva attività nei Servizi Esteri russi. Ottenere quella informazione e troncarla all'origine era costata non poco danaro a von Schwebel. O amava molto la sua seconda moglie o si era preoccupato di non compromettersi presso la Bundesbank. La seconda ipotesi era la più probabile; se fosse stato l'amore a spingerlo, il magnate della comunicazione avrebbe detto alla moglie quali passi aveva compiuto per proteggere lei e se stesso. Ora, invece, poteva approfittare del senso di colpa che lei aveva nei suoi confronti per avergli nascosto la verità.

Davidov, con un gesto appena accennato, indicò la sua intenzione di non avvalersi della propria posizione né di quella di lei. Sotto questo aspetto la donna che occupava i suoi pensieri, per il momento, era Liana, il cui comportamento, alla cena, gli era parso molto più dignitoso di quello delle altre donne. Vederla andare via con Fein lo aveva infastidito più di quanto non volesse ammettere; l'agente del KGB incaricato di seguirli li aveva persi in un bar affollato del Greenwich Village. Davidov supponeva che l'altro, quello mandato dai Feliks, non si fosse lasciato scoraggiare tanto facilmente. Quella era gente con lunga esperienza.

Cercò il modo di aggirare la domanda che avrebbe voluto farle, "chi è Mariner?", per paura che lei gli rispondesse qualcosa come "Si rivolga alla mia guida ai Servizi Esteri". «Ho letto alcuni suoi articoli di economia», mentì, «li ho trovati acuti, interessanti». Presumendo che trattassero dell'aggravio sull'economia della Repubblica Federale portato dall'assorbimento della Germania Est, secondo le previsioni della Bundesbank, proseguì: «Lei ha indicato con esattezza che Kohl, aumentando le tasse, avrebbe evitato un grosso deficit di bilancio».

«Nessun altro me l'ha detto prima di lei. Non capita spesso che il mio lavoro sia apprezzato». Si corresse. «Veramente, anche quel banchiere di Memphis, ieri sera a cena, ha detto a mio marito che gli era piaciuto il mio articolo sulla interruzione della intermediazione. È stato gentile a farmi un complimento quando non ero nemmeno presente».

Davidov le chiese di quali altri argomenti si fosse occupata e lei lo colmò di una quantità di dati utili sulle deliberazioni della banca centrale tedesca trasmesse a Mosca nei primi anni Novanta. Davidov avrebbe voluto che ci fosse Shu con lui ad ascoltare, invece di perdersi con quella sua inconcludente squadra di Yasenovo. Per ricordarsi tutto usò il suo metodo da epistemologo di collocare mentalmente le parole e i nomi chiave in uno spazio tridimensionale.

«È riuscita, più di recente, a svolgere un lavoro coordinato con il suo corrispondente alla Federal Reserve?».

Sirkka esitò. «È una questione che lei dovrebbe discutere con la mia guida o con il suo superiore a Mosca».

Ma a Mosca gli avrebbero sbattuto la porta in faccia. «È la risposta giusta. Io, però, devo intervenire rapidamente in un problema che ho qui, poi regolerò tutto al mio ritorno». Usò la formula in codice colta da una intercettazione a Memphis: «Ha contatti diretti con Mariner?»

Sirkka, malvolentieri, rispose: «Di solito no. Qualcuno, negli Stati Uniti, coordina i nostri dati. Non dovrei parlarne a nessuno, nemmeno a lei, anche se la rispetto».

«Lei mi ha detto che, di solito, non ha contatti diretti con Mariner. Che significa? Qualche volta sì?». Il tono di voce di Davidov ora non aveva più nessuna leggerezza. «Madame von Schwebel, io sono un funzionario del controspionaggio del KGB. Ho motivo di sospettare che Mariner sia stato scoperto dagli americani. Mi aspetto un aiuto da lei nell'indagine».

«Certo, direttore Davidov».

Davidov non poteva dirle che non sapeva chi fosse la talpa della Federal Reserve. «Quando l'ha visto l'ultima volta?».

«Al Forum dell'Economia Mondiale».

«Che cosa faceva lì?»

«Interveniva sulle notizie per la stampa, a vantaggio degli americani. Godeva di una buona credibilità, quale assistente del presidente della Federal Reserve nelle negoziazioni internazionali, come sempre».

«Come sempre».

«Sì. Mort ha avuto questo incarico fin da quando c'era Arthur Burns. In America è quanto ci sia di più simile a un servizio civile inglese».

Si chiamava Morton o Mortimer; era tutto quello che gli serviva, ma Davidov fece, prudentemente, altre domande. «Le ha dato motivo di pensare che gli americani avessero dei sospetti su di lui? O che, addirittura, fosse già stato scoperto? Nessun motivo di allarme?».

Sirkka si appoggiò allo schienale della poltrona, nella sala da cocktail, e si scostò dal viso i capelli dorati. Le donne scandinave sbocciano a quarant'anni, pensò Davidov. Gli piaceva il gioco che stava facendo con lei. «Ci siamo parlati al telefono, non molto tempo po fa... apertamente, come due che portano sulle spalle il peso dei loro paesi, mentre ci preparavamo all'incontro del prossimo anno a Davos. Lui sembrava preoccupato, non era tranquillo come sempre, ha interrotto una frase a metà e mi ha salutato. Ha detto che era oppresso da una forte tensione».

Ecco una notizia importante. Davidov giocò d'azzardo. «Aveva problemi di sonno?»

«Come dice?».

«Mah... forse era affaticato, forse aveva perso il sonno per un senso di colpa ora che il capitalismo ha trionfato sul comunismo».

«Forse. Non potevo leggergli nella mente».

«Basta, l'interrogatorio è finito. Devo avvertirla di non parlare del nostro colloquio con la sua guida o con chiunque altro ai Servizi Esteri. Si tratta di un problema di controspionaggio che riguarda il Ministero per la Sicurezza Federale».

«Sì, direttore Davidov».

Davidov prese il suo bicchiere di ginger ale. «Mi hanno sempre

281

incuriosito i nomi in codice. Forse Mariner aveva fatto parte della marina militare, aveva un passato sul mare? Possibile che fosse qualche reminiscenza poetica?».

«No, niente di tutto questo». Sirkka tornò ad accavallare le gambe lunghissime nei pantaloni di seta grezza. «Il primo presidente della Federal Reserve si chiamava Marriner Eccles. Mort aveva scritto la sua biografia, molto tempo fa».

Davidov non poté trattenersi dal sorridere. C'era sempre qualcosa di nuovo da sapere. «Lei mi è stata molto utile», disse. «Come posso essere utile io a lei?».

«Mantenendo con mio marito il segreto sulla Stasi».

«È davvero tanto importante per lei?».

«Sì. Mio marito si vergognerebbe di me. Si vergognerebbe di se stesso. Ed è vendicativo. Mi farebbe andare alla deriva. Sono sicura che non potrei più lavorare».

Davidov rifletté un momento. Sirkka Numminen von Schwebel lo aveva aiutato più di quanto non immaginasse; lui ora sapeva come si chiamava la persona che poteva conoscere l'identità americana dell'agente in sonno o che almeno, prima di essere tolta di mezzo, la conosceva».

«Suo marito sa tutto su di lei», disse infine. «Ha comprato la sua pratica dall'archivista della Stasi nel 1989 per cinquecentomila marchi. L'unica copia esistente, e solo in piccola parte, è custodita personalmente dal capo dei Servizi Esteri a Mosca. Si tratta di segreti di stato, che non saranno mai rivelati, né al Ministero degli Esteri e neanche al nostro Ministero. Io so dell'esistenza di una pratica che la riguarda, ma non l'ho mai vista e, probabilmente, non la vedrò mai».

Sirkka lo aveva ascoltato, stupita. «Vigliacco», disse infine. «Ha sempre saputo».

«Sì, ma non l'ha mai tradita». Davidov diede a von Schwebel il beneficio del dubbio. «Forse se non le ha mai detto niente è perché la ama».

«Non ho motivo di pensarlo. Quello che preme a Karl è il controllo totale della mia persona».

«Lei non gli dirà che sa che lui lo sa e che non le dirà che lo sa. Lui la controlla, ma lei lo sa».

Sirkka sorrise mentre si avviavano insieme per il lungo corridoio argenteo.

Davidov, interessato a quel triplice intreccio come gioco epistemologico, la invitò a un'altra riflessione. «Oppure potrebbe confessargli tutto, senza fargli capire di sapere che lui sapeva già. Affermerebbe così la propria sincerità nei suoi confronti, lui non potrebbe mai confessare di aver sempre saputo e starebbe sulla difensiva». Sirkka batté le palpebre, nello sforzo di riuscire a seguirlo e Davidov aggiunse: «Mi scusi, è un'abitudine. La consideri parte del suo addestramento come agente, una occupazione alla quale non si rinuncia mai del tutto».

«Le sono grata, Nikolaj Andrejevich. Mi spieghi: se esiste una sola copia del mio incartamento a Mosca e non è nella sua agenzia, come ha potuto leggere i miei articoli di economia?».

«Non li ho mai letti».

Lei lo guardò, senza capire.

«Ho puntato sulla sua vanità professionale. Dovevo conoscere il suo segreto».

Il viso di Sirkka ebbe prima una espressione di perplessità, poi di profonda vergogna. Davidov mise quanta più gentilezza poteva nella propria voce per dirle: «No, non sia in collera con se stessa: impari. Non si fidi mai di nessuno in questo lavoro. Non creda mai che la verità più ovvia sia quella vera».

36

CHICAGO

Il telefono squillò e si accese la luce verde, che segnalava la chiamata del più importante cliente dell'agente di cambio Leo Bellow, che si mise le cuffie prima di rispondere, in modo da avere le mani libere per il computer.

«Bellow».

«Leo», disse la voce nota, «c'è qui un ordine per lei che le solleverà il tono di tutta la mattinata».

«Ho davanti a me, sullo schermo, il riassunto della sua posizione».

«Perché non mi richiama dalla pasticceria?».

L'agente di cambio deviò la comunicazione su una linea riservata, dedicata sia al telefono sia al modem. L'uso di uno strumento antintercettazione avrebbe finito col sollevare i sospetti dei controllori, ma il cliente insisteva per avere la massima sicurezza e quello che lui voleva era legge.

«Voglio liquidare la mia vecchia posizione in opzioni yen e, in cambio, comprare opzioni in dollari prima di mezzogiorno. Investa tutto».

Leo Bellow, con un sospiro, poiché si trattava di spostare quattrocento milioni di dollari, scrisse l'ordine, e premette il tasto del modem perché il cliente, dovunque si trovasse in quel momento, potesse vedere davanti ai suoi occhi lo schema dell'operazione. Chiamava sempre quel cliente con una telefonata urbana che poi automaticamente veniva passata a Londra o a Hong Kong. Ma poteva anche darsi che l'ordine, quel giorno, gli fosse stato passato da Chicago, direttamente dalla sala della Borsa.

«Perfetto. Esegua».

Bellow inoltrò l'ordine, e l'operazione cominciò. Lesse sullo schermo la domanda, «Sei sicuro?», e provò la tentazione di riperterla al cliente, ma non lo fece. Schiacciò la Y e poi il tasto esegui.

«Devo avvertirla che la Commissione Controllo sugli Investi-

284

menti mi ha avvertito che a Miami si è presentato un tale che si è definito un giornalista economico, e ha chiesto notizie sui proprietari, i clienti e su qualsiasi altro dato non risultasse da un normale controllo bancario».

«Che tipo era?».

«A loro è parso più un commercialista che un giornalista. Asiatico-americano. Non glielo direi se non sapessi che il giorno dopo è ricomparso alle Antille con una storia che non finiva più sulle banche delle isole».

«C'è altro a questo proposito?».

Bellow non voleva preoccupare in modo eccessivo il suo cliente, ma neppure voleva rischiare di non dargli informazioni importanti. «Forse è una coincidenza, anzi è probabile, ma la Federal Reserve ha avvertito tutte le banche nazionali che effettuerà un controllo particolareggiato su tutti i grandi trasferimenti di valuta durante la prima settimana di questo mese. Il questionario riguarda le Antille e il Liechtenstein. Le ricordo che periodo di lavoro è stato quello per noi».

«È bene saperlo. Mi tenga informato e mi avverta, prima di mezzogiorno, ora di Chicago, che l'operazione è stata portata a termine».

«Certamente».

«Entro il pomeriggio di oggi voglio sapere quante opzioni sono disponibili in obbligazioni prossime al rimborso».

«Saliranno alle stelle se il tasso d'interesse scenderà», disse l'agente di cambio. La Commissione per il Libero Mercato della Federal Reserve aveva fissato una riunione a New York verso la fine della settimana e non era previsto che prendesse una decisione sui tassi, ma quel cliente sembrava dotato di un intuito particolare per quanto riguardava le decisioni della Federal Reserve, indovinava nove volte su dieci, ammesso che si trattasse veramente di indovinare. Secondo un accordo preso con altri fondi, Bellow non avrebbe seguito il parere della Commissione di Controllo sugli Investimenti nelle proprie operazioni fino a che le operazioni del cliente non fossero concluse, questo gli dava un incentivo in più a concluderle rapidamente. L'agente di cambio che lo aveva preceduto, per non aver seguito la linea indicata dal cliente, aveva perso tutte le operazioni e aveva finito col chiudere ogni attività; Bellow avrebbe fatto quello che gli era stato detto.

Avrebbe potuto prenotare quelle obbligazioni pagando il due per cento: con i quattrocento milioni di dollari dell'investimento del cliente avrebbe potuto comprare opzioni per un valore di venti miliardi. Se la Federal Reserve, cogliendo di sorpresa il mercato, avesse abbassato i tassi, le obbligazioni avrebbero fatto un balzo in avanti, ma quelle vicine al rimborso avrebbero avuto una spinta in più. L'azzardo si giocava su vasta scala: se la Federal Reserve avesse preso una strada, il cliente avrebbe perso i suoi quattrocento milioni di dollari, ma se la strada fosse stata quella che l'audace investitore aveva anticipato, il cliente avrebbe avuto, con ogni probabilità, un profitto di venti miliardi.

Bellow aveva ben presente il concetto di non colpevolezza e non faceva mai domande. Se avesse dovuto testimoniare, avrebbe detto che alcuni osservatori della Federal Reserve erano solo più bravi degli altri.

37

MEMPHIS

«Posso essere completamente sincera?».

Il banchiere parve perplesso. «Lo vuoi davvero?».

Viveca rispose di sì. Coronato, infine, il suo rapporto con Edward Dominick dopo la cena a casa di Ace, sentiva di poter rivelare senza rischi la propria ignoranza in materia economica.

«Sono intelligente. Mi sono laureata con la lode e ho frequentato un corso serale per ottenere un dottorato in economia politica. Capisco molte cose difficili ed eseguo con buona volontà i compiti a casa».

«È vero, posso dimostrarlo. Dopo l'amore, balzi dal letto per correre a leggere le ultime notizie».

«Allora perché tutti quei discorsi sulle differenze di prezzo sono per me un mistero insondabile? Mi aggiro per il tuo ufficio strategico, ascolto Mike Shu e gli altri parlare di scambi, di opzioni a farfalla, di contratti a termine e non capisco niente. Ti giuro: fingo».

Era un sollievo abbassare la guardia. «Mi vuoi spiegare che cosa fate con tutti quei numeri? Sono soldi o che altro?».

La grande mano di Dominick si posò sulla sua spalla, le scivolò lungo la schiena, sopra la giacca, accarezzandola con familiarità. Lei pensò che era una gioia non doversi ritrarre, anche se erano in un ufficio; la porta era chiusa e le case vicine non erano così alte che qualcuno potesse vederli dalla finestra. Se Dominick si mostrava possessivo nei suoi confronti ne aveva diritto, anche a lei sarebbe piaciuto fare altrettanto.

«Con tutti i tuoi titoli di studio, avrai letto certamente la *Politica* di Aristotele», osservò Dominick, divertendosi ad avere il ruolo del maestro. «Ti ricordi Talete di Mileto?».

«No, quel giorno ero assente».

«Talete era un filosofo, come Aristotele, ma con una propensione alla praticità. Aveva capito che quell'anno ci sarebbe stata una raccolta delle olive particolarmente abbondante e aveva usato il poco danaro che possedeva per prendere in affitto i frantoi della sua città. Dopo qualche mese, quando si era verificato il raccolto eccezionale che aveva previsto, lui era l'unico ad avere le attrezzature per produrre l'olio e aveva guadagnato con quella operazione più di Aristotele in tutta la sua vita».

«Ho capito».

«Allora hai capito anche che cos'è la base della teoria delle differenze di prezzo. Talete aveva comprato un'opzione, la possibilità di spremere le olive a un tasso concordato in anticipo. Il contenuto di questa opzione era il prezzo d'affitto dei frantoi, che era enormemente aumentato in corrispondenza dell'arrivo di quella massa di olive. Il nostro amico greco, però, si godeva il prezzo basso che aveva bloccato in precedenza».

«Ha guadagnato quanto avevano perso quelli che gli avevano affittato i frantoi».

«Sì, il gioco è questo. Quando il valore di una previsione cambia, una parte vince quello che l'altra parte perde».

«Ma quale beneficio ne trae la società?». A Viveca parve una frase pretenziosa e si corresse. «Insomma, se è solo come giocare ai dadi, in che cosa consiste, economicamente, il valore di questa operazione?».

«Nel trasferire il rischio. Chi vuole limitare il proprio rischio lo vende a qualcuno che vuole assumerselo. Come avevano fatto i proprietari dei frantoi. Le differenze di prezzo sono l'essenza del commercio, ecco perché corrono su un binario di dodicimila miliardi di dollari all'anno. E stavano toccando il vertice quando Berenskij è entrato nel mercato».

«Adesso spiegami com'è andata per lui».

Dominick sollevò tra le dita, a sentirne il peso, la lunga catena d'oro che lei portava appesa al collo. «Cento, centoventi grammi».

«Non l'ho mai pesata. È un regalo». Gliel'aveva regalata il suo primo produttore, che aveva dominato la sua esistenza finché non era riuscita a liberarsi della sua subdola influenza. La portava come simbolo di vendetta; non l'avrebbe più rivisto, ma doveva ammettere che aveva avuto buon gusto.

«Se me la vuoi vendere, sono disposto a pagare il prezzo corrente per centoventi grammi d'oro. Millecinquecento dollari. Adesso andiamo nell'ufficio strategico e sta' a vedere che cosa faccio». Senza lasciare la collana, ma seguitando a soppesarla tra le dita, Dominick guidò Viveca al "tavolo dell'oro", dove, davanti a un computer, sedeva un operatore con le cuffie sulle orecchie. «Ti senti a tuo agio o no, oggi, con questa collana? Ti piace?».

«Sì, mi piace», rispose Viveca. Si sentiva ottimista, tutto le piaceva, gli uomini, la carriera, la storia dell'agente in sonno, la vita in generale.

«Compri tre chili d'oro», disse Dominick all'operatore. Sullo schermo apparve il valore corrente, circa 38.000 dollari.

«Non farlo per me, non ce n'è bisogno, posso cercare di capire lo stesso», lo avvertì Viveca.

«Sei preoccupata? Ora vendiamo tre chili con un agente diverso. Vedi? Non abbiamo guadagnato e non abbiamo perso, ma abbiamo stabilito un rapporto di operazioni in contanti con due agenti. Adesso comportiamoci come l'agente in sonno». Dominick disse all'operatore di prepararsi a comprare delle opzioni sull'oro. «Facciamo conto che Berenskij sappia da qualcuno che fa parte del governo che gli indicatori economici domani saliranno».

«Minaccia d'inflazione», disse con prontezza Viveca. «Se vuoi stare sicuro, compra oro».

«Oppure facciamo conto che, prima degli altri, abbia saputo che la banca centrale tedesca alzerà i tassi d'interesse».

«L'inflazione si arresta. Vendi l'oro».

«Oppure facciamo conto ancora che sappia che la Russia non riesce a raggiungere la sua quota di produzione aurea».

«La mancanza alza i prezzi: compra oro».

«Appunto». Dominick disse all'operatore di comprare il blocco di opzioni in oro stabilito.

Viveca adesso era preoccupata davvero. «Abbiamo investito tutti quei soldi? Solo per fare un esempio?».

«Se ci preoccupa la scarsezza di informazioni, tuteliamoci». Ad altri operatori, Dominick disse di vendere le opzioni in oro. «La conclusione è che siamo quasi pari, indipendentemente dall'andamento dell'oro oggi».

«E perché tutto questo dovrebbe farci trovare l'agente in sonno?».

«Perché lui sta facendo le stesse cose, ma senza tutelarsi dai rischi. Stiamo scoprendo che, negli ultimi anni, nelle operazioni anticipate sull'oro non ha sbagliato un colpo e abbiamo cominciato a imitarlo. Abbiamo alcuni dei suoi agenti e non tutti sono totalmente discreti. Finiremo col muoverci lungo una linea parallela alla sua, pur senza le sue risorse. Riusciremo a compiere una identificazione finanziaria», concluse Dominick, parve a Viveca, con orgoglio.

«Cui seguirà una identificazione personale?».

«Se non sarà venuto da noi e se io sarò riuscito a sapere di più sulla sua vita passata, arriveremo a questo».

«Irving cercherà di estorcere a Liana qualche informazione tratta dall'archivio del KGB», disse Viveca, rassicurante. Dominick l'accompagnò all'ascensore; le confermò che il suo autista la stava aspettando. Viveca sperò che le proponesse un giorno in particolare in cui avrebbero potuto rivedersi, ma lui, evidentemente, stava pensando solo al lavoro.

«Forse dovrò andare a Mosca e a Riga, per informarmi, per cercare dove sono le possibilità di grossi investimenti. È probabile che Berenskij faccia lo stesso. Arrivederci».

Arrivò l'ascensore e si separarono. Viveca premette il pulsante che portava nell'atrio. Alla agitazione di Irving per la morte del suo amico della CIA, si aggiungeva, a preoccuparla, la prospettiva di un viaggio di Edward nei luoghi dove probabilmente si svolgevano le operazioni di Berenskij. Disse all'autista di fermarsi davanti a un raffinato negozio di prodotti per buongustai, lungo la strada che portava all'aeroporto, e mandò a Edward una bottiglia di olio d'oliva extravergine legata con un nastro rosso.

38

SYRACUSE

Liana, felice, animata, sedeva con Irving Fein sui gradini che portavano alla facoltà di lingue dell'università di Syracuse. Alle loro
spalle, su una parete di granito, semicircolare, erano incisi i nomi di
tutti gli studenti che avevano perso la vita sull'aereo Pan Am 103,
sabotato dai terroristi libici. Liana aveva appena partecipato alla
prima sessione del primo giorno del suo seminario accademico di
due settimane. Grazie al suo istruttore privato, aveva superato bene la prova, tenendo conto che, già alla fine degli anni Ottanta,
aveva lasciato l'università per diventare a tempo pieno un'attivista
anticomunista.

«Gli studenti mi guardavano fiduciosi, come io ora guardo te»,
disse a Fein. Si strinse attorno alle spalle la giacca di lana scozzese
e rabbrividì, sorridendo. Syracuse era una città fredda, come le era
stato detto, ma le aveva rivolto un caldo benvenuto.

Sapeva che il viaggio in America e l'accoglienza ricevuta erano
opera di Fein, era stato lui a farla invitare dalla USIA, United States Information Agency. Il seminario sulle tecniche di comunicazione, trasmesso dalla stazione televisiva dell'università, era venuto dopo un breve discorso introduttivo e un lungo intrecciarsi di
domande e risposte tra Fein e molti studenti della Newhouse
School of Journalism.

Nel suo seminario, molto meno importante, sul giornalismo nelle nazioni che da poco avevano guadagnato l'indipendenza, Fein
aveva svolto la funzione del "coadiutore", dando alla discussione
un indirizzo adeguato alle sue forze, e Liana aveva trovato molte
cose da dire, più di quanto non avesse immaginato, sul giornalismo
televisivo nell'Europa dell'Est, soprattutto in un paese con una
spaccatura linguistica; ogni volta che, durante la discussione, qualcuno si allontanava dal tema centrale, Irving Fein, severamente, ri-
portava il gruppo al tema proposto da Liana. L'idea di mezzi di comunicazione con una funzione partecipe era stimolante; Liana si

riprometteva di organizzare un corso all'università di Riga su questo argomento, basandosi sull'esperienza e sul prestigio che le venivano dall'aver tenuto un seminario di due giorni presso una grande università americana.

«Sei stata brava», disse Fein. «L'inglese, all'inizio, era un po' incerto, ma l'intensità del pensiero ha avuto il sopravvento e hai dimenticato di preoccuparti delle parole. Bevi un bicchiere di vino, come fa Viveca, prima di ricominciare; ti farà sentire più libera con l'inglese».

Lei lo guardò sorridendo. Pensò che era gentile e che invecchiava in un modo molto particolare. Uno studente della scuola di giornalismo le aveva chiesto di parlare della funzione dei "mentori" nei paesi dell'Europa dell'Est e Liana gli aveva risposto: «Che cosa fa un mentore?». Era uno di quegli incarichi, come il coadiutore, che non conosceva. Avuta la risposta, si era augurata che Fein, in futuro, diventasse per lei mentore e coadiutore. Si sentiva onorata di lavorare con lui alla ricerca del materiale per il libro che stava scrivendo. Gli chiese com'era la sua coautrice di New York, Viveca Farr. Non da quello che le rispose, ma da come si strinse nelle spalle, scuotendo la testa, dedusse che la considerava più una presentatrice che una giornalista, necessaria, a suo modo, ma priva dell'insaziabilità e della passione di un vero giornalista.

«Alla base della rivoluzione degli anni Ottanta», disse Liana, «c'era la passione politica, ma ora, negli anni Novanta, la rivoluzione sta nell'informazione». Era il tema del secondo giorno del suo seminario.

«Questa è una banalità», ribatté Fein, con un gesto della mano che pareva voler mettere da parte quel pensiero, «un'idea corporativistica». Liana pensò subito, con sollievo, che per fortuna non aveva ancora annunciato il tema agli studenti.

«Volevo dire», spiegò, «che il movimento mondiale non è più dominato dagli attivisti politici, com'ero io, ma dai giornalisti che fanno opinione, come io sto per diventare. Noi non solo riportiamo le notizie, ma contribuiamo a crearle; facendo convergere l'attenzione del lettore sulle forze che operano il cambiamento, diventiamo agenti del cambiamento». Questo, certamente, non era un argomento banale.

«Sì, sì. Quando tornerai a casa, riguardati il *Principio di indeterminazione nelle scienze naturali*, di Heisenberg», e poiché lei gli si rivolse con quello sguardo indifeso che raramente l'abbandonava, Fein le spiegò: «L'energia necessaria a misurare una particella elementare, la malmena in modo tale che la misurazione precisa diventa impossibile. Per questo non puoi determinare contemporaneamente posizione e impeto di una verità».

Liana riconobbe che quello era un approfondimento del mestiere di giornalista che superava i suoi deboli tentativi di analisi. Prese il suo libretto di appunti, annotò il nome del fisico tedesco e, vicino, scrisse: "Nell'atto stesso di trasmettere la notizia, la notizia cambia".

Fein lesse e le consigliò: «Se vuoi rendere essenziale un concetto, asciugalo il più possibile. Scrivi: "La notizia trasmessa cambia". Risparmia le parole».

Liana corresse, togliendo le parole in più, e assentì. La frase aveva un impatto più immediato. «Ho molto da imparare e tu hai molto da insegnarmi».

Fein non disse di no, ma attenuò la lode. «A te, almeno, non è necessario insegnare a essere chiara. È un ingranaggio interno che o c'è o non c'è. Non è difficile avere qualche cosa da dire, ma è difficile, bestialmente difficile, farlo con chiarezza».

Liana prese nota anche di questo insegnamento, non per lusingare Fein, ma perché poteva essere utile. Sapeva, però, di fargli piacere.

«C'è un corollario, che si chiama Principio di ipovalutazione di Fein». Irving sillabò la parola ipovalutazione perché Liana potesse capirla bene. «Ora noi siamo qui, impegnati in una battuta di caccia a estensione mondiale per ritrovare l'agente in sonno. Viene sempre un momento, in una indagine, in cui non ci si rende conto di tutto quello che si è riusciti a sapere; si commette l'errore di concentrarsi sul poco di cui si è certi, trascurando i particolari utili che la nostra mente ha già assorbito».

Liana assentì. Stava prendendo appunti.

«Prima di tutto, Liana, tu devi chiederti: "Perché proprio io?". Eccoti qua, non hai ancora trent'anni, non hai molta esperienza, non sei una bellezza da capogiro, ma un alto funzionario del KGB ti mangia in mano come un cagnolino e Madame Nina e i suoi amici Feliks ti seguono dappertutto, insieme a una metà dei vecchi truffatori dell'Unione Sovietica. In più, Berenskij si è messo in contatto con te e io darei gli occhi della testa per essere al tuo posto. Perciò, poniti la domanda: "Perché io?"».

«Il mio notiziario, a Riga, è seguito da tutti», rispose Liana. «Arriva anche a Pietroburgo e, poiché è in russo, ha un indice d'ascolto molto alto». Non aveva ancora niente di cui potersi veramente vantare, ma aveva già raggiunto un buon risultato.

«Non basta, c'è qualcosa in più. Quindi non stancarti di chiederti: "Perché io?". Capito?».

«"Perché io?"». Lei lo ripeté per fargli piacere, lo scrisse sul libretto degli appunti e lo sottolineò. «"Perché io?". Proverò a farmelo spiegare da Nikolaj Davidov».

«Ma voi due... siete molto uniti?».

«Abbiamo fatto l'amore, ma non siamo molto uniti».

Fein ebbe un moto brusco della testa, come se avesse preso uno schiaffo, poi insisté: «È stato quando gli hai detto della microspia nel medaglione, eh? Sei un'ingenua. Non si dà niente per niente. Bisogna sempre trattare».

Liana si ripromise di non dimenticarsene, ma le parve che ci fosse una contraddizione in quel consiglio. «Secondo te, Davidov non sa che tu hai capito che ascolta le tue telefonate da casa?».

«No, non lo sa. Crede che siamo stupidi e per me va bene così».

«Davidov crede che tu sia uno strumento della CIA».

«Allora è lui che è stupido, anzi paranoico».

A Liana piacque sentirlo parlare così. Poi si ricordò che era in una università e, con un tono rigorosamente accademico, fece un'altra domanda: «Quale dovrebbe essere il rapporto tra mezzi di comunicazione e servizi segreti?».

«La risposta l'hai già data tu un minuto fa, parlandomi di te e di Davidov. La scopata non implica un vincolo stretto».

Fein le rivolse un sorriso un po' strano, privo di malizia, che le scaldò il cuore. «Noi, giornalisti e agenti segreti, siamo coinvolti, gli uni e gli altri, nel gioco della informazione. Raccogliamo tutte le notizie possibili e le elaboriamo, le intrecciamo, le sovrapponiamo per cercare di capire che cosa vogliono dire. Poi gli agenti riportano al governo, con la massima segretezza, una piccola parte del loro significato mentre la stampa lo riporta ai cittadini per intero».

«Allora spie e giornalisti hanno un ruolo molto simile».

Fein scosse energicamente la testa. «No, c'è molta differenza. Adesso è di moda considerare con cinismo l'informazione, ma non bisogna aver paura di sembrare troppo semplici, ogni tanto. Ricordati questo: alla base della manipolazione delle masse c'è la segretezza, alla base della democrazia c'è la libertà di stampa. Perciò, anche se ogni tanto spie e giornalisti sono compagni di strada, non possono essere alleati a lungo. Ci serviamo gli uni degli altri per i nostri scopi, che sono diversi, e chi riesce a trarre il più possibile dagli altri vince».

Fein si alzò in piedi e porse una mano a Liana per invitarla a fare altrettanto. Attraversarono il campus. «Le cose stanno a questo punto: fino al mese scorso io ho lasciato che Davidov fosse informato, in buona parte, di quello che Mike Shu e io venivamo a sapere su Berenskij. È servito a smuovere le acque e a infiammare l'interesse del KGB sull'agente in sonno. Appena lui ha abboccato, abbiamo cominciato a confondergli le idee».

«In che modo? Come abbiamo fatto?». Quell'"abbiamo" era intenzionale, Liana si considerava dalla sua parte, non dalla parte dei Feliks e del KGB.

«Abbiamo usato un codificatore. Sulla nostra operazione a Memphis, attraverso le cuffie, gli sono arrivati solo i rumori di un telefono disturbato. Il suo intercettatore del fax gli ha trasmesso solo un farfugliare indistinto. Sa che Dominick è ormai a un passo dalla banca di proprietà di Berenskij, battendo sul tempo i contabili del KGB, buoni neanche a contare una manciata di fagioli. Lo stiamo facendo sbavare dalla voglia di capire di più. A proposito di sbavate, hai già un cane? Ne vorresti uno?».

«No, abito in un appartamento piccolissimo, a Riga, e qualche volta non torno nemmeno a casa la sera».

«Non importa. Ma ti piace? Voglio dire, Davidov ti piace?».

«Odio il KGB, ma non per questo devo pensare che Davidov sia brutto».

«Evidentemente è uno che sa come piacere alle donne, ma rappresenta il KGB, non è con noi. Noi cerchiamo la verità, lui cerca i soldi. Non vorrai dimenticarlo, spero, per trasformarti in una fanciulletta innamorata».

«No, starò attenta». Liana pensò che in vita sua non era mai stata tanto felice da comportarsi come una fanciulletta innamorata, ma preferiva che Fein le attribuisse una adolescenza normale.

«Posso affidarti il compito di snocciolargli tre bugie? E di vedere come reagisce? Te le detto, è meglio». Sedettero su una panchina. «Prima gli dirai che io so il perché del "perché tu". Anzi gli dirai che alla tua domanda, "perché io?", ho risposto: "io so perché, tra tutti, proprio tu, Liana Krumins, sei stata scelta come apripista"».

«Apripista?». Fein parlava troppo in fretta.

«Di' al tuo amico Nikolaj che io so perché sei immersa in questo gioco fino al culetto». Scosse la testa, irritato con se stesso per quella scivolata di cattivo gusto, poi riprese: «Digli, questo è importante, che io so perché tu, e proprio tu, sei così importante in questa ricerca dell'agente in sonno».

«Lo sai davvero?».

«No, non lo so». Liana si accorse che Fein faceva uno sforzo per essere paziente. «Ma voglio che tu glielo faccia credere, assicurandogli che te l'ho detto io stesso. D'accordo? Poi raccontagli un'altra bugia, digli che non sai perché sei stata scelta e che sei arrabbiata con me perché non te lo voglio spiegare. Hai capito? Lui si agiterà moltissimo. Forse qualcosa ti farà capire. In ogni caso dovrà comportarsi come se io sapessi e chiedersi perché, in qualche modo, non intervengo».

«Ho capito». Quasi. Avrebbe cercato di ragionarci più tardi. Non le dispiaceva l'idea di aiutare a menare per il naso il KGB. «E qual era la terza domanda che devo snocciolargli?». Stava tenendo il conto, anche se lui, a quanto pareva, se n'era dimenticato e poi le piaceva l'immagine che le suggeriva quel verbo, "snocciolare".

«La terza bugia. Già. Te la dico tra un momento, questo imbroglio mi si ripercuote nella testa come i colpi di una partita a squash, e di pensieri nella testa ne ho anche tanti altri. Sì, ecco: dagli l'impressione di credere che l'agente in sonno sia Edward Dominick».

«Quello che Viveca ha portato a cena a New York? Il banchiere di Memphis?».

«Lui. Non devi fingere di esserne sicura, ma di sospettarlo. Non per ragionamento ma per intuito. Parlane come di una sensazione. Nessuno potrà chiederti di dimostrarne il perché».

«Ma è vero? Dominick è Berenskij?».

Fein allungò una mano come per darle una pacca sulla testa, poi la tirò indietro. «No, no, te l'ho spiegato che è una bugia, ma noi vogliamo che al KGB e a Riga pensino che sia vero. Berenskij, allora, lo saprà e cercherà di capire come potremmo essergli utili. Forse vorrà trattare con noi. Vale la pena di tentare e tu puoi aiutarci. Proviamo».

Irving passò a parlare delle notizie su Berenskij che Liana aveva trovato in archivio. Le fece delle domande su Arkadij Volkovich, le chiese che cosa sapeva Arkadij Volkovich di Madame Nina e dei Feliks e se lei pensava che facesse il doppio gioco, cioè se lavorasse anche per il KGB. A Liana non era mai passato per la mente, ma non le pareva possibile. «E certamente non lavora per la CIA».

«Questo non l'avevo sospettato neanch'io. Credo che l'interesse della CIA sia morto con Clauson». Irving la guardò soddisfatto. «Per fortuna, ragazzina, vedo che hai capito come vanno le cose. Non c'è niente di certo nel gioco del chi manovra chi. Forse grammaticalmente non è corretto, ma tu non farci caso».

Liana disse che le sarebbe interessato sapere che cosa aveva trovato Fein nel capanno del funzionario della CIA che era morto. Restò sorpresa nel vedere con quanti particolari Fein le rispondeva: la stanza, il cane, la polizia, il computer, i libri sulla sedia, la poesia alla pagina dove il libro era rimasto aperto e che avrebbe potuto costituire un indizio.

«E l'altro libro?». Era una domanda così ovvia che, nel farla, Liana ebbe paura di sembrare una sciocca.

«Non so... Perché me lo chiedi?».

«Se pensi che abbia voluto mandarti un messaggio con il libro di poesia», disse Liana, seguendo quello che le pareva un ragionamento logico, «perché non avrebbe dovuto fare lo stesso anche con l'altro?».

Irving Fein, allora, fece una cosa strana. Senza risponderle, chiuse gli occhi e si batté sulla tempia il palmo della mano, all'altezza del polso. Dopo un momento, disse: *Franklin Delano Roosevelt e l'ordinamento economico costituzionale*. Era chiuso, non c'era una pagina segnata, un'annotazione, l'ho scosso e non è caduto fuori niente».

«Di che cosa trattava? Qual era il nome dell'autore?».

«Un libro di storia economica, Roosevelt, il New Deal. Il nome dell'autore non me lo ricordo».

«Forse non è importante». Camminarono per un po', in fretta; passarono vicino a gruppi di studenti che girellavano per la grande corte quadrata, al centro degli edifici universitari. Liana si fermò a guardare, su uno spiazzo erboso dove erano riunite delle sculture, la statua di Giobbe, che nelle sue sofferenze aveva dubitato della giustizia divina. Era un'opera dello scultore serbo Městrovíc. Fein prese un profondo respiro, nell'aria di tardo novembre, e si avviò lungo il percorso dove si erano fermati prima, sul fianco della collina, verso una grande costruzione nuova che portava sulla facciata la scritta BIRD MEMORIAL LIBRARY.

«La lezione insegna», disse a Liana, spingendo la porta per lasciarla passare, «che bisogna seguire tutti gli indizi, anche quando ti portano in un vicolo cieco. Al decimo tentativo, hai diritto a essere premiato, come il trivellatore che, dopo una fila di pozzi secchi, si merita uno zampillo di petrolio. La teoria dei prodotti del suolo era un vicolo cieco. Questo sarà il vicolo cieco numero sei».

Si avvicinò a una ragazza seduta al tavolo nell'atrio. «C'è qualche sistema per sapere se avete un libro che sto cercando, per esempio uno schedario per titoli? Purtroppo non ho il nome dell'autore».

La bibliotecaria rispose che lo schedario era computerizzato e li indirizzò a un terminale. Irving Fein introdusse *Franklin Delano Roosevelt e l'ordinamento economico costituzionale* nell'elenco dei titoli e sullo schermo comparvero immediatamente il nome dell'autore, dell'editore e la data della pubblicazione, 1951, insieme alla conferma che il libro era lì, negli scaffali della Bird Library, dono di una fondazione per gli studi di storia economica.

«Non ho la tessera della biblioteca, ma sono amico della signorina, che è una studiosa venuta dall'estero per tenere un seminario in questa università», disse. La bibliotecaria gli rispose che non poteva portare via il libro, ma che era libero di consultarlo nella sala lettura, che era proprio dietro il suo tavolo. In pochi minuti trovò il libro e glielo diede. Era rilegato in tela, senza sopraccoperta.

Fein lo aprì alla prima pagina e lesse a voce alta: «*FDR e l'ordinamento economico costituzionale. Una biografia di Marriner Eccles.* Oh, merda!».

Liana gli chiese che cosa voleva dire «oh merda».

«Vuol dire che questo è il Mariner che cercavo. "A cura di Mortimer Speigal". Oh, merda! Lo conosco. Lavora ancora alla Federal Reserve».

Liana sfogliò il suo libretto di appunti. «Viene sempre un momento in una indagine», lesse a voce alta, «in cui non ci si rende conto di tutto quello che si è riusciti a sapere».

Fein le tolse il libretto di mano e la strinse in un lungo abbraccio, sollevandola un pochino da terra, facendola dondolare da una parte all'altra, poi, non proprio d'impulso, le parve, la baciò sulla bocca e tornò a stringerla in quell'abbraccio da zio affettuoso. Dietro le sue spalle, vide che la bibliotecaria li osservava, aggrottando ironicamente la fronte.

39

RIGA

Un autista con una consunta divisa dell'esercito gli venne incontro al cancello dell'aeroporto di Riga, reggendo un cartello dov'era scritto a mano UNIMEDIA. Karl von Schwebel diede al veterano la sua valigetta cilindrica e lo seguì all'automobile. Le limousine erano quasi tutte tedesche o svedesi, o, in piccola parte, inglesi, ma questa era una vecchia Zis russa. Nell'atrio dell'aeroporto tutte le segnalazioni erano in lettone e non, come ricordava, in russo; i Paesi Baltici erano ansiosi di spostarsi a ovest, abbandonando le scorie di una russificazione durata mezzo secolo.

Von Schwebel ricordava di aver visto l'autista della organizzazione Feliks, Arkadij, durante la sua ultima visita a quella che era per lui una sorta di associazione benefica. Era affidabile, discreto, di poche parole, un buon soldato del loro esercito clandestino. Conosceva i rapporti che aveva presentato dopo aver accompagnato Liana Krumins alla Lubjanka per consultare i documenti d'archivio relativi a Berenskij e a Shelepin.

«Madame Nina sta bene, Arkadij?».

«Bene per quanto è possibile, Herr von Schwebel», disse Arkadij in tedesco. «Attraversa un periodo di lavoro intenso».

Era un invito a comunicare; infatti, nonostante i loro ruoli nella organizzazione fossero completamente diversi, entrambi erano soggetti alla stessa autorità. «E qual è la causa di questa pressione?». Una generazione prima si sarebbe parlato semplicemente di lavoro, ora il lavoro, per una finezza psicologica, veniva descritto come "pressione" dall'esterno, "oppressione", o "stress", dal francese antico *étrécer*, qualcosa che stringeva, come un cappio. Von Schwebel, che possedeva mezzi di comunicazione che diffondevano per il mondo parole in molte lingue, si dilettava di filologia.

«È l'argomento sul quale dibatterà la commissione prossimamente: la ricerca dell'agente scomparso in America. La nostra preoccupazione è che il KGB e la CIA siano avanti a noi».

La commissione avrebbe avuto delle sorprese. Von Schwebel cambiò, in parte, argomento. «Ho incontrato la vostra amica, la giornalista della televisione, l'altra sera a New York. Era molto graziosa, un po' timida». Giudicava, in realtà, la Krumins impacciata e introversa, senza possibilità di futuro nel mondo della comunicazione, assai diversa da Viveca, astro in ascesa.

«La commissione vuole un resoconto completo su quella serata. Madame Nina le chiederà perché era stato invitato».

L'inattesa loquacità di Arkadij era un dato positivo. Evidentemente Madame Nina – la conosceva solo con quel nome e accettava la segretezza che la circondava come parte della mistica dell'organizzazione – voleva che fosse preparato a rispondere alle domande. Le premeva che facesse buona impressione. Approfittò della possibilità che gli aveva dato Arkadij e chiese: «Chi ci sarà alla riunione?».

«Kudishkin, del vecchio KGB. Poi il nostro rappresentante nel Partito degli Agrari, vicino agli ex comunisti. Uno dei banchieri del Gruppo dei Cinquanta capitalisti. Il capo dei ribelli ceceni, un assassino che va acquistando importanza ora che è necessario rafforzare l'intervento».

Il solo che von Schwebel non conoscesse era il ceceno. Oleg Kudishkin era stato a capo della Seconda sezione del KGB, che si occupava della sicurezza e del controspionaggio ed era stato allontanato quando Eltsin aveva preso il potere. A lungo temuto, aveva esercitato per anni la sua funzione, teneva ancora le fila di una rete di agenti fedeli al passato, insieme a un certo numero di apparatchik, che erano usciti dal partito per occupare un ruolo strategico nelle grandi industrie. Il rappresentante del Partito degli Agrari godeva di profitti politici grazie ai nuovi capitalisti, von Schwebel lo sapeva perché aveva approfittato personalmente dei suoi traffici. I membri del Gruppo dei Cinquanta erano intercambiabili, quindi chiunque avessero mandato non faceva differenza; il Gruppo era la finestra che il Baltico si apriva verso ovest perché i nuovi feudatari mafiosi incanalassero danaro non tassato fuori dalle repubbliche della ex Unione Sovietica, era la sorgente dei fondi che rendevano possibile l'impero di von Schwebel, costruito sui notiziari televisivi, sui libri e sui film di successo, da lì sarebbero scaturiti anche i due miliardi di dollari che avrebbero dato origine a una nuova società per la produzione di computer – hardware e software –. Von Schwebel pensò che la banda di ceceni, provenienti da un'area di corruzione e violenza nel cuore della Russia, dispersa dopo che la sollevazione era stata soffocata, avrebbero procurato all'organizzazione Feliks il nerbo dell'estorsione e dell'aggressione fisica.

Von Schwebel aprì l'agenda elettronica e chiamò l'archivio dei dati. Prima della riunione l'avrebbe stampato in varie copie per distribuirlo alla commissione, i cui membri preferivano ancora avere tutto scritto su dei fogli di carta da tenersi in mano. Si sentiva orgoglioso soprattutto della relazione nella quale descriveva in che modo e fino a che punto fosse penetrato in quello che riteneva fosse il campo d'azione Fein-CIA a Memphis; avrebbe dato così la prova di essere avanti al KGB e alla CIA nella caccia all'agente in sonno e non in coda, come si temeva.

Chiuse il coperchio e guardò la brulla campagna baltica e le squallide case costruite dai colonizzatori russi. Madame Nina gli aveva appena fatto sapere che gli avrebbe chiesto perché era stato invitato alla cena di Matthew McFarland a New York; Kudishkin le avrebbe fatto eco, chiedendo a sua volta chi aveva proposto la partecipazione sua e di sua moglie Sirkka. Tutti sapevano che quell'agente letterario chiamato Ace, il Fuoriclasse, era stato da Davidov, a Mosca; ma sapeva il nuovo capo della Quinta sezione del KGB che l'Unimedia era controllata dai Feliks?

«Perché io?», doveva chiedere a se stesso. Chi ha voluto che io e Sirkka fossimo lì? Era necessario trovare una risposta e che fosse accettabile.

Fu l'ex capo del KGB, Kudishkin, a porre la prima domanda. «Dietro suo consiglio, abbiamo permesso alla ragazza Krumins di accettare il viaggio CIA a New York. L'agente in sonno ha cercato di incontrarla, a New York, come lei, von Schwebel, supponeva? L'incontro è avvenuto? È stato controllato?».

Von Schwebel non sopportava l'atmosfera di quei convegni. Invece di svolgersi in una sala da riunioni bene illuminata e corredata da strumenti audiovisivi, la *organizatsija* insisteva nella melodrammatica scelta di una stanza nel seminterrato di un caffè. L'illuminazione tenebrosa rendeva difficile cogliere l'espressione delle facce e ancora di più consultare i documenti. Era come se la criminalità organizzata, all'Est, rifiutasse di accettare la necessità di una organizzazione moderna, come avveniva all'Ovest; i russi seguitavano a preferire un'atmosfera umida e cupa da vecchio romanzo poliziesco. Il divario culturale era inquietante, ma non serviva discuterne; nel loro modo arcaico, i Feliks, rancorosi e corrotti, avevano creato, in qualche anno, una associazione basata su uno spirito brutale, simile a quella che in Italia i mafiosi avevano costruito attraverso i secoli e che in America si era formata solo dopo qualche generazione.

«Richiamo la vostra attenzione sulla terza parte della mia relazione, contenuta nella cartelletta azzurra, relativa alla simultaneità della visita di Davidov e della Krumins». Si sentì un fruscio di fogli attorno al tavolo, ma con quella luce von Schwebel non poteva leggere e sarebbe stato costretto a riassumere oralmente.

«I Servizi americani, attraverso il loro esponente Irving Fein e il suo cosiddetto agente letterario McFarland, hanno organizzato la visita della Krumins e del funzionario del KGB che la sorveglia. Fein ha stabilito un rapporto molto assiduo con lei e l'ha accompagnata a Syracuse, una città dello stato di New York grande circa un quarto di Riga. Hanno preso due stanze separate all'ottavo piano dell'Hotel Syracuse; un nostro agente, dalla stanza accanto a quella della ragazza, la controlla con una microspia. Fino a questo momento non c'è stato nessun contatto da parte di Berenskij».

«La Krumins sa di essere stata scelta perché l'agente in sonno è suo padre?». Kudishkin cercava di leggere la terza parte del rapporto, tenendosela vicino agli occhi.

«No».

«La CIA lo sa?».

«Evidentemente no». Von Schwebel non ne era certo. «I loro agenti Fein e Farr non si comportano in modo da far pensare che lo sappiano».

«Il direttore della Quinta sezione lo sa».

«Naturalmente. Davidov ha visto i documenti d'archivio che la Krumins ci ha procurati e ha accesso agli incartamenti Shelepin. Sa benissimo che Shelepin aveva scelto il proprio figlio illegittimo, Berenskij, come agente in sonno e che la moglie di Berenskij era incinta quando lui era andato in America».

«Io ritengo che in questa ricerca il KGB lavori con la CIA», disse Kudishkin. «Sono in contatto diretto. Hanno un interesse reciproco a sottrarre alle nostre mani il capitale che ci appartiene».

«Tutto quello che posso affermare», osservò, prudentemente von Schwebel, «è che non abbiamo raccolto nessuna prova che Davidov abbia informato la CIA o la ragazza Krumins della sua parentela diretta con Berenskij».

Madame Nina, appoggiata allo schienale della sedia, con le braccia intrecciate sul petto, taceva. Nell'impassibilità del suo volto tondo, segnato da qualche ruga, guardava il rappresentante del Gruppo dei Cinquanta, che cambiò argomento.

«Torniamo a parlare di quella importantissima cena organizzata dai Servizi americani per Davidov. Che altro ha notato? Lasci perdere l'attrice francese... concentriamoci sulla ricerca di Berenskij».

«Seconda parte, cartelletta verde». Sapevano del suo appuntamento, nel pomeriggio successivo, con Ari Covair? Era improbabile, il suo servizio di sicurezza supplementare, il Globocop, aveva controllato che non ci fossero spie e gli aveva confermato che non ce n'erano, nemmeno da parte del KGB. In ogni caso non era molto importante, se non perché sarebbe stata una prova di mancanza di serietà da parte sua.

«Come pensavamo, l'uomo di copertura, Fein, ha sfruttato l'occasione per cementare i propri rapporti con la Krumins. Il contatto con Davidov e con il direttore centrale dei Servizi Segreti e il senatore sono stati minimi; ciascuno stava attento a non trovarsi solo con nessuno in particolare per più di qualche minuto».

«Che cosa può dirci di sua moglie Sirkka e Davidov?».

«Hanno avuto uno scambio di parole casuale. Credetemi, sono stato attento».

«Sa, sua moglie, che noi siamo al corrente della sua attività nella Stasi e più tardi nel KGB?».

«No. Non le ho mai detto di esserne, io stesso, informato».

«Il giorno dopo la cena in casa di McFarland, mentre lei era in compagnia dell'attrice francese, Sirkka von Schwebel e Davidov hanno trascorso insieme quarantacinque minuti nella Oak Room dell'Hotel Plaza».

Von Schwebel inghiottì il rospo in silenzio, lo stavano guardando. Sirkka l'aveva tradito.

Madame Nina si sporse verso di lui. «Deve presumere, d'ora in avanti, che sua moglie collabori attivamente con il KGB, cui riferirà tutto quello che avrà saputo da lei sulla ricerca dell'agente in sonno. È una nemica».

«Non faccia niente che le lasci capire che lei sa», lo avvertì Kudishkin, «perché potremmo servircene per trasmettere false informazioni».

«Lei ha fallito in modo grave, von Schwebel», disse Madame Nina, «non ce lo aspettavamo».

«Torniamo a parlare della cena», disse il banchiere del Gruppo dei Cinquanta. «Vorremmo sapere le sue impressioni sul banchiere di Memphis, Dominick».

Von Schwebel aveva riguadagnato la padronanza di sé. «Lei mi chiede, in sostanza, se siamo in ritardo, rispetto alla CIA e al KGB nella ricerca dell'agente in sonno. La rimando, per questo, alla prima parte della mia relazione. Cartelletta rossa».

Nessuno accennò a leggere i fogli contenuti nella cartelletta, ma tutti lo guardarono, aspettando che parlasse.

«Edward Dominick è un banchiere, nato a Dyersburg, Tennessee. I genitori sono morti, non ha fratelli, è vedovo, con due figlie adolescenti. Ha quarantotto anni, ha studiato alla Emory University di Atlanta. È alla Banca d'Affari di Memphis da quindici anni e l'ha portata a diventare la terza banca della zona. Il suo reddito netto è di circa sette milioni di dollari, anche se più della metà in certificati di credito».

Von Schwebel passò a un'altra pagina della cartelletta rossa. «L'ufficio di Dominick e gli apparecchi di telecomunicazione di cui è dotato, sono estremamente protetti, tanto da suscitare qualche sospetto. Le finestre, per esempio, hanno una vibrazione che blocca un controllo a lunga distanza. Ho constatato inoltre che i dati sono trascritti secondo un codice molto elaborato». Von Schwebel si concesse una pausa a effetto. «Gli uomini del KGB mandati da Davidov non sono riusciti a decifrarlo e credo che siano arrivati a sospettare che Dominick serva da copertura a Berenskij, a meno che non sia lui stesso l'agente in sonno».

«Un inganno con una trama molto complicata», osservò il banchiere. «Una versione americana dell'affare Trust».

«Infatti», rispose von Schwebel con sicurezza. «Posso affermarlo perché la società che la Banca d'Affari di Memphis ha incaricato dell'installazione dei dispositivi di sicurezza sui computer è la Globocop, una filiale della Unimedia. Un nostro ispettore ha suggerito il nome di una consociata che mettesse i codificatori sui telefoni e provvedesse al controllo quotidiano delle microspie. Noi seguiamo tutto. La Commissione ha avuto l'accortezza di finanziare la mia collaborazione e l'ampliamento di queste sòcietà».

«Sono stato io a consigliarlo», ricordò a tutti Kudishkin.

«L'operatore chiave in quegli uffici è Michael Shu», proseguì von Schwebel, «un commercialista legato a Irving Fein, che agisce per conto della CIA. I messaggi di Shu provano che si serve dei dati della Federal Reserve e del Ministero del tesoro americano per scoprire quali sono i fondi comuni d'investimento e le banche usate dall'agente in sonno e i messaggi di Dominick provano che sta conducendo una operazione parallela ai movimenti di Berenskij,

304

anche se coprendosi dai rischi perché non ha il capitale che ha Berenskij».

«Lei è convinto che l'operazione Dominick a Memphis sia manovrata dalla CIA».

«Sì. L'alternativa è che si tratti di una pura impresa giornalistica, condotta da un opinionista e da una conduttrice televisiva, con il privilegio dell'accesso ai dati del governo degli Stati Uniti, un'attiva collaborazione delle banche e il finanziamento anticipato per un libro che verrà stampato dal settore editoriale dell'Unimedia».

La supposizione apparve poco probabile e suscitò il primo, stiracchiato sorriso di coloro che erano riuniti intorno al tavolo. Solo il ceceno, che non apprezzava il gioco delle ipotesi, non sorrise.

«Torniamo alla cena da McFarland», disse von Schwebel, rivolto al banchiere del Gruppo dei Cinquanta. «Dominick è chiaramente molto vicino a Viveca Farr, la giornalista della televisione, in casa della quale ha dormito quella notte. Abbiamo la registrazione di una scopata, avvenuta la settimana successiva, sul divano dell'ufficio di Dominick, e una videocassetta che testimonia qualche palpata nell'ascensore del palazzo. Dominick era stato anche in visita alla CIA, a Langley, due mesi fa. Non ho dubbi che l'operazione Memphis sia guidata da Dorothy Barclay e che Davidov non sappia che cosa pensarne».

«Ma i soldi dove sono?», chiese il ceceno, poco incline alle sottigliezze.

«Vuol dire il vero patrimonio di Berenskij?».

«I soldi. Le decine di miliardi. Come si può arrivare a metterci le mani?».

«Non si tratta di oro o di carta moneta», gli spiegò von Schwebel, «non si tratta di andare a prendere tutto da qualche parte». Trasse un lungo sospiro e proseguì. «Spesso c'è solo un'opzione o una prelazione per comprare beni o valuta, gestiti da un fondo d'investimento posseduto da una società di comodo controllata da un gruppo di investitori designato da Berenskij. L'ho detto nel modo più semplice possibile. In realtà si tratta di operazioni ben più complicate».

«Per esempio?», chiese il banchiere.

«Due giorni fa, Shu ha informato Fein, a New York, che la filiale di una banca delle Antille controllata dall'agente in sonno possedeva una compagnia di navigazione con sede ad Atene».

Von Schwebel non si curò di specificare che quel messaggio era arrivato con il sistema più sicuro di tutti, cioè con la "posta lumaca", aveva reso necessario che fosse aperta una cassetta della posta, la notte, che un lembo della busta fosse sollevato sul vapore, il contenuto copiato nel modo più antiquato, diverso da quello elettronico, e gli originali rimessi a posto com'erano. Il capo della squadra che controllava Fein era sicuro che bastava allentare la sorveglianza, perché Shu trasmettesse un messaggio a quel modo. Von Schwebel era incerto: Fein stava, indubbiamente, sempre molto attento a quello che si poteva captare dal suo telefono di casa o dal fax, sui quali aveva applicato tre diversi decodificatori e non si sarebbe fidato della posta lumaca.

«Dunque possiamo aggiungere all'elenco delle proprietà dei Feliks sette grandi navi cisterna, ciascuna del valore di cento milioni di dollari e con una capacità di due milioni di fusti di petrolio; a diciassette dollari a fusto sono trentaquattro milioni per sette navi, o duecentotrentotto milioni di dollari di petrolio trasportato». Von Schwebel fece mentalmente l'addizione. «Arrotondando, abbiamo un po' meno di un miliardo di dollari tra navi cisterna e petrolio. Cui vanno sommati i contratti che la compagnia di navigazione possiede per comprare il petrolio in futuro a un prezzo fisso e che potrebbero valere qualche centinaio di milioni in più».

Perfino Madame Nina sembrava colpita dalla capacità che von Schwebel dimostrava nel calcolare la portata della enorme fortuna dell'agente in sonno.

«Dominick, imitando, secondo il progetto Memphis, le operazioni di Berenskij su scala minore», disse von Schwebel, «si è servito di una compagnia di navigazione per comprare alcuni pozzi di petrolio nel Katar. Ora, se Berenskij lo ha fatto per cinque anni, sa Dio quante riserve di petrolio controlla».

Kudishkin si rivolse al ceceno. «Von Schwebel ritiene che dobbiamo avere qui con noi Berenskij in persona. Solo lui può cambiare il suo patrimonio in oro e consegnarcelo. Abbiamo bisogno dell'agente in sonno, disponibile corpo e anima».

«Se arrivo a mettergli sopra le mani», disse il ceceno, «lo faccio diventare io disponibile».

«Prima dobbiamo identificarlo, senza farci superare dalla CIA con l'operazione Memphis», intervenne, con voce rauca, Madame Nina, «e poi portarlo qui a collaborare con noi, unici, legittimi eredi di coloro che l'hanno mandato in America». Guardò von Schwebel. «Ritengo che farà un altro tentativo per mettersi in contatto con sua figlia».

«Lo sapremo».

«Perché pensa che McFarland abbia invitato a cena lei e sua moglie?», chiese Madame Nina, come Arkadij aveva previsto. «Non sapeva della attività nei servizi, né dell'uno né dell'altra».

«La risposta più semplice e più logica è che io sono a capo di una società alla quale è annessa la casa editrice di Fein. Da tempo mi ero ripromesso una visita alla mia consociata e un agente letterario bene informato avrebbe fatto niente più del suo lavoro cercando di coltivare la mia amicizia».

«E la risposta vera, qual è?», chiese la donna che dominava tutti gli altri seduti attorno al tavolo.

«Credo che sia stata Dorothy Barclay, il direttore dei Servizi, a compilare la lista degli ospiti. Forse sa dei legami di mia moglie con il KGB o dei miei con l'organizzazione Feliks».

«Lei sta dicendo che potremmo avere degli infiltrati», osservò Kudishkin.

«La presenza di una talpa del KGB o della CIA tra i Feliks va, infatti, presa in considerazione», disse von Schwebel, sperando di far convergere i sospetti all'interno e non verso la sua persona.

Madame Nina diede un lungo sguardo circolare ai presenti, poi si alzò, segnando così la fine della riunione.

40

NEW YORK

Assecondando la passione di Irving per il linguaggio in codice, Viveca gli lasciò un messaggio sulla segreteria telefonica nel quale, proclamandosi Ava Gardner, che era evidentemente il suo ideale di bellezza femminile, gli proponeva un incontro sul set del film *La contessa scalza*, a Portofino, all'ora di cena. Era, in realtà, un invito a fare colazione insieme al pianterreno dello studio, nel West Side. Uno scherzo che aveva lo scopo pratico di interrompere la ripetitività del lavoro alla televisione.

«Ragazzina, hai l'aria di chi ha passato la notte a bere».

«Ti sbagli, non sono mai stata più felice e più bella di così», rispose Viveca e, almeno per metà, era vero. Edward era il primo uomo nella sua vita che non le desse l'impressione di provare rancore per il suo successo. Facevano lunghe chiacchierate, in piccoli ristoranti, si confrontavano e si consultavano, senza competizione, lui ascoltava e capiva tutti i particolari dei tormenti che le infliggevano i superiori invidiosi e i colleghi emergenti e le dava dei buoni consigli, con l'interesse di un amante di lunga data. A lei dispiaceva non poterlo aiutare procurandogli, come avevano sperato, qualche notizia sulla vita privata di Liana Krumins; quella ragazza lettone, rigida, nervosa, la teneva a distanza, come una ipotetica rivale nella professione. Se ne sarebbe occupato Irving.

Per l'altra metà, l'affermazione con la quale aveva ribattuto alle parole di Irving, era falsa e lei lo sapeva. Aveva il viso teso per la stanchezza di quei viaggi a Memphis, avanti e indietro, come un pacchetto della Federal Express. Aveva trentatré anni, e cominciava a preoccuparsi di una piega sul mento, di un'ombra intorno agli occhi. Il naso no, quello le piaceva sempre, era un po' sporgente, ma particolare, ed Evelyn, la truccatrice, pensava che fosse proprio quel naso irregolare a rendere interessanti i piani del suo viso. Avrebbe dovuto anche smettere di bere, un giorno o l'altro, l'alcol immetteva calorie nell'organismo e a Edward e alla telecamera piaceva la sua magrezza. Solo a pensarci le venne voglia di bere. «Appiccicata come un'ostrica, eh», la tormentò Irving. «Sta' attenta che i sentimenti non interferiscano col lavoro. Il nostro comune amico ha finalmente imboccato la via del danaro alla scoperta di Berenskij».

Nella sua nuova condizione affettiva, Viveca sperava ormai che lei e Irving avrebbero smesso di litigare per lavorare insieme da buoni colleghi. Anche Edward riconosceva che l'intuito e l'informazione di Irving avevano scelto la direzione giusta, quella dell'indagine nei mercati valutari.

«Pausa...». Viveca s'interruppe perché si era accorta di aver usato quel modo di dire così comune a New York. «Ho visto Edward ieri sera. Non può parlarti al telefono e con la posta lumaca ci vuole troppo tempo. Ha bisogno di sapere che cosa dicono i tuoi contatti della Federal sulla riunione a proposito dei tassi d'interesse fissata per dopodomani. Il tasso interbancario subirà un taglio o no? Edward pensa che se Berenskij ha una talpa nella Federal, come tu dici, farà una corsa ai miliardi. Lui vuole avviare un'operazione parallela e cerca di scoprire chi è il suo agente di cambio più importante».

«Mi pare giusto. Vedrò il mio amico della Federal questa mattina. Domani avrai la risposta per COBOL».

Viveca sorrise nel sentirlo parlare per sigle. «Che cosa c'entri tu col COBOL?».

«Common Business Oriented Language, è il linguaggio degli affari, le giornaliste lo masticano come l'erba medica».

Forse Irving era davvero un po' geloso, anche se poteva sembrare assurdo; Viveca decise di considerarsi lusingata. «Porterò a Memphis stasera tutto quello che sarai riuscito a sapere dalla Federal. Ti sei fatto dire qualche cosa dalla ragazza lettone sulla famiglia di Berenskij?».

«Sì. Di' a Dominick che in archivio c'era una lettera di un'amica della moglie russa dell'agente in sonno, diretta a Shelepin in cui chiamava la bambina Masha. La bambina nata dopo che Aleks Berenskij aveva preso il volo. Uno di quei vezzeggiativi assurdi che si danno in famiglia. Mia madre mi chiamava Irveleh».

«Ti chiamava Irveleh? Davvero?». Viveca non riusciva a immaginare Irving bambino, le pareva che fosse nato già come un giornalista scorbutico, che tormentava se stesso e gli altri.

«Per la Federal, ti chiamerò in ufficio da una cabina». Irving le diede il codice: «Humphrey Bogart, i tassi scendono; Joseph

Mankiewicz tutto resta com'è; Ava Gardner non sono riuscito a sapere niente. Scrivitelo, è meglio».

«Quel film deve aver contato molto nella tua vita. È stato criticato, sai».

«La contessa era frigida quando aveva le scarpe, ma appena se le toglieva si scatenava. Adesso devo correre». Se ne andò, di scatto, come il solito. Viveca pagò il conto e si infilò le scarpe sotto il tavolo. Forse Irving si era accorto che se le era levate, per riposarsi i piedi? Era improbabile, non aveva guardato sotto il tavolo e lei se le era tolte con un movimento impercettibile dei talloni. Ma Irving sapeva come cogliere i minimi dettagli e servirsene a proprio vantaggio.

«Irving, se tu conosci l'identità di una persona o di varie persone che trasmettono informazioni riservate a chi non è autorizzato a riceverle, il tuo dovere di cittadino è di venire a dirlo a me». Le parole di Hanrahan, uomo d'ordine, erano adamantine. «Questa è una violazione del codice 18 degli Stati Uniti, paragrafo... non me lo ricordo, articolo del codice penale riguardante l'occultamento di prove».

«Sì, sì... Conosco quella persona...», Irving fece attenzione a non specificare se si trattava di un uomo o di una donna, «ma ho bisogno di parlarle prima che voi l'arrestiate. Oltre al delatore, faccio anche il giornalista, te ne ricordi?».

«Si tratta di molti soldi. Di un clamoroso tradimento della fiducia pubblica. Abbiamo una grossa indagine in corso. Non possiamo interrogare il soggetto sulla base di una voce, lo capisci? Se la darebbe a gambe. In un lampo lascerebbe l'America e noi faremmo la figura degli imbecilli».

«Conosco anch'io la storia dell'agente Howard del KGB che, messo sull'avviso, è sfuggito al controllo dell'FBI ed è tornato a Mosca», disse Irving, rievocando un episodio che aveva creato qualche imbarazzo all'FBI. «Questa volta non succederà. Ho un piano».

«Io ne ho uno migliore», ribatté Hanrahan, «lo prendiamo e lo facciamo sudare finché non canta e dice quello che aspetti di sapere. È il sistema americano».

«Preferisco il mio. E ho qui i documenti necessari».

«Un momento. Un momento. Su che cosa basi i tuoi sospetti? Perché ce l'hai con questo individuo?».

«Ho saputo da una fonte della CIA che si tratta di una talpa infiltrata nella Federal Reserve».

«Ma questo è niente di niente, Irving. Un'informazione buttata là da un agente del controspionaggio non è una prova ammissibile. Non c'è nemmeno la base per un arresto. Dimmi chi è la fonte della CIA, io cercherò di penetrare nei canali dell'FBI e forse riusciremo a trovare una prova non inquinata che possa provocare un mandato di comparizione in tribunale per intercettazione».

«Lo vedi? Altro che niente di niente, è ciò che ci serve per prendere la talpa, uomo o donna che sia». Parlandone come di "una persona", "uomo o donna", Irving voleva trarre in inganno Hanrahan e fargli credere che si trattasse di una donna.

«Se io fossi una talpa», lo avvertì Hanrahan, «e un giornalista mi scovasse, gli sparerei in mezzo agli occhi e correrei all'aeroporto».

«Nessuno spara ai giornalisti. Non si usa. Sei pronto ad ascoltare il mio piano?».

«Avanti, raccontami questo piano».

«La talpa abita alle Zeckendorf Towers, come tutti quelli della Federal di New York. Torna a casa per pranzo, ogni giorno, quasi senza fallo. Domani mi presenterò a casa sua, l'affronterò dicendo quello che so, ma fingendo di sapere di più, e lui, o lei, si farà prendere dal panico e spiattellerà tutto».

«Tutto sbagliato. Lei ti sparerà in mezzo agli occhi».

«Io non sono obbligato a dire quali sono i suoi diritti e nemmeno a offrire la monetina per telefonare all'avvocato. Lo-la farò torcere dalla paura e sai che è una cosa che mi riesce bene».

«Che cosa ti fa pensare che non scapperà?».

«Aspetta che finisca di esporti il mio piano. Tu riunisci un po' di uomini che possano fare un arresto per una qualsiasi stupidaggine, agenti dell'FBI, della polizia di New York, quello che vuoi, e li fai mettere davanti alla casa e sul retro. Io farò in modo di indicarti, sul marciapiede di fronte: ecco Hanrahan in persona, proprio lì, dall'altra parte della strada. La talpa ti riconoscerà e capirà subito che è inutile scappare. Io ti chiamerò col telefono, tu verrai e, uomo o donna, te la porterai via».

«Non posso far parte di una congiura che tende a negare a questa donna l'uso dei suoi diritti legali».

«Come propugnatore della libertà individuale non posso che lodarti, Hanrahan. Sta' sicuro che, nel mio libro, non mancherò di segnalare questa tua qualità».

«Qualche volta ti comporti come una testa di cazzo, Irving».

«L'ultima persona che me l'ha detto è stata una donna che non sapeva di amarmi. Adesso, Hanrahan... pausa e ascoltami: se facciamo come dici tu, la talpa si leggerà la storia sui giornali a Mosca e si divertirà un mondo. Darai una festa quando andrai in pensione? M'inviterai?».

«Non avremo bisogno di arrestarla», disse Hanrahan, disponendosi alla marcia indietro. «Le diremo di presentarsi nel mio ufficio per fare due chiacchiere. Se rifiuterà, sarà una prova. È meglio che tu ti nasconda addosso un registratore».

«Neanche per sogno». Irving che non sopportava il pensiero di essere spiato con uno strumento tecnico, si era sempre vantato di non averne mai usati per spiare gli altri. «Ne terrò uno bene in vista. Non accetto i vostri sistemi subdoli». Si ricordò di quello che gli aveva chiesto Viveca a nome di Dominick. «Che cosa pensi, Charley, taglierete i tassi d'interesse venerdì prossimo?».

«Ti occupi di borsa, come attività secondaria?».

«Non so come va il mercato», rispose Irving, cercando un pretesto per insistere. «Mi farebbe comodo avere qualche voce di corridoio per pungolare la nostra piccola talpa».

«A me non dicono niente e io non voglio sapere niente», disse Hanrahan e poiché Irving continuava a guardarlo, in silenzio, aggiunse: «Le voci di corridoio dicono di no, l'economia va bene, uno stimolo potrebbe provocare un'inflazione. Ma perché me lo chiedi, non puoi leggerlo domani mattina sui giornali? In realtà, è dai giornali che nascono le voci di corridoio. Non c'è mai da fidarsi».

Mortimer Speigal, chino sullo schermo del computer, aggrottò la fronte nel sentire il campanello; non dovevano consegnargli niente e il citofono non aveva annunciato un visitatore. Salvò su un dischetto il messaggio urgente che stava scrivendo, chiuse il Windows, aspettò il caleidoscopio del salvaschermo, andò alla porta e chiese chi era.

«Sono Irving Fein, con i panini caldi di carne affumicata».

Speigal guardò attraverso lo spioncino sulla porta. Era proprio Irving Fein, una faccia nota, lo aveva visto a qualche ricevimento a Washington, e, recentemente, alla televisione. Teneva in mano un sacchetto di carta marrone macchiato di unto, quindi aveva detto la verità. Il funzionario della Commissione della Federal Reserve aprì la porta.

«Passavo da queste parti, ho pensato che avesse fame e che forse avrebbe potuto aiutarmi con qualche notizia sul presidente Eccles», disse Fein, gli passò vicino, in fretta, e trovò la cucina. «Ce l'ha un po' di birra? Non ho pensato a portarla. Lei ha scritto una biografia di Eccles, vero?».

«Mi fa piacere che qualcuno se ne ricordi ancora», rispose Speigal. «No, non ho birra. Bevo soltanto bibite senza zucchero».

«Ha il tonico al sedano del dottor Brown?». Quando sentì aprire il frigorifero, l'assistente del presidente della Federal Reserve nelle conferenze internazionali, andò al computer, richiamò l'elenco dei file, trovò "Frkf.doc" e cancellò il breve messaggio che aveva appena cominciato a scrivere. «No», rispose Fein a se stesso, «il tonico al sedano non c'è. Un frigorifero da giovane emergente, solo Perrier al kiwi. Bah!».

«Non sapevo che il famoso giornalista Irving Fein sarebbe venuto a trovarmi, e non a mani vuote. Perché non mi ha avvertito?».

«Non avverto mai», rispose Fein e dispose su un tavolino i panini e la Perrier. «Se no la gente si mette in guardia».

«Dovrei mettermi in guardia?», chiese Speigal. Era quello che pensava, ma non voleva dire a Fein di andarsene, sarebbe parso strano nel caso avesse veramente voluto quello che diceva di volere.

«Veniamo al dunque. Gente che si occupa di finanza chiede di sapere quello che lei sa sui tassi d'interesse, per poter battere sul tempo la Federal Reserve». Fein diede un morso al panino, che era troppo imbottito. «L'ho ingannata», disse, con la bocca piena, «non è manzo affumicato, è manzo salmistrato. Giuro che l'avevo chiesto affumicato».

Speigal, nonostante tutto, si divertiva e si sentiva tanto tranquillo che prese anche per sé un mezzo panino. Il messaggio a Francoforte sulla linea dedicata poteva aspettare mezz'ora.

Il suo visitatore inghiottì il boccone, bevve un sorso di Perrier al kiwi, fece una smorfia e si mise a sedere più comodamente sul divano. «Qui ho un registratore, mi risparmia la fatica di prendere appunti», disse candidamente. Premette il bottone e mise il registratore sul tavolo, vicino al panino che stava mangiando. «Va bene così per lei? Ora mi parli di Marriner».

«Che cosa vorrebbe sapere su *FDR e l'ordinamento economico costituzionale?*», chiese Speigal, compiacendosi nel citare il titolo del suo libro che aveva sempre pensato meritasse una ristampa in edizione economica. «Potrei esserle più utile se mi specificasse la natura del suo interesse».

«Veramente non è Eccles che m'interessa», disse Fein. «È l'altro Mariner. La talpa della Federal Reserve. Cioè lei, e la sua vita segreta».

Ecco, era venuto quel momento. Speigal ebbe una immediata

313

sensazione di nausea. Se l'era immaginato tante volte il giorno in cui avrebbe saputo che il governo aveva scoperto quell'inganno durato tanto a lungo, ma tra tutti i modi possibili non gli era passato per la mente che potesse essere la visita di un giornalista a informarlo. «Se ne vada».

«No no... Io sono qui da amico. Lei non ha idea di quanto le converrebbe raccontare la storia a me invece che a quella gente che comincerebbe a metterla sotto il torchio».

Fino a che punto il giornalista era informato sul suo conto? Conosceva il suo nome in codice, non poteva darsi che sapesse anche tutto quello che gli enti di controllo sull'applicazione della legge federale ignoravano? Ma certe informazioni non arrivavano alla stampa attraverso indiscrezioni filtrate durante le indagini processuali? O era possibile che un giornalista conducesse un'indagine per proprio conto? Doveva scoprirlo.

«Non capisco che cosa lei intenda per "talpa" e "Mariner". Mi dica quello che sa e io cercherò di inquadrare la sua ricerca».

«Ahi, mi mancano i colori e le forme, ho solo le nude ossa». Irving Fein era tranquillo, come se stesse esponendo una noiosa questione finanziaria. «Da anni anticipiamo ai russi le notizie sui movimenti della Federal Reserve. Le mie fonti mi hanno mostrato le intercettazioni telefoniche, le operazioni, i movimenti presso la banca svizzera. Una bella storia. Non ai livelli di una talpa infiltrata nella CIA, come Ames, ma ugualmente una bella storia. Difficile da scrivere tenendo sveglia l'attenzione del lettore con tutte quelle cifre sui traffici e la merdaccia che ne deriva. È il momento di confessare, Mort, e forse di salvarsi il culo o almeno di dividere il rischio con qualcun altro».

Speigal si sentì svenire. Quell'allegro e risoluto Savonarola stava per metterlo allo scoperto e annientarlo definitivamente. Chi lo aveva tradito? L'agente in sonno? L'economista finlandese? Il banchiere svizzero, che poi era stato ucciso? Gli agenti di cambio che erano a Londra? O forse Kontrol? Avrebbe dovuto allarmarlo l'interruzione di contatti, probabilmente la Federal stava accerchiando tutta l'operazione. Mortimer Speigal non pensava mai a se stesso come a una spia di professione, ma come a qualcuno che, in possesso di informazioni riservate, forzava i confini dell'etica comune per procurare dati finanziari al di fuori del Sistema. Non era una questione di sicurezza nazionale, non aveva niente a che vedere con i segreti militari. Solo soldi.

«Non ammetto niente. Se ne vada».

«Che cosa vuol fare, Mort? Vuole avvertire la polizia? Avanti, chiami il suo amico Hanrahan, ai servizi di controllo della Federal. Lo chiami, lui verrà e l'aiuterà a sbarazzarsi di me».

«Che cosa sa Hanrahan?».

«Ehi, chi è il giornalista, lei o io?». Seguì un lungo silenzio. «Via, Mort, il gioco è finito. È stato bello. Nel mio libro, il mondo vedrà in lei, giustamente, il genio della finanza. Ho i dati, ho i conti, mancano solo i colori al mio quadro. Come le è venuta l'idea, all'inizio?».

«Sono stati loro a cercarmi», Speigal si accorse che gli si incrinava la voce, «per mezzo di una economista finlandese che avevo conosciuto a Davos».

«Ho capito di chi parla. Sirkka... il cognome non me lo ricordo, la finlandese mozzafiato sposata col tedesco tutto d'un pezzo». Dunque sapeva, non stava fingendo. La finlandese mozzafiato, come l'aveva chiamata, era capace di tutto, forse era stata lei a mandare all'altro mondo il banchiere di Berna. La resistenza di Speigal, insieme alla sua reputazione professionale stava andando in briciole; gli restava ancora qualcosa da salvare? «Una gran donna», osservò Fein, «ma lei, Mort, non aveva paura di suo marito? È un osso duro».

«Sono sei anni che ho paura di tutti. Non ero tagliato per questo lavoro, ma quando si comincia...». Speigal sentì che gli venivano le lacrime agli occhi.

«E allora? Parli, Mort. Lei muore dalla voglia di raccontare tutto a qualcuno».

Speigal cedette, per la prima volta nella vita e cominciò a singhiozzare. Dopo qualche minuto sentì la voce di Fein, gentile. «Mortimer, lei non è un assassino che se ne va in giro con un'accetta in mano. Ha passato qualche informazione ai russi, che ora sono nostri amici. Può chiudere la sua carriera con una medaglia. Mi dica, qual è stata la prima informazione che hanno avuto da lei e che gli ha fatto guadagnare una fortuna?».

«La fiducia del presidente della Federal nell'oro come indicatore economico. A cominciare dal 1989». Era bastato questo a Berenskij, pensò Fein, chiunque fosse l'agente che faceva da tramite con l'informatore, ad anticipare le decisioni della Federal. «Un paio di anni fa, quando finalmente avevamo convinto il presidente a dirottare su un paniere di beni, soprattutto soia e pancetta di maiale, io ho trasmesso loro il cambiamento d'influenza. Poi, per un rialzo del corso del danaro, la primavera scorsa c'è stato l'inizio

315

di una serie di aumenti dei tassi d'interesse». Speigal non riusciva più a trattenere il suo sfogo, sembrava metterci un orgoglio perverso. «Quest'anno, informandoli della testimonianza del presidente alla commissione bancaria, che avevo preparato io, ho creato la possibilità di un altro colpo grosso in marchi e yen».

«Di quale banca si è servito?».

«Al mio incaricato erano state date delle azioni nella Middlesex Midland Bank. Quello è diventato il nucleo d'origine dell'impero finanziario».

«Quali sono gli agenti che fanno le operazioni più importanti?».

«A Londra hanno Baker, Warr...». Speigal si riprese, non era necessario fare nomi. Se Fein non sapeva chi erano gli agenti finanziari voleva dire che non sapeva tutto e che forse non era certo dell'identità di chi faceva da filtro e nemmeno dell'esistenza dell'agente in sonno. Perché si stava confidando con qualcuno che lo avrebbe accusato davanti a tutto il mondo? «Conosce il mio contatto a Washington?».

«Me ne parli».

Fein non sapeva della possibilità di un intermediario che facesse da filtro nei rapporti con Berenskij, anche se sapeva che il contatto di Sirkka a Francoforte era venuto a mancare. Forse o l'uno o l'altro dei contatti aveva parlato. O forse era scappato, e adesso non poteva più testimoniare. Ma il governo, ed era un pensiero più sottile, non aveva concreti elementi di accusa contro di lui, e non era per questo che avevano mandato un giornalista, allo sbaraglio, per cercare di farlo parlare?

«Prima mi deve dire chi l'ha mandata qui, signor Fein».

«Io non devo dirle proprio niente, Speigal», rispose Fein. Non era più gentile, il suo sguardo era freddo. «Lei è un traditore. Ha venduto, per danaro, il suo paese a una potenza straniera. Se non confessa tutto, sarà giudicato un verme da tutti e potrà considerarsi fortunato se la metteranno dove i suoi amici non potranno farle la pelle. Perciò parli e parli in fretta. Quando è stata l'ultima operazione con il suo controllo a Washington?».

Speigal cercò di ricacciare indietro la paura. «Mi dica prima come si chiama il mio controllo e io le risponderò».

«Non faccia di questi giochetti con me! Un buon americano è morto per le sue spiate. Le sue mani sono sporche di sangue! Chi è il suo controllo?».

Speigal impallidì e si ritrasse. Non era un violento e non era responsabile per quanto era avvenuto dei profitti ricavati dalle infor-

316

mazioni che aveva passato. Ma adesso era vitale che Fein gli dicesse una cosa. «Le darò il file», disse.

Andò alla scrivania e usò la combinazione per aprire il cassetto centrale. Raddrizzò le spalle. Aveva una pistola in mano. Non aveva mai usato armi di nessun genere, neanche quando era nell'esercito, durante la guerra di Corea, si era sempre occupato di tenere i conti, anche allora. Il suo controllo di Washington, che gli aveva dato la pistola, una 38, gli aveva detto che era carica.

«Signor Fein, non mi costringa a usarla». Non sapeva che fossero così pesanti le pistole. «Non sono un violento».

Fein non prese sul serio la minaccia. «Non si spara ai giornalisti. Non lo fa mai nessuno. Metta via quella pistola prima di farsi male. Davvero vuole proteggere chi l'ha tradita?».

Qualsiasi cosa Fein dicesse, finiva sempre con una domanda che metteva paura. Ma anche Speigal aveva qualcosa da chiedere. «Lo sa anche qualche altro giornalista?».

«Impossibile dirlo. Noi non ci raccontiamo le cose l'un l'altro, ma non dimentichi che faccio parte di un gruppo».

«Per quanto ne so io lei è solo. E nemmeno al governo sono informati, altrimenti ci sarebbero loro qui, non lei». Speigal alzò la pistola, reggendola con tutte e due le mani; stava diventando sempre più pesante.

«Oh, Cristo, Mortimer, vuole prendere la sua piccola mascalzonata ed elevarla a Omicidio Numero Uno? Guardi dalla finestra. Riconoscerà Hanrahan e il suo assistente sull'altro lato della strada, di fronte all'ingresso di casa sua. E sul retro ha messo gli altri».

Speigal certo che fosse un trucco, diede un'occhiata fuori, dietro le proprie spalle. Non era un trucco. Hanrahan, presente per anni nei suoi incubi, era lì.

«Perdere la testa non è un modo per rispondere. Provi a usarla, piuttosto. Mi dia il tocco di colore che mi manca, si procuri un bravo avvocato e non dovrà neanche andare in prigione. Io posso trasformarla in un eroe, nell'uomo che ha capovolto i rapporti con i cattivi».

Speigal alzò la pistola e la puntò contro Fein, dietro il tavolino ingombro di panini, sottaceti e Perrier al kiwi. «Lei non sa molto, vero, oltre a quello che le ho appena detto?». Se tutto si limitava a un giornalista curioso...

«Parla di Berenskij e dei cinquanta miliardi accumulati per rovesciare il governo di Mosca? Di Madame Nina e dei Feliks, con i loro killer ceceni, che saranno certamente molto arrabbiati con lei? Anche il KGB di Davidov la inseguirà...».

Era caduta l'ultima speranza di Speigal, che voltò la pistola verso di sé e, con la canna in bocca, premette il grilletto.

«Oh, merda», disse Irving senza fiato. Stava diventando una storia pesante. Sul registratore aggiunse: «Si è fatto scoppiare il cervello che è uscito dalla finestra che aveva alle spalle. Chiamo la polizia». Il proiettile aveva attraversato la testa di Speigal e aveva rotto il vetro della finestra; certo gli agenti stavano già arrivando. Irving spense il registratore.

Irving restò seduto per un momento, col cuore che gli batteva, poi andò alla scrivania e cercò se c'era qualche documento riferibile a una mediazione internazionale. Non trovò niente. Il computer era acceso sulle linee in movimento del salvaschermo. Toccò il mouse, comparve la cartella. La fece scorrere tutta fino in fondo, non c'era un nome che gli facesse scattare nella mente un richiamo. Usò un programma di ricerca, sperando di trovare i nomi di Berenskij, Numminen, Baker... inutilmente.

Forse Mortimer aveva avuto il tempo di cancellare il file sul quale stava lavorando prima di andare alla porta o mentre lui chiacchierava a vuoto in cucina. Ripulì lo schermo, andò sul DOS e chiamò il programma *undelate*, vide che tre file erano stati cancellati di recente e forse potevano ancora essere recuperati. Ne trascrisse i nomi: "Tassi", "Da fare", e "Frkf.doc". Lanciò il programma e sperò per il meglio.

«Merda merda! Disastro!». Il peggio che si potesse immaginare, non aveva recuperato nemmeno uno dei tre file cancellati. Solo quelli della Federal ci sarebbero riusciti, con i loro sistemi sofisticati, come avevano fatto con i file cancellati Iran-Casa Bianca. Schiacciò il tasto e spense il computer.

Irritato con se stesso, furente con la talpa morta, chiamò col telefono di Speigal il cellulare di Hanrahan e gli disse che lo aspettava all'appartamento 606 perché c'era stato un suicidio. Hanrahan era già nell'atrio, stava entrando in ascensore. Fein tolse il nastro dal registratore e se lo mise nel portafoglio, ne inserì un altro, nuovo, e si infilò il registratore in tasca nel caso la polizia glielo avesse chiesto. Non si avvicinò al cadavere, l'ultima volta che era stato nella stessa stanza con un morto e non tra le mura di un'impresa di pompe funebri risaliva a più di vent'anni prima, quando faceva la cronaca nera. I resti dei panini con la carne salmistrata erano sul tavolino. «Non hai nemmeno toccato i sottaceti, Mort», disse al corpo dell'economista che non aveva avuto una fede.

Gli venne in mente, all'improvviso, che avrebbe potuto controllare l'elenco dei modem di Speigal per cercare dei numeri di telefono, come aveva fatto da Clauson. Accese di nuovo il computer e lesse: "Errore: impossibile accedere al drive A". Significava che un floppy disc era ancora inserito. Lo tolse e si chiese se Mort era più scrupoloso di lui, che spesso se ne dimenticava, e salvava il floppy sul disco fisso per conservarlo. Quando comparve il messaggio del disco C, passò sul drive A e richiamò la lista del floppy. Non trovò i "Tassi" né il "Da fare", ma trovò "Frkf.doc".

Sentì battere alla porta, scuotere la maniglia. Tornò a guardare l'elenco dei modem nel drive C, trovò un file "Frkf.doc" nell'elenco dei numeri brevi, i numeri che si chiamano più di frequente e annotò quello che gli stava accanto. Nell'elenco dei numeri brevi, sulla guida dei modem, c'era "Frkf.doc" e un numero della rete di New York. Avrebbe dovuto cancellarlo, battendo sul tempo la Federal? No, era un cittadino rispettoso della legge. Chi occulta una prova finisce in galera. E poi, alla Federal avrebbero impiegato settimane a capire che cosa dovevano andare a cercare.

Chiuse il computer. Con un'ombra sul viso, andò ad aprire la porta a Hanrahan e compagni.

41

NEW YORK

Quando ebbe dal suo collega il messaggio, sufficientemente esplicito, «Alza il culo e portalo qui», Michael prese il volo delle sei del mattino da Memphis e a mezzogiorno era già da Irving, nel West Side, Ottantaseiesima. Irving assicurava che quella era la casa più vecchia di New York, più vecchia del Dakota Building; a Shu pareva che gli appartamenti tradissero troppo pesantemente il passare del tempo, ma l'atrio, col soffitto alto e le modanature elaborate, manteneva il proprio fascino. Gli ascensori, però, aggiunti cent'anni dopo la costruzione della casa, erano angusti e sgangherati e Shu preferì salire a piedi i tre piani di gradini di marmo consunti.

«Che cosa c'è di tanto misterioso», chiese a Fein, che aveva un aspetto stravolto, «che non si possa affidare al più sicuro sistema di comunicazione all'esterno del Pentagono? Noi ignoriamo la società dei telefoni, abbiamo un nostro satellite personale. Non solo, ma io brucio anche i più piccoli pezzetti di carta».

«Ho bisogno del tuo acume, ragazzino. E subito, perché stasera vado a Syracuse».

«Liana è ancora lì?».

«È l'ultimo giorno del seminario. Le spiegherò stasera che cosa dovrà inculcare nella mente di Davidov e domani l'accompagnerò a Idlewild». Irving non si riferiva mai all'aeroporto internazionale di New York come al Kennedy, ma lo chiamava ancora Idlewild, come negli anni Cinquanta. Michael sospettava che in quel rifiuto ci fosse qualche vecchia ragione politica. «Liana e Davidov tornano a Riga domani sera, via Helsinki, con la Finnair. Tra una settimana, più o meno, manderemo Dominick a dare una virata di boa, se sarà pronto. Dovrebbe servire a scuotere il dormiente».

«Dominick sarà senz'altro pronto». Shu era orgoglioso della sua recente opera di penetrazione nelle linee nemiche. «Sul Macintosh ho una rappresentazione grafica dell'impero economico di Berenskij. C'è ancora qualche lacuna, ma posso indicare con precisione più di cinquanta miliardi di dollari di attività, con compagnie marittime commerciali, legali di copertura, società di comodo in Liechtenstein, una catena di alberghi in Giappone, le due banche nelle Antille e una terza banca, non lo crederesti, a Biloxi, nel Mississippi. Obbligazioni in marchi alle stelle. Ci siamo fatti un quadro del suo patrimonio che lui stesso non ha».

«Forse, quando tutto sarà finito, ti assumerà come commercialista».

Shu alzò le spalle. «Hai ricevuto altre fotocopie dalla Federal? Quelle che hai mandato erano eccezionali. Abbiamo avuto la nostra grande occasione quando ci siamo messi a studiare il mercato valutario, dove il giro d'affari rende possibile nascondere traffici da togliere il respiro».

«Sai dell'esistenza di un certo Baker, con una società finanziaria a Londra?».

«Baker della Warren & Pease?». Nell'indagine svolta a Memphis non si era arrivati a stabilire chi fosse, a Londra, il principale agente di cambio del dormiente; Dominick aveva ammesso che era un punto debole nella loro ricerca. «Sei sicuro che siano loro, Irving? Come l'hai scoperto? I computer non c'erano arrivati».

«Mi sono dato da fare».

«Con questi aggiungiamo, incredibile, altri dieci mil». Shu aveva preso l'abitudine di chiamare i miliardi "mil"; si ricordava benissimo di quando un biglietto da mille dollari veniva chiamato "un grande" e ora l'indagine l'aveva portato a familiarizzarsi con un'altra dimensione.

«Non lasciarti prendere dalle pastoie dell'ufficio strategico». Irving si batté una mano sulla fronte. «La teoria di tutta questa storia è ancora qui».

Shu assentì. Sapeva di avere la tendenza a lasciarsi assorbire dai particolari. «Cercherò subito di rintracciare la società di Baker».

«Il guaio, per noi, è che l'agente in sonno, quello vero, non ha ancora cercato di mettersi in contatto con Dominick», disse Fein. «E non ha nemmeno cercato una seconda volta Liana. Eppure lei è qui, negli Stati Uniti. Dobbiamo smuoverlo, dargli più di una ragione per venire da noi. Tu sai che lui non sbaglia mai... La mia idea è di dargli una botta finanziaria. Il suo primo sbaglio. Fantastico. E saprà che siamo stati noi».

Si avvicinò, con Michael, al suo computer portatile, un modello vecchio, economico, non a colori, ma con un hard disk estraibile e chiamò il file "Frkf.doc", che era sul floppy disk tolto dal computer di Speigal. Michael lesse l'intestazione, "@bt/qu: numero/sl:marin" e pensò che fosse il codice di trasmissione per indirizzare il messaggio attraverso un sistema prestabilito. Seguivano poche parole. «Nel tuo viaggio di domani al casinò di Rhein-Main, metti un gettone sul nero per me. Ho l'impressione che sia il mio giorno fortunato. Reg».

«Non vedo niente di particolarmente misterioso», disse Michael. «Niente di simile ai tuoi messaggi della *Contessa scalza* dove si capisce subito che è stato usato un codice. Qui mi sembra che ci sia solo la richiesta di una puntata al casinò. Chi è Reg?».

«Questo», disse Irving lentamente, «è un messaggio che non è partito. Ci sono i dati che risulteranno domani dopo la riunione della Commissione per il libero mercato della Federal Reserve. Adesso dimmi che cosa pensi che significhi».

Shu rilesse il messaggio con occhi diversi. «Beh, Rein-Main è il nome dell'aeroporto militare di Francoforte. Immagino che si tratti di comprare o vendere marchi. Fossero state sterline, si sarebbe parlato di Heathrow, l'aeroporto vicino a Londra, e per gli yen, di Narita, l'aeroporto di Tokyo dove spendi duecento dollari solo per arrivare in città».

«Dunque il messaggio parla di comprare o vendere marchi. Già: comprare o vendere?».

«Impossibile saperlo. Il "gettone" potrebbe essere un punto di percentuale dei tassi d'interesse, un movimento enorme della Federal, ma, in più, si tratta di giocarlo sul nero. Nero può indicare il rialzo dei tassi, rosso il ribasso. O viceversa».

«Nessuno può pensare che la Federal alzi i tassi. O li lascia come stanno o li abbassa. Qui, significa un taglio».

«Mi vuoi dire, sulla base di questo messaggio, che taglieranno un punto. Se è così, il dollaro naturalmente si abbasserà e chi ha come moneta di riferimento il dollaro venderà i dollari e comprerà i marchi. Farebbe...». Shu fece un rapido calcolo, a un margine del 98 per cento, sulla base dei miliardi di cui disponeva Berenskij. «Pazzesco: un colpo che sarebbe la madre di tutti i colpi».

«Ecco perché ho voluto che venissi qui: per sentirtelo dire. Adesso viene il bello: ho in mente un piccolo schema di disinformazione. Che cosa potrei dire per fargli fare esattamente quello che è sbagliato?».

«Cambiare il nero col rosso. È semplice».

«Troppo semplice. Prova a pensarci, c'è una quantità di implicazioni».

Michael non tardò molto a concludere che Irving aveva ragione, come sempre. La crescita di un punto del tasso d'interesse, quando tutto il mondo discuteva se sarebbe sceso o no, non soltanto sarebbe parsa assurda, ma avrebbe gettato il panico nei mercati. La Federal Reserve non era chiamata a destabilizzare i mercati.

«Se tu scambiassi il nero col rosso», disse Michael con molta cautela, perché i soldi di cui stava parlando erano tanti, «dovresti destreggiarti con quel gettone, che significa un intero punto di percentuale. Dovresti dire "un quarto di percentuale", ma sembrerebbe subito un linguaggio in codice perché i gettoni non si dividono in quarti».

«La disinformazione che voglio trasmettere», disse Irving, «è che la Federal non farà niente. Io e te sappiamo che taglierà i tassi di un punto, ma io voglio dare una notizia sbagliata alla nostra amica Sirkka, a Francoforte, a Helsinki, dovunque sia. Voglio farle credere che la Federal non cambierà minimamente i tassi».

«Allora lascia perdere il riferimento al gettone. Invece di dire "metti un gettone sul nero per me", di' "scommetti sul rosso per me", che significa: "la Federal non tocca i tassi. Adeguati". Equivarrebbe a un ordine di vendere i marchi su vasta scala e di comprare i dollari. Berenskij ci rimetterebbe la camicia».

«La tua tortuosità è geniale». Era un complimento e a Shu non dispiacque. Irving trascrisse il messaggio.

«Ma chi è Reg?», chiese Michael. «Reginald? Regina?».

«Forse non è un nome, forse stava scrivendo qualcos'altro».

«Ma che cosa? Non si lascia un messaggio senza firma». Shu rilesse l'intestazione. «Il messaggio è indirizzato a "numero" da "marin". C'è la Contea di Marin in California, dove si producono tubi elettronici».

«"Numero", forse sta per Numminen, il nome da ragazza di Sirkka», disse Irving, e sorrideva di nuovo con la sua espressione volpina, «e la firma è "Mariner". Adesso vediamo se la linea dedicata funziona».

Chiamò la lista dei numeri brevi, dove era stata aggiunta la voce "Frkf.doc" e un numero di New York. Innestò il cavo del telefono nel computer e nella presa a muro e premette il bottone. «Adesso, quando si collega dovrebbe fare un disgustoso rumore di tipo intestinale, se il numero è giusto».

Quando il modem emise la sua pernacchia, Michael Shu con le braccia levate verso il soffitto, i pugni stretti ebbe un empito di buonumore. «È collegato! Hanno avuto il messaggio! Gli agenti di

Berenskij si stanno buttando a vendere i marchi e a comprare i dollari come se non ci fosse un minuto da perdere. Irving, qualcuno impazzirà quando vedrà salire il marco e scendere il dollaro. Gli uomini del dormiente saranno in tumulto! Voglio dirlo a Dominick».

«È meglio di no. Anzi, assolutamente no».

«Ma perché, Irv? Potremmo fare un mucchio di soldi e coprire le spese».

«Ma Berenskij, se Dominick vincesse mentre lui perde, capirebbe che siamo stati noi a rovinarlo. Lasciamogli credere che siano stati i suoi. La disinformazione genera la sfiducia e mette gli uni contro gli altri... Gesù, Angleton sarebbe orgoglioso di me». Irving guardò l'orologio. «Devo chiamare un amico al *Times* per chiedergli il favore di farmi un annuncio funebre. Poi andrò all'aeroporto».

42

SYRACUSE

«Pensi che si mangino delle cose buone in America?».

«Molto nutrienti». Liana era prudente, non voleva mostrarsi rozza, inesperta delle abitudini internazionali. «Quella sera, a casa di Ace, sembrava che volessi stare a dieta», disse Irving Fein. «Mangiavi con i denti lunghi».

Liana con la testa inclinata su una spalla, gli rivolse lo sguardo interrogativo che tra loro era il segnale muto di una richiesta di spiegazione.

«Non so da dove venga questa espressione, la si usa quando qualcuno mangia perché è costretto e non perché gli piace quello che mangia. Ma stasera brucheremo tutta l'erba del nostro prato». Liana lo guardò ancora. «D'accordo, studierò il russo».

«Lo sai che se anche parlassi benissimo il russo e vivessi tutta la vita in Lettonia, non potresti diventare cittadino lettone? Dovresti imparare il lettone. È una nuova legge che deve servire a confermare l'indipendenza della Lettonia dalla colonizzazione russa. Io parlo tutte e due le lingue, quindi sono a posto, ma una metà della nostra popolazione non parla lettone».

Le piaceva dare a Fein queste informazioni. Lui le divorava, le assorbiva, sembrava dimenticarle, ma poi le ritrovava al momento giusto e qualche volta le modificava per adattarle al proprio punto di vista. Nikolaj Andrejevich non era così, non si fidava di lei come Irving Fein. Ascoltava le sue osservazioni, le soppesava e, se non corrispondevano a quello che, per il momento, gli serviva credere, le rifiutava. O almeno a lei sembrava così. E non avrebbe fatto niente per guadagnarsi la fiducia di chi non gliela voleva dare.

Irving la portò con l'automobile che aveva preso a nolo a un ristorante che si chiamava Krebs, nella cittadina di Skaneateles, a quaranta minuti da Syracuse. Liana non aveva mai visto niente di simile. In una grande casa, tra un va e vieni, ci si sedeva in un turbinio di tovaglie bianche, mentre cameriere dalle guance rubiconde correvano tra i tavoli, versando con un mestolo zuppe e salse, offrendo piatti di carni arrostite, ciotole di piselli freschi e carote candite che avevano un sapore diverso da qualsiasi altra verdura Liana avesse mangiato in America. Ogni volta che nel piatto di un cliente si intravvedeva uno spazio vuoto, giovani camerieri si affrettavano a riempirlo con fette sbriciolose di una specie di torta dorata o panini con l'uva passa.

Era un luogo familiare, spiegò Irving, mangiando tutto quello che gli capitava, dove niente era preordinato, gli appetiti erano vigorosi, i camerieri erano tanti e volonterosi e i clienti felici. Liana non osava dire di no a quelle ragazze dall'aria sana e allegra e seguitava a mangiare, più in fretta che poteva, per fare posto a quello che le avrebbero dato dopo. Arrivata alla torta sbriciolosa e dorata, Irving le spiegò che era una focaccia di granturco e le raccomandò di non mangiarne troppa perché di lì a poco sarebbero arrivati dei budini squisiti.

«Spenderemo, in due, trentasei dollari», le disse. «È importante. A New York o a Parigi, con la stessa cifra, ti darebbero una tartina».

«Ti ringrazio per avermi portata qui. Questa è un'America diversa». Liana si passò una mano tra i capelli stopposi. «Non l'America elegante di Ace o quella delle colazioni in serie dei pendolari, ma l'America di Irving Fein».

«La béchamel alla panna non è il mio piatto preferito; al Krebs si comincia a mangiare», Fein guardò l'orologio, «prima delle sette, quando in una grande città nessuno pensa ancora di mettersi a tavola, ma volevo che Liana Krumins, di Riga, Lettonia, vedesse questo posto dove tutti fanno un buon lavoro, sono orgogliosi della loro fama, guadagnano, non litigano, sono sempre allegri e non imparano a fingere per non essere esclusi dal gioco». Fein appoggiò il tovagliolo bianco vicino al piatto vuoto della torta alle nocciole con la crème caramel. «Adesso torniamo ai programmi, agli intrighi, alla connivenza, a tutto quello che significa il giornalismo».

Anche se Liana stava allo Sheraton, sulla collina, Irving la portò al suo albergo, in città, per bere qualcosa con lei al bar della Persian Room. L'immagine del suicidio di Speigal incombeva su di lui, ma non voleva scaricare parte di questo peso su Liana, e poi non rientrava nelle tre bugie che doveva dire a Davidov. Ormai si sentiva preso dal gioco della disinformazione, non solo Angleton ma Shelepin, maestro di quell'arte, sarebbero stati fieri di lui.

«Non è inquietante per te il modo con cui ci serviamo l'uno dell'altra?», chiese Liana.

Fein si lasciò andare a riconoscerle un intuito particolare per una ragazza della sua età, anche se, da adolescente, era stata una rivoluzionaria spregiudicata e convinta. «È più inquietante per me», disse, «che tu torni a Riga adesso». Era contento di aver espresso quella che era la sua preoccupazione. «Berenskij e i suoi, e anche i Feliks saranno molto arrabbiati la settimana prossima, perché un bel mucchio di soldi sarà andato in fumo».

«Davidov dice che non devo pensare che Berenskij possa farmi del male».

«È facile per lui fare di queste affermazioni. Non sa quale vento tra poco farà girare le ruote del mulino». Liana inclinò di nuovo la testa. «È il finale di una vecchia storiella, che non mi ricordo neanche più».

«Mi ha messo in guardia contro Madame Nina e i Feliks, ma loro sono avversari del KGB. E Arkadij, che lavora per Madame Nina, è certamente una brava persona».

Perché Davidov pensava che Madame Nina potesse costituire un pericolo per Liana e non Berenskij? Irving non riusciva a capirlo. D'altra parte, Davidov doveva pur chiedersi che cosa facesse Dominick in quella banca di Memphis e forse ora sarebbe caduto nell'inganno che lui gli aveva teso e avrebbe cominciato a pensare che il banchiere di Memphis fosse lo stesso Berenskij. Liana doveva alimentare la scintilla di quel sospetto. «Uno di questi giorni cercherò di avere un colloquio cuore a cuore con il tuo amico Davidov».

«Vorrei essere una mosca sulla parete», disse Liana ridendo. Era un'espressione che lui le aveva insegnato in quella lunga passeggiata per la Fifth Avenue, mentre tanti mondi diversi vivevano la loro vita attorno a loro.

«Hai bene in mente le tre bugie da snocciolare al giovane Nicky?».

Liana assentì.

«Allora ripetimele, credo di averne dimenticata una».

«La prima è che tu sai "perché io" sono stata scelta da Madame Nina per guidare la ricerca dell'agente in sonno. La seconda che io sono arrabbiata con te per non avermi detto "perché io". La terza che sospetto che Edward Dominick, di Memphis, sia l'agente in sonno».

«Giusto. Avevo dimenticato l'ultima e seguitavo a pensarci».

Ma quello che seguitava a pensare era che quella ragazza non particolarmente bella ma per lui, quella sera, intensamente affascinante, avrebbe voluto portarla al piano di sopra, in camera sua, a letto. Non voleva essere troppo esplicito, per paura di essere respinto e di introdurre così una nota di imbarazzo in una amicizia ancora agli inizi, resa difficile da un rapporto maestro-allieva, con una collega che era anche una persona simpatica e tanto giovane da poter essere, come si diceva di solito, sua figlia. Non era abituato a essere invadente, ma, al contrario, a essere lasciato in disparte, con le mani in tasca, mentre un altro si faceva avanti. A quello era abituato.

Il deprimente ricordo di altri rifiuti lo spinse a guardare l'orologio; il notiziario di Viveca, che non perdeva mai, sarebbe stato di lì a un'ora. E Liana, che non gli pareva una ragazza che andava a letto con chi capitava, aveva già ammesso di avere una storia, anche se non ben definita, con Davidov. Ancora una volta era solo.

«Avrai da preparare le valigie per domani, no?». Tutte le donne della sua vita avevano dato sempre molta importanza alla preparazione delle valigie.

«No. Qui mi sono comprata dei jeans e delle magliette e a New York dei CD, ma li metterò nella sacca all'ultimo momento».

Le aveva offerto una scusa e lei non l'aveva raccolta, allora si buttò in avanti a capofitto. «Proposta: vuoi venire in camera mia e stare con me stanotte? A me piacerebbe molto, ma non c'entra niente col lavorare insieme e tutto il resto».

«Ne sarei onorata».

Fein non seppe come giudicare quel sentirsi "onorata", nessuno glielo aveva mai detto, soprattutto in una circostanza simile. «Non sono il premio Pulitzer, ragazzina».

Lei raccolse la sua sacca pesante, se la buttò su una spalla e aspettò che Fein le facesse strada verso l'ascensore. Nella stanza, si mise a sedere sul bordo del letto, si lisciò la gonna con la mano e parve aspettare che fosse lui a prendere l'iniziativa. Fein, vicino alla finestra, vide che cominciava a scendere una neve leggera ed espresse la speranza, come in una conversazione qualsiasi, che non rendesse difficile il loro viaggio la mattina dopo.

Irving si ricordava di quando l'aveva baciata sulla bocca, in biblioteca, ma era stato un gesto impulsivo, mentre ora l'immagine del maschio prepotente sarebbe stata del tutto fuori posto. Lei gli sembrava più che mai giovane e vulnerabile e si sentiva già in colpa per aver approfittato della propria posizione. Le si avvicinò con dolcezza e quando lei chiese: «Sarai gentile con me?», non gli parve una frase goffa, ma lo fece sentire più protettivo che appassionato.

Liana dapprima apparve esitante, sparì in bagno e s'infilò un accappatoio perché lui non la vedesse nuda. Fein l'aspettò a letto, nel buio. Davidov, ne era certo, l'aveva stuprata, quel vigliacco comunista.

Gli piacque sentire, appoggiata contro la spalla, la sua testa con i capelli corti, una ragazzina contenta con un uomo più vecchio di lei, che era riuscito, finalmente, a interrompere il corso dei propri pensieri. Le teneva una mano tra le gambe, con l'altra prese il telecomando e cercò il canale che alle nove trasmetteva il notiziario di Viveca. Aspettò che passassero due pubblicità, mentre Liana si sedeva sul letto e si tirava su il lenzuolo per coprirsi i seni, più grandi di quanto Irving avesse immaginato. «Dura appena quarantacinque secondi», disse lui, quasi scusandosi. «Lei si aspetta che la guardi. Ha letto il mio ultimo libro». Liana, giornalista di un altro mondo e di un'altra generazione, non solo non parve offesa, ma professionalmente interessata.

329

43

NEW YORK

«Volete lasciarla andare in onda così?». La truccatrice era corsa in regia, sembrava impazzita. «Si è addormentata sulla sedia! Dio mio! Non era mai successo!».

«Mancano trenta secondi», stava dicendo l'assistente di studio. «Silenzio sul set».

«Stai bene, Viveca?». Il regista era spaventato, non aveva mai sentito nessuno incespicare così, a ogni parola, durante una prova.

«Certo, certo», assentì Viveca, capelli perfetti, trucco perfetto, sguardo vitreo. «Che cosa c'è che non va?».

«Venticinque... ventiquattro...».

«Dammi... dammi il foglio... che vi prende?».

«La trasmissione è in diretta e non abbiamo sostituti», disse, affannato, il regista all'orecchio del produttore. «Che cosa facciamo? Prima serata. Trenta milioni di spettatori».

Il produttore, che aveva sempre preso da Viveca più insulti di quanti certamente avesse meritato, rispose: «La trasmissione è sua. Una star sa sempre quello che deve fare».

Sul monitor, il regista vide Viveca roteare la testa in qua e in là e sbattere le palpebre come se, al volante, su un'autostrada, lottasse contro il sonno».

«Quindici secondi».

«Attacca un'altra pubblicità da trenta secondi», disse il regista al direttore tecnico.

«Non ne ho. Mancano dieci secondi».

«Rifai l'ultima! Presto!».

«Stai bene, Viveca?». Sul set, l'assistente di studio interruppe il conto dei secondi e la guardò da vicino. «Qua finisce male. Viveca, fammi capire se possiamo cominciare».

«Via, fff... fuori. Sto bene».

«Non mandiamola in onda così», supplicò il regista. «È distrutta. Oscuriamo».

«Tu oscuri e quelli che finiscono in mezzo alla strada siamo noi. La responsabilità è sua, non nostra».

«Cinque... quattro... tre...».

«Pronti con la prima», disse il regista al tecnico e fece schioccare una volta le dita. «Via con la prima». La faccia di Viveca riempì lo schermo.

«Noci... Nociciario... Vi parla Vi... Viveca Farr», disse Viveca, guardando di traverso le parole sul gobbo.

«Indietro con la prima», disse il direttore tecnico. «Vai con la seconda».

Dietro le spalle di Viveca comparvero le immagini della rivolta in Nagorno-Karabah.

«Una crisi istitu... istizuz... istitut... incombe sulle Nazioni Unite per il Go... Gorono-Kabà...».

«Cristo, è scoppiata!». Il regista sentì la voce dell'assistente di studio in un bisbiglio incalzante.

«Vado sul nero. D'accordo?».

«La responsabilità è vostra, non mia», disse il produttore, «nessuno è mai stato buttato fuori da questa rete e non comincerò con la ex puttanella del vice presidente».

«Dieci secondi all'intermezzo pubblicitario. Pronti con la seconda bobina».

«Riempi lo schermo con il Nagorno-Karabah», disse il regista al direttore tecnico. «Almeno togliamo la sua faccia».

Viveca arrivò al punto e si fermò, cercando di vedere che altro era scritto sul gobbo.

«Vai sulla due!».

«Non posso, sta arrivando la pubblicità».

«Vai coi numeri, è meglio che il nero. Adesso!».

Mentre compariva l'annuncio pubblicitario, il regista si voltò con la sedia girevole verso il produttore. «Abbiamo dieci secondi per decidere. La star non riesce a leggere il gobbo».

«Forse la paura le farà passare la sbornia».

Fuori dalle cuffie, il regista sentì l'assistente di studio che diceva: «Ho un po' di notizie scritte su un foglio».

«Daglielo da leggere», ordinò. «Sarebbe meglio che cominciasse con un "La trasmissione riprende ora regolarmente"».

«Vai con la prima. Viveca, è la tua ultima possibilità di salvarti il culo».

«La traz... trasmissione riprende regolarmente». Viveca si teneva il foglio incollato alla faccia. «La Federseserve ha annunciato stasera che non ci sarà la riunione della Commissione per il libero mercato, fissata per domani. Il presidente non priv... prevet... nessun inter... vento sui tassi d'interesse per il prossimo mese. Nessuna spiegazione è stata... è stata data per ques... questa ins... in... ins... consueta disposizione».

Viveca alzò gli occhi e offrì alla telecamera un sorriso radioso. Era la prima volta che, dalla regia, vedevano quell'espressione felice e spensierata sul viso serio e autorevole di Viveca Farr. «Ci vediamo domani sera».

«Parti con uno spot da trenta secondi. Facciamo presto». Viveca cominciò a sbadigliare e il direttore tecnico disse: «Nero per tre secondi, tre, due, uno. Via con la due».

Accasciati sulle sedie guardarono la registrazione, il regista con le mani tra i capelli, il produttore con il sorriso gelido di chi assiste alla fine di una carriera, la truccatrice in lacrime. Tutti i telefoni della regia cominciarono a suonare.

44

MEMPHIS

Michael Shu, sconvolto dopo aver ascoltato il notiziario, spense il televisore dell'ufficio strategico della Banca d'Affari di Memphis e rispose allo squillo del telefono. Sapeva già che a chiamarlo era certamente Irving da Syracuse.

«Hai sentito?». La voce di Irving era profondamente alterata.

«L'hai vista? Era a pezzi».

«Sì, ma quel sorriso alla fine mi è piaciuto. Mi ha fatto pensare a Charlie Chaplin nell'ultima scena del film *Le luci della città*. Dovrebbe sorridere più spesso».

«Taci! Si è rovinata. Non c'è più niente da fare. Si è bruciata la carriera».

«Parlava come se fosse ubriaca...».

«Sembrava che le avessero dato una botta in testa, che le avessero sparato addosso. Gli squali che le nuotano attorno avranno sentito l'odore del sangue nell'acqua. Dov'è Dominick? Con te o con lei a New York?».

«È a San Diego. Ho un numero».

«Mettimi in comunicazione subito. Se quella povera ragazzina è tanto stupida da ubriacarsi quando sa che tutto il mondo la sta guardando, potrà fare anche di peggio quando tornerà in sé».

Michael era contento che la reazione di Irving alla catastrofe della carriera di Viveca fosse più simile al dolore che alla collera. Fece il numero che Dominick gli aveva lasciato. Appena sentì suonare il telefono, ricordò a Irving che il sistema di collegamento poteva non essere sicuro e disse: «Richiamami subito, appena hai finito. Dobbiamo parlare di qualcosa ancora».

«L'ho vista, Irving», disse Dominick. «Abbiamo un ripetitore del satellite. Sì è stato atroce. Sto cercando di chiamare lo studio, sull'altra linea, per parlarle».

«Starà bene finché non uscirà da questo stato confusionale», disse Fein, turbato, «ma quando si riprenderà e saprà quello che è successo mentre era in onda, sa Dio quello che potrà fare».

«Le importa solo del suo lavoro. Sarà un brutto colpo».

«Quando puoi andare da lei? Io sono bloccato a Syracuse. Non c'è un aereo fino a domattina e in treno ci si mette tutta la notte».

«Noleggerò un Gulfstream da qui. Farò in tempo a vederla a metà mattina».

«Troviamoci a casa sua, in campagna. Fammi sapere qualche cosa. Tieniti in contatto con Mike Shu, a Memphis. Lui starà attaccato al telefono. Non possiamo perderla di vista».

Ace andò a cercare Viveca, allo studio, dall'altra parte della città, appena avuta da Irving la notizia. La truccatrice gli disse, con gli occhi arrossati dalle lacrime, che Viveca era stata caricata nella sua limousine e se n'era andata da pochi minuti.

«Esiste una prova che fosse sotto l'influenza dell'alcol?». Ace, da giovane, aveva lavorato come praticante in uno studio legale e, anche se non si era occupato del contratto di Viveca con la televisione, voleva conoscerne i termini per predisporre la difesa nel caso la rete avesse cercato di licenziarla per giusta causa.

«Io non l'ho vista bere, se è questo che intende», disse la donna, seduta vicino alla poltrona da barbiere vuota, nella sala del trucco.

«Non le risulta che emanasse odore di alcol». La domanda aveva la forma di un'affermazione che non si poteva confutare.

«Vede, a Viveca piace il vino, non i superalcolici. Io, comunque, non ho sentito nessun odore. Ma lei è davvero il suo agente? Non è, per caso, un giornalista?».

Ace le mostrò il biglietto da visita. Sul monitor della sala da trucco, guardò la registrazione dei quarantacinque secondi di notiziario. I tecnici stavano facendo delle copie, appetibili souvenir di una memorabile sconfitta. «Certo non era in sé», azzardò Ace con cautela, sgomento nel vedere smascherato il palese ma non provato alcolismo della sua cliente. Aveva sempre sospettato che bevesse troppo, ma molti dei suoi clienti bevevano e non per questo si rovinavano la carriera. Pensando che la stampa e i legali della rete avrebbero chiesto una dichiarazione alla truccatrice, le trasmise un pensiero e cercò di fissarglielo bene nella mente. «Non potrebbe essersi trattato di un vuoto mentale provocato dal superlavoro e da un imprevedibile attacco di stanchezza?».

«Lo dirò, se vuole, e se può servire ad aiutare Viveca», disse la truccatrice, «però era già stordita quando è arrivata. Si è addormentata sulla poltrona. Non l'aveva mai fatto, nemmeno quando aveva bevuto qualche bicchiere di vino».

Ace aveva l'impressione che si fosse trattato di droga piuttosto che di vino. Per la reputazione di Viveca sarebbe stato peggio, la droga più del bere significava la fine del buon nome di un professionista e poteva anche essere la causa di un licenziamento in tronco. Tentò una strada traversa. «Non potrebbe darsi che qualcuno le avesse dato, di nascosto, un *mickey*?».

La truccatrice lo guardò, senza capire. «... di nascosto... che cosa?».

Il Mickey Finn, evidentemente, non faceva parte del suo vocabolario. «Non potrebbe darsi che qualcuno le avesse messo, senza farsi vedere, una droga, non saprei quale, nella tazza del caffè? Qualcuno che le voleva fare del male?».

«Se è per questo ce ne sarebbero parecchi, ma, veramente, quando è arrivata qui mi è parso che stesse già male».

«Le è parso, non ne è sicura. E, poco fa, mi ha confermato che Viveca manifestava spesso una grande stanchezza. Personalmente, ho l'impressione che regista e produttore non si siano fatti molti riguardi nei suoi confronti».

«Il produttore ha avuto un'uscita sessista in regia». La truccatrice riferì le parole "ex puttanella del vice presidente", con le quali Viveca era stata definita. Ace le raccomandò di tenerle a mente e le propose addirittura di scriverle per non dimenticarle. «Dov'è andata Viveca?».

«A casa».

«A Pound Ridge?».

«No, credo in Central Park West, dove ha un appartamento».

Ace uscì dallo studio e disse al suo autista di portarlo al pied-à-terre di Viveca, poco lontano di lì. Si ricordava che lei gli aveva detto che non poteva sopportare le sconfitte e che avrebbe preferito essere morta o lavare i piatti in una tavola calda piuttosto che sentirsi umiliata per un insuccesso nel lavoro. In quell'occasione aveva pensato che fosse un modo paradossale di esprimersi, da donna di spettacolo, ma ora il ricordo di quelle parole tristi e le numerose recenti cronache di suicidi, lo impensierivano.

Il portiere disse che non era tornata. Dall'automobile, Ace telefonò alla casa di Pound Ridge e la cameriera rispose che Viveca non era attesa per quella sera. Ace non volle lasciare niente di intentato, e si fece portare fin lì dall'autista. Era un viaggio lungo ed era tardi, ma pensava che la vita di Viveca fosse in pericolo. Mentre la limousine correva in mezzo alla campagna, telefonò a Irving Fein, a Syracuse, poi a vari funzionari della rete, che mostrarono diverse sfumature di preoccupazione, insieme a quella colpevole eccitazione che dà la disgrazia altrui e che i tedeschi chiamano *Schadenfreude*. Era contento di avere un contratto di ferro con Viveca per il progetto del libro; per lei sarebbe stato, nell'anno successivo, la maggiore fonte di reddito, purché fosse finito a tempo, naturalmente. I contratti della televisione riguardavano le prestazioni personali, ma quelli degli editori si basavano sul prodotto finito.

Era quasi mezzanotte quando imboccò il viale d'accesso della casa di Pound Ridge. L'autista chiamò col telefono la cameriera, per non farla spaventare. Lei venne alla porta con un cane da guardia enorme, nero e, così parve ad Ace, opportunamente minaccioso, ma disse che la signorina Farr non si era fatta viva. Ace lo riferì a Irving, isolato e preoccupato in una camera d'albergo di Syracuse, che gli consigliò di aspettare un po' ad andarsene. «Quando si riprenderà sarà disperata». Ace acconsentì e andò a fare un sonnellino in biblioteca. Alle tre del mattino, quell'agente letterario premuroso e affettuoso si rese conto di essere anche vecchio e tornò a casa.

Portando Liana con sé, Irving Fein arrivò a Pound Ridge poco dopo le dieci del mattino, con un brevissimo anticipo su Edward Dominick.

«Troppo tardi. È venuta e se n'è anche andata», disse a Dominick, camminando su e giù per la biblioteca. «La cameriera dice che l'autista della limousine l'ha portata qui alle sette. Stava ancora molto male fisicamente. Ha guardato alla televisione la registrazione del notiziario, che era il pezzo forte, stamattina, nel riepilogo delle notizie, ed è scappata via».

«Ma dov'è? Si sa dov'è andata?».

«La cameriera, Brigid, dice che ha preso tutto quello che aveva nella cassaforte, ha fatto le valigie ed è partita sulla sua Montero, quell'oggetto a trazione integrale».

«Quanto c'era nella cassaforte? La cameriera lo sa? Se non c'era molto», disse Dominick, «dovrà usare una carta di credito per la benzina. Se la facessi rintracciare attraverso la MasterCard, potremmo sapere dov'è, appena si ferma a un distributore».

«Nella cassaforte c'erano forse diecimila dollari in contanti, dice la cameriera», rispose Irving, avvilito, «e anche qualche gioiello di valore. Le basterebbero per andarsene lontano, nascondersi e rifarsi una vita da zero».

«Ammesso che ne abbia voglia», osservò Dominick.

«Dovunque vada», intervenne Liana, «sarà riconosciuta. Tutti hanno visto il suo viso alla televisione. È famosa. Come potrebbe nascondersi?».

«Lei, signorina Krumins, non sa com'è Viveca senza trucco», disse Dominick, «con la sua bella pettinatura in disordine, senza la sua autorevole vivacità sorretta da un tailleur impeccabile, e senza quella voce che esce dal diaframma. Io invece l'ho vista e, mi creda, fuori dal solito contesto, è un'altra persona. Potrà nascondere la propria umiliazione per tutto il tempo che vorrà ancora vivere».

«No. La troveremo», disse Irving a Liana, con una sicurezza che non sentiva, «l'FBI ce lo deve».

«Non solo loro sono in debito con noi», ribatté Dominick, disponendosi, con un sospiro, a cambiare argomento, «lasciatemi parlare con Michael Shu».

Passò attraverso la solita convenzione del perché-non-mi-richiama-dalla pasticceria e riesaminò con Shu una quantità di cifre. Usando l'agenda elettronica, telefonò a un servizio finanziario e annotò qualche numero, scuotendo via via la testa, stupito. Irving si accorse che ogni tanto, con la coda dell'occhio, guardava Liana, che stava leggendo i titoli dei libri allineati negli scaffali.

«Irving, lo sai che scherzetto hai fatto allo zio Aleks, ieri?».

Fein assentì, probabilmente Dominick era stato informato, la sera prima, della identificazione e del suicidio di Mort Speigal e dell'ingegnoso scambio dal nero al rosso che lui aveva fatto nel messaggio in codice.

«Ieri», proseguì Dominick, «l'agente di Londra ha fatto sul dollaro una delle più grosse operazioni della storia. E anche le altre quattro banche e gli altri agenti che stiamo seguendo e che agiscono per conto di Berenskij. Si sono buttati nella speculazione, hanno puntato tutto sull'esattezza delle informazioni che arrivavano dalla talpa della Federal Reserve e ieri, si stenta a crederlo, gli agenti di cambio e gli accoliti di Berenskij si sono presi il dieci per cento dei mille miliardi di dollari del mercato mondiale della valuta».

«Li abbiamo ingannati», spiegò Irving a Liana, che gli pareva meritasse di partecipare allo sviluppo degli avvenimenti. «Io volevo che Berenskij ci rimettesse anche la camicia, in modo che i suoi agenti di cambio e le sue banche se la prendessero con lui e lo spaventassero, così sarebbe venuto da noi. Allora ho cambiato il messaggio della Federal Reserve per farli sbagliare. Non c'è male, vero

337

Edward, per uno che non è neanche un banchiere?». Irving era orgoglioso della sua manovra finanziaria e contento che Liana potesse apprezzarne i risultati attraverso il giudizio di un banchiere del livello di Dominick.

«Irving, tu probabilmente non hai colto il senso del comunicato che Viveca ha letto alla televisione ieri sera», disse Dominick, «forse perché eri troppo preoccupato per la gravità di quello che stava succedendo a lei».

Irving non era in grado di capire a che cosa si riferisse Dominick, ma Liana si ricordava che cosa aveva detto Viveca. «La Federal Reserve ha rimandato una riunione».

«Esatto, cara signorina. La Federal stava progettando di abbassare di molto i tassi d'interesse. Speigal, la talpa, lo aveva scritto in un messaggio agli agenti di Berenskij. Ma quando è stato scoperto e si è ucciso, il presidente della Federal, saggiamente, ha deciso di rimandare la riunione della commissione».

Irving cominciò a sentirsi male. «E allora che cosa è successo?».

«Se il messaggio della talpa fosse stato trasmesso correttamente, il gruppo Berenskij avrebbe perso una fortuna, anzi varie fortune; ci sarebbe stato un seguito di bancarotte tutte in fila come le pedine di un domino, e tutti se la sarebbero presa con Berenskij che li aveva fatti sbagliare».

«Ma io, nel messaggio, dov'era scritto nero ho scritto rosso», disse lentamente Irving.

«E il messaggio ha coinciso con la decisione presa dalla Federal, all'ultimo momento, di rimandare la riunione», proseguì Dominick. «Tu hai cambiato la spiata della talpa, il presidente della Federal non ha fatto quello che aveva stabilito e la tua indicazione di puntare sul rosso ha beneficato largamente quelli che hanno comprato dollari e venduto marchi».

«Allora Berenskij è sempre in testa», mormorò Irving.

«In testa? Dio mio, Irving, non c'è mai stato nessuno più in testa di lui nel mercato del danaro. Con Mike abbiamo fatto il conto che la tua indicazione di "puntare sul rosso" abbia reso a Berenskij un profitto di quasi venti miliardi di dollari».

Irving taceva e si sforzava di rassegnarsi. Liana gli si avvicinò e gli mise una mano sul braccio. «Sei riuscito ad aiutare l'agente in sonno russo a guadagnare venti miliardi di dollari?».

«È facile», disse, «basta indovinare il colore».

Dominick s'interruppe a metà di una delle sue lunghe, sommesse risate. «La tua strategia avrà comunque l'effetto desiderato, Irving. Credo che questa operazione porterà l'agente in sonno al livello di cento miliardi o quasi, un capitale impossibile da nascondere. E quando si saprà di questo enorme colpo finanziario, il più grande che sia mai stato fatto, i governi di tutto il mondo vorranno sapere chi vi si nasconde. Allora Berenskij dovrà decidere in fretta come disporre della propria fortuna».

Fu Irving a proseguire. «E la stampa finanziaria si unirà alle ricerche, con tutto il suo peso. Sarà una bella gara. È venuto per te il momento di andare a Riga, forse con la nostra amica, che ora è qui con noi».

«Sì, se devo sostenere il ruolo di Berenskij con i suoi, questo è il momento. L'agente in sonno è diventato un eroe dopo il colpo che ha fatto ieri e io conosco tutti i particolari».

Irving volle sottolineare la nuova posizione di Dominick. «Sono sicuro che Davidov ha abboccato e ora sospetta che sia tu l'agente in sonno».

«È vero», confermò Liana. «Nikolaj mi ha raccomandato di stare molto attenta al banchiere di Memphis. E quando lo rivedrò, gli dirò che sono sicura che è lui Berenskij».

«Questo coincide con quanto ho constatato anch'io», disse Dominick. «I nostri agenti di sicurezza della Globocop hanno scoperto che qualcuno sta cercando di penetrare nei nostri sistemi di comunicazione con un secondo satellite. Più forte è l'inquietudine che voi comunicate a Davidov e più lui sospetta che siamo noi quelli che cerca».

«E poiché i Feliks hanno molti infiltrati nel KGB», concluse Irving, «ciò che Davidov sospetta, sospetta anche Madame Nina».

«Il germe del sospetto è stato messo ovunque», disse Dominick. «L'unico che, dalla parte avversa, sappia con certezza che io non sono il dormiente è il dormiente stesso. Ora devo convincere i cacciatori che la loro preda sono io».

«Ma», obiettò Liana, «se si convinceranno davvero che lei è Berenskij, non la prenderanno, il KGB o i Feliks, e la tortureranno per farsi dare i soldi?».

«Non preoccuparti», si affrettò a rassicurarla Irving, temendo che rendesse Dominick meno pronto a partire. «Pensa alla storia della gallina dalle uova d'oro».

«Berenskij è troppo prezioso, Liana, perché qualcuno possa fargli del male, è questo che vuol dire Irving. Basta che gli venga un attacco di cuore e perdono cento miliardi di dollari, la sicurezza dei rispettivi interventi, il controllo economico della Russia. L'accesso alla maggior parte del capitale è custodito nella sua mente. Il KGB e i Feliks hanno bisogno di lui vivo, vogliono che sia il loro agente, non il loro nemico».

Liana non era convinta. «Ma loro vogliono i soldi ed Edward Dominick, per quanto finga, non li ha». Irving pensò che l'aveva detto con la lucida essenzialità di un bravo giornalista. «Che cosa succederà quando lei, Dominick, non potrà mettere la sua ricchezza in tavola?».

«Tra breve sarò in grado di farlo», rispose Dominick. «Il fulcro delle nostre azioni è l'agente in sonno, un grande finanziere che ha sempre operato attraverso una copertura. Ora ha tutte le ragioni di usare noi come copertura nell'affrontare entrambi i gruppi russi. Con quello che so sul suo modo di operare, sono nella condizione ideale per essere il suo mediatore, il suo agente di cambio».

«Perché?». Irving fu contento che Liana lo avesse chiesto e aspettò la risposta di Dominick.

«A qualsiasi dei due gruppi decida di dare il danaro, l'altro gli sarà nemico, cercherà di ucciderlo ed è gente che sa come si fa. Per tutta la vita Berenskij non dovrà mai farsi conoscere. Ha bisogno di me, del falso Berenskij, lo scudo».

«Nel gergo del controspionaggio si chiamerebbe "il filtro"», disse Irving. «Il nostro obiettivo è fare entrare Edward in questo gioco. Berenskij dovrà giocare con il suo doppio, non può evitarlo, e avremo davanti ai nostri occhi lo svolgersi della storia».

Liana scosse la testa. «Una storia pericolosa».

«Meno per me», rispose Dominick, «che per Irving o per Mike Shu. O per Viveca. O per lei, Liana. I grandi giocatori non sono mai colpiti, sono le vite degli altri che vengono bruciate».

Irving non disse che non era d'accordo, gli parve meglio che Dominick avesse questa certezza nel momento in cui stava per mettere la testa nelle fauci dell'orso. «Dunque cerca di stare attenta, ragazzina», raccomandò a Liana. «Stai a fianco di Davidov, ma non troppo, e digli che sei sicura che Dominick è Berenskij».

«Mi chiederà che cosa mi dà questa sicurezza».

«La sensibilità femminile. L'intuito giornalistico. Di' quello che vuoi. E ricordati di insistere per avere qualcosa in cambio. Davidov deve spiegarti perché Madame Nina è così interessata a te. Cerca di scoprire perché tutti abbiano affidato a una piccolina come te la parte di primo attore comico». Prima che lei potesse chiedere, le spiegò, più semplicemente: «Volevo dire la parte del giornalista al centro della storia, il mio corrispettivo in Europa».

340

«Diffidi di quella donna, Nina», aggiunse Dominick. «Avrei dovuto avvertire anche Viveca di stare in guardia».

«Pensa che qualcuno abbia fatto ubriacare Viveca deliberatamente?». Liana aveva colto subito il significato delle parole di Dominick.

«Ne sono sicuro. Viveca beve, lo sappiamo, ma non è un'alcolista. Sono pronto a scommettere che qualcuno le ha messo nel bicchiere una droga, calcolando il tempo in cui avrebbe avuto effetto».

«Forse», disse Irving, sperando che fosse davvero così. «Ma nessuno ci crederà mai. Troppi l'hanno vista ubriaca e troppi, nei corridoi della televisione, hanno il coltello puntato contro di lei, e non solo gli uomini».

«È per questo che forse ha voluto nascondersi e non farsi più vedere?».

«Una volta», disse Dominick, «mi ha confessato che se avesse visto che la sua carriera era finita o se, comunque, avesse subito una grave umiliazione, si sarebbe uccisa, oppure avrebbe fatto una valigia e se ne sarebbe andata nello Yucatan con l'autostop».

«L'ha detto anche a me. Non ho capito perché lo Yucatan. Forse le piace il nome».

Dominick disse che voleva tornare a Memphis per incaricare la Globocop di rintracciare Viveca e prepararsi ad andare a Mosca e a Riga nelle vesti di Berenskij.

«Ho saputo da Irving», disse Liana, «che le sarebbe utile qualche particolare sulla famiglia di Berenskij che risulti dall'archivio e di cui ci si immagini che lui possa ricordarsi. Io ho letto una lettera che un'amica di famiglia aveva scritto a Shelepin per dirgli quanto dolore causava alla moglie e alla piccola Masha l'incarico che era stato dato a Berenskij in America».

«Il nomignolo della bambina potrebbe esserti d'aiuto, Eddie».

«Masha e Sasha», li avvertì Liana, «sono nomignoli che si danno frequentemente ai bambini, non solo a quelli che si chiamano Maria e Sergej. Io, al nome Masha, mi volto ancora per strada, è un vezzeggiativo molto comune, ma spero che la mia indicazione le sia ugualmente utile».

«Dovrò stare attento», osservò Dominick. «Berenskij è partito quando la bambina non era ancora nata e potrebbe non sapere come la chiamava sua moglie. D'altra parte, forse è naturale che lui abbia cercato di sapere che ne era stato di loro, anche solo per curiosità». Ringraziò Liana, le strinse la mano con un gesto grave e le suggerì di chiamarlo al Metropole di Mosca se le fosse venuto in mente qualche altro particolare.

Quando se ne fu andato, Liana disse a Irving: «È coraggioso».

«Troppo vecchio per te».

«Ha la tua età».

«Hai ragione». Irving si guardò in giro nella biblioteca, inquieto. «Mi sembra che manchi qualche cosa». Si batté il palmo della mano sulla tempia, due o tre volte, come faceva spesso, chiedendosi che cosa doveva esserci e non c'era, come il cane di Sherlock Holmes che non abbaiava.

Ecco che cos'era! «Brigid!», gridò. La cameriera arrivò. «Dov'è il cane? Il mio cagnone nero?».

Brigid gli disse che la signorina l'aveva portato via con sé, in automobile, quella mattina, insieme a dodici chili di cibo secco. Irving si concesse un sospiro di sollievo, la presenza di Occhio accanto a Viveca era l'unica notizia, quella mattina, che gli desse un po' di speranza.

45

NEW YORK

Mentre, all'aeroporto Kennedy, si allontanava dal cancello di partenza dove aveva accompagnato Liana al volo per Helsinki, Irving Fein si ricordò che da più di un giorno e mezzo non aveva chiamato la sua segreteria telefonica. Troppe cose gli erano successe perché andasse a cercarne altre: un uomo si era fatto saltare il cervello davanti a lui; Liana era entrata nella sua vita; miliardi di dollari erano entrati nelle tasche di qualcuno invece di uscirne; Viveca era scomparsa.

«Ci sono sei messaggi», disse la voce sensualmente robotica della sua fidanzata fissa, quella che non lo abbandonava anche quando tutti se n'erano andati. «Per ricevere i messaggi, schiaccia il tasto due». Irving assunse lo spirito dell'automa e obbedì a colei che definiva la sua dominatrice del "componi il numero", anche se ormai era una formula che non si usava più. «Messaggio di risposta, ore dieci e diciotto, giovedì, diciotto novembre. Per ascoltare il messaggio, schiaccia il tasto zero». Irving obbedì. Le scarpe che aveva portato a riparare non erano pronte perché erano delle vecchie Wallabee e le suole di gomma non si trovavano più in commercio. Se si fosse accontentato delle suole Vibram, lo facesse sapere. Ma il calzolaio si era dimenticato di lasciare un numero di telefono. Irving schiacciò l'asterisco e il tasto C e cancellò il messaggio; chi faceva guadagnare venti miliardi in un giorno a qualcun altro meritava un paio di scarpe nuove. Anche il messaggio successivo, annunciato dalla operatrice umanoide, era arrivato la mattina precedente e Irving schiacciò di nuovo il tasto zero per ascoltarlo.

«Sono io», disse la voce di Viveca. «Ieri sera ho scoperto una cosa importantissima. Una cosa in cui non riesco a districarmi, ma tu dovresti, come dire... prestarmi orecchio perché potrebbe cambiare tutto. Puoi chiamarmi prestissimo? Io sono a casa mia in campagna e fuori ci sono le lucciole. Non posso lasciarti detto niente di più sulla segreteria, è un segreto. Io, sinceramente, sono rimasta sconvolta. Invecchiare non mi è servito a diventare più giudiziosa. Se non riuscissimo a comunicare, lascia detto sulla mia segreteria se possiamo vederci a Portofino domani, alla solita ora. Forse scoprirai che, dopotutto, hai una socia che è una vera giornalista. Richiamami presto, Irving... ops, Sam, Harry, come vuoi. Ho bisogno di te».

La ragazza robot disse: «Per conservare questo messaggio, schiaccia il tasto uno. Per cancellare questo messaggio, schiaccia l'asterisco e il tasto C. Per passare al messaggio successivo, schiaccia il tasto S».

Irving schiacciò il tasto uno e ascoltò ancora molte volte la richiesta d'aiuto di Viveca e ogni sfumatura della sua voce preoccupata si incise sempre più a fondo nella sua memoria. Si sforzò di pensare che forse non si era uccisa, che non aveva ceduto alla propria debolezza. Preferiva credere che l'agente in sonno l'avesse messa in disparte, come una pedina dalla scacchiera, senza bisogno di ucciderla. In ogni occasione in cui aveva dovuto proteggere la propria identità, l'agente in sonno aveva approfittato della debolezza della sua vittima: la passione che Clauson, nella sua semplicità, aveva per le citazioni letterarie, lo aveva portato a morire per una disgrazia apparente; la debolezza di Speigal stava nella paura di essere scoperto e per quello si era suicidato; Viveca era resa vulnerabile dall'orrore dell'umiliazione e ora stava correndo lontano, portando con sé il segreto che aveva scoperto, chiusa nel suo isolamento.

Schiacciò di nuovo il tasto uno. «Sono io...».

PARTE TERZA

L'AGENTE IN SONNO

46

VERSAILLES

«La Galleria degli Specchi va considerata, dal punto di vista tecnico, una delle massime opere del diciassettesimo secolo», diceva il direttore del museo al piccolo gruppo di mecenati che esaminavano i piani di restauro della reggia di Versailles. «La luce artificiale era debole, a quell'epoca, e i gioielli della corona di Luigi XIV si vedevano a malapena durante i ricevimenti».

Karl e Sirkka von Schwebel erano rimasti un po' indietro, rispetto agli altri per discutere del loro ultimo dissidio coniugale. Avevano contribuito con quasi un milione di marchi al restauro della reggia e alla nuova sistemazione dei giardini; ora venivano sollecitati di nuovo a provvedere alla riargentatura di alcune parti che si andavano deteriorando nella Sala degli Specchi, teatro di grandi balli, dell'incoronazione di un imperatore tedesco e della stesura di trattati di pace che ponevano fine a una guerra fatta per porre fine ad altre guerre.

Davanti a loro il direttore del museo, incaricato di raccogliere i fondi, seguitava a parlare, camminando. «Le candele, poste davanti a supporti di metallo lucente, raddoppiavano la propria luce, ma solo con la diffusione degli specchi d'argento quella luce poté moltiplicarsi molte e molte volte. In questa sala, per la prima volta, grandi lastre di specchi argentati vennero create dagli artigiani di corte e collocate a un lato e all'altro di una galleria, per illuminare, con una intensità mai avuta prima, i pranzi di stato e mettere opportunamente in risalto la corona di re Luigi». Le teste di coloro che ascoltavano si alzarono per seguire la direzione del suo dito.

«L'editore mi ha assicurato personalmente», disse Karl von Schwebel a sua moglie, «che quella fotografia non sarà pubblicata sulla rivista».

«Sei un ingenuo, Karl. Lei quest'anno è stata l'attrazione del festival di Cannes. Ed era in adorazione davanti a te».

Von Schwebel aveva giocato d'azzardo passando quella serata

con Ari Covair sperando che nessuno li notasse, ma aveva perduto. Le fotografie, che mettevano in evidenza la sua rispettabilità di misterioso mogol in contrasto con la vivacità francese dell'attrice, vestita con una profonda scollatura sulla schiena, erano state vendute, distribuite e pubblicate. Karl non era tanto preoccupato dell'orgoglio ferito di sua moglie quanto del moralismo dei suoi sostenitori alla sede dei Feliks, a Riga.

«Posso affermare nel modo più assoluto che non c'è niente tra me e Ari».

«Poverino. Tutti lo invidiano e lui non si è divertito per niente».

«Allora non mi credi».

«Non mi è mai importato che tu andassi a letto con tutte le donne che gravitano nel tuo impero, ma una volta eri più riservato, e questo, almeno, ci rendeva più facile uscire con i nostri amici».

«Non sono stato io a farmi avanti, è stata lei, quella sera a cena, a New York. Avrai visto anche tu come la tenevo a distanza...».

La risata sincera di sua moglie ferì Schwebel. Le chiese che cosa aveva detto di divertente e Sirkka gli rispose con noncuranza, come se le importasse poco di quella bugia. Allora si sentì prendere dalla collera e le disse che pretendeva una spiegazione.

«Karl, dopo quella cena, tu hai passato tutto un pomeriggio a far l'amore con quell'incantevole fagiolino. Non faccio la spia, all'albergo lo sapevano tutti».

«Ah, non fai la spia?». Von Schwebel non riuscì a trattenersi. «Ma nel momento in cui pensavi che io e Ari fossimo insieme, non stavi forse cospirando con il KGB nella Oak Room del Plaza?».

Sirkka taceva, col viso grigio come la cenere, guardava davanti a sé il direttore del museo e il gruppo degli ospiti.

«E allora?».

«Dimmi anche il resto, Karl».

Schwebel si riprese. Aveva avuto un accesso di collera, come non gli capitava mai e si era lasciato prendere la mano. L'appartenenza di Sirkka alla Stasi era un segreto utile e non andava sprecato per indulgere a una passionalità da collegiale. Tolse alle proprie parole il sospetto che pensasse a sua moglie come a una spia. «Che cosa vi siete detti? È il tuo amante il bel Nikolaj Davidov? Non che me ne importi, è solo che ci renderebbe più difficile, come dici tu, uscire con i nostri amici».

Sirkka lo guardò. «Mi ha detto che hai cercato di far sparire il mio fascicolo dall'archivio della Stasi, in Germania». Von Schwebel non aveva mai visto le lacrime brillare in quei grigi occhi nordici.

«Perché non me l'hai mai detto, Karl? Perché mi hai fatto vivere con te nascosta dietro una bugia?».

Von Schwebel le fece la stessa domanda. «E tu, perché non mi hai mai detto la verità?».

Sirkka scosse la testa con amarezza. «È tutta colpa mia. È giusto che mi disprezzi, tu, un patriota tedesco, sposato a una spia russa».

Fino a che punto si rendeva conto di quello che lui sapeva? E poi, che cosa le aveva detto Davidov sulla dipendenza del favoloso "impero dei media" di Karl von Schwebel da quell'amalgama di mafja russa e capitalismo politico concentrata a Riga, fuori dalla giurisdizione del KGB? Non si poteva pensare che Davidov non sapesse che lui era sostenuto dai Feliks e che non ne avesse informato Sirkka. Prima che lei lo accusasse, confessò: «Io ho sposato una spia e anche tu. Non siamo solo marito e moglie, nella essenza del nostro spirito noi siamo fratelli».

«Lavori per i Feliks?».

Von Schwebel capì che lei lo sapeva. «La mia attività è stata finanziata, all'inizio, con il capitale che avevano fatto uscire dalla Russia», disse, come se le stesse rivelando un segreto. «Non tutto il danaro era stato affidato all'agente in sonno. Una buona parte l'avevano data a me per comprarsi il controllo di quell'impero delle comunicazioni, che mi dà la possibilità di andare a letto con attricette e segretarie».

«Scusami, ero gelosa». Karl sperò che dicesse qualcosa di più e lei, infatti, aggiunse: «Non m'importa molto di quello che pensano i nostri amici. Noi non abbiamo veri amici». Era vero, pensò Karl. «È solo che io ritengo di poterti rendere più felice, sotto tutti gli aspetti, di qualsiasi ragazza che cerchi di guadagnarsi i tuoi favori. Posso essere sincera? Mi fa soffrire vedere che per fare l'amore tu cerchi delle altre».

Era davvero sincera o era solo una brava spia? Karl lasciò il giudizio in sospeso e le prese una mano. «Noi siamo in un'unica posizione. Tu e io...».

Unica, quella era la parola giusta.

A dispetto di quelle che supponeva fossero le regole del museo, suo marito accese una sigaretta. Sirkka vide il fiammifero riflettersi all'infinito lungo le pareti a specchio e perdersi nel nulla. Era chiaro che Karl non si fidava completamente di lei né lei di lui. «Hai mai desiderato, Karl, che ci fosse un modo di liberarsi?».

«Tu hai letto il *Faust*», rispose Karl, «e sai che chi fa un patto col diavolo gli consegna la sua anima. Nel nostro caso, tu e io abbiamo fatto un patto con due diavoli, opposti l'uno all'altro. Non possiamo non pagare il nostro debito».

«E quello che tutti chiamano il tuo "impero dei media"? I tuoi programmi possono influenzare l'opinione pubblica in città che appartengono a mondi diversi. Non potresti usare questo potere per liberarti della mafia?».

«No, non potrei, come tu non puoi dire a Davidov che dai le dimissioni dai Servizi Segreti russi. Abbiamo in comune più di quanto non pensassimo, Sirkka. Viviamo tutti due nelle sabbie mobili, basta un movimento per farci andare più a fondo». Quando Sirkka, scuotendo la testa, rifiutò quella immagine disperata, lui insisté per spiegarsi meglio. «Il potere dei media procede e si allarga, per forza d'inerzia, sulla immagine, se la mia immagine si sporca, io perdo la mia forza d'inerzia, inciampo e divento vulnerabile fino alla caduta finale».

«Non è vero. Tu puoi contrattaccare e annientare chi ti biasima. Assumere delle guardie del corpo per fermare chi ti minaccia. Puoi rivelare il peggio su chi vuoi. Tu sei invulnerabile».

L'espressione del viso di Karl ora aveva quella sfumatura contrita e insieme sardonica che una volta le era piaciuta.

«Vivi sulla denuncia, muori sulla denuncia. Il tuo bagaglio economico, Sirkka, ti porta a ritenere che il potere dei media sia una mescolanza di stazioni radiotelevisive, libri, periodici, software e programmi da elaboratore elettronico».

«Le sinergie...».

«Mai lasciarsi prendere dal concetto di sinergia nel lavoro di controllo della produzione e della distribuzione. Si fanno una quantità di grossi discorsi meccanicistici per appassionare gli analisti economici e stupire gli autori di testi di marketing. Ma tu lo sai che cosa succederebbe se Madame Nina o Kudishkin o uno di quei piccoli, vomitevoli neocapitalisti di Riga decidessero di rivelare le sporche fonti dei miei investimenti, per smascherare i veri proprietari e creditori del mio "impero"? I miei concorrenti esulterebbero, chi ha investito il proprio danaro scapperebbe, i governi aprirebbero un'indagine, i buoni affari sparirebbero, gli artisti mi volterebbero le spalle, le banche non mi farebbero più credito, la tanto vantata sinergia divorerebbe se stessa e me. Nessuno investe in chi è bersagliato da tutte le parti».

Sirkka Numminen von Schwebel si rese conto che quel disfattismo aveva le sue radici nella stessa sensazione di trovarsi senza difese che l'aveva colpita quando era stata coinvolta di nuovo nello spionaggio economico: un passo verso l'autodistruzione, determinato, senza possibilità di fuga, dai gravi passi compiuti prima. Gli anni trascorsi avevano chiuso in una morsa quelli futuri. Essere una spia era una condizione irreversibile; nessuno si dimetteva dal KGB o dalla CIA, dalla vecchia criminalità organizzata mafiosa o dalla malavita del nuovo mondo; quelle istituzioni, quelle «famiglie», più delle nazioni, delle gerarchie sociali, delle grandi aziende, chiedevano ancora una fedeltà che durasse tutta la vita.

O così si diceva. Ma quella era la forma mentale lasciata dalla guerra fredda, prima della rivoluzione prodotta dall'informazione e della crisi della ideologia. Si fermò, strinse forte il braccio di Karl.

«L'archetipo è cambiato», gli disse, e sapeva che avrebbe capito. Da quando l'aveva conosciuto aveva sempre potuto parlare con lui per accenni; le loro menti avevano sempre proceduto insieme, a balzi, evitando i lunghi percorsi delle conversazioni delle coppie europee tradizionali. «Ripensa, fratello Faust, alla tua idea dei diavoli opposti l'uno all'altro».

Karl parve sorpreso. Poi la sua faccia da tedesco ritrovò quel vuoto che cancellava ogni espressione durante le operazioni finanziarie, le crisi personali e le riflessioni che riguardavano lui soltanto. Per la prima volta, Sirkka capì che era veramente sposata con lui e si concesse un po' di speranza per il loro futuro insieme.

Von Schwebel ricordò, d'un tratto, i turbamenti emotivi e i sacrifici finanziari che, qualche anno prima, aveva affrontato per ricomporre la propria vita matrimoniale. Non per la passione giovanilistica di recuperare il passato tenendosi vicino una dea nordica, né per l'ambizione, così diffusa tra i suoi esigenti collaboratori, di avere una moglie trofeo a testimonianza del proprio successo. La ragione principale della sua attrazione per Sirkka, e lei gliene aveva appena dato un segno, era la genialità che metteva nel contaminare argomenti mefistofelici.

La vecchia analogia faustiana, vista nella luce dell'«archetipo che cambia», che ora ricorreva nella letteratura recente, chiariva i cambiamenti strutturali del loro quadro: se lui aveva venduto l'anima al diavolo dei Feliks e se Sirkka aveva venduto la sua al diavolo del KGB, poteva forse questa coppia dannata non trarre la salvezza dall'opposizione tra i due diavoli antitetici? Gli venne in mente un paragone più semplice: due agenti segreti, vincolati a organizzazioni opposte, non potevano trovare la possibilità di liberarsi nel contrasto che divideva il gruppo di appartenenza di ciascuno?

«La questione fondamentale», affermò, «è questa: chi è la spia in sonno?».

«La questione immediata», ribatté Sirkka, «è quest'altra: chi è Edward Dominick? È lui l'agente in sonno?».

Allo scopo di addentrarsi nelle pieghe di questo indovinello, Karl decise di fidarsi di sua moglie. «So, a seguito di una minuziosa, completa sorveglianza dell'operazione che stanno svolgendo a Memphis, che Dominick è una creatura della CIA, guidata dai giornalisti Fein e Farr e da Shu».

«Lo dici come se ne fossi assolutamente sicuro».

«Sirkka, usano il mio satellite. Quello che abbiamo sentito e studiato prova che il loro metodo consiste nel muoversi su una linea parallela a quella dell'agente in sonno per catturarlo o attirarlo in una sorta di trattativa. Io ho riferito tutto scrupolosamente a Madame Nina che sarà pronta a ricevere e smascherare Dominick quando si presenterà come Berenskij».

«Io, invece», disse Sirkka, ponendo la sua teoria sull'altro piatto della bilancia, «in base a una rete di informazioni ricavate da Dominick, Fein e Speigal, sospetto che Dominick sia il vero Berenskij. Secondo quanto ho ricostruito, tutte le vostre notizie, lette o ascoltate, fanno parte di una grande montatura. Io credo che l'operazione Memphis sia un trucco elaborato dalla CIA per ingannare sia il KGB sia i Feliks, a Riga».

Sebbene a Karl sembrasse bizzarra e non degna di fede, pure trovava nell'idea di Sirkka il fascino di una mente profondamente duplice. Ma era solo una supposizione, senza appigli consistenti. «Nikolaj Davidov non è un paranoico alla Angleton e nemmeno la clonazione di Shelepin», disse. «Come lo convincerai?».

«Con il più grande profitto finanziario di tutta la storia dell'umanità». Istintivamente, Sirkka si mise le dita sulle labbra, come a infondere segretezza alle proprie parole. «Tre giorni fa, Speigal mi ha mandato un segnale rosso: vendi i marchi e compra i dollari. Il messaggio mi è stato trasmesso dal gruppo Dominick-Fein-CIA. Tu e io ne abbiamo avuto, separatamente, la conferma».

Von Schwebel assentì. I suoi incaricati avevano intercettato e letto il messaggio della talpa della Federal, Speigal, così come l'aveva ricevuto Sirkka.

«L'informazione anticipata che Speigal mi aveva mandato e che Fein, come sai, mi aveva trasmesso, era assolutamente esatta. Contrariamente alle aspettative del mercato, la Federal non è intervenuta, esattamente come il fax di Speigal diceva che avrebbe fatto».

«E il risultato?». Von Schwebel non aveva quasi il coraggio di chiederlo. «Quanto ha guadagnato l'agente in sonno?».

«Berenskij ha guadagnato più di venti miliardi di dollari sui mercati finanziari. Venti miliardi, soprattutto attraverso Londra e Filadelfia, i suoi massimi canali finanziari». Mentre cercava di convincersi dell'entità della cifra, von Schwebel, a poco a poco, si sentiva più incline ad accettare quella che, da principio, gli era sembrata una teoria assurda. «Questo enorme profitto, Karl, è il culmine del successo dell'agente in sonno, e Dominick, che ha assunto l'identità del dormiente, è il dormiente in persona».

La portata di quel colpo finanziario lasciava Schwebel stordito; non avrebbe mai immaginato che gli americani avrebbero permesso all'agente in sonno di raggiungere il traguardo di cento miliardi di dollari. Ma gli sembrava legittimo, ora, che Sirkka volesse convincere Davidov che, dietro quella che veniva ritenuta un'operazione parallela della CIA a Memphis, ci fosse Berenskij-Dominick al lavoro.

La sua ipotesi non poteva essere immediatamente rifiutata dal KGB, ma meritava di essere presa in considerazione. «Davidov non è del tutto lontano dal pensare che Dominick sia il vero agente in sonno», rifletté Schwebel, «perché il KGB non è riuscito a superare le misure di sicurezza dell'operazione Memphis. Sa che nessuna banca è, normalmente, altrettanto protetta nelle comunicazioni con l'esterno. Non sa, però, che questo avviene grazie alla mia consociata, alla Globocop e non alla CIA».

«Aggiungendo ai suoi sospetti il peso di un profitto di venti miliardi di dollari», disse Sirkka, «non avrò bisogno di aiutarlo a convincersi».

«Attenta a non calcare troppo la mano», l'avvertì Karl e, poiché gli parve che si fosse risentita, aggiunse, per scusarsi: «Sei troppo intelligente per farlo». Era vero. Karl si lasciò andare a dire quello che gli era venuto in mente all'improvviso: «Perché mi è venuta voglia di fare l'amore con te qui, adesso?».

«Saranno gli specchi».

«Sirkka, tu convincerai Davidov che Dominick è il vero agente in sonno. Contemporaneamente io dirò a Madame Nina esattamente il contrario, le dirò che Dominick è un impostore. Tu e io, così, saremo pari di fronte a quel signore di Memphis».

Sirkka chinò la sua bella testa in un cenno di assenso. «Saremo noi a determinare il risultato della sua missione. Se uno di noi due troverà opportuno cambiare la nostra posizione, Dominick verrà creduto oppure...».

«Oppure morirà», concluse Karl von Schwebel con un sospiro di liberazione. «Smettiamo di essere manovrati dagli altri. La nostra presenza sarà determinante in una partita che mette in gioco l'attribuzione di una delle più grandi fortune del mondo».

Offrì il braccio a Sirkka con un gesto cerimonioso. Sua moglie, forse, aveva un cuore che era troppo facile rendere felice, ma le avrebbe lasciato pensare che loro fossero due sposi innamorati. Sirkka teneva alto il livello di guardia in materia di spionaggio ed era permeata da un naturale scetticismo in materia economica, ma non si poteva escludere che una vena di sentimentalismo percorresse il suo giudizio sui loro rapporti coniugali e lui avrebbe potuto approfittarne.

Sirkka lo prese sottobraccio e raggiunsero gli altri, in tempo per cogliere le osservazioni conclusive del direttore sullo splendore della corona di Luigi XIV, accresciuto da tutti quegli specchi.

47

MOSCA

Davidov era stupito di quanto fosse facile sparire in America.

Nell'Unione Sovietica, chi avesse voluto fuggire avrebbe avuto bisogno di un passaporto interno per spostarsi o lavorare. Ora, in Russia, i controlli erano meno severi, ma era ancora relativamente facile rintracciare una persona sospetta. Presto o tardi, un uomo in fuga avrebbe dovuto produrre dei documenti per trovare un'occupazione o una casa per vivere. Davidov sapeva che in Cina esisteva un sistema d'informazione che rendeva impossibile a chiunque nascondersi in mezzo a più di un miliardo di cinesi.

In America, invece, una persona, anche se resa famosa dalla televisione, poteva sparire e, purché non usasse carte di credito e non si facesse fermare per aver contravvenuto alle regole del vivere civile, nessuno l'avrebbe più trovata per anni, forse per decenni. A nessuno veniva chiesto di mostrare i documenti; ecco perché milioni di immigrati illegalmente non venivano scoperti. La possibilità di nascondersi dava la dimensione della libertà di cui godeva l'America e la spiegazione delle difficoltà che la polizia doveva affrontare ogni giorno.

Non fosse stato per la posizione di un rozzo trasmettitore applicato da un suo agente al collare del cane e per la strana decisione di Viveca Farr di portare con sé quell'animale enorme nel suo nascondiglio, Davidov non avrebbe avuto modo di sapere dove fosse finita la socia di Fein nella ricerca CIA dell'agente in sonno. Il messaggio lasciato dalla giornalista televisiva, ormai caduta in disgrazia, sulla segreteria telefonica di Fein la mattina successiva alla sua rovinosa apparizione, ubriaca, sul video, non parlava di piani di fuga, al contrario, era un messaggio che, Davidov ne era certo, avrebbe portato direttamente a Berenskij, e poiché non era ancora stato trasmesso, voleva essere lui il primo a giovarsene.

Davidov non dubitava che la CIA fosse all'oscuro degli spostamenti di Viveca, Fein era apparso troppo preoccupato per lei nelle telefonate agli amici dell'FBI e alla Federal Reserve. Neanche alla polizia privata, alla Globocop, che esercitava una protezione così rigorosa sulla banca di Memphis, sapevano dove fosse Viveca Farr, nonostante l'insistenza con la quale Fein, attraverso Dominick e su una linea telefonica pubblica, li avesse incaricati di cercarla. Solo l'ufficio di Davidov, al KGB, sapeva che era a Sedano, nell'Arizona, a due ore di automobile a nord di Phoenix, ma Davidov non aveva un agente di cui fidarsi per mandarlo da lei. Il capo della sua squadra di Memphis, un eroe della guerra afgana, aveva una smodata paura dei cani grossi e neri. Davidov non voleva chiedere aiuto ai Servizi Esteri, perché i detrattori del KGB avrebbero certamente portato la questione al Cremlino se avessero saputo dei suoi contatti, non autorizzati, con la spia della Bundesbank, Sirkka Numminen von Schwebel.

Avrebbe dovuto rivederla, e presto, qualunque fosse stato il costo burocratico del loro incontro. Sirkka doveva sapere qualche cosa del colossale colpo finanziario che Berenskij aveva fatto tre giorni prima; personalmente sospettava che l'amico che lei aveva conosciuto al Forum di Davos, Mortimer Speigal, fosse una talpa dei Servizi Esteri infiltrata nella Federal Reserve. Attraverso un canale particolare, un vecchio amante di Jelena che faceva parte dei Servizi Esteri, aveva saputo che la loro talpa, Speigal, aveva interrotto i contatti dopo l'ultimo messaggio, scrupoloso, come il solito. Non si era visto neanche in ufficio.

«Dov'è ora Sirkka Numminen, Jelena?»

«È ancora all'Hotel Trianon di Versailles, con suo marito. Pare che stiano vivendo una seconda luna di miele».

«Fa' in modo che possa vederla a Helsinki in questo fine settimana». Sirkka era finlandese, aveva la sua famiglia a Helsinki e poteva allontanarsi da suo marito, per reinnamorato che fosse, con quel pretesto. Il magnate dei media, che il KGB sapeva essere finanziato dai Feliks, avrebbe salutato con gioia la possibilità di restare per un po' da solo a Parigi. Davidov si disse che avrebbe dovuto far rintracciare Ari Covair, ma scartò subito questa possibilità, ormai non si poteva fare più leva sull'ideologia e il bilancio dei Servizi Finanziari non prevedeva l'ingaggio di attrici famose. Se non avesse prodotto rapidamente qualche risultato nella caccia al dormiente, la sua sezione non avrebbe avuto più fondi; da quando si era sentito dire che la fortuna dell'agente in sonno si era giovata di un colpo di venti miliardi di dollari, le pressioni del Cremlino erano aumentate.

«Mentre lei era in America è arrivato un messaggio urgente di Arkadij Volkovich, da Riga», disse Jelena. Davidov non poteva essere contemporaneamente ovunque e temeva di affidare questi contatti a mediatori potenzialmente sleali; la talpa che aveva infiltrato nella rete criminale dei Feliks, poteva essere tradita dall'interno del KGB. Arkadij, per quanto affidabile, tendeva a esagerare l'importanza delle proprie informazioni. Davidov riteneva che il KGB, con il suo nucleo di sorveglianza a Memphis, fosse in un considerevole vantaggio rispetto alla organizzazione di Madame Nina nella ricerca dell'agente in sonno e che quindi le notizie sulle riunioni dei Feliks a Riga potessero aspettare.

«Che cosa pensa del messaggio che la giornalista ha lasciato sulla segreteria telefonica di Fein?», chiese a Jelena, che si dimostrava spesso abbastanza acuta in quel genere di valutazioni.

«Il riferimento a Portofino fa parte del loro stupido codice basato su *La contessa scalza* ed è semplicemente la proposta di una colazione al bar. L'unica parola che potrebbe risultare riferibile a un codice più interessante è "lucciole", ma non abbiamo elementi per un riscontro. "Prestarmi orecchio" significa semplicemente ascoltare, preceduto però da quel "come dire...", potrebbe essere un'allusione al difetto di udito di Berenskij. O forse no, forse mi sbaglio. Secondo me l'agente in sonno l'ha in qualche modo drogata per esporla a quella pubblica umiliazione, sapendo che non avrebbe retto e sarebbe scappata o si sarebbe addirittura suicidata».

«Furbo. L'uccisione di un agente del controspionaggio si dà per scontata, ma quella di un giornalista ha un peso diverso, può cambiare la natura delle ricerche da parte americana». Davidov pensò alla giornalista lettone, che era al centro dell'azione. «E Liana?».

«Ho un rapporto sulla sua relazione sessuale con Fein, della CIA, che immagino lei non vorrà ascoltare».

«Infatti». Che ragazza impulsiva. Era pentito di averle dato l'unica copia del nastro con la perquisizione-spogliarello.

«Lei era certo», osservò freddamente Jelena, «che, se fosse andata negli Stati Uniti, l'agente in sonno l'avrebbe cercata. Pare che non sia andata così».

«Pare. A meno che non sia Edward Dominick l'agente in sonno».

L'affermazione colse Jelena impreparata. «Lo sospetta davvero? Su che cosa si basa?».

«Prima di tutto sull'assenza totale di prove a sostegno di questa ipotesi», rispose Davidov. Lo preoccupava l'impenetrabilità dell'o-

357

perazione Memphis, in contrasto con la facilità con la quale in America si riusciva a sapere sempre tutto. «E, in secondo luogo, ha osservato come a ogni nostra operazione corrisponda un'operazione parallela della CIA come l'agente in sonno? È come se volessero portarci a concludere che Dominick viene addestrato a una identificazione. Non potrebbe darsi, non dico che sia così, ma non potrebbe darsi che fosse una deliberata manipolazione della CIA?».

Sentì suonare l'apparecchio che portava allacciato alla cintura, guardò il numero che doveva richiamare, era il 371, la Lettonia.

«È Liana», disse, «le ho dato questo numero per un caso di emergenza. È la prima volta che lo usa».

Si avvicinò al telefono e formò il numero indicato.

Liana rispose al primo squillo. Singhiozzava. «Vieni qui, Nikolaj. Ho bisogno di te. Vieni subito, non so che cosa fare. Ho paura. Forse tra poco...».

«Vengo, vengo subito». Davidov fece cenno a Jelena che gli prenotasse un aereo. «Chi ti ha spaventata?».

«Arkadij. È qui».

Voleva dirle di non preoccuparsi, perché Arkadij lavorava per Madame Nina, ma era anche nel KGB, era un agente doppio e non le avrebbe fatto del male, ma parlare così al telefono significava per lui rischiare la vita.

«Sono appena arrivata a casa», proseguì Liana tra i singhiozzi, «e lui è sul mio letto, tutto pieno di sangue. È morto, Nikolaj. È morto. Tra poco l'agente in sonno ucciderà anche me».

Davidov non poteva dirle che il cadavere sul suo letto non era un messaggio di Berenskij per lei, ma di Madame Nina per il KGB. Quel corpo insanguinato non era un avvertimento per Liana, ma per lui, Nikolaj Davidov, perché sapesse che l'infiltrarsi del KGB tra i Feliks avrebbe provocato violente rappresaglie.

«Esci subito e vai al Caffè della Torre», disse. «Uno dei miei uomini sarà lì per proteggerti. Tu non lo conosci, ma lui conosce te e farà in modo che non ti succeda niente. Io arriverò tra un paio d'ore. Resta lì, seduta a un tavolino contro il muro, leggi un giornale e non parlare con nessuno. Mi senti, Liana? Rispondi». Liana balbettò che avrebbe fatto quello che le aveva detto e riattaccò.

«L'automobile è davanti all'ingresso. Troverà l'aereo già pronto, con due guardie», disse Jelena. Gli porse l'altro telefono. «Parla il capo del servizio operativo».

Davidov sapeva qual era la risposta da dare a Madame Nina.

«Avete un riferimento su un ceceno che era all'incontro di Riga la settimana scorsa?».

Sì, l'ottuso esecutore degli ordini della *organizatsija* era a Mosca quel giorno.

«Prendetelo in custodia subito».

«Ha delle guardie del corpo, direttore Davidov. Potremmo incontrare una resistenza».

«Allora uccidetelo. Uccidete anche le guardie del corpo. E fate in modo che la fotografia dei cadaveri compaia sul giornale. Niente di politico. Sono stati uccisi in un assalto a una banca. Seguiamo le nostre tradizioni».

48

RIGA

Liana, ancora a tratti scossa da un tremito, comprò una copia del *Diena* appena fuori dal negozio di souvenir della Torre e andò a sedersi al caffè, col giornale davanti agli occhi, senza leggerlo. Il suo protettore provvisorio, la cui faccia impassibile e il cappotto a buon mercato che nascondeva male la pistola tradivano l'agente di sicurezza del KGB, aveva costretto la propria corporatura massiccia in una poltroncina due tavoli più in là.

Liana era sicura che non sarebbe più tornata a casa, per non temere, ogni volta che entrava, di trovare un cadavere sul letto. Che cosa aveva fatto Arkadij per meritare quella esecuzione?

Liana aveva detto alla polizia una parte della verità, e cioè che si era servita di lui ogni tanto come assistente nelle ricerche d'archivio e come autista. Non aveva fatto parola del lavoro che lui svolgeva per quella che aveva sempre chiamato Madame Nina o per i Feliks; avrebbero potuto scoprirlo da soli. Loro l'avevano considerato un delitto della malavita e l'avevano avvertita di non parlare alla televisione delle diramazioni della mafja russa nei paesi esteri vicini. La polizia lettone non sospettava di lei, però Madame Nina sì, ne era certa. La sensazione di essere in pericolo, che, alla fine degli anni Ottanta, durante i giorni della rivoluzione, aveva allontanato con tanta leggerezza, non le serviva più da stimolo, era un peso che le toglieva il respiro.

Erano quasi le nove ed era buio. Da chi sarebbe andata quella notte? Da sua madre no, era fuori questione, non parlava con lei dal giorno dell'Indipendenza e non voleva presentarsi sulla porta di casa di quella donna dall'espressione inflessibile come una poveretta spaventata e supplichevole. I ragazzi che conosceva a Riga erano inadeguati al suo stato d'animo quella sera. Sola no, non poteva. Decise che sarebbe stata con Nikolaj Davidov, se glielo avesse chiesto, e non ne dubitava. Era un uomo forte e le sembrava che le volesse bene. Avrebbe dovuto adempiere all'incarico che le aveva dato Fein e raccontare quelle tre bugie? Certo, era una giornalista, non un'alleata delle spie; avrebbe ripagato Davidov in altri modi, in un altro momento, per esserle stato vicino quando era tanto spaventata.

Finalmente arrivò, le prese una mano e gliela tenne stretta. Non avrebbe voluto piangere, invece le si riempirono gli occhi di lacrime; scosse la testa, con un gesto brusco, e si aggrappò alla sciarpa di seta di Davidov. Lui se la tolse e le asciugò le lacrime. Da tempo aveva rinunciato a resistere alle emozioni e se non era così che si comportava una brava giornalista, pazienza.

Raccontò come aveva trovato il cadavere sul letto e rispose alle domande di Davidov su quelle due volte che Arkadij l'aveva accompagnata all'archivio della Lubjanka.

«Vorrei che l'avessi conosciuto», concluse. «Era un brav'uomo. Un soldato. Una persona onesta».

«Non mi capita spesso di incontrare gente così». Davidov era sinceramente triste. «Se vuoi, mi occuperò della sua sepoltura. Come veterano della Grande Guerra Patriottica ha diritto ad alcuni privilegi, in Russia. Vieni, usciamo».

«Ho una valigia».

Davidov la sollevò. «Non è molto pesante», disse e fece segno all'agente del KGB che la portasse e li seguisse. Poi le prese di nuovo la mano. «Hai qualche domanda da farmi?».

«Fai sempre così quando vuoi chiedermi qualcosa tu», rispose Liana e si avviò in fretta, passandosi le mani tra i capelli stopposi, cercando di vincere il tremito che la scuoteva. «È la tua tecnica».

«Quando eravamo in America, Berenskij ha cercato ancora di mettersi in contatto con te?».

Liana tacque per un momento, perché la risposta portava con sé, di conseguenza, una di quelle tre bugie. «Forse».

«Speravo che potessimo essere sinceri l'uno con l'altra».

«Non pensare che ti nasconda di aver avuto un contatto con qualcuno. Nessuna babushka mi ha bisbigliato un messagio sulla Fifth Avenue. Però può darsi che abbia visto l'agente in sonno, esattamente come puoi averlo visto tu. Forse è Edward Dominick, il banchiere di Memphis che abbiamo visto a quella cena».

«Che cosa ti fa pensare che Dominick sia Berenskij?».

«È difficile dirlo. L'intuito giornalistico?».

«È un'espressione che Irving Fein usa spesso. Te l'ha suggerita lui?».

«Sono io che gli ho detto quello che intuivo». Liana pensò che dire una bugia a un poliziotto, abituato alle bugie, era una sfida a se stessi, ma la presenza di Davidov la inteneriva, aveva bisogno di lui quella notte e non le piaceva quello che gli stava facendo. «Come sai, ho molta considerazione per Irving Fein. È un giornalista famoso in tutto il mondo e, in questa indagine, stiamo lavorando insieme».

«Sì, certo».

«E, lo sai, era stato lui a chiedere all'USIA di invitarmi a tenere un seminario all'università di Syracuse».

«Sì, sì, le so queste cose. E quando glielo hai detto che cosa ti ha risposto?».

Liana si divertì a osservare quanto fosse impaziente di sentire quello che già sapeva. «Mi ha risposto che spesso si sopravvaluta il proprio intuito, un po' come succede con la "sensibilità femminile". Mi ha consigliato di concentrarmi sui particolari, che spesso sono rivelatori. È un bravo giornalista. Ho imparato molto da lui».

«Sì. In conclusione, non ha dato peso al tuo intuito».

«Non molto. Ha detto che era possibile che Dominick fosse l'agente in sonno, ma credo che l'abbia fatto solo per non scoraggiarmi».

«Pensi che se lo sapesse te lo direbbe?».

«Forse no. Non mi dice tutto, e non è giusto perché io gli ho raccontato tutto quello che ho trovato in archivio». Liana voltò la testa e vide che l'agente del KGB li seguiva, portando la valigia.

«Che cosa non ti dice? Forse io potrei aiutarti».

«Lui sa perché io, perché proprio io sono l'unica giornalista scelta dai Feliks e da te per aiutarli a trovare il dormiente. Ma questa ragione che ritiene, mi pare, torbida, sinistra, non me la vuole spiegare. E io ce l'ho con lui per questo».

«Ma tu che cosa pensi?».

Liana lo guardò con l'espressione più sincera che riuscì a trovare. «Io penso che, in tutti i Paesi Baltici, il mio è il notiziario più seguito, arriva anche a Leningrado, voglio dire a San Pietroburgo. Non è vero, forse? E poi penso che sono una brava giornalista, che non si lascia spaventare nemmeno quando si trova un cadavere nel letto. Non basta?».

«Sono due valide ragioni, Liana. Ma Fein dice che ne sa un'altra?».

«Sì. E dice che anche tu la sai. È vero?».

«Il tuo programma è molto seguito, qualche volta lo vedono anche al Cremlino, su nastro». Aveva eluso la domanda, senza mentire e senza rispondere, e Liana pensò che Irving aveva ragione, doveva esserci una ragione più profonda perché le avessero permesso di accedere all'archivio. Adesso non provava più rimorso per quello che stava facendo a Davidov, perché anche lui non le diceva tutto quello che sapeva.

«Quando hai avuto quella intuizione?», le stava dicendo, affrettando un po' il passo per camminarle accanto lungo il canale. «Alla cena in casa di Ace?».

«Sì. Quando ci siamo stretti la mano, io e Dominick, mi è parso che fosse qualcosa di più che un banchiere americano o l'accompagnatore di Viveca. Mi ha guardato molto da vicino, per un attimo, e io ho pensato: è lui».

«Oh, merda», disse Davidov, in inglese. L'aveva imparato in America, o forse aveva ascoltato troppo le intercettazioni delle telefonate di Irving. Poiché quella storia della stretta di mano sembrava aver colpito nel segno, Liana cambiò argomento per non dover aggiungere qualche altro particolare inventato.

«Hai visto quello che è successo a Viveca? Terribile. Irving Fein era sconvolto. Scrivono insieme il libro, sai, e poi credo che ci sia qualcosa di più tra loro, sul piano emotivo. Lui è geloso di Dominick».

«Non conosco la gelosia. È un sentimento che non ho mai sperimentato». Davidov lo aveva detto stringendo un pochino le labbra, lei pensò che fosse vero il contrario e le fece piacere.

Si fermò e lo guardò. Dietro di loro, l'agente del KGB si mise a sedere sulla valigia, dal soffio di vapore che gli usciva dalla bocca nell'aria fredda della sera si capiva che aveva il respiro affannoso. «Ci hai seguiti anche a Syracuse?».

«Sì, lo sai».

«E sai che abbiamo guardato insieme il notiziario di Viveca? Avevi messo una microspia?».

«No, ma ho molta immaginazione».

«Non hai il diritto di essere geloso».

«Non ho il diritto di essere in Lettonia»

Lei gli sfiorò il viso con le mani. «Sono così contenta che tu sia qui. Se vuoi essere geloso o possessivo, fa' pure».

«Vuoi venire nella casa che abbiamo qui?».

Liana voltò la testa verso l'agente che li seguiva. «Anche con lui?».

«No, porterò io la valigia».

Liana lo abbracciò. Davidov la tenne stretta, senza dir niente.

Lei ora rabbrividiva meno per la paura che per il freddo e pensò che sarebbe stato bello stare insieme sotto una coperta. «Nikolaj Andrejevich, hai qualcosa da dirmi?».

«Liana, sono tante le cose che ho da dirti». Non aggiunse altro, aveva alluso a sentimenti personali, evitando di nuovo di rispondere alla domanda «perché io?». Liana fu felice di essere con lui, ma non dalla sua parte e non sentì il minimo rimorso per avergli snocciolato, come diceva Irving, tre piccole informazioni sbagliate.

Kudishkin sembrava stranamente compiaciuto.

«Il nuovo KGB ha reagito come il mio vecchio KGB», disse a Madame Nina. «Due compagni del ceceno sono stati colpiti a morte, e il terzo, l'inguscio, è stato ferito gravemente alla testa. Il nostro collega ora è in una cella alla Lubjanka, dove sembrava che non dovessero esserci più celle».

«Non potevamo permettere che il rapporto di von Schwebel alla nostra ultima riunione venisse trasmesso a Davidov», rispose con fermezza la donna. «Arkadij doveva morire. I tuoi amici nella sezione diretta da Davidov vanno ricompensati per aver tradito l'informatore che ci tradiva».

L'ex alto funzionario del KGB osservò che del cadavere del traditore era stato fatto buon uso. La presidente assentì: aveva spaventato la figlia dell'agente in sonno e sconfitto Davidov. «Il KGB e Liana Krumins ora sono entrambi nella condizione migliore per essere ingannati», osservò Kudishkin, «e portati a credere che il banchiere di Memphis sia Berenskij».

Von Schwebel riferì che sua moglie, Sirkka, aveva un appuntamento con Davidov a Helsinki la domenica successiva e avrebbe, lo garantiva lui, alimentato il sospetto, costruito su basi false, che Edward Dominick fosse il vero agente in sonno. «Il giornalista Irving Fein sta vendendo al KGB la costruzione montata dalla CIA», disse ai membri del consiglio. «Davidov non ha esperienza di indagini, è solo un accademico con degli amici di famiglia al Cremlino. Fein lo ha già quasi convinto che la identificazione del banchiere di Memphis con l'agente in sonno è autentica».

Il rappresentante del Gruppo dei Cinquanta intervenne per toccare quello che amava chiamare il punto cruciale. «Ma che ne è di Berenskij? Del vero agente in sonno? Se ne sta seduto in cima a una montagna di cento miliardi di dollari. Non è possibile che riesca a nasconderli!».

«Lascerà che il suo doppio venga da noi e vada al KGB», rispose Madame Nina. «Sarà Dominick a far tornare in Russia un capitale tanto abilmente investito... Attraverso di noi o attraverso il KGB».

«Non è un'alternativa trascurabile», protestò Kudishkin. «Fein, appoggiato dalla CIA, può accordarsi con Davidov per consegnare il capitale al "legittimo" regime di Mosca. Che cosa stiamo facendo per assicurarci che l'agente in sonno, grazie a Dominick o a chiunque altro, consegni il capitale proprio a noi?».

Tutti guardarono Madame Nina. «Noi siamo bene equipaggiati per bloccare qualsiasi deviazione verso il regime ora al potere», disse, «e per impadronirci del capitale per il governo futuro della Russia e dei paesi esteri vicini. Sono impaziente di conoscere questo Edward Dominick, e dopo di lui, finalmente, trovarmi di fronte Aleksandr Berenskij».

49

NEW YORK

«Ho appena avuto una telefonata con il nostro amico della ex piazza Dzerzhinskij», disse Ace dal suo cellulare. Era un apparecchietto predisposto per la massima riservatezza, ma Ace non si fidava della natura predatoria degli agenti letterari suoi colleghi e parlava di Davidov con Irving Fein mettendoci tutta la segretezza possibile. «Dice che sarebbe il momento che voi due aveste un colloquio privato».

«Che vada all'inferno. Ne ho piene le scatole».

«Irving, mi rendo conto che sei sotto pressione...».

«Mi sai dire dov'è andata a finire quella ragazza? Che ci sta a fare l'FBI? E quegli asini della Globocop? Quando la troveranno? Cristo, ha una faccia che conoscono tutti!».

Ace pensava la stessa cosa. La sparizione di Viveca andava a sommarsi alla tempesta sollevata dai media sul suo pubblico disonore. Dopo un primo ciclo di notizie diffuse dai quotidiani e dalle chiacchiere televisive del mattino sulla sua apparizione in stato di totale ubriachezza, una seconda ondata di servizi a sensazione sulla sua scomparsa si era abbattuta sui settimanali, sui fogli scandalistici venduti alle casse dei supermercati, sui programmi di cronaca della televisione.

«Hai visto *Soft Copy* di ieri sera?», chiese Fein. «Hanno rimandato in onda quel dannato mezzo minuto per centinaia di volte. I ragazzini lo ripetono a memoria e pure con la voce da ubriachi. Manca poco che facciano anche la scritta sulle magliette».

«È un'abominia. Sto aspettando solo che un benefattore dell'umanità usi la faccia di Viveca per un manifesto contro l'alcolismo». Ace, a quel punto, volse l'attenzione agli affari. «Per fortuna il tuo editore non sembra turbato da queste follie. Non ha parlato di sciogliere il contratto né di farsi rimborsare l'anticipo».

«Già, dopotutto potrebbe temere di finire in un mare di fango».

«Infatti, ma può darsi che il nostro rapporto personale con Karl von Schwebel e l'Unimedia abbia suggerito alla consociata americana di dare tempo al tempo. Chiunque ti abbia consigliato di includerlo nell'elenco degli invitati quella sera a cena ti ha fatto un gran favore».

«Poveretto, quel qualcuno è morto. Ma, Ace, dov'è Viveca? Incontrerà solo gente che l'ha vista sconfitta sulla rete nazionale? Vedrà quei giornali con la sua faccia in copertina ogni volta che va a fare a spesa? E quando tornerà a casa metterà la testa nel forno?».

«Dobbiamo sperare che si trovi lontana dai principali strumenti di comunicazione. Tra qualche settimana non se ne parlerà più». Ace non accennò alle due biografie già in contratto con altri agenti né alla miniserie televisiva tratta da uno di essi; c'era già una causa a questo proposito, di lì a una settimana, che lo preoccupava. «Ma, Irving, la vita continua. Pensa al libro. Certo Viveca vorrà che tu vada avanti. E Liana pure». Preferì non nominare Davidov per telefono. «Che cosa devo dire al comune conoscente che tu, confidenzialmente, chiami Niko?».

«Digli che parli con Dominick. In questo momento, però, è a Londra, a prepararsi per la serata d'apertura».

«No, Irving, è con te che vuole parlare». Ace riguardò gli appunti della sua conversazione con Davidov. «Ha detto che potreste cenare insieme stasera tardi a Mosca e guardare le lucciole. Vuoi che ti prenoti una camera al Metropole?».

«Non mi sposto di un millimetro finché non ho notizie di Viveca. Lascialo aspettare».

«Potrei, in alternativa, consigliarti Londra? Magari durante il weekend?». Ace pensò che Fein avrebbe accettato; si parlava sempre di più, a Wall Street, del misterioso colpo finanziario della settimana prima, e Ace aveva la sensazione che riguardasse l'agente in sonno. L'esclusività della storia era in pericolo. Durante una lunga pausa, gli parve di vedersi davanti agli occhi Irving che si batteva il palmo della mano contro la tempia.

«Le lucciole?», si sentì chiedere infine. «Ormai siamo quasi in dicembre. Non ci sono lucciole a Mosca, gli si raffredderebbe il culo. Ce l'hai messe tu le lucciole o le ha nominate lui?».

«Ti ho ripetuto le sue parole una per una».

«C'è qualcosa che mi sfugge», concluse Irving, ma fu quel vuoto di memoria, apparentemente, a deciderlo. «Va bene, di' a Niko che lo vedrò a Londra, al Lawns Hotel, a Knightsbridge, e che non porti la sua attrezzatura di registratori e microspie. Forse era a quello che alludeva quando ha parlato di lucciole. Digli che si prepari a una trattativa pesante. E che il mio tempo è prezioso».

50

LONDRA

«Metta un'altra moneta da venticinque cents nella stufa».

«Non funziona con i cents e neanche con i rubli», disse Davidov. «Non ha una qualsiasi monetina inglese?».

Irving, seduto con il cappotto indosso, scosse la testa; i soldi inglesi erano troppo pesanti e gli bucavano le tasche. Aveva pensato che Niko, essendo un pezzo grosso del KGB, avesse abitudini internazionali; quella sistemazione proletaria gli avrebbe fatto abbassare a cresta.

«La CIA non può permettersi un albergo migliore di questo?». Davidov si guardò attorno stupito. «In Russia non siamo ricchi, ma i nostri agenti in viaggio per lavoro vengono alloggiati dignitosamente. Qui non c'è neanche un telefono».

«Io non lavoro per la CIA».

«E io non lavoro per il KGB. Sono solo un epistemologo che presta gentilmente la sua opera per qualche settimana».

«Un momento. Lei pensa che io sia una spia? Padronissimo, ma sappia che lo considero un insulto. Il giornalismo investigativo è una nobile professione e fare la spia è un lavoro sporco. Adesso metta qualsiasi cosa, di ferro, d'oro o di plastica, in quella stufa e mi dica che cos'ha in mente».

«Ai duri piace freddo. Ha parlato con Liana?».

«Mi ha detto che lei è accorso in suo aiuto quando stava morendo di paura», ammise Fein. Lo infastidiva il pensiero che Liana si fosse rivolta a Davidov e non a lui. «Sono certo che sarà stato ricompensato».

«Non più di lei a Syracuse. E con me c'è meno differenza d'età».

«Touché. Bene, caro cognato, parli che io l'ascolto».

«Il cadavere in casa di Liana era quello di un agente che faceva il doppio gioco. Liana non lo sa. Arkadij Volkovich era entrato nella *organizatsija* dei Feliks per conto nostro. La loro sede è fuori dalla nostra giurisdizione, in Lettonia. È stato ucciso prima che potesse farmi un rapporto sulla loro ultima riunione».

«Allora facciamo un programmino cavilloso di quello che lei vuole sapere e di quello che voglio sapere io». Irving si tolse di tasca il libretto degli appunti. «Numero uno, colonna A, quello che chiede lei: il rapporto sulla riunione presieduta da Madame Nina a Riga».

«No. Probabilmente si tratterebbe soltanto del resoconto von Schwebel dei vostri controlli di Memphis, che potrebbero essere migliori o peggiori dei nostri. Voglio di più. Voglio sapere che cosa la CIA ha in corso nel palazzo della banca di Memphis».

Irving non aveva capito a quale von Schwebel alludesse, se al marito o alla moglie, ma non voleva chiederlo per non mostrarsi troppo sprovveduto. «Non mi dica che anche le mutande di Sirkka non sono un mistero per lei», azzardò.

«Ne parleremo dopo». A Irving parve che la risposta equivalesse a un no e pensò che era Karl von Schwebel quello che lavorava per i Feliks; sapeva già che l'agente in sonno, attraverso il filtro di Speigal, si era servito di Sirkka. Una coppia indaffarata, lui con la mafia russa, lei con i Servizi Esteri e l'agente in sonno. Chi sa se ogni tanto confrontavano gli appunti.

«Dunque la richiesta numero uno, colonna A, è la verità nuda e cruda sulla mia piccola operazione a Memphis, che lei pensa sia proprietà della CIA solo perché è un paranoico».

«Va bene. Ora passiamo alla colonna B, con le sue richieste di informazioni. Che cosa vuol sapere?»

«Prima di tutto voglio sapere che cosa è successo a Viveca e dov'è». L'ordine di precedenza per Irving era chiaro: Viveca innanzi tutto. «Ma non credo, sinceramente, che lei sia in grado di rispondermi».

«In parte sì. So dov'è».

«Lo sa?», chiese Irving, sorpreso. «E come mai? Vuol dire che lavora per voi?». Si sentì torcere lo stomaco, non c'era, dunque, più niente di sacro?

«No, è stato solo un caso. Torniamo alla mia colonna A. Liana dice che lei, Fein, sa perché è stata scelta dai russi buoni e dai russi cattivi come esca per il dormiente. Vorrei che me lo confermasse».

Brava Liana, aveva colpito giusto. «Ma sarebbe due per uno», ribatté Irving, «se io le dicessi se so "perché lei" e poi che cosa so. Anzi, ripensandoci, saremmo tre a uno perché sarebbe come dirle che Liana lavora per me contro di lei».

«No, la risposta vale un punto. Non c'è bisogno che si parli di legami personali».

Oh, merda, merda, pensò Irving, conservando un'espressione impassibile. Allora Liana era un'esca e aveva un legame personale con l'agente in sonno, un legame familiare, probabilmente... non poteva essere sua moglie né sua sorella, era troppo giovane. Sommando esca e legame personale, il risultato poteva essere uno solo: Liana era figlia di Berenskij.

Immediatamente tutto il panorama si illuminò: Liana era la figlia che l'agente in sonno si era lasciato alle spalle e non lo sapeva. Ma lo sapeva il KGB di Davidov, e quel che restava del vecchio KGB in mano a Madame Nina, e lo sapeva l'agente in sonno. E ora Irving Fein, che aveva finto di saperlo, lo sapeva anche lui. A meno che Davidov non se lo fosse inventato, e poteva darsi che fosse così.

«Colonna B, la mia», disse Irving e, assimilando in silenzio quella notizia trapelata inavvertitamente, riprese a fare le sue domande. «Io vi chiedo: che cosa sapete dell'omicidio di Walter Clauson, della CIA?».

«E io vi chiedo», ribatté Davidov, «che cosa è successo alla nostra talpa della Federal e perché lei, personalmente, gli ha permesso, due settimane fa, di mandare quella preziosissima informazione a Sirkka, sapendo che l'avrebbe passata all'agente in sonno, accrescendo la sua già considerevole fortuna?».

«Due per uno».

«D'accordo».

«Chi è Madame Nina», chiese Irving, «e come riuscirebbe a identificare il vero agente in sonno?». Doveva riferirlo subito a Dominick, prima che la vedesse.

«Due per uno», disse Davidov.

«Accettato. Procediamo». Rilesse quello che aveva scritto sotto ciascuna colonna. «È pronto a rispondere a tutte e tre le mie domande?».

«No. Posso soltanto dirle dov'è Viveca Farr in questo momento, o almeno dov'è il suo cane. Crede che potrebbe averlo abbandonato?».

«Mai. Gli vuole bene», disse Irving e sperò con tutto il cuore che fosse vero.

«Allora le dirò dove si trova. Quanto alla seconda domanda, sulla nostra consapevolezza della partecipazione di Clauson all'indagine sull'agente in sonno e su quello che lei chiama un omicidio... per il KGB sono gioielli di famiglia. Non posso trattare. Alla terza domanda, sull'identità di Madame Nina, rispondo: non sappiamo chi sia», e poiché Irving lo guardava, incredulo, aggiunse: «Mi dispiace moltissimo doverlo ammettere, ma nemmeno Arkadij lo sapeva, eppure la seguiva da vicino. Ci stiamo provando, mi creda, cerchiamo di far parlare uno del Gruppo dei Cinquanta».

Irving cominciò a mercanteggiare. «Non credo che possiamo concludere lo scambio», disse, ma era disposto a cedere pur di scoprire dov'era Viveca.

«Ma io ho portato qualche cosa per lei», ribatté subito Davidov, «un fascicolo sugli anni giovanili di Berenskij in Russia, comprese alcune fotografie, che potrebbero essere utili se veramente state progettando di creargli un sosia».

«Lei mi offre una informazione e mezzo». Irving fece scorrere lo sguardo lungo l'elenco delle tre richieste del KGB. «Io, per parte mia, posso darle la risposta principale, la verità sulla nostra operazione a Memphis. Non le dirò che cos'è successo alla vostra talpa della Federal né perché ho aiutato Berenskij a guadagnare quei venti miliardi di dollari, perché anch'io ho i miei gioielli di famiglia. Però posso darle la mia risposta al "perché io?" di Liana».

Fece la somma, come avrebbe fatto un vecchio droghiere con una matita sul sacchetto della spesa. «È più di quanto lei vuol dare a me. Due risposte piene contro una e mezzo delle sue, ma voglio essere generoso».

«Per compensarla, comincerò per primo», disse Davidov. «Questa è la parte essenziale dei documenti d'archivio delle famiglie Berenskij e Shelepin. Lettere, piccole testimonianze personali, una fotografia sbiadita di Aleks e Antonia Berenskij nel giorno del matrimonio e un'altra, più nitida, della loro bambina, Masha. Liana possiede molto meno, anche se quello che abbiamo è, sinceramente, merito suo».

Irving aprì la busta e prese le fotografie. «Questa del matrimonio, purtroppo è sfocata. Sembra, però, che sia l'originale. Lui era alto circa trenta centimetri più di lei». Guardò l'altra fotografia e giocò d'azzardo. «Ecco la risposta alla domanda "perché io?". La bambina della fotografia, Masha Berenskij, ora si chiama Liana Krumins».

«Posso chiederle, da un professionista a un altro, da chi l'ha saputo?».

Irving provò una stretta allo stomaco per la gioia della conferma; fu tentato di rispondere a Davidov che erano state le sue domande a farglielo capire. «Non do niente gratis. E poi la mia professione non è quella della spia. C'è chi dice che sono il più grande giornalista del mondo, sono troppo modesto per ammetterlo, ma ogni tanto, come in questo momento, penso che forse è vero. Bene, non divaghiamo. Dov'è Viveca?».

Davidov si tolse a sua volta un taccuino di tasca. «Lavora in un circolo sportivo della Vortex Inn, a Sedona, Arizona, centotrenta, centoquaranta chilometri a nord di Phoenix. Ha preso in affitto una casetta tre miglia a nord, sul Portal Lane. Non ha telefono né televisore».

«Sta bene?».

«Mi hanno detto che non è più la stessa donna. Il cane è lì, gira un po' dappertutto».

«Come diavolo è riuscito a sapere tutto questo?».

«Da un professionista a un altro?».

Irving assentì, con un mezzo sorriso.

«I sistemi più semplici di solito funzionano. Uno dei miei uomini ha attaccato un localizzatore all'interno del paraurti dell'automobile di Viveca. Sono strumenti economici, si trovano dappertutto, vengono usati per rintracciare le auto rubate. Siamo riusciti così a seguirla fino a Pittsburgh, dove ha venduto l'automobile e ne ha noleggiata un'altra, pagando in contanti. Così ci ha portati fuori strada».

«E allora come l'avete trovata nel Grand Canyon?».

«Con un lampo di genio, un mio agente ha attaccato un altro piccolo localizzatore alla targhetta sul collare del cane di Clauson. Finché dura la batteria e finché il collare resta al suo posto, sapremo dov'è. Ho mandato qualcuno in Arizona a controllare».

«Noi diremmo che ha mandato un Occhio».

«Non m'intendo di oftalmologia né del linguaggio della sua CIA. Il cane pare si sia assunto il compito di proteggere la sua nuova padrona. Il nostro osservatore, un agente in pensione che vive nel Sudovest, è stato ricacciato indietro per quasi un chilometro e mezzo nel deserto e si rifiuta di tornare da quelle parti».

Irving si sentiva quasi male dalla voglia di rivedere tutti e due, Viveca e il cane. Chiese un particolare: «Com'è riuscito il primo agente a togliere il collare al cane per fissare il localizzatore?».

«Con un grosso hamburger. Tutti hanno un prezzo».

«Qual è il lavoro di Viveca?».

«Massaggio terapeutico, si chiama così».

«Davidov, mi sta dicendo che Viveca Farr è diventata una massaggiatrice?».

«Una shiatsu, per essere precisi». Davidov spostò la schiena sulla sedia e guardò la stufa fredda. «E adesso passiamo a quello che voglio sapere io. Mi spieghi che cosa si nasconde dietro quel vasto sistema di sicurezza alla Banca d'Affari di Memphis».

«Lei pensa che l'agente in sonno sia lì, vero?». Irving sapeva che, in quel momento, il suo sorriso lo faceva assomigliare più che mai a una volpe. «Lei pensa che sia Dominick l'agente in sonno. Ma io l'ho imbrogliata ed è questo imbroglio che l'ha portata qui, a vuotare il sacco».

Tutt'altro che volentieri, Irving espose i particolari del programma di Memphis: il piano per creare un sostituto di Berenskij, l'ufficio strategico per seguire le operazioni del vero agente in sonno, l'azione parallela di Dominick e, infine, con l'aiuto di dati ufficiali sottratti abusivamente al governo degli Stati Uniti, l'attento percorso finanziario a ritroso.

Poiché non sembrava che Davidov fosse disposto a parlare della morte di Clauson, Irving omise dalla sua risposta la parte che riguardava il contatto iniziale con il funzionario della CIA che poi sarebbe stato assassinato. E poiché Hanrahan, alla Federal, aveva deciso, con l'FBI e con la polizia di New York, che fosse meglio non diffondere la notizia del suicidio di Speigal, Irving non disse niente nemmeno del suo incontro, breve, e per un verso imbarazzante, con Mortimer Speigal, la talpa della Federal.

«E il vostro piano è riuscito?», chiese Davidov. «L'agente in sonno si è messo in contatto con voi?».

«Ancora no. Pensiamo che accadrà subito dopo che Dominick avrà fatto la sua visita a Madame Nina e agli altri. È in quel momento che Berenskij dovrebbe mettersi in contatto con il suo doppio e decidere a chi tributare la propria lealtà, se al vecchio KGB che l'ha mandato in America o al nuovo governo che ha disperso l'antica cricca. Oppure può darsi che lui e Dominick si mettano in affari per conto loro».

«Molto dipende da questa decisione». Davidov aveva assunto un tono formale. «Io credo che il vostro governo ritenga suo dovere assicurarsi che il nostro riabbia il danaro rubato e i frutti che ne sono derivati».

«Io sono dalla parte della legge, Niko. Non lavoro per le porcherie finanziarie. E neanche Dominick. Io lavoro per la storia. Dominick ha accettato di entrare in questo gioco per la gloria e per il danaro».

«Non accetto questa copertura neanche per un istante», ribatté Davidov. «Io credo che voi formiate un fronte predisposto dai Servizi Segreti americani. La vostra cosiddetta operazione giornalistica non sarebbe arrivata così lontano senza la partecipazione attiva della CIA, della National Security Agency, del Tesoro e della Federal Reserve. Negarlo fa parte del suo lavoro, è ovvio, ma non è credibile».

«Per la verità, noi siamo in piccola parte aiutati da persone che occupano posizioni di scarso rilievo in quasi tutte queste istituzioni, anzi lei si è dimenticato di includere la Banca Export-Import. Ma è ancora un lavoro da giornalista, Dave». Irving sapeva che quel Dave lo avrebbe irritato. «È un'azione rigorosamente personale, non me ne importa niente di dove vanno a finire i soldi purché possa dirlo a tutto il mondo».

«Ci sono più rischi di quanto lei non pensi, come Liana e la Farr possono confermarle».

«Dominick è in pericolo, lo ammetto. Non vorrei essere nei suoi panni, a Riga, la settimana prossima, in tenero colloquio con quel personaggio, Nina, a dire che Berenskij è lui. Ma Dominick non è uno stupido, sa che la sua salvezza sta nell'essere utile a tutti. A voi e ai Feliks, perché potrebbe fare in modo di darvi una parte del capitale. Al vero agente in sonno, perché potrebbe aiutarlo a restare nell'anonimato per tutta la vita, lontano da mani assassine. Dominick potrà diventare ultraricco e famoso in tutto il mondo e pensa che valga la pena di affrontare un rischio. Lei ha parlato di dovere e io penso che sia vostro dovere proteggerlo».

Davidov scosse la testa. «Nel quadro che lei mi ha dipinto, un americano avido aiuta un agente russo a rubare il nostro danaro. Perché dovremmo proteggerlo?».

«Perché Edward Dominick è la gallina dalle uova d'oro. Se scompare lui, scompare la vostra possibilità di agganciare Berenskij. Se lo manterrete in salvo, ne avrete un vantaggio». Irving sperava che Davidov credesse alle sue chiacchiere, perché sapeva di dovere a Dominick tutta la protezione che gli era possibile procurargli.

«A proposito, come siete arrivati a Edward Dominick?».

Irving era sempre molto prudente nel rispondere alle domande che cominciavano con "a proposito", perché lui stesso fingeva quella sorta di interesse casuale quando voleva arrivare al cuore di una questione. «Ci siamo guardati attorno per cercare un banchiere alto un metro e novanta, che conoscesse la Russia e che potesse simulare un disturbo all'orecchio. A Viveca è piaciuto il banchiere di Memphis. È stata una buona scelta, no?».

«Chi l'ha indirizzata a Mortimer Speigal, della Federal?».

Irving pensò che Davidov era più acuto di quanto non avesse pensato e si sentì meno certo della propria vittoria nell'aver capito il "perché io?" di Liana; forse aveva voluto farglielo credere. Ci avrebbe pensato più tardi. «Quando toccherà a me chiederle quali sono le sue fonti e i suoi metodi?».

«Touché, come dice lei», disse Davidov. «Tutto quello di cui ho bisogno, ora, è un elenco dei beni di proprietà del nostro dormiente in giro per il mondo. Lei ci ha fatto pensare che si tratti di circa cento miliardi di dollari».

«Njet problema, Niko. L'elenco delle società, delle banche, dei fondi d'investimento e altro costituiranno l'appendice A del nostro libro, che verrà venduto al prezzo di copertina di trenta dollari, ma che lei potrà comprare a ventidue e novantacinque nei negozi che, di solito, praticano uno sconto. Viveca aveva progettato di far scorrere le voci alla fine del notiziario, in quello che chiamano un *crawl*, non so perché. Se lei ora si tirerà fuori di tasca uno scellino perché quella stufa faccia il suo dovere, le manderò in regalo una copia del libro più la videocassetta, per un valore complessivo di quarantanove dollari e novantacinque».

Davidov si alzò e mise uno scellino nella stufa; le spirali della resistenza diventarono rosse quasi immediatamente. Con le mani nelle tasche della giacca, Davidov oscillò avanti e indietro sui tacchi e pronunciò una dichiarazione formale: «Ritengo che Irving Fein sia stato assunto dalla sezione operativa della Central Intelligence Agency, un tempo chiamata quella dei "tiri mancini". Ritengo che Viveca Farr e Ace McFarland siano agenti in servizio attivo, guidati da Irving Fein sotto il controllo diretto di Dorothy Barclay. Ritengo che Edward Dominick di Memphis sia, in realtà, Aleksandr Berenskij di Mosca e finga di averne assunto solo l'identità, ma che abbia agito, negli ultimi cinque anni, come doppiogiochista. Ritengo, infine, che quella vostra operazione sia un tentativo degli Stati Uniti di destabilizzare il governo e di portare la Russia all'anarchia e alla successiva disintegrazione politica». Quando ebbe finito di parlare, Davidov si rimise a sedere e Irving Fein si alzò, a sua volta, per replicare.

«Io ritengo, invece, che a furia di scopare con Liana Krumins e Sirkka von Schwebel, un piacere così intenso e prolungato le abbia stravolto il cervello». Irving si avvolse nel cappotto e si rimise a sedere.

Dopo un momento, Davidov disse: «Allora ho ragione per metà».

Era una buona risposta. Fein capì: «Dunque non lo fa anche con Sirkka?».

«Dice che ama suo marito».

«Questa è bella. No, lei non ha ragione per metà, Niko. Le sue conclusioni sono troppo perentorie: o ha ragione o ha torto».

«Mi dica perché ho torto».

Fein non intendeva lasciarsi risucchiare in una falsa posizione di vantaggio. «Può darsi che mi convenga farle pensare che ha ragione». La preparazione accademica di Davidov gli dava la certezza delle proprie certezze, quindi doveva essere fatto doppiamente rinsavire, perciò Irving decise di tentare una trasparente azione di ritorno.

«Il mio scopo immediato», disse, «è aiutare Dominick a convincere i Feliks che Berenskij è lui. Lo cattureranno e il successo del mio libro sarà assicurato. Ora, se lei pensa che Dominick sia il vero Berenskij e dal nuovo KGB trapelano notizie come quella che ha causato la morte di Arkadij, Madame Nina sarà incoraggiata a credere al falso Berenskij. Quindi, è nel mio interesse che lei non mi creda».

Irving allargò le braccia in un gesto di resa. «E va bene, Niko, confesso: sono una spia. Dominick non tenta di impersonare Berenskij, è Berenskij in persona e gli Stati Uniti si preparano a far mangiare la polvere alla Russia».

Davidov si spostò sulla sedia per vedere Fein riflesso nello specchio dell'armadio. «Lei parla come se, in realtà, volesse farmi pensare che non è una spia, che Dominick non è il vero agente in sonno e che l'interesse degli Stati Uniti per la Russia è benevolo e completamente distaccato dal suo progetto giornalistico».

«Sì».

«Perché?».

Fein si sporse in avanti sulla sedia e guardò Davidov in faccia. «Perché lei non è un imbecille, ecco perché! Ho cominciato questa trattativa perché so quello che è vero e quello che è falso e perché se una cosa è giusta è giusta e se è sbagliata è sbagliata». Alzò le braccia al cielo. «James Jesus Angleton, salvaci dalle zone imperscrutabili, dalle posizioni speculari e dalle spie che vengono dal freddo. Il relativismo morale è finito nella spazzatura insieme alla guerra fredda. E la smetta di guardarmi nello specchio mentre parlo».

«Che cosa pensa che volesse dire Viveca quando ha parlato delle lucciole?».

A Irving parve ancora di risentire la voce di Viveca sulla segreteria telefonica: *Puoi chiamarmi prestissimo? Io sono a casa mia, in campagna e fuori ci sono le lucciole...*».

«È nell'elenco dei non so, Dave. Le dispiace se la chiamo Dave?».

«Le dispiace se la chiamo Feinzy?».

«Niko?».

«Può andare. Che cos'è l'elenco dei non so?»

«È un elenco che comprende tutto quello che non si sa. Come le lucciole. Forse Viveca voleva dirmi di stare attento alle microspie o forse era solo un invito ad andarmi a sedere con lei sotto il portico, a parlare, a riflettere, a discutere».

«Fein, lei quando parla di Viveca diventa quasi umano».

«Glielo dico solo perché so che tanto non ci crederà... ma io nutro un sentimento molto sincero nei confronti di quella ragazza». Irving aveva detto solo la metà di quello che provava. «Lei crede che si fosse ubriacata o che qualcuno l'avesse drogata?».

«Anch'io ho l'elenco dei non so, e la domanda che viene immediatamente prima di questa è: perché l'ultimo messaggio di Speigal a Sirkka è partito dal suo fax?».

«Non do più niente gratis. Ma se vuole iniziare un'altra trattativa, dica a Sirkka che suo marito consigli a Madame Nina di mettersi in contatto con Dominick al Claridge. Potrebbero prendere un tè insieme, con quelle tartine di cui vanno ghiotti i cannibali».

Davidov accettò con un cenno della testa il consiglio della trattativa a tre fasi. «Vedrò Sirkka per la fine della settimana».

«Attenterà alla sua virtù?». Sirkka era troppo distaccata e imponente per i gusti di Irving, ma gli era più vicina per età, Davidov era troppo giovane e inesperto. «Per amor di patria?».

«Voglio essere fedele a Liana. Anch'io glielo dico solo perché so che tanto non ci crederà, ma forse servirà a inibire la sua libidine transgenerazionale. Liana l'adora, a proposito, anche se, naturalmente, non sul piano fisico».

«Già, già. Ma non le dica che l'hanno messa a dare la caccia a suo padre. Non le dica che il cadavere che ha trovato nel suo letto era quello di un vostro agente. Il silenzio rientra nel suo concetto di fedeltà?».

«Qualcuno lo dirà a Liana, o lei, o io, o Madame Nina, ma solo quando avrà qualcosa da dare in cambio».

Irving preferì non discutere, gli affari sono affari. «Lei era di professione epistemologo?».

«Ho studiato epistemologia all'università». Irving era incuriosito; Clauson, il vecchio protetto di Angleton, gli aveva detto una volta che l'epistemologia, la riflessione filosofica sulla conoscenza scientifica e sugli eventi che possono limitarla, era uno studio essenziale per una spia.

Mise Davidov alla prova. «Ha letto quello che ha scritto Wittgenstein sulla Certezza?».

«Sì».

«Ne è sicuro? E quello che ha scritto Heisenberg sull'Incertezza?».

«Forse».

La stufa si spense con uno scatto metallico e Davidov si alzò, sorridendo. Irving fece qualche passo su e giù per la stanza, chiedendosi se fosse più giusto stare a Londra con Dominick o partire subito per l'Arizona.

Decise di telefonare a Dominick al Claridge e di dare un appuntamento a lui e a Mike Shu davanti ai suonatori di violino, nell'atrio, per dargli la grande notizia che Liana era la figlia dell'agente in sonno. Lo avrebbe armato di un elemento indispensabile all'incontro con la signora della mafia; se si fosse presentato a lei senza saperlo, le conseguenze sarebbero state mortali. Poi, pensò Irving, avrebbe preso il primo aereo per Phoenix. Rientrava negli affari, ma gli affari non sempre sono solo affari.

«Madame Nina mi avrebbe smascherato in un minuto», disse Dominick. «Niente altro che io abbia elaborato in previsione di questo incontro ha la stessa importanza. Grazie a Dio l'hai scoperto in tempo».

«Grazie a Dio o grazie a Davidov. Lui voleva che sapessimo che Liana è la figlia dell'agente in sonno. Me l'ha fatto capire molto abilmente. Sempre che sia vero, ma io credo che lo sia. Ora la domanda è: perché ha voluto che lo sapessimo?».

«Forse vuole che l'identificazione riesca», suggerì Michael Shu. «Il KGB vuole che noi inganniamo i Feliks, che gli contendono il danaro».

Il quartetto di violini del Claridge attaccò un valzer viennese e Irving ebbe la sensazione che il tempo fosse tornato indietro e stesse per cominciare la guerra franco-prussiana. «Tu stattene quieto a Londra», disse a Dominick, mentre la sua voce veniva opportunamente smorzata dalla musica. «Ho fatto in modo che von Schwebel porti qui Madame Nina. Sarai più sicuro che a Riga».

«Von Schwebel è alleato alla mafja?». Dominick sembrava sorpreso che un colosso dei media fosse così compromesso.

«Esatto. Te lo ricordi? L'hai conosciuto alla cena a casa di Ace. La sua casa editrice è quella che ci darà da mangiare».

«Un momento», intervenne Michael Shu, «vi rendete conto che von Schwebel è anche proprietario della Globocop?».

«Come?».

«È il servizio di sicurezza che abbiamo alla banca». Michael era molto turbato. «Tu hai appena detto, in sostanza, che una persona legata alla mafja russa possiede la società alla quale ci siamo affidati per impedire che qualcuno ascolti le nostre telefonate o controlli i nostri movimenti. A Riga ormai sanno tutto».

«Non preoccuparti, più informazioni raccolgono e meno siamo credibili. Le spie hanno una mentalità speculare».

Irving sperò che Dominick si lasciasse rassicurare; se i Feliks erano penetrati nel segreto della banca di Memphis, Madame Nina sapeva tutto sul progetto di identificazione. Ma quando al KGB era stata detta la stessa cosa su Memphis, Davidov aveva creduto il contrario, e cioè che Dominick fosse il vero agente in sonno. Quindi, ci si poteva aspettare di tutto.

Davidov sedette nella Bentley, accanto al posto di guida. Al volante c'era Jelena, col berretto da autista troppo grande per la sua testa, perché Davidov non si era fidato che qualcun altro guidasse l'automobile presa a nolo. Percorsero Knightsbridge e risalirono King's Road, attraverso Chelsea, per circa mezz'ora, mentre Davidov pensava al colloquio che aveva appena avuto con il giornalista americano. Quando si sentì pronto, parlò, in fretta.

«Gli ho detto che Liana è figlia di Berenskij. Non lo sapeva. Così Dominick avrà almeno questa carta in più nell'incontro con i Feliks. Poi l'ho mandato da Viveca Farr, in Arizona, perché solo lui può farsi dire quello che sa. Ora mi faccia pure delle domande».

«Le lucciole?».

«Ha finto di non capire che cosa significasse il messaggio, eppure è certamente per quello che è venuto qui. Deve trattarsi di un riferimento personale, impenetrabile come un codice». Davidov si allacciò la cintura del sedile. «È stato lui a mandare il messaggio di Speigal a Sirkka, di questo sono sicuro. Dunque Fein voleva che Berenskij approfittasse di un ultimo grosso colpo finanziario. Ma significa, inoltre, che Speigal è sparito, forse è morto».

«Fein è della CIA?».

«Ha un temperamento sottile, estroso, audace e non beve. Dunque non è della CIA. Spesso, per esprimere un concetto, usa parole che significano il contrario, per esempio se non è d'accordo con te, ti risponde con un'affermazione, come "già, già"».

«Siamo di fronte a un complotto del governo degli Stati Uniti per destabilizzare la Federazione Russa?».

«No».

«Dominick è il vero agente in sonno o vuole fingere di esserlo?».

«Mentre andavo al colloquio con Fein, avrei giurato che Dominick fosse un falso bene organizzato, sebbene mandassi solo segnali in direzione opposta. Adesso, non ne sono più tanto sicuro».

«Chi potrebbe saperlo?».

«Irving Fein no. Forse Madame Nina. Probabilmente Viveca Farr».

La Bentley attraversò Queen Elizabeth Gate ed entrò in Park Lane, verso il Claridge. Loro tacevano. Quando furono in Davis Street, Davidov si tolse di sotto la camicia un piccolo registratore e lo passò, con il nastro inserito, a Jelena. «C'è un riferimento a certe tartine di cui i cannibali vanno ghiotti, non l'ho capito. Guardi se riesce a spiegarselo lei».

Davidov salutò Romano, il portiere, e salì i gradini che portavano nell'atrio. Un quartetto di violini eseguiva delle variazioni su un motivo popolare dell'epoca di E. Phillips Oppenheim. A sinistra c'erano Fein, Dominick e il commercialista Michael Shu, che parlavano amichevolmente. Davidov deviò verso l'ascensore e salì subito nel suo appartamento.

Chiamò, direttamente, il numero privato di Sirkka a Francoforte e, quando lei gli rispose, disse, senza fare il proprio nome: «Memphis vuole incontrare Madame qui, a Londra. Guarda se puoi chiedere al vostro comune amico di interessarsene. Ritelefonami al Claridge appena possibile».

Ordinò la cena in camera per una sola persona. Due ore dopo, Sirkka lo richiamò. «Madame ha declinato il gentile invito di Memphis per Londra. Ha detto al mio amico che lei e la sua commissione lo vedranno a Riga la settimana prossima, se lui lo desidera. Tuttavia, dopodomani, la sua organizzazione manderà un proprio rappresentante a incontrarlo al Claridge per un tè, nell'atrio dell'albergo, alle quattro del pomeriggio».

«Chi è questo rappresentante?».

«È una donna. Si chiama Antonia Krumins. Non si vedono da più di vent'anni, ma anche dormendo la riconoscerà. In ogni caso, sarà lei a riconoscere lui».

51

LONDRA

«Una tartina, signora?».

Antonia Krumins rifiutò: una tartina composta di cetriolo e germogli di alfalfa su una strisciolina di pane bianco le sembrava il simbolo della decadenza occidentale. Ordinò focaccine calde con una sciropposa marmellata d'uva, tè Earl Grey e si mise ad aspettare, nell'atrio del Claridge, l'arrivo del vero o falso Aleks Berenskij.

Avrebbe riconosciuto il marito della sua giovinezza? Era passato un quarto di secolo da quando il figlio di Shelepin l'aveva abbandonata, incinta di otto mesi. Subito dopo, moglie ripudiata a diciotto anni, era stata informata dal KGB che sarebbe stata sradicata dalla famiglia e dagli amici e mandata, sola con la sua bambina, in Lettonia, ad aiutare il processo di russificazione.

Aleks non le aveva neanche detto addio. Non aveva avuto da lui una lettera, una parola, in qualsiasi forma, né allora né mai. Quell'improvviso e definitivo abbandono aveva generato in lei un odio perenne per suo marito e quell'odio l'aveva aiutata a lottare nel trascorrere di una vita dura e amara.

L'intervento del KGB si era concluso con la proposta di sposare un compiacente lettone, Ojars Krumins, che era morto qualche anno dopo avere adempiuto al suo compito di dare un cognome diverso alla moglie e alla figlia di un agente mandato da solo all'estero in missione permanente. Lei non provava rancore per il KGB, penetrante, diffuso potere che era servito almeno a non disperdere l'Unione Sovietica. No, il disprezzo che aveva permeato la sua esistenza durante tutti quegli anni era diretto al crudele Shelepin e al suo figlio illegittimo, Aleks Aleksandrovich Berenskij, il marito alto e bello che l'aveva abbandonata.

L'avrebbe riconosciuta? Per quell'occasione, che aveva aspettato durante tutta la sua vita da adulta, Antonia Krumins, da tanti anni maestra di ballo, aveva messo da parte il vestiario grigiastro che indossava quasi tutti i giorni, la biancheria spessa, di lana, l'abito da vecchia che portava nelle fredde e umide serate di Riga. Aveva scelto, invece, un vestito fatto a San Pietroburgo su un modello Chanel, scarpe col tacco alto che mettevano in risalto le sue gambe flessibili, da ballerina. Oltre all'ombretto sugli occhi, si era messa un fondotinta scuro per coprire le piccole cicatrici che aveva sulle guance e aveva coraggiosamente completato il trucco con un po' di rossetto sulle labbra. I capelli, lavati e messi in piega, erano di una lunghezza media, come voleva la moda, e un riflessante castano ramato, sciolto nell'acqua, le aveva coperto le striature bianche. Gli occhiali cerchiati d'acciaio, che solo in parte correggevano la sua miopia, erano stati sostituiti, quel giorno, da un paio di lenti a contatto, una spesa che era stata la sua massima concessione alla vanità. Aveva smesso da un giorno all'altro di usare del profumo.

Sapeva che i suoi colleghi, entrando alla scuola di ballo, avrebbero fatto fatica a riconoscerla. E Aleks Berenskij l'avrebbe riconosciuta, dopo tutti quegli anni? Lei pensava di sì, probabilmente sì. La ragazza graziosa, sorridente della loro giovinezza era diventata una donna, bella quando voleva esserlo, con una espressione sempre severa; però, guardandola con attenzione era ancora riconoscibile. Il ballo aveva conservato elasticità al suo corpo. Quando c'era ancora l'Unione Sovietica, gli uomini che volevano farle un complimento le dicevano che lei e sua figlia sembravano sorelle.

Ma quell'uomo che fingeva di essere Berenskij, come l'avrebbe riconosciuta? Le avevano parlato, con molti particolari, prima di venire a Londra, della sorveglianza esercitata su una banca di Memphis; sapeva che Edward Dominick spesso aveva lamentato che non ci fossero fotografie della sposa russa. Ora, se fosse stato lui, il falso Berenskij, a venire all'appuntamento, si sarebbe guardato intorno cercando una donna vestita fuori moda e grassoccia, come gli occidentali immaginano una donna sovietica non più giovane. Ma, osservò, non c'era nessun'altra donna sola, seduta ai tavolini nell'atrio del Claridge; lei era, come dicono i romanzieri inglesi, la scelta di Hobson, un'offerta senza alternativa, per chiunque fosse entrato perché aveva un appuntamento con una donna. O lei o nessuna. Teneva gli occhi fissi sulla porta.

Le portarono il tè. Disse al cameriere che preferiva aspettare che diventasse più scuro e che se lo sarebbe versato da sola. Dopo cinque minuti, prese la teiera.

«Sono Aleks Berenskij».

Un uomo alto stava davanti a lei. La sua voce le era familiare, ma non bastava a una identificazione. Gli sorrise, appena appena, e gli indicò una sedia alla propria destra. Lui disse al cameriere di spostare la sedia alla sua sinistra e si mise a sedere.

«Ti avrei riconosciuta dovunque», le disse, in russo. «Non sei cambiata».

«Non è vero, sono cambiata».

«Sei più elegante e adesso ti trucchi un pochino, e poi sei una donna, non sei una ragazza. Ma a me sembri sempre la stessa».

«Tu sei cambiato». Non voleva che sembrasse una critica o comunque un giudizio, e aggiunse: «Hai un'aria da ricco. È difficile pensare a te come a un banchiere». Se era davvero Aleks, pesava almeno venti chili in più; i lineamenti gli si erano ispessiti ed era chiaro che, tempo prima, aveva avuto un incidente; gli occhi le pareva che fossero gli stessi, di un grigio verdognolo, ma era un colore abbastanza comune. Le lenti a contatto non le permettevano di mettere il suo viso perfettamente a fuoco, ma vedeva che non aveva più le orbite infossate, al contrario, gli si erano formati dei piccoli gonfiori tutto attorno e aveva perso quello sguardo intensamente crudele che non era riuscita a dimenticare. La statura era quella. Poteva darsi che fosse lui, suo marito, ma a giudicare solo dall'aspetto fisico poteva anche darsi di no.

«Ho preso un colpo sulla faccia, in automobile, prima che inventassero l'air bag. Tu non hai avuto bisogno, come me, di farti una plastica». La voce era senza dubbio più bassa, ma era prevedibile; era un po' stempiato, ma anche questo rientrava nella norma. Aveva i capelli un po' più scuri, ma anche a lei era successo lo stesso.

Sapeva che la giornalista della televisione lettone che stava cercando di rintracciarlo era sua figlia? Dal rapporto e dai nastri degli agenti Feliks in America risultava che Dominick non sospettava che ci fosse alcun legame tra lui e Liana. «Non ti eri lasciato alle spalle solo me».

«Ho visto Masha a un ricevimento a New York. L'ho riconosciuta perché mi ero procurato le registrazioni del suo notiziario... ti confesso che è la mia unica occasione di sentire parlare russo e mi sento un po' arrugginito».

«Le hai detto chi eri?».

«No, naturalmente. Dio, è stato così strano stringere la mano alla propria figlia dopo tanti anni e non poterla abbracciare, o almeno dirle sono tuo padre».

«Soprattutto sapendo che ti stava cercando».

«Varie persone si servono di lei per questo, ma il mio lavoro, il significato profondo di un'intera vita, non deve essere scoperto». Poiché Antonia non volle colmare la pausa che era seguita a quelle parole, Dominick aggiunse: «È molto bella. Ha la tua bocca, i tuoi zigomi, il tuo portamento da ballerina. Gli occhi no, sono i miei, grigi, i tuoi sono castani». Era attento ai particolari, come qualsiasi agente bene allenato. «Dovremmo essere orgogliosi di lei, tu soprattutto».

«Io provo solo vergogna per Liana. Ha tradito il comunismo ed è diventata una puttana».

Dominick non rispose, disse soltanto: «E per me provi disprezzo».

«No, non ti disprezzo», mentì Antonia con calma. «Non ho mai pensato a te se non recentemente e solo perché una donna molto influente me lo ha ordinato».

«Madame Nina. Che cosa puoi dirmi di lei?».

«Niente». A bassa voce, Antonia aggiunse: «Sono qui solo per poterle riferire se sei il figlio dell'odioso Shelepin».

Dominick avvicinò la sedia. «Prima mi sono spostato da questa parte per sentirti meglio, ma mi è sfuggito quello che hai detto».

Le parole avevano l'accento della verità. Antonia si ricordava che lo avviliva non avere un buon udito e che la offendeva, quando litigavano, voltando verso di lei l'orecchio difettoso. «Non sei migliorato?». Aveva deciso di non arrischiarsi a chiamarlo né Aleks né Edward e neanche lui, se n'era accorta, aveva mai pronunciato il suo nome.

Lo vide togliersi dall'orecchio destro un piccolo oggetto color carne, delle dimensioni di una biglia. «È il mio ultimo apparecchio acustico. Mi aiuta molto». Prese un piccolo cacciavite che aveva in tasca, regolò di poco l'apparecchio e se lo rimise nell'orecchio. «Come dicono gli americani: nessuno è perfetto».

Era diventato disinvolto, un gentiluomo raffinato. Lei ricordava il suo giovane marito violento, che aveva sopraffatto la sua timidezza, spezzato la sua resistenza fisica per spezzare il suo spirito. Come se le fosse tornata in mente un'immagine gradita, chiese: «Hai dimenticato il giorno del nostro matrimonio, Aleks?». Se fosse stato un impostore avrebbe detto immediatamente la data esatta.

«Mi sembra che fosse aprile. Sì, quando piove e ci sono tanti funghi. Mi dispiace non è una data che abbia avuto l'occasione di ricordare».

«E dopo la cerimonia, al Sokolniki Park?...».

«L'unica volta che sono stato al Sokolniki Park ero un ragazzo, nel 1959. C'era la mostra americana. Kruscev e Nixon avevano litigato in una cucina. Mi stai mettendo alla prova, Antonia Ivanova Berenskij Krumins?». Aveva elencato i suoi nomi senza sbagliare. «Ti ricordi come ci siamo divertiti sulla Torre Eiffel?». Antonia vide che assumeva un'espressione grave mentre le chiedeva: «Credi davvero che sia un altro, che finga di essere Aleks Berenskij?».

«È quello che dici ai tuoi amici della CIA quando sei nel tuo ufficio d'angolo in una banca americana», rispose Antonia, misurando le parole. «So che chiedi alle spie che lavorano per te le lettere che ho scritto a tuo padre, Shelepin, supplicandolo di farti ritornare». Il ricordo di quei primi giorni di solitudine le bruciava ancora, ma era decisa a non permettere ai sentimenti di interferire nella sua missione. «Seguiti a chiedere particolari sulla vita dell'agente in sonno quando era in Russia, che dovrebbero servirti a dimostrare che sei veramente lui». Antonia tacque, aspettando che la contraddicesse.

Dominick emise un sospiro che parve enorme anche in un uomo così grande. «So benissimo che il servizio di polizia privata di Karl von Schwebel trasmette ai Feliks anche il rumore dello sciacquone quando nel mio ufficio qualcuno va in bagno, e io ho sempre calcolato, non dimenticarlo, che ogni mia parola sulla identificazione veniva ascoltata da te e dagli altri. Nel mio lavoro si chiama disinformazione. Puoi giudicarmi un cattivo marito, ma non puoi pensare che sia stupido».

«Allora la tua identificazione...».

«... è la migliore che si possa immaginare. Io interpreto me stesso. Nel grande specchio di una guerra, io fingo di essere un altro mentre fingo di essere me stesso». Lei subì in silenzio il suo sguardo. «Credevo che Madame Nina te lo avesse spiegato».

Antonia si concesse un sorriso, un sorriso pieno, raro per lei, e si rammaricò che le nuove lenti non le permettessero di osservare meglio l'uomo che le stava vicino. «Facciamo conto che tu sia chi dici di essere e non chi dici di non essere». Prese la borsetta e ne tolse un foglio scritto a macchina. Lesse:

«"Noi ci aspettiamo da lei che sia pronto a consegnare l'investimento affidatole dai legittimi eredi politici di suo padre.

«"Lei è stato mandato all'estero da Aleksandr Shelepin, ultimo dei successori di Feliks Dzerzhinskij, per assolvere una grande missione a livello nazionale. Cinque anni fa, le è stata consegnata una somma da quelli di noi che erano stati allontanati dalle cariche occupate nel governo comunista dai cosiddetti riformatori, seguaci del traditore Andropov e del suo protetto Gorbaciov. I membri della nostra organizzazione le hanno fornito i dati necessari ad accrescere questo investimento a favore del popolo.

«"Nulla di questa ricchezza le appartiene"», seguitò a leggere Antonia, «"né possono gli usurpatori che ora occupano il Cremlino avanzare alcun diritto su di essa. Lei l'ha tenuta presso di sé sulla base della nostra fiducia e va restituita a coloro cui appartiene, senza negoziazioni"».

Dominick prese il foglio per rileggerlo, poi lo restituì. «Può darsi. Ma prima devo assicurarmi che i Feliks siano una vera forza politica e non un gruppo di uligani, di truffatori e di apparatchik che non contano più niente».

«Sta a te decidere?».

«Sì. E io controllo il danaro».

Il cameriere portò un vassoio di tartine. «Sono buonissime. Ne vuoi?», chiese Dominick/Berenskij. Turbata, dentro di sé, per la sua ostentata insolenza, Antonia rifiutò di nuovo. Lui se ne mise in bocca tre o quattro tutte in una volta.

«Ti verso un po' di tè, altrimenti soffochi», disse Antonia, gli versò un po' d'acqua calda da una brocca nella teiera di porcellana sottile e l'agitò per mescolarla.

Dominick alzò la tazza senza il piattino, a quanto pareva aveva dimenticato le usanze russe. Disse: «Ti muovi ancora come una ballerina. Io mi sono molto appesantito e mi dispiace. Ti sbagli, sai, su Masha. Può darsi che si comporti liberamente, ma è una questione di costume e politicamente è come devono essere i giovani oggi».

Antonia provò una tentazione quasi irresistibile di tirargli in faccia l'acqua calda. Invece, versò prima il latte nella tazza, come facevano gli inglesi, poi il tè, carico, attraverso un colino e aggiunse l'acqua. Porse a Dominick lo zucchero grezzo, in cristalli. La cerimonia era stata simile a un balletto, come lui stesso aveva suggerito e lei sentiva ancora le note del tragico tema del *Lago dei cigni*.

«Ti avverto che è stata organizzata, per la settimana prossima, una riunione del Politbjuro dei Feliks, a Riga», disse Antonia. «Di solito non vengono invitati estranei, ma tu non sei un estraneo, tu sei considerato un loro agente e consigliere finanziario. Durante quella riunione, avrai la possibilità di informarti, rispettosamente, sui loro programmi. Preparati, naturalmente, a rispondere alle loro domande sul danaro affidato a te e a cooperare al suo trasferimento».

«Brava, ti ricordi di tutto, signora Krumins. Ti rivedrò a Riga?».

«No. Non sono in politica. E, per quanto mi riguarda, Aleks Berenskij è morto più di vent'anni fa. Ti saluto».

«Una cosa vorrei ed è che mi fosse data l'occasione di ritrovarti».

Era certamente una bugia, ma lei sapeva che il suo ex marito l'aveva detta per rimescolare vecchie emozioni e sollecitare una immeritata solidarietà. Lo lasciò seduto davanti alle tazze vuote, mentre il quartetto d'archi suonava il *Lago dei cigni*.

RIGA

La donna tarchiata, con i capelli grigio ferro, chiese come stava il ceceno tenuto in ostaggio alla Lubjanka.

«Stanno cercando di esercitare su di lui una tortura psicologica», rispose Kudishkin. «Gli hanno messo, nella cella vicina, un nastro dov'è registrata la voce di un uomo che urla. Siamo riusciti a fargli sapere che è solo una registrazione e che finga di essere terrorizzato. Non cederà, Leonid è di quelli che tengono duro».

«Forse non è stata una buona idea uccidere Arkadij e mandare il cadavere alla ragazza di Davidov», disse il neocapitalista Ivanenko.

«È stata un'idea mia», gli fece osservare Madame Nina.

«Non è che voglia anticipare le conseguenze», si giustificò Ivanenko, «ma mi sembra che abbia messo in agitazione il KGB».

Kudishkin batté una mano sul tavolo. «Noi siamo qui per scoprire dove si trovano i nostri soldi». Guardò la donna seduta al centro del gruppo. «Qual è il suo parere, Madame Nina? Edward Dominick è l'agente in sonno?».

«No. L'informazione che ci ha dato von Schwebel era corretta. Dominick è un falso prodotto dalla CIA. Un falso perfetto, come una perfetta imitazione di un biglietto di banca».

«Il tedesco ha molta fiducia in ciò che ascolta attraverso le sue intercettazioni», proseguì Kudishkin, «che possono essere però un veicolo di disinformazione se chi viene intercettato ne è consapevole».

Madame Nina guardò l'ex capo di una sezione del KGB, attraverso i suoi grossi occhiali, le cui lenti spesse davano l'impressione che gli occhi stessero per schizzarle dalle orbite. «La sua competenza è sempre stata molto apprezzata, Oleg, ma io non faccio assegnamento su una sola fonte per il mio giudizio iniziale. Ho rintracciato la madre di Liana Krumins, la donna che era stata sposata con Berenskij prima che Shelepin lo mandasse in America. L'ho mandata a Londra per identificarlo o smascherarlo».

Il rappresentante del Gruppo dei Cinquanta espresse con un gesto la sua approvazione. «E qual è il parere della ex signora Berenskij?».

«Mi ha detto che, fisicamente, potrebbe essere lui. La stessa statura, lo stesso difetto di udito. I lineamenti del viso sono stati alterati, pare, da un incidente e questo complica la parte più elementare dell'identificazione. È bene informato sulla vita passata di Berenskij».

«Che cosa lo potrebbe, invece, tradire?».

«Il vero Berenskij è figlio di suo padre: crudele, brutale, un po' pazzo... un agente perfetto. In quest'uomo, invece, la Krumins ha riscontrato una morbidezza, una stanchezza che non possono essere frutto del passare degli anni. Io mi fido del suo giudizio: Dominick non è Berenskij. Le donne capiscono queste cose». Madame Nina congiunse le mani. «Il falso Berenskij lavora per la CIA e, probabilmente, anche per Davidov, allo scopo di scoprire le nostre operazioni. Per questo l'ho invitato alla nostra riunione di venerdì».

52

SEDONA, ARIZONA

Adesso si chiamava Arlene Paltz, il nome di una persona dispersa chi sa dove. Aveva una patente rilasciata in Pennsylvania con una fotografia che poteva vagamente sembrare la sua, un numero della previdenza sociale e un nuovo conto corrente, tutto grazie alla cortesia di un comprensivo commerciante di auto usate che procurava le basi di una nuova identità per mille dollari pagati in contanti.

Aveva scoperto che l'Arizona, in dicembre, era tutt'altro che sgradevole. Sebbene avesse avuto, in un primo tempo, l'intenzione di proseguire in automobile, attraverso il Messico, fino allo Yucatan, lei e l'automobile, dopo una settimana, erano troppo affaticate per continuare il viaggio. La gentile proprietaria di un negozio di Phoenix, che vendeva forniture per animali e dove lei aveva comprato una mezza dozzina di ossi di cuoio greggio, le aveva consigliato di andare verso nord, a Sedona. Era una specie di paesino di vacanze per tipi New Age, fiduciosi che gli spiriti indiani e la teoria buddista dei vortici di energia, combinati con l'aria asciutta e pulita, aiutassero le anime travagliate a trovare la calma interiore. Lei ci era andata, aveva preso in affitto una casetta isolata, sporca e a buon mercato, ma vicina a un ruscello, indispensabile per il suo compagno e protettore, Occhio, che stava quasi sempre disteso nell'acqua fresca.

Era andata in uno dei molti centri sportivi e termali lì intorno e aveva investito un po' di soldi in un massaggio e in un bagno di fango. Il proprietario cercava una segretaria-massaggiatrice-fisioterapista e una giapponese le aveva insegnato le nozioni fondamentali dello shiatsu. Dopo una settimana, Arlene Paltz aveva un lavoro che svolgeva ogni pomeriggio e la teneva occupata in un mondo che sapeva poco di notiziari televisivi e giornaletti scandalistici venduti nei supermercati e dove nessuno poteva spettegolare sulla caduta verticale di Viveca Farr. Limitava la sua attività di massaggiatrice alle donne, che parlavano soprattutto di vortici di energia e di valori immobiliari. La loro conversazione non era coinvolgente né tanto meno inquietante e impastare la carne e plasmare i muscoli l'aiutava a dimenticare chi era e che cosa le era capitato.

La mattina si sedeva sulle rocce rosse oppure sulla riva del ruscello, con i piedi nell'acqua, in compagnia di Occhio, e soffriva. Non passava un'ora senza una crisi di singhiozzi, che le lasciava il petto indolenzito e la gola riarsa. Per trovare un po' di sollievo nella sua fuga dalla notorietà si consolava come poteva, imparava a bere il vino che costava poco e si ripeteva i suoi motivi di risentimento finché non trovava sollievo in un breve sonno a metà mattina, vicino al ruscello, per affrontare meglio le ore che l'aspettavano fino a sera. Spaventata da un futuro senza prospettive, riempiva il tempo ripensando con quale sistematica aggressività tutti, nella sua vita precedente, l'avevano di volta in volta abbandonata. Seguitava a chiedersi che cosa aveva fatto, o mancato di fare, per meritarsi quel selvaggio, folle, universale rifiuto. Nessun paladino delle libertà civili si era proposto di fermare quella corsa alla condanna, nemmeno quelli che di solito si opponevano al biasimo pubblico scavando nel passato di feroci assassini per trovare le ragioni atte a discolparli. Era come se tutti non avessero visto l'ora di poter credere il peggio possibile di una donna che aveva dovuto farsi strada da sola con le unghie e coi denti ed era arrivata "troppo lontano troppo presto". I suoi colleghi della rete prendevano le distanze da quella che era stata "una buona presentatrice, non una vera giornalista". La crudeltà degli attacchi dei media e la scarsità di comprensione da parte dei colleghi, le erano incomprensibili; lei non era salita tanto in alto per essere trascinata tanto in basso.

Sommersa dalle tristi conseguenze di una sconfitta pubblica, si rifugiava in un pianto rabbioso, mentre il terranova senza padrone gioiva nella frescura delle acque del loro ruscello. Più di ogni altra cosa, Arlene Paltz desiderava che nessuno di quelli che avevano partecipato alla sua esistenza precedente, famiglia, amici, amanti, colleghi e cosiddetti ammiratori, scoprisse dov'era per attaccarla e ferirla di nuovo. Era certa che sarebbe successo nel momento stesso in cui fosse riemersa come Viveca Farr, bersaglio prediletto della categoria di chi sapeva solo lanciare accuse crudeli oppure rifiutarsi con altrettanta crudeltà di spendere una parola in sua difesa. Quando i suoi occhi non erano pieni di lacrime erano spaventati, perché il peso di quello che aveva capito e di quello che poi aveva fatto era schiacciante.

Un camioncino del centro sportivo che si avvicinava al portico venne fermato da una barriera di latrati che salivano da una cassa toracica potente. L'autista vide il cagnone tutto bagnato e, senza aprire la portiera, gridò a Viveca che era arrivato un gruppo di uomini d'affari che volevano una serie di massaggi rilassanti quella sera stessa. Arlene si avvicinò al finestrino e rispose che non faceva massaggi agli uomini e che non lavorava la sera. Più tardi, quando il direttore le fece sapere che, se non si fosse presentata subito, si considerasse licenziata, alzò le spalle. Un posto per nascondersi lo aveva e non era ancora così povera da dover accettare con un sorriso la prepotenza altrui.

Due giorni dopo, mentre guardava distrattamente quel che restava di un tappeto sioux da muro, appeso nel suo salotto, Arlene Paltz si accorse che un'automobile si stava avvicinando e andava a fermarsi dietro la sua slittando sul vialetto sporco. Sentì Occhio abbaiare una volta sola, dal ruscello dietro la casa, e correre verso l'ospite. Poi silenzio. Si avvicinò alla finestra, scostò le tende pesanti, bordate di plastica, che servivano a smorzare la luce violenta del sole e, attraverso una fessura, guardò chi stava arrivando.

Il terranova ora avanzava con cautela, agitando un po' la coda. Un uomo con un abito spiegazzato, camicia e cravatta, e l'aria di chi aveva fatto un lungo viaggio, stava emergendo faticosamente da una automobile molto piccola. Con un misto di irritazione e di gioia colpevole, Viveca riconobbe la figura familiare, impacciata di Irving Fein.

«Ehi, cane», disse e mentre Occhio, grondante acqua, gli si avvicinava, manifestando con tutta la sua mole l'imminenza di una azione clamorosa, alzò le braccia terrorizzato e gridò: «No, la scrollata no! Fermati! Non ti scrollare!».

Occhio si diede una scrollata come solo un irsuto terranova del peso di settanta chili, appena uscito da un ruscello fangoso e perfettamente a suo agio di fronte a un ospite gradito, poteva riuscire a produrre. Mentre Occhio si liberava allegramente del suo strato di umidità, il visitatore in giacca e cravatta retrocedeva verso l'automobile, spruzzato dalla testa ai piedi. Poi il cane gli si buttò addosso, strofinò le orecchie sui suoi pantaloni, si sollevò sulle zampe posteriori per leccargli il mento e annusargli voluttuosamente la camicia. Fein rinunciò a ripararsi i vestiti e con un fazzoletto si tolse le gocce di fango che gli scendevano dagli occhi.

Viveca rideva come non aveva mai fatto da quando era diventata Arlene. Scalza, avvolta in un asciugamano, uscì sul portico illuminato dal sole e diede un'occhiata alle originali decorazioni del vestito di Fein.

«Sono ospite del Vortex», disse lui, con uno dei suoi approcci studiati a seconda dell'occasione, «e voglio sapere perché lei si rifiuta di massaggiare gli uomini».

Viveca rientrò in casa a mettersi un paio di pantaloni e una maglietta. Non era contenta di vedere qualcuno che apparteneva al tempo in cui si chiamava Viveca, perché significava che la compattezza del suo isolamento si era incrinata, meglio però che fosse Irving piuttosto che un altro. Portò sotto il portico una Coors, che era quello che tutti bevevano lì intorno, e porse a Irving la lattina con un tovagliolo di carta.

«Il frigorifero funziona male, non è fresca». Fein le fu grato comunque, bevve la birra, soffiò via la schiuma e Occhio la leccò. «Adesso dimmi come sei riuscito a trovarmi».

«Che cosa ti aspettavi dal più grande giornalista del mondo?». Irving bevve un lungo sorso dalla lattina, poi appese la giacca alla sedia. «Buonissima, grazie. Nessuno sfugge a Irving Fein», e confermò la sua orgogliosa certezza con un sospiro di soddisfazione.

«No, ti prego, devo sapere. Altrimenti sarò costretta a rimettermi a correre. Non mi sento di vedere nessuno».

«Ma stai benissimo», disse Fein con leggerezza, «hai gli occhi rossi e una macchia sulla fronte, ma per il resto stai benissimo. Lo dimostra quell'asciugamano che usi come accappatoio. Anche i capelli mi piacciono di più così: scialbi e trascurati. Ho sempre detestato quella testina laccata, perfetta».

«Spiegami come sei riuscito a trovarmi». Viveca non poteva resistere senza saperlo. «Devo aspettarmi una sfilata di fotografi?».

«No, almeno per un po' di tempo considerati in salvo. Ecco chi è la spia». Irving attirò Occhio vicino sé, gli tolse il collare, lo guardò da vicino e prese dalla tasca un grosso temperino. Era tipico di Irving avere sempre con sé, senza curarsi dell'ingombro, la copia coreana di un temperino svizzero. Staccò un oggetto minuscolo dalla targhetta di metallo che era sul collare. «È una minuscola microspia», disse, tenendola tra il pollice e l'indice. «Una trasmittente che si usa, di solito, per rintracciare le auto dei ladri. Un agente di Davidov l'ha messa prima sulla tua automobile e poi sul collare di Occhio. Tu dell'automobile ti sei sbarazzata ma, per fortuna, del cane no».

Viveca si sentì il cuore a pezzi, aveva fatto tanta fatica a trovarsi una nuova identità e l'Arizona cominciava a piacerle. «Allora al KGB sanno dove sono».

«La domanda che, invece, ti dovresti porre», disse Irving, che difficilmente abbandonava il ruolo del maestro, è: «Davidov lo sa, ma come mai l'ha detto a Irving Fein? E poi: perché Irving Fein brucia la sua fonte, visto che non lo farebbe mai senza una ragione?».

«La verità è che sono troppo stanca». Che cosa le importava di sembrare una stupida qualsiasi? L'indagine, con le sue connivenze, bugie, analisi e contrasti, era un gioco cui non si sentiva più disposta a partecipare. Era arrivata alla conclusione che il giornalismo vero, con le sue ricerche sotterranee, le intrusioni fragorose e i percorsi da equilibrista, non era mai stato il lavoro fatto per lei e che una semplice presentatrice affetta da pretese di investigatrice non poteva fare altro che uscire ferita a morte da quel conflitto di interessi. Sapeva di essere fisicamente malridotta; si sentiva allo stremo delle forze, spesso non trovava nemmeno l'energia per prepararsi da mangiare o cenare fuori. Solo la responsabilità di nutrire il cane le ricordava che esisteva il cibo, ma succedeva solo una volta al giorno.

«Infatti hai un aspetto un po' emaciato», assentì Irving, «come se fossi a dieta. Sei bella, ma sei al limite, non devi perdere un etto».

«Ho letto un po' la mitologia greca negli ultimi tempi», disse Viveca senza rispondere a quelle osservazioni sul suo peso, «perché non compro i giornali e la televisione, grazie a Dio, in questa casa non c'è. Sai la storia di Icaro?».

«L'ho raccontata, quando ero praticante all'*Albany Times-Union*. Un giovane troiano, ingegnoso ma esibizionista, nella terra delle tre città, è volato troppo vicino al sole, la cera si è sciolta, le ali sono cadute ed è cascato in mare. Il bello è che Dedalo, suo padre, non dico che sia saltato per la gioia ma è, comunque saltato per Joyce, cioè dentro il suo libro».

«Irving sa tutto», disse Viveca a Occhio, che ansimava e sbavava accucciato in mezzo a loro. «Lui è la reincarnazione di Dedalo e mi ha insegnato tutto quello che so di giornalismo».

«Le ho insegnato tutto quello che sa, ma non tutto quello che so io», replicò Irving, rivolto al cane. «Ho ancora molto da dire».

Arlene Paltz, personaggio inesistente ma dotato di volontà, scosse la testa. «Non vorrei sapere neanche quello che so. Una incursione nel giornalismo reale mi ha quasi uccisa. Certamente mi ha rovinata». Rientrò in cucina per farsi un Dr Pepper caldo. Irving la seguì e, pesantemente, rumorosamente, Occhio seguì lui. Viveca guidò di nuovo fuori il corteo fino al ruscello, che rappresentava l'aspetto più attraente di quella squallida sistemazione.

Irving si mise a sedere su una pietra dell'argine. «Questi pantaloni sono un disastro», mormorò, «e io ho portato solo una valigetta con dentro quasi niente».

«Non ti servirà altro, tanto vai via subito». Viveca gli indicò, in lontananza, un gruppo di rocce rosse che si vedevano indistintamente. «Se vuoi meditare, quello è il posto giusto».

«Parte da lì il vortice?».

«Non scherzare su quello che non sai. Può darsi che ci sia un'energia che percorre la mente e tocca i punti cruciali del corpo. Lo dicono. Io voglio studiarci un po'».

Viveca avrebbe voluto che Irving esplorasse con lei quell'orizzonte filosofico, ma lui, fedele alla propria natura, seguiva la traccia degli eventi concreti. «Dimmi che cosa sai che vorresti non sapere e che dici che ti ha rovinata».

Viveca non riuscì a controllare un vuoto di paura allo stomaco e rabbrividì.

«Mi dispiace, ti è bastato pensarci e ti sei spaventata. Non è da te tremare quando non hai neanche bevuto».

Viveca provò una voglia improvvisa di scappare in casa a bere o a farsi uno spinello, ma il sentiero era scomodo e non si mosse. «Io ho sempre avuto paura. Che cosa ne sai di me? A chi di voi importa qualcosa di me? Tutta la vita io sono stata perseguitata dalla paura».

«Credevo che fossi molto sicura di te, vedendo che passi sopra gli altri come uno schiacciasassi».

«Non sono quella stronza che molti vogliono far credere». Un sospiro gonfiò il petto di Viveca, quel poco che le restava. «Ah, che cosa importa! Ormai tutto è finito».

«Non è vero. È stata solo una slittata. La supererai e ti rimetterai subito in piedi».

Viveca accarezzò Occhio sulla testa. «Non preoccuparti, caro, andrà tutto bene. Scriverai il libro da solo».

«Non intendevo questo, Viveca. Io vorrei solo vederti un po' più allegra. È vero, hai preso una batosta, ma devi essere ottimista. Puoi ricominciare».

«È un discorso che fai sulla base delle tue esperienze, ma per me è diverso. Tu sei un uomo importante, hai la fama di sapere affilare le tue armi e tutti ti aiutano perché hanno paura di quello che potresti fare. Ma io... Mi guardano e gli viene voglia di prendermi a pedate e adesso hanno capito che lo possono fare».

Irving tacque, aveva un'espressione fredda, distaccata. Viveca finse di non accorgersene, ma poi ebbe rimorso, Irving era venuto a cercarla fin lì e forse solo in parte per il libro e altre ragioni egoistiche. Dopo un lungo silenzio, gli fece la domanda che lui si era aspettata: «Davidov sa dove sono, ma come mai l'ha detto proprio a te?».

«Questo bisogna chiedersi, infatti». Non le rispose subito, forse ancora offeso per essere stato messo nel mucchio, insieme a quelli che, come diceva lei, avrebbero voluto prenderla a pedate. O forse stava improvvisando sul tema, come l'aveva visto fare ogni tanto e le era parso che fosse in comunicazione con qualcuno che lo guidava da un pianeta lontano. Sentiva la sua mente esplorare l'Arizona, come un disco volante, dal quale tanti omini verdi cercassero un punto dove atterrare. «Scusami, per un momento mi ero lasciato risucchiare dal vortice. Davidov? Ho fatto un patto con lui: io gli avrei detto la verità su Edward Dominick se lui mi avesse detto dov'era Viveca Farr. Veramente non ero sicuro che lo sapesse, invece lo sapeva. Non credevo che fossero così bravi al KGB».

«Sei venuto a patti con Davidov per me?».

«Darei tutto quello che ho, per te».

«Non ci credo».

«Hai ragione». Irving si tolse di tasca la copia coreana del temperino svizzero, lo guardò con affetto e lo mise via. «Questo no, non lo darei a nessuno. Ma tutto il resto sì».

Era il modo che aveva Irving di tirarsi indietro ogni volta che si era lasciato andare a esprimere, con slancio, un sentimento o un pensiero; lei aveva imparato a conoscerlo. Aveva sentito una partecipazione così intensa nelle sue parole, che si sentì spinta a chiedere qualcosa su una questione che per lei apparteneva ormai al passato. «Irving, che cosa hai detto a Davidov di Edward Dominick?».

«La verità. Gli ho parlato dell'ufficio strategico di Memphis, dell'operazione parallela a quella del dormiente, della identificazione».

Viveca aveva troppa paura di lasciarsi di nuovo coinvolgere per trovare da sola una risposta. «Perché?», chiese. «Era un segreto».

«Per agitare un po' le acque. E poi, Edward punta tutto su Madame Nina con il gruppo dei cattivi di Riga. E sai che cosa sono riuscito a cavare dal mio nuovo amico Niko? Un mistero di famiglia che ti lascerà di stucco e che aiuterà molto Dominick a fare il suo discorsetto quando si troverà davanti i Feliks».

«Allora dimmelo, mi piacerebbe restare di stucco».

«Liana è la figlia dell'agente in sonno. Ecco perché i Feliks e il KGB l'hanno scelta per fare da esca. Come ci sei rimasta?».

Viveca era rimasta davvero sorpresa e impressionata. Pensò ai bei lineamenti di Liana e alla sua brutta pelle, ai lineamenti irregolari di Edward e alla sua brutta pelle: non si assomigliavano. Gli occhi erano gli stessi, grigi e freddi, ma l'espressione della fascia attorno agli occhi, che di solito rivela i caratteri familiari, era diversa, Edward appariva prudente, Liana impulsiva. Non avevano lo stesso modo di parlare e di muoversi, ma questo poteva essere attribuibile al non essere mai vissuti insieme. Probabilmente Liana assomigliava a sua madre.

«Ma lei non ce lo ha mai detto».

«Non lo sa».

«Il minimo che dovresti fare, Irving, è dirglielo. Mi sono accorta che le piaci molto».

«Ti prego, Viveca, sii seria. Mi hai lasciato un messaggio sulla segreteria che mi ha fatto impazzire. Ho dovuto ascoltarlo centinaia di volte. Che cos'hai saputo che ti ha sconvolta a quel punto?».

Viveca stava ancora pensando che Liana era la figlia dell'agente in sonno e, con un sorriso di rammarico, disse: «Se solo avessimo saputo quello che si svolgeva sotto i nostri occhi quella sera a cena!».

«Qualche volta è meglio non fare domande», disse Irving, come un ammonimento a se stesso. «Adesso mi tolgo le scarpe, mi rimbocco i pantaloni e vado a sguazzare nell'acqua. Andiamo, cane».

«Irving, io ho avuto una storia sentimentale con Edward».

«Ah!».

«Lui si comportava come una persona seria, sono stata io. E la sera del diciotto novembre, in uno di quei grandi appartamenti d'angolo del Plaza, a New York, siamo andati a letto insieme».

«Ti prego, arriva alla conclusione e risparmiami i particolari».

«No, non posso, perché sono i particolari che fanno una storia, me l'hai detto tu una volta». Ora parlare la faceva soffrire e Viveca pensò che avrebbe fatto soffrire anche Irving se, in qualche modo, si sentiva legato a lei, ma aveva fatto tanta strada e aveva il diritto di sapere tutto e in modo chiaro.

«Su un letto col baldacchino abbiamo fatto l'amore. Edward è stato molto tenero e poi anche molto appassionato e in tutta la mia vita io non mi ero mi sentita così libera e naturale con un uomo. Non era solo il sesso. Eravamo una entità unica. Io dopo ho pianto per quanto era stato bello».

«Già».

«Stavo là, distesa vicino a lui, e volevo fargli qualcosa di gradito, di utile, così gli ho detto in un orecchio se voleva che gli portassi un asciugamano. Lui non mi ha risposto. Ho pensato che dormisse. Dopo qualche minuto, mi ha attirata su di sé...».

«Scusa, Viveca, ma...».

Viveca si mise un dito sulle labbra. «Lasciami andare avanti. Dopo che abbiamo fatto l'amore, Edward mi ha lasciato scivolare vicino a lui, sul fianco, sul suo fianco destro; sono stata lì un po', ero stanca e ho pensato che avrebbe avuto bisogno di una ragazza più giovane di me. Gli ho bisbigliato di nuovo all'orecchio se voleva che gli portassi un asciugamano e questa volta ha detto di sì e ha aggiunto che nessuna donna glielo aveva mai proposto prima. Così ha scostato il braccio e io sono scesa dal letto».

«Come punizione per avere preso una volta a nolo un filmino porno, ora sono costretto a sentire tutto dal principio alla fine?».

«C'è uno scopo in quello che ti dico, Irving».

«E cioè?».

«Edward è sordo dall'orecchio sinistro».

«Come Giulio Cesare. Lo so, gli abbiamo detto che si procurasse un apparecchio acustico per fingere di non sentire...».

«Ma lui non fingeva! Non capisci? Più tardi ho riprovato. Mi sono rannicchiata alla sua sinistra e sono rimasta lì per un po', gli ho detto sottovoce che lo amavo ed era vero, non avevo mai amato nessuno così in vita mia. Niente. Nessuna reazione. Allora mi sono alzata e da quel piccolo bar sotto la televisione che si apre con una chiavetta», Viveca si alzò in piedi e si chinò, ripetendo lo stesso gesto, «ho preso una bottiglietta di Grand Marnier, che a lui piace molto, e sono tornata a letto dall'altra parte. Mi sono rannicchiata di nuovo vicino a lui e gli ho bisbigliato nell'orecchio destro quanto lo amavo e lui ha sentito subito, mi ha baciata sulla testa e mi ha detto che anche lui mi amava molto».

«Aiuto. Sei sicura che non avesse l'apparecchio, spento, nell'orecchio sinistro e che per questo non ti avesse sentita?».

«No, l'apparecchio era sul tavolino da notte, tra l'orologio e un pacchetto di profilattici aperto».

«Nella revisione del testo, Viveca, ti è concesso di cancellare qualche riga. Ma se è davvero sordo dall'orecchio sinistro...».

«Vuol dire che Edward Dominick è veramente l'agente in sonno». Aveva fatto in modo che Irving arrivasse a capirlo per gradi, come era capitato a lei. «Dominick è il nostro doppio ed è anche Aleks Berenskij. La stessa persona».

«Oh, merda». Irving guardò per un momento nel vuoto, poi cominciò a battersi contro la tempia il palmo della mano. «Chi mi aveva detto di rivolgermi a lui? Walter Clauson, alla CIA. Lui e Clauson erano d'accordo».

«Allora questa è un'azione della CIA che si è servita di te e di me. La tua amica Dorothy Barclay ti ha menato per il naso, Irving. Tu, ai Servizi Segreti, sei considerato un credulone».

«Forse. Forse». Viveca vide che rifletteva, battendo ogni tanto le palpebre. Pensò che sembrava una slot machine quando, appena tirata a leva, le mele, le arance, i limoni tremolano, guizzano prima di fermarsi e buttare fuori un torrente di monetine, oppure niente. «Non posso credere che Dorothy mi abbia giocato un tiro del genere».

Ma Viveca/Arlene non aveva finito. «Dunque, eravamo distesi a letto, uno accanto all'altra...».

«Basta, per l'amor di Dio! Se mi dici che ha ricominciato mi metto faccia in giù nel ruscello e muoio annegato».

«Io non potevo dormire, sapendo che era lui Berenskij e che ci aveva ingannati e io ero stata solo presa in giro. Ma neanche lui poteva dormire e avevo la sensazione che sospettasse che avevo scoperto il suo segreto. Forse non avrei dovuto cercare di assicurarmene una seconda volta, ma altrimenti sarei rimasta con quel dubbio».

«Ma a lui non hai detto niente, neanche una parola?».

«No. Avevo paura che mi ammazzasse. Finalmente ci siamo addormentati e la mattina dopo sembrava che non ci pensasse nemmeno. Si è messo l'apparecchio, come se niente fosse e ci sentiva benissimo. Aveva sempre dimostrato, infatti, con noi, di sentirci benissimo. Quando è andato in bagno e ha fatto scorrere l'acqua della doccia, ti ho telefonato».

«Ho sentito il messaggio sulla segreteria il giorno dopo».

«Sapevo che avresti capito l'accenno alle lucciole... Ti ricordi che mi avevi raccontato tu del coleottero assassino dei tempi di Angleton? Dominick era il nostro coleottero assassino, la finta lucciola, il nostro falso doppio».

«Sì, l'ho capito subito», disse Irving a bassa voce, «ma quando ho sentito il messaggio sulla segreteria era già tardi, la tua trasmissione c'era già stata. Anche Davidov ha ascoltato il messaggio, l'ha intercettato. Non ha capito perché parlavi di lucciole, quello scemo incapace».

«Ma il telefono aveva una derivazione nel bagno e ora credo che Edward abbia sentito tutto. Però non l'ha fatto capire e io stessa non ne ero tanto sicura quando si è presentato tutto fresco e pronto a ricominciare...». Irving la guardò, avvilito, e Viveca s'interruppe per paura che andasse a mettersi faccia in giù nel ruscello. «Abbiamo passato il resto della giornata insieme, siamo stati al Metropolitan, abbiamo passeggiato nel parco, abbiamo cenato al grill del Four Seasons e poi lui mi ha accompagnato allo studio. Io mi sentivo un po' stordita, ma avevo bevuto due bicchieri di vino e ho pensato che fosse per quello, anche se di solito il vino non mi ha mai fatto male».

«Ti ha drogata». Fein escludeva qualsiasi altra possibilità. «Ti ha messo qualcosa nel cibo o nel vino, che ti facesse effetto alle nove».

«Lo credo anch'io, però vorrei esserne sicura».

«Ma devi esserne sicura. Hai capito? Non c'è possibilità di equivoco, non ci sono dubbi. Quel figlio di troia di un agente comunista ti ha drogata, calcolando che l'effetto si avesse durante la trasmissione e sapendo che per te sarebbe stato un disastro». Irving non aveva più dubbi ed era fuori di sé dalla rabbia. «Ti ha fermata nel momento in cui stavi per smascherarlo, voleva toglierti di mezzo. Ucciderti sarebbe stato più difficile, senza contare che il tuo messaggio era già sulla mia segreteria telefonica. Ha scelto la via meno rischiosa, che era anche la più utile a cancellarti dalla scena, perché non avrebbe implicato un'indagine per omicidio».

«Io lo credo», disse Viveca, ancora esitante, «e lo credi anche tu che mi sei amico. Ma gli altri mi concederanno mai il beneficio del dubbio? No, Irving. Vedere la Vergine di Ghiaccio ubriaca fradicia è stato uno spettacolo emozionante per troppe persone. Non c'è scampo».

«Ma io posso dare all'opinione pubblica un colpo secco sulla testa», disse Irving mostrando una grande fiducia in se stesso, «per fargliela girare dall'altra parte. Vieni via con me. Possiamo studiare con Ace una strategia di comportamento».

Viveca scosse la testa. «No, mi chiamo Arlene Paltz, qui sono al sicuro. Niente interviste, niente pugnalate alla schiena, niente pressioni. Scrivi il tuo libro e tieniti i soldi che renderà. Da te voglio una cosa sola, come amico, e so che lo sei: voglio che tu protegga il mio isolamento. Puoi estendere il patto anche a Davidov?».

«Solo se mi lascerai rimettere la microspia sul collare di Occhio». Non stava scherzando; sembrava deciso a non perdere i contatti e, sebbene non si fidasse di nessuno completamente, Viveca decise che di lui, per un po', si poteva fidare. «Devo essere l'unico a sapere dove sei. Un collegamento è necessario, altrimenti, Dio non voglia, aspettati il titolo del *National Enquirer*», ci pensò un momento. «"La stella brilla nell'arte del massaggio"».

Era riuscito a strapparle un sorriso. Viveca gli tese la mano per sigillare formalmente il patto, come, secoli prima, avevano fatto nell'ufficio di Ace. Irving le aprì le braccia e lei gli si aggrappò al collo ma senza rispondere all'abbraccio. Irving Fein non faceva parte delle cose da cui fuggiva; anzi, in quel suo modo strampalato, probabilmente lui la amava. «Fa' che nessuno tratti anche te da credulona», lo sentì mormorare tra i suoi capelli, che erano, glielo aveva detto, "scialbi e trascurati", come lei voleva che fosse Arlene Paltz.

53

HELSINKI

Sirkka Numminen von Schwebel sedeva nella sala computer privata dell'aeroporto di Helsinki tra due uomini mentire ai quali avrebbe potuto portarle gravi conseguenze.

«Se lei non dirà la verità», disse Nikolaj Davidov con voce misurata, «sarò costretto a farla arrestare dalla polizia finlandese che è qui fuori, nei corridoi, e a chiedere la sua estradizione in Russia al procuratore generale di Mosca. Lei sarà accusata del furto di dieci miliardi di rubli ai danni della Federazione Russa e resterà in un campo di prigionia per tutta la durata della sua vita».

«Se neanch'io saprò la verità», disse Irving Fein, che le sembrava più instabile del funzionario del KGB ma preoccupato di mostrarsi altrettanto minaccioso, «scriverò un serial su quella miniera d'oro che è suo marito che farà drizzare le orecchie al Congresso e sarà trasmessa dai suoi concorrenti su tutte le reti televisive del mondo. Verrà citato in giudizio da tutti gli azionisti delle società che controlla con metodi corrotti. Vedrà, Sirkka, che cosa succede quando i media si rivoltano contro uno dei loro: sospensione dei finanziamenti CEE, congelamento del credito Federal, interessamento dell'Interpol, indagini giudiziarie in una mezza dozzina di paesi. Conseguenze sanguinose».

Sirkka prese in maggiore considerazione la minaccia di Davidov. «Sarà difficile interrompere un sistema di vita», disse con quanta più freddezza poté, «ma lei mi ha chiarito che è nel mio interesse e nell'interesse di mio marito dire quella che ritengo sia la verità». La notte prima, a Roma, aveva deciso con Karl quale verità avrebbe dovuto dire al KGB, e alla CIA attraverso Fein, e quale ai Feliks. «Ulteriori intimidazioni sarebbero controproducenti. Procediamo».

Davidov parlò per primo. «Quali sono stati, fino a oggi, i suoi rapporti con i Feliks?».

«Non ho avuto nessun rapporto con i Feliks», rispose Sirkka, ed era la verità. «Sanno che lavoro con voi. L'impero economico di Karl, e voi ne siete informati anche troppo bene, è interamente sotto il controllo della mafja russa. Madame Nina e Kudishkin hanno informato Karl sulla mia attività nella Stasi e nel KGB e gli hanno imposto di non parlarmene».

«Invece lui gliene ha parlato».

«No», mentì lei, rassicurante. «È stato lei, Nikolaj, a dirmi che Karl sapeva. Ed è per questo che non mi fido di lui». Ma Sirkka e suo marito erano alleati, formavano un'isola di interessi personali alla quale facevano capo il KGB di Davidov, la CIA di Fein e i Feliks di Madame Nina nella ricerca di una parte del danaro dell'agente in sonno.

Fein intervenne. «Lei era in combutta con l'agente in sonno in America».

Con la sua conoscenza delle lingue, Sirkka capì, scomponendo la parola, che Fein alludeva a un accordo azzardato che la legava a Berenskij e rispose: «Solo indirettamente. Lavorando per i Servizi Esteri russi, come il direttore Davidov sa, sono diventata amica di Mortimer Speigal della Federal Reserve. Ci vediamo ogni anno, in gennaio, al Forum dell'Economia Mondiale a Davos, in Svizzera. Io sono il suo canale per i Servizi Esteri».

«Speigal le dà i movimenti della Federal», chiese Fein, «e lei li trasmette al KGB?».

«In questi anni recenti non era più il KGB ma i Servizi Esteri», lo corresse Sirkka, perché Davidov sentisse, «ora separati dal KGB. Io passo anche i compensi russi a Speigal, direttamente in danaro a Davos oppure sulla sua banca in Svizzera».

«Allora Speigal», chiese ancora Fein, «lavora per il governo russo o per il dormiente in America?».

Il giornalista, che lei presumeva agisse per conto della CIA, aveva toccato il cuore del problema; non poteva ingannarlo tranquillamente davanti a Davidov, e nemmeno poteva ingannare Davidov davanti a un rappresentante della CIA sulla operazione furfantesca condotta in America dalla talpa della CIA, Clauson, e dall'agente in sonno. Le strade della doppiezza, cui era abituata, le erano precluse; era stata una iniziativa acuta, da parte di due forze rivali, unirsi per estorcerle quello che sapeva.

Si rifugiò nella verità. «Mortimer lavora per tutti e due», rispose. Era la prima volta che tradiva un collega, ma non aveva scelta, perché il KGB, con la presenza di Davidov a quell'interrogatorio, dava la sua approvazione; Davidov avrebbe dovuto combattere una battaglia burocratica con i Servizi Esteri. «Speigal in un primo tempo, a metà degli anni Ottanta, era stato reclutato dal KGB. Fin da allora aveva costituito per i programmatori economici, in Unione Sovietica prima e poi in Russia, un utile canale d'informazione sui piani del governo americano».

«Ci parli dell'altro canale», ordinò Davidov, «all'infuori del KGB».

Sirkka cercò di guadagnare un po' di tempo. «Perché non lo chiede al suo amico della CIA, che è qui con noi? Il signor Fein sa tutto sull'altro canale».

«Non scherziamo», disse Fein, fissando su di lei gli occhi che gli bruciavano, alterati dalla mancanza di sonno per il cambio di fuso orario. «Lei è sul punto di essere smascherata pubblicamente. Risponda alla domanda. Risponda subito».

Sirkka si strinse nelle spalle. «Dovrò parlare allora della collaborazione della CIA con l'agente in sonno nella edificazione della sua fortuna».

«È quello che pensavo», disse Davidov, rivolgendo a Fein uno sguardo gelido.

«Mi ero appena sposata con Karl, nel 1989, quando Walter Clauson, della CIA, si è messo in contatto con me», disse Sirkka, ed era la verità. «Mi trovavo a Washington. Clauson sapeva del mio lavoro alla Stasi e al KGB e, all'inizio, ho pensato che volesse servirsi di me, farmi riferire in Russia quello che gli americani volevano che la Russia credesse. Invece aveva per me un progetto più complicato che trasformarmi in un'agente che facesse il doppio gioco».

Davidov e Fein ascoltavano. Sirkka era stupita dell'interesse che dimostravano e che appariva autentico. Possibile che Fein non sapesse già tutto? Forse alla CIA tutto avveniva in compartimenti stagni e lui non era stato informato. Guardò Davidov. «Lei mi ordina di parlargli di Walter Clauson?». Significava tradire, per la seconda volta, un agente.

Davidov assentì. «Un cenno della testa non basta», obiettò Sirkka. «Sono sicura che questo colloquio è registrato e lei deve darmi il suo ordine a voce».

«Che cosa le ha detto Clauson quando si è messo in contatto con lei?».

Sirkka ebbe la sensazione che quelle parole costituissero per lei una piccola vittoria, anche se Davidov avrebbe potuto cancellarle dal nastro. «Clauson mi si è presentato come un agente sovietico all'interno della CIA».

«Oh, merda», mormorò Fein e guardò Davidov. «Dice la verità?».

«Su questo punto sì». Davidov ordinò a Sirkka di proseguire.

«Clauson mi ha detto di sapere che in America c'era un agente sovietico in sonno cui erano stati affidati tre miliardi in oro da investire. Mi ha detto anche di essere stato informato, non so se attraverso la CIA o il KGB, della presenza della talpa sovietica nella Federal Reserve, cioè di Speigal».

Davidov chiese se l'agente in sonno e la talpa della Federal, entrambi agenti sovietici negli Stati Uniti, conoscessero l'uno l'identità dell'altro. Sirkka rispose di no, e anche questo era vero. «Clauson era l'unico collegamento tra la talpa e l'agente in sonno. E non diceva niente alla CIA e al KGB».

«Un doppio doppiogioco», osservò Fein. Sembrava che quelle notizie lo avessero colpito come una mazzata in testa e Sirkka pensò che fingesse. «Fantastico. Così Clauson ha avuto questa grande idea di un lavoro di gruppo».

«Walter Clauson aveva un piano audace, quello di organizzare un'operazione separata, un'operazione disonesta, se volete chiamarla così». Sirkka pensò che se quei due intendevano saggiare fino a che punto lei fosse attendibile, li avrebbe sorpresi dicendo la verità. «Speigal, alla Federal, avrebbe procurato le informazioni interne da parte americana. Io, quelle dei Servizi Economici del KGB. Berenskij, l'agente in sonno, avrebbe usato i dati per investire il danaro del partito comunista e produrre beni per un valore di cento milioni di dollari».

«E alla fine, a chi sarebbe andato il piatto?», chiese Fein.

«Io ho sempre pensato che sareste stati voi, la CIA», disse Sirkka con cautela. «O che ci sarebbe stata una spartizione tra la CIA, l'FBI, il KGB e i Servizi Esteri che avrebbero finanziato così, per anni, le loro operazioni. Ma non conosco gli accordi che Clauson e Berenskij avevano stabilito tra le diverse agenzie».

Fein le chiese se avesse parlato con Speigal recentemente. «No, da quando mi ha mandato quel fax che ha reso possibile il nostro colpo sui tassi d'interesse», rispose Sirkka. «Credo che si sia concesso qualche settimana di vacanza».

«E Clauson?».

«Qualche volta passano mesi senza che io abbia sue notizie». Perché Fein le faceva quelle domande? Erano passati dall'altra parte? E se era così, che cosa stavano raccontando sul suo conto?

«E l'agente in sonno?».

Sirkka cercò il tempo per una bugia, non controllabile. «La prima volta che l'ho visto c'eravate anche tutti e due voi, alla cena in casa dell'agente letterario». Pensò al rapido incontro casuale dell'agente in sonno con la figlia che non conosceva e scosse la testa al ricordo di una circostanza così inconsueta. «Che serata».

Toccò a Davidov parlare. «In quell'occasione, ha scambiato qualche parola in privato con l'uomo che diceva di chiamarsi Dominick?».

«No». Era vero.

«Mi è difficile crederlo. Avete lavorato insieme per anni in una turpe operazione e quando vi siete trovati insieme nella stessa stanza non avete mostrato di riconoscervi?».

«No, Nikolaj, naturalmente. La regola del KGB impone che non si parli mai a un superiore sotto copertura. Lei sta cercando di confondermi, ma è impossibile perché io mi attengo strettamente alla verità».

«Secondo quanto mi ha detto prima», insisté Davidov, «lei crede che Edward Dominick non finga di essere Berenskij, ma lo sia davvero. Aveva mai trattato direttamente con l'agente in sonno?».

«No. Il mio filtro è Clauson».

«E Speigal, della Federal, l'ha mai visto?».

«No, il solo a parlare di persona con l'agente in sonno è Clauson». Sirkka si rivolse a Fein. «E, da poco, anche lei, quando parla con Edward Dominick. Lei mi ha inoltrato il fax di Speigal, il fax che io ho passato agli agenti di cambio del dormiente e che ha fruttato il più grande profitto finanziario che sia mai esistito. Non è vero, forse?».

«Non ho bisogno che mi si informi di quello che so», rispose Fein, con un viso senza espressione, «voglio sapere quello che sa lei. E non mi piace il modo con cui ci sta cincischiando».

«Non conosco questa espressione».

«Faccia conto che signifi chi stuzzicare i genitali maschili».

«Carino». Sirkka decise che era venuto il momento di mostrarsi offesa e ribattere. «La verità, mio caro gentiluomo, è che io, da quasi dieci anni, conduco per il KGB un lavoro di penetrazione nella Federal Reserve. Lei, Davidov, lo sa. Ma collaboro anche con la CIA, dal momento della caduta dell'Unione Sovietica, nella proficua operazione che svolge a fianco al traditore in sonno, per finanziarsi molti anni a venire. E questo lei, Fein, certamente lo sa».

Quella era la verità, per quanto riguardava direttamente ciascuno di loro e le relative organizzazioni; l'attività che svolgeva con suo marito, a Riga, per prendersi una fetta di quella ricchezza, riguardava solo la coppia von Schwebel.

Sentì la chiamata dell'altoparlante in finlandese e disse con freddezza: «È annunciato il volo per Riga. Poiché le vostre due agenzie hanno deciso di lavorare insieme, avete avuto la forza sufficiente a costringermi a tradire due persone che rispetto profondamente. Ho messo nelle vostre mani Walter Clauson, una grande mente dello spionaggio, e Mort Speigal, che è un mio buon amico. Spero che siate soddisfatti».

«Immagino che intenda avvertirli che sono ormai compromessi», disse Davidov. «Non lo faccia».

«Non saprebbero dove scappare», aggiunse Fein. «Li interrogheremo e vedremo quanto di quello che lei ci ha detto è vero».

Sirkka si mise sottobraccio la borsetta a portafoglio e spinse nel corridoio la valigia a ruote, senza che nessuno le augurasse buon viaggio. L'avevano torchiata con durezza ed era stata costretta a rivelare molte cose perché l'interrogatorio combinato del KGB e della CIA era, per un agente che facesse il doppio gioco, come trovarsi stretto in uno schiaccianoci. Almeno non l'avevano associata alla morte del banchiere di Berna.

Si chiese se avrebbe dovuto cercare di far arrivare un messaggio all'agente in sonno; forse Berenskij/Dominick avrebbe potuto avvertire Clauson e Speigal o sottrarli alla loro terribile situazione.

«Un'azione di gran classe», disse Irving.

«Un raffinato intreccio di bugie», replicò Davidov, «come un elegante tappeto persiano».

«Ci aveva mai fatto un pensiero, Niko?».

L'espressione era colloquiale, ma il contesto la rendeva comprensibile e Davidov rispose a tono, anche se non direttamente. «Una volta eravamo amici». Non proprio, veramente. Le finlandesi erano difficili conquiste per i russi, lui aveva cercato di fare una breccia in quella linea di comportamento ed era stato ricacciato indietro con tanta bravura e buonumore che, quel giorno, non era stato nemmeno sicuro che si fosse trattato di un rifiuto definitivo. «L'uomo che ha dominato la sua vita è l'agente in sonno ed è difficile credere che i loro rapporti si siano svolti solo da lontano. Aggiungerei questa voce nella sua lista dei non so, insieme alla identità del dormiente».

«Pausa, Davidov: capisco che lei non abbia fiducia in me, io le ho dato un'informazione inventata su Dominick, l'ultima volta che ci siamo visti. Poi ho visto Viveca, e ora so che l'amico Eddie è certamente Berenskij e che io sono stato un imbecille».

Nel dare a Irving l'indirizzo dell'Arizona cui teneva tanto, Davidov aveva sperato di trovare una conferma al sospetto che Berenskij fingesse di essere se stesso. «Come lo ha scoperto Viveca?», chiese.

«Nel modo più impensabile, mordendogli l'orecchio difettoso».

Una slittata in un momento particolare. Davidov era sorpreso che l'agente in sonno si fosse fatto scoprire così. «Almeno non l'ha ammazzata, come ha fatto con Clauson». La morte del funzionario della CIA non era stata annunciata e, a quanto pareva, Sirkka pensava che fosse ancora vivo, ma le fonti di Davidov a Washington stavano all'erta. «Mi è piaciuto come ha lasciato credere a Sirkka che Clauson fosse ancora nel mondo dei vivi», disse e, al complimento, aggiunse: «Anche se ha dovuto confermare di essere un agente della CIA».

«Non sempre chi tace acconsente. Creda quello che vuole».

«Mi pare di aver capito che anche Speigal non lavorerà più per i Servizi Esteri russi».

«Niente informazioni gratuite. Ha qualcosa da darmi in cambio? Per esempio... Clauson era davvero una talpa sovietica nella CIA? O se l'è inventato Sirkka von Schwebel?».

«Walter Clauson è stato una talpa del KGB nella CIA per più di vent'anni fino a quando non è stato ucciso da Berenskij il mese scorso».

Fein si tenne a lungo la testa stretta tra le mani. «Vent'anni. Allora ha preso in giro anche Angleton. Il nostro piccolo Philby».

«Ha preso in giro anche lei?».

«Mai stato truffato così in vita mia. Sono andato da lui, che era da anni una mia fonte più che buona, con una traccia sulla storia dell'agente in sonno. Chi poteva pensare che fosse una vostra talpa? E non una talpa qualsiasi, ma una che si era messa in affari con l'agente in sonno col progetto di derubare il mondo». Irving stava quasi per sentirsi male man mano che si rendeva conto della estensione e della gravità della sua dabbenaggine. «E così, quando gli ho dato la mia grande idea di creare un falso agente in sonno, lui ha protetto la sua operazione mandandomi dall'agente in sonno in persona. Era tutto sotto il loro controllo».

«Ora non esageri nel percuotersi il petto». Davidov cominciava a credergli. «Il caso ha voluto che il più grande giornalista del mondo si fosse affidato al più grande doppiogiochista del mondo che trafficava con il più grande agente in sonno del mondo. È logico che si siano insinuati nel suo progetto e l'abbiano raggirata come volevano senza che lei se ne accorgesse. Per Clauson era una seconda natura. Quanto a Berenskij è stato uno splendido attore tutta la vita».

«Devo scoprire perché Dominick, cioè Berenskij, ha ucciso il vecchio Walt. Non mi è ancora chiaro».

«C'era, tra loro due, una fondamentale differenza nelle motivazioni». Davidov era contento di poter istruire l'istruttore; il mondo del giornalismo razionale non aveva mai tenuto il passo con il mondo dello spionaggio empirico nella riflessione epistemologica. «Clauson aveva organizzato quel colossale imbroglio con lo scopo preciso di creare una enorme fortuna da dividere con l'agente in sonno, da cui togliere una piccola percentuale per Speigal e Sirkka. Ma per Berenskij quella fortuna aveva un fine politico e doveva giustificare il lavoro di tutta la sua vita. Gli interessi fondamentali dei due soci erano in conflitto fin dall'origine, finché la soluzione è stata che uno uccidesse l'altro».

«Sì, ma Clauson faceva da intermediario per le notizie che uscivano dalla Federal. Berenskij non aveva mai visto Mort Speigal in vita sua. Clauson faceva da filtro, era una specie di assicurazione sulla vita».

«Ma c'è stato un momento», suggerì Davidov, «in cui Berenskij ha instaurato un collegamento diretto con Sirkka e, attraverso di lei, ha chiuso il circuito con la talpa della Federal. A quel punto Clauson è stato un uomo morto».

«È solo un'idea, però le sue idee sono buone. Quando tornerò a Langley, scambierò due chiacchiere con il direttore centrale Barclay e forse farò in modo che presto si dimetta».

«Peccato. So che lei ha sempre nutrito molto rispetto per Dorothy Barclay».

«Pausa. Mi ascolti: sembra che in questa storia io sia mosso dalla CIA, lo so, la CIA mi ha alitato addosso, ma io non sono un loro agente né una loro proprietà. Io sono stato semplicemente accalappiato da Clauson».

«E come l'ha accalappiata?»

Irving ci pensò un momento. «Con un messaggio anonimo sulla mia segreteria telefonica, così è cominciato tutto. Il messaggio diceva che avrei dovuto mettermi in contatto con uno di quelli che avevano lavorato con il vecchio Angleton. Così sono finito da lui, perché era l'unico dal quale, logicamente, sarei potuto andare. E lo sapeva, era stato lui a lasciarmi quel messaggio. Mi ha imbrogliato».

«È credibile».

«Questo non significa che non ci siano barriere tra spie e giornalisti. Crede anche questo?».

«Sì».

Fein guardò Davidov in faccia. «Perché?».

«Sono, come dice la sua scheda sul mio conto, un logico epistemologo. L'uso che la CIA ha fatto di lei segue una logica tale che diventa illogico. Difficilmente la vita è così simmetrica».

«Lasci perdere, Niko. Perché mi crede?».

«Perché non sono autorizzato a trattare direttamente con la CIA su questa questione, ma il Capo della Sezione mi ha autorizzato a trattare con la stampa. Lei dichiara di essere solo un giornalista, non un agente della CIA né una sua proprietà. Su questa base io proteggo la mia posizione burocratica in patria». Mai una affermazione aveva avuto tale accento di verità.

Davidov sentì l'ultima chiamata per i passeggeri in partenza per Riga. «La nostra conversazione, finora, è andata tutta a vantaggio della colonna B. Ora, per la colonna A, vorrei chiederle: che ne è stato della talpa della Federal?». Davidov sospettava che l'FBI avesse preso Speigal e che la CIA stesse bloccando il procedimento nella speranza di farlo parlare. Non sopportava che il suo servizio di controspionaggio finanziario, appena iniziata la propria attività, venisse accusato di essersi lasciato fuorviare dalla disinformazione.

«L'ho sconvolto con un po' di domande», rispose Fein, «e lui si è sparato alla testa con la sua 38, una cosina elegante che teneva a portata di mano. Temeva la pubblicità, o qualcosa del genere. Allora io, nel suo messaggio a Sirkka ho sostituito un "comprare" con un "vendere", sicuro che Berenskij ci avrebbe rimesso un mucchio di soldi, ma il presidente della Federal ha cambiato idea all'ultimo momento e il messaggio si è trasformato in dollari, in miliardi di dollari».

Fu come lo scoppiettare di una radio a onde corte da un informatore dietro le linee. Davidov si concesse di sbattere due o tre volte le palpebre. Poi divise la notizia nelle sue drammatiche componenti e rifletté sulle sue implicazioni. Ora che Speigal era morto, Sirkka bloccata e Clauson, il filtro, tolto di mezzo, Berenskij era alle strette. Per quanto ricco e potente, aveva perso il suo anonimato e, insieme, la sua infallibile sfera di cristallo. La spia isolata avrebbe dovuto prendere una decisione e deporre i suoi beni ai piedi di Mosca o della mafja.

Davidov pensò che quella rivelazione era il giusto compenso per aver ammesso che Clauson era una talpa. «Quello che mi dà da pensare», disse al suo compagno di viaggio, «è che Berenskij ora ha campo libero a Riga. Gli basterà dimostrare chi è al Politbjuro di Madame Nina e provare la sua buona fede mostrando un campionario di ciò che possiede. A quel punto sarà in grado di succedere alle grandi autorità criminali, in Russia e nella maggior parte dei paesi esteri vicini, insieme a gran parte del KGB e dei Servizi Esteri. E se prometterà di pagare, con un po' dei suoi miliardi, una pensione ai veterani dell'esercito, arriverà dritto al Cremlino».

«Io credo che dovremmo accompagnare Sirkka a Riga».

Davidov mostrò due biglietti. «Era questo il mio progetto».

In realtà un progetto non lo aveva, aveva solo qualche idea, legata alle intenzioni dell'agente in sonno, che sperava non fossero ancora del tutto chiare. Forse avrebbe potuto appellarsi all'aspetto concreto del patriottismo di Berenskij, sostenendo l'opportunità di un investimento in una infrastruttura capitalista di importanza vitale. Oppure poteva trovare il modo di opporre Berenskij a Madame Nina, dando per scontata la loro rivalità nell'ottenere la guida dei Feliks. Fallite queste due possibilità, il colonnello Nikolaj Andrejevich Davidov era stato investito, fin dall'inizio, dell'autorità di porre termine alla lunga attività del dormiente con quello che gli americani un tempo chiamavano "l'interruzione definitiva", un eufemismo per indicare l'esecuzione capitale. La conclusione auspicabile della sua indagine sarebbe stata la restituzione dell'intera fortuna al Tesoro del legittimo governo russo; nella sostanza, l'importante era impedire che quelle enormi risorse finissero nelle mani della forza che le avrebbe usate per estromettere il governo attuale e forse destabilizzare il mondo.

Sirkka fu sorpresa nel vederli arrivare, loro la salutarono allegramente con un cenno della testa e sedettero tre file dietro di lei.

«Lei si è preso una scuffiata per Liana, eh?», disse all'improvviso Irving a Davidov, che non rispose, ma non gli impedì di continuare. «Lasci che le dia un consiglio. Liana è una giornalista. Finora si era mai innamorato di una giornalista?».

«No», rispose Davidov, attento a dire il meno possibile, «non mi sono mai innamorato di una giornalista».

«Si ricordi che si può insultarle, stremarle, dominarle, ubriacarle, loro accetteranno tutto con gioia, perché si sentiranno uguali a noi». Irving si guardò in giro. «Come funzionano queste cinture di sicurezza comuniste?».

Davidov sporse una mano, gli agganciò la cintura e, poiché Irving sembrava aver interrotto il filo del discorso, ripeté: «Accetteranno tutto con gioia...».

«Esatto. Ma se lei prova a imbrogliarle, diventa una merda ai loro occhi per tutta la vita, la perseguiteranno finché non la vedranno cadere faccia a terra. E ora, eccoci qua tutti e due, con la certezza che Liana è la figlia dell'agente in sonno e non lo sa».

«E siamo anche certi che Edward Dominick è l'agente in sonno e che Liana non sa nemmeno questo».

«Lo scoprirà molto presto, forse sarà il suo paparino a farglielo scoprire, perché lei è curiosa come dev'essere qualsiasi bravo giornalista. E ci resterà male quando capirà che noi lo sapevamo e non glielo abbiamo detto. Se la prenderà con me, e mi dispiace perché è una simpatica ragazzina, ma lei, Davidov, verrà messo fuori combattimento, non so se mi spiego».

«Si è spiegato benissimo», rispose Davidov e decise di dire tutto a Liana alla prima occasione o almeno di comportarsi in modo da non farle pensare che aveva tradito la sua fiducia, come invece aveva fatto. «Deduco, dal suo generoso consiglio, che la cosiddetta scuffiata lei l'abbia presa per la ragazza che è in Arizona».

«Quel figlio di troia assassino del suo amante Dominick l'ha affossata, insieme a quelli che l'hanno pugnalata alla schiena, quei bastardi che popolano il suo mondo». Irving concluse il suo sfogo con un sospiro. «Non sanno neanche cos'è lo spirito di corpo; i giornalisti della carta stampata non fanno così, o non facevano così... Penso molto a Viveca. Cristo, ci penso continuamente».

Davidov, che ancora non credeva del tutto a quello che Fein gli aveva detto e non era riuscito a farsi spiegare quel riferimento alle lucciole, capì che questa volta era sincero. Gli sarebbe stato simpatico quell'uomo sconfitto da un abile seduttore nell'affetto per l'amata, se non avesse provato nello stesso tempo una gran rabbia perché anche lui pensava continuamente a una ragazza, ma con quella ragazza Fein, quasi solo perché gli era capitato per caso, aveva passato una notte. «Certamente Viveca Farr si sarà consolata vedendo che lei era andato a trovarla».

«Quando le ho detto perché non cercava di stare un po' allegra, è stata presa dal panico. Ecco un altro consiglio su come trattare le donne depresse, Niko: non gli dica mai di stare allegre. Non gli offra mai un briciolo di ottimismo, perché penseranno che è la prova che lei voglia privarle del privilegio della disperazione».

«Forse Viveca non è fatta per il giornalismo», suggerì Davidov.

«Infatti. Non tutti lo sono. Ma ha diritto a vivere». Irving appoggiò indietro la testa e chiuse gli occhi e, già quasi in un dormiveglia, chiese: «Nosenko era un acchiappacitrulli?».

Davidov si ricordò di quello che aveva letto a proposito di quella diserzione di trent'anni prima. La CIA aveva sospettato che Jurij Nosenko fosse stato mandato come un falso disertore a rassicurare gli americani che il KGB non aveva nulla a che vedere con l'assassinio di Kennedy. Prima della visita di McFarland a Mosca, Davidov aveva tolto dall'archivio quel fascicolo pensando di venderlo; vi era allegata una dichiarazione nella quale si affermava che tra tutti i disertori quello che il direttore Andropov avrebbe voluto vedere morto era Nosenko. Si poteva pensare, quindi, che Nosenko fosse veramente un disertore e che portasse in America informazioni sul KGB; ma l'altra possibilità era che fosse molto bravo nel suo lavoro e che il direttore del KGB si preoccupasse che un giorno potesse essere scoperto. In questi limiti alla certezza stava lo spirito dell'epistemologia, il tentativo continuato del genere umano di avvolgere la membrana della conoscenza attorno alla conoscenza.

«Niente informazioni gratis», ribatté Davidov. Qualche minuto dopo, quando sentì Irving russare leggermente, disse: «L'archivio contiene la prova che Nosenko era un vero disertore, non un acchiappacitrulli, come l'ha chiamato lei». Non poteva essere sicuro che Irving non fingesse di dormire, ma pensò che, se era sveglio, non avrebbe potuto avere la certezza che lui lo sapesse.

54

RIGA

«Le serve un alleato», disse Karl von Schwebel. «Non può affrontare questa prova da solo».

«Mi è sempre piaciuto avere degli alleati», rispose Dominick con un sorriso cordiale. «Sono favorevole a un mutuo accordo per mutui vantaggi».

«Non scherziamo». Il barone dei media, un titolo che gli veniva attribuito spesso senza che lui trovasse niente da obiettare, vedeva l'opportunità di collocarsi nell'orbita della più grande combinazione finanziaria della storia. «Prima devo sapere se lei è veramente Berenskij, come crede mia moglie, se è un abile simulatore, come credo io, o se è tutt'e due le cose. È possibile?».

«Mi chiamo Edward Dominick. Sono banchiere a Memphis, Tennessee. Mi hanno detto che la società che ho incaricato di proteggermi dai ficcanaso le appartiene. Credo, quindi, di poter ritenere di non avere segreti per lei».

«Lei allora, a quanto mi dice, finge di essere Berenskij», von Schwebel cercava un punto fermo, senza che il dialogo perdesse l'abbrivo, «lavora con Fein e, probabilmente, con la CIA, per trovare il patrimonio accumulato dall'agente in sonno».

«Lei è libero di trarre tutte le conclusioni che vuole, amico mio». Dominick sedeva tranquillamente nel suo appartamento, in albergo e manteneva una riservatezza assoluta; von Schwebel, munito di un dispositivo elettronico per interferire in intercettazioni o registrazioni, non si sarebbe lasciato scoraggiare facilmente.

«Lei non si rende conto che la sua vita è appesa a un filo», disse e lasciò che l'affermazione si depositasse tra loro in tutta la sua scarna essenzialità.

Dopo un po', Dominick, Berenskij-Dominick, disse: «Lei ha tutta la mia attenzione, Karl. Da che parte sono minacciato?».

«Da due lati. I Feliks hanno la loro sede qui, se avranno la certezza che lei è un impostore, sono già pronti a ucciderla. Si è parlato anche di uno scambio con un assassino ceceno, ora prigioniero del KGB, ma i ceceni valgono troppo poco».

«Da due lati, ha detto».

«Davidov, al KGB, la farà uccidere se riterrà che lei sia il vero agente in sonno, prossimo a mettere i suoi beni nelle mani di quella che chiama la mafja».

Il visitatore venuto da Memphis sorrise e von Schwebel ebbe l'impressione che fosse un uomo che godeva di trovarsi nelle situazioni più rischiose. «Allora ho certamente bisogno di un alleato. Che cosa può fare per me?».

«Darle informazioni che possono salvarle la vita. Oppure, e non è meno importante, confermare ai Feliks che lei è veramente l'agente in sonno. L'aiuterà nelle trattative». Von Schwebel osservò che il banchiere di Memphis aveva abbandonato il suo atteggiamento di noncuranza e si mostrava almeno interessato alle sue parole. «Questo, naturalmente, comporta un pericolo anche per me, basti pensare al destino di Arkadij Volkovich. Assumendomi un rischio di quella gravità, è naturale che mi aspetti un compenso adeguato».

«Prima vorrei sapere chi parla di me qui e che cosa dice».

Von Schwebel si era preparato a mettere sul tavolo delle trattative un abbozzo della situazione. «Io ho riferito a Madame Nina e alla commissione che si autodefinisce Politbjuro che lei è un impostore e che dietro la sua operazione si nasconde la CIA. E questo la mette in pericolo con loro». Non senza soddisfazione, il signore dei media rivelò la gamma dei vantaggi che era in grado di offrire. «Mia moglie, Sirkka, con la quale l'agente in sonno è stato in contatto attraverso un intermediario, ritiene che lei sia il vero Berenskij e ha avvertito in questo senso Davidov. E questo, invece, la mette in pericolo con il KGB, perché li convincerà che può consegnare il patrimonio a chi vuole».

«Lei ha fatto un buon matrimonio. È molto utile che marito e moglie si accordino per apparire discordi, si hanno vantaggi su due fronti. E sul suo fronte, quali altre notizie stanno arrivando ai Feliks riguardo alla mia persona?».

«Immagino che voglia sapere che impressione ha fatto alla sua prima moglie quando vi siete incontrati al Claridge».

«Mi sarebbe utile».

«Non utile, indispensabile alla sua credibilità. Se la signora avesse confermato che lei è stato suo marito, dovrebbe mostrarsi pentito di averla lasciata. Se l'avesse accusata di essere un impostore, dovrebbe ricordare alla commissione che sua moglie provava rancore e gelosia nei suoi confronti».

«Lei sa che cosa ha riferito a Madame Nina?».

«Sì».

«E sarebbe disposto a ripetermelo?».

«Sì, se lei accetta me e mia moglie come soci minori».

«Di quanto minori?».

«Chiediamo il cinque per cento se lei è l'agente in sonno, ossia cinque milioni di dollari come minimo, per la parte attiva dell'aiuto che le diamo».

Dominick non batté ciglio. «E se non fossi io Berenskij?».

«Un terzo della mediazione che lei avrà dall'agente in sonno. Presumo che la sua parte dovrà essere una larga frazione del capitale».

«Il tre per cento se sono il vero agente in sonno e un quarto se sono il bugiardo mediatore». Il banchiere, evidentemente, voleva mantenere il segreto sulla propria identità. Poi specificò: «Pagabili quando e se ci sarà il trasferimento dei beni e se sarò vivo e libero. Niente di scritto, voi avrete fiducia in me, come hanno avuto tutti, sempre».

Von Schwebel tese la mano e Dominick, o Berenskij che fosse, gliela strinse. «Da questo momento ho tutto l'interesse a vederla in buona salute», disse. Non sapeva come chiamarlo e non lo chiamò affatto.

«Ecco che cosa ho bisogno da lei, Karl: dica a Sirkka che cambi la versione data a Davidov sulla mia identità, che gli tolga la certezza che io sono Berenskij, o che almeno gli lasci intravvedere la possibilità che potrei non esserlo. Per questo è necessario un incontro da vicino, e molto presto».

Erano ordini trasmessi da un padrone ai propri dipendenti; von Schwebel lo capì e, vista la posta in gioco, non ebbe obiezioni. «Darò a mia moglie il modo di assolvere l'incarico a sua discrezione», rispose; sua moglie avrebbe fatto quello che un agente segreto che fosse anche una bella donna talvolta si trovava a dover fare.

«Mi dica che cosa ha riferito Antonia Krumins sull'incontro a Londra con il suo ex marito».

«Sarà per lei una sorpresa spiacevole», rispose von Schwebel, ora che la sua lealtà si era spostata verso un altro centro di potere. «Madame Nina ha ascoltato personalmente il rapporto della signora. Più tardi ha riferito alla commissione che Antonia Krumins le aveva detto che lei non era, ripeto non era, Aleks Berenskij. L'ha descritto edotto sui segreti di famiglia, provvisto delle opportune caratteristiche fisiche, ma come un attore che impersonasse la parte di suo marito».

«Ne è sicuro?». Non traspariva sorpresa da quella domanda. «Forse Madame Nina mentiva».

«Può darsi. Ma nessuno si azzarderà a contestare le sue parole».

«Lo farà lei. Antonia Krumins era sicura che io fossi Aleks Berenskij. Non ho dubbi».

«Forse ne era sicura, ma non ha voluto dirlo a Madame Nina. Una reazione comprensibile in una donna che era stata abbandonata». Von Schwebel rifletté un momento e poi scartò questa possibilità. «No, Madame Nina se ne sarebbe accorta. È molto perspicace e domina la commissione con la sua autorità. Nessuno ha il coraggio di mentirle». Lui ora si disponeva a quello, ma il compenso era enorme.

«In che cosa potrei aver sbagliato?». Dominick scosse la testa. «Dovrò far cambiare opinione a Madame Nina stasera. Lei ci sarà?».

«Sarò consultato prima, nello scantinato dove si tengono le riunioni. È di vitale importanza che le nostre versioni collimino perfettamente. Dirò che abbiamo avuto un colloquio stamattina. Io le chiederò quali sono le sue società finanziarie nel campo delle comunicazioni come prova per vedere se è lei il vero agente in sonno. Può darmi un'indicazione?».

«Lei ha scoperto che sono proprietario di una società di copertura alle Antille che controlla la Banca di Credito di Dresda, la quale possiede tutte le ipoteche sulla proprietà della Satellvision».

Von Schwebel, che stava cercando di comprare quella multinazionale, conosceva la sua considerevole consistenza in studi e apparecchiature. «La Satellvision ha anche la migliore rete televisiva, qui, a Riga», osservò.

«Lo so. Volevo assicurarmi che nessuno bloccasse la carriera di mia figlia Liana».

«Allora lei è il vero agente in sonno».

«Se le rispondessi di sì, fratello Karl, mi crederebbe?».

Von Schwebel fece segno di no con la testa. «Io ho un principio, che mi ha portato a una posizione di grande potere nel mondo degli affari internazionali: credo fermamente quello che, al momento, è più vantaggioso per me credere».

Dominick, von Schwebel non pensava ancora a lui come a Berenskij, gli chiese, dopo uno sguardo all'orologio, di fermarsi al bar

416

a pianterreno e di avvertire Liana, che doveva trovarsi proprio lì a quell'ora, di salire da lei. Il barone dei media non riuscì a ricordarsi quando gli era successo per l'ultima volta di essere congedato e mandato a fare una commissione, se non da Madame Nina, ma la prospettiva di essere pagato in miliardi di dollari suscitò in lui una dolce umiltà. Per ora aveva due padroni, ma lo scontro di interessi non sarebbe durato a lungo.

Liana, finalmente, aveva avuto la risposta al "perché io?". Ordinò un tè nero, balsamico, e restò seduta a sorseggiare quella bevanda lettone come un neonato attaccato al seno materno, cercando di lasciarsi penetrare dalla rivelazione che aveva appena avuto da Nikolaj.

Anche Irving sapeva che lei era stata scelta sia dal KGB sia dai Feliks perché era la figlia di Aleksandr Berenskij e non, come aveva creduto per tutta la vita, di Ojars Krumins? Davidov non glielo aveva detto. Lui, almeno, aveva una ragione per nascondergielo, perché lei era la sua "esca". Ma Irving, se lo sapeva, avrebbe dovuto fidarsi di lei e dirglielo, perché, dopotutto, lavoravano insieme.

Allontanò da sé questo piccolo motivo di rancore, un rivolo nel rovescio di emozioni provocato da quella scoperta. Ora sapeva di essere russa, per parte di madre e di padre, non per metà lettone e per metà russa, come aveva sempre creduto. Forse non avrebbe avuto diritto alla cittadinanza. E, altra verità più importante, suo padre era vivo.

Lo aveva conosciuto e non si era accorta di niente. Com'era potuto succedere? Alla cena in casa di Matthew McFarland, l'ospite che si presentava come Edward Dominick non aveva mai cercato di parlare direttamente con lei, sebbene sapesse quale legame di parentela li univa. Lei non si era accorta di nessuna somiglianza fisica; non aveva sentito nessuna affinità nei suoi confronti. Le pareva assurdo, davanti al proprio padre avrebbe dovuto provare un sentimento istintivo, una premonizione.

Alla rivelazione che quello era suo padre si aggiungeva la gravità della loro posizione politica in contrasto: lui aveva lavorato durante tutta la sua lunga vita da adulto per un regime che lei, durante tutta la sua breve vita da adulta aveva lavorato a sconfiggere. Anche ora lui trattava con gli apparatchik e i criminali che avrebbero voluto arrestare la riforma democratica in Russia e forse riannettere i Paesi Baltici e i paesi esteri vicini.

Liana pensò che ora doveva capire chi era lei stessa: Liana Krumins, di nazionalità lettone, anticomunista dissidente dall'adolescenza, scopriva di essere la nipote di Aleksandr Shelepin, ultimo dei grandi capi della vecchia linea della sicurezza interna, la linea della repressione sanguinosa iniziata, all'epoca di Lenin, con il Feliks di Ferro Dzerzhinskij. Sapeva che avrebbe dovuto vergognarsene, ma non riusciva a trattenersi dal provare uno strano, sconosciuto senso d'orgoglio per il potere rapace di quelle origini. Perché sua madre, buona comunista, non le aveva detto niente in tutti quegli anni? Era così forte il disprezzo per il marito che l'aveva abbandonata da diventare un'ossessione che aveva corroso la sua vita e, negli ultimi anni, anche l'affetto per sua figlia? Provò un nuovo empito di disgusto per quella donna senza sorriso che l'aveva esclusa dalla propria vita, aveva umiliato la sua passione rivoluzionaria e le aveva nascosto crudelmente la verità sulla sua nascita.

Venne sottratta a questi pensieri dal magnate tedesco, il marito della brillante economista finlandese che lei aveva ammirato la sera della cena. Ecco che, con i suoi modi formali, l'aveva raggiunta al bar e, dopo essersi di nuovo presentato, le diceva che il signor Dominick l'aspettava nel suo appartamento. Liana prese il suo zainetto di cuoio e si preparò ad affrontare quello che sapeva sarebbe stato il colloquio più importante della sua vita.

«Adesso lascia che ti guardi». Le posò le mani sulle spalle e a lei i suoi occhi grigi parvero più familiari, simili ai suoi, ma il viso le era estraneo. «Sei fortunata, Masha, assomigli più a tua madre che a me».

«Chi sei?». Quello che pensava Davidov era un conto, lei voleva avere la notizia direttamente.

«Sono Aleksandr Berenskij. Sono tuo padre».

Liana si mise a piangere. Non aveva pensato che avrebbe reagito così. Mortificata per quella dimostrazione di debolezza, distolse lo sguardo e cominciò a frugare nello zainetto per cercare un fazzoletto o un libretto di appunti. Lui le accarezzò i capelli ispidi, ma non l'abbracciò.

Liana riuscì a controllarsi e chiese: «Sei l'agente in sonno, come ritiene il KGB?».

«Sì. Sono stato un agente sovietico negli Stati Uniti per più di vent'anni. Sono orgoglioso di poter dire che ho servito il mio paese».

«E l'uomo che fingeva di essere l'agente in sonno che aiutava i miei amici, così si pensava, a trovare la vera spia in sonno?».

«Un espediente. Walter Clauson, un collega sotto copertura, che era da anni una talpa sovietica nella CIA, aveva mandato da me quei tuoi amici. L'idea che io fingessi di essere me stesso ci avrebbe dato il controllo di tutta l'operazione di ricerca».

«Immagino che anche di questo tu ti senta orgoglioso».

«Masha... posso chiamarti così? La mia missione è la mia vita. Ho rinunciato a tutto per questo: a tua madre, a te, alla mia vita in Russia, alla mia identità. Ho dedicato la mia vita alla memoria di mio padre, Shelepin. E ora il suo intuito e il mio sacrificio ci hanno dato una grande possibilità».

«A chi l'hanno data? Da che parte stai? Che cosa rappresenti?». Liana ricordò a se stessa che era una giornalista, che quella era una vicenda di portata mondiale e si chiese se, prendendo appunti, lo avrebbe inibito dal continuare a parlare. Decise che era meglio di no, avrebbe scritto più tardi quello che sarebbe riuscita a ricordare.

«Sto cercando di scoprirlo. Sono stato mandato in America da mio padre, tuo nonno, ripeto, l'ultimo vero capo del KGB dotato di una grande visione politica. Più tardi mi sono stati affidati tre miliardi di dollari in oro da alti funzionari comunisti che vedevano farsi avanti gli apostoli della linea debole. Ho creato una grande operazione allo scopo di portare quei tre miliardi a diventare un capitale enorme per la realizzazione di nobili scopi politici... per impedire la caduta del Cremlino nel caos, per ricostituire il governo d'ordine a Mosca e recuperare i territori dell'Unione Sovietica perduti».

«Compresa la Lettonia indipendente». Liana pensò che aveva un nemico davanti a sé. «Ti smaschererò. Combatterò contro di te». Le aveva esposto concetti che le mettevano paura, eppure non le pareva mosso dall'odio o dalla crudeltà.

«Ti ho descritto lo scopo per il quale ho lavorato. È passato qualche anno. Ora, prima di rimettere ad altri questo potere economico, ho bisogno di un nuovo accertamento». Sembrava sinceramente preoccupato per l'impatto che avrebbero avuto le sue iniziative. Liana pensò che doveva essere prudente, e ascoltarlo senza preconcetti. «Voglio conoscere la tua opinione sui paesi esteri vicini. E voglio scoprire di prima mano, da Madame Nina e dai suoi, come intenderebbero utilizzare il patrimonio che io ho avuto in custodia e che non consegnerò mai nelle mani di avidi capitalisti associati a delinquenti comuni, se è questo che i Feliks sono veramente. Che cosa sai, per esempio, di Madame Nina?».

419

«È un mistero. Arkadij, pace all'anima sua, diceva che nessuno sapeva niente del suo passato. È apparsa alla ribalta all'inizio del crollo dell'Unione Sovietica e ha cominciato a riunire le forze clandestine antiriforma. Secondo Arkadij, domina il gruppo con la forza della sua personalità e della sua durezza. Nemmeno i ceceni e gli ingusci le si metterebbero contro».

«È un vero capo politico o la madrina della mafja russa?».

«Signor Dominick...».

«Puoi rivolgerti a me come a tuo padre, se vuoi».

Lei lasciò da parte quello che intendeva chiedergli e ribatté immediatamente: «Nessun uomo che abbandona la moglie e un figlio che sta per nascere merita che gli si rivolga come a un padre».

«Allora chiamami Aleksandr Aleksandrovich», si corresse lui, subito. Un patronimico era una forma neutra e non formale. «Dunque... tu hai del rancore per me, come per tua madre».

«Non posso dimenticare che hai anteposto lo stato alla tua carne e al tuo sangue. Sei stato brutale e disumano. In questo tua moglie ha ragione».

«L'ho vista la settimana scorsa».

«Non voglio saperlo. Antonia Krumins non m'interessa».

«Vedo che neanche di lei parli come di tua madre. Perché dice di te che sei una puttana?».

«Odia le mie idee politiche, il mio modo di vivere, la mia persona».

«E tu provi lo stesso per lei».

«Ne ho pietà».

«Non tanta da cercare di andarle incontro».

Erano parole esasperanti. «Chi sei tu, per parlare di affetti familiari?».

Lui rispose con una di quelle risate brevi, sommesse, più simili a un sospiro o a una parola soffocati. A Liana parve l'espressione più umana che avesse avuto fino a quel momento. «Hai ragione. Come marito e padre non ho il diritto di parlare. Eppure tu l'hai abbandonata, lei parla di te con disprezzo, allora forse non siete tanto diverse da me. Per me, almeno, il movente è stato l'amor di patria».

Liana cambiò argomento. «Perché hai voluto dirmi chi eri, dopo tutti questi anni? Dev'essere una ragione egoistica o quella che una spia di professione definirebbe una ragione patriottica».

Lui si alzò, andò alla finestra e guardò, al di là del fiume e del parco, il monumento alla libertà della Lettonia. «Torniamo a parlare di cose concrete, allora. Dubiti che io sia tuo padre, Aleksandr Berenskij?».

«Istintivamente direi che è così, che sei mio padre», rispose Liana ed era sincera; lo guardava e i suoi occhi le ricordavano quelli che vedeva nello specchio ogni mattina. «Ma non ne sono sicura. Solo la tua ex moglie», non le riusciva naturale dire "mia madre", «potrebbe saperlo».

«È esattamente il mio problema. La tua cara madre mi odia, Masha, ancora più di quanto non disprezzi te, cioè molto. Abbiamo questo ostacolo in comune, tu e io». La guardò e aggiunse: «Abbiamo in comune anche una certa durezza interiore».

«Non farò niente per te, Aleksandr Aleksandrovich».

«Non è vero, non sarà così. E non perché sono tuo padre, ma perché ho qualcosa di importante da darti, una grossa storia che lascerà sbalorditi Irving Fein e Viveca Farr, insieme a tutti i giornalisti del mondo. Ma dovrai guadagnartela».

Lana provò un empito di collera nel vedersi trattata come una bambina. «Che cosa dovrei fare?».

«Il patto è questo, figlia: io ti darò un elenco completo delle voci che formano il capitale di cui dispongo, quasi cento miliardi di dollari provenienti dalle operazioni finanziarie dell'agente in sonno. Ho elencato, per gradi, in che modo è stato accumulato. Tutto questo è contenuto in un'agenda che ho depositato a tuo nome nella cassetta di sicurezza di una banca della quale dovrai avere il numero. Ho aggiunto quel genere di aneddoti, di casualità e di rivelazioni di umano interesse cari a voi giornalisti».

Liana aspettò a chiedergli che cosa voleva da lei, decisa, se si fosse trattato di tradire il proprio paese, ad andarsene senza farsi più vedere.

«Voglio che tu ti faccia dire la verità da tua madre. Lei non ha dubbi sulla mia identità, sa che sono Aleks Berenskij, suo marito. Ma per la perversione e l'odio che consumano la sua vita, e tu Masha lo sai, ha mentito a Madame Nina. Le ha detto che ero un impostore. Ora per me è diventato impossibile scoprire quale azione stanno conducendo i Feliks, non posso giudicare direttamente se sono degni di raccogliere i frutti dell'eredità di Shelepin».

«La sua bugia metterà a rischio anche la tua vita».

«Sì. Qualunque cosa dovesse succedermi, stasera o tra degli anni, rivolgiti immediatamente a Michael Shu, alla banca di Memphis. Poco tempo dopo che tu l'avevi conosciuto, qui, a Riga, ho parlato con lui, gli ho raccontato molte cose e adesso è il mio esecutore testamentario». A Liana era piaciuta l'aria ingenua di Shu; poteva essere stato attratto dai miliardi dell'agente in sonno al punto da tradire la fiducia di Irving Fein? Forse suo padre la ingannava. «Ma ora concentra la tua attenzione su questo punto», le stava dicendo, «io ti chiedo di andare da tua madre e chiederle, come hai fatto con me, la verità sulla tua nascita. Poi, scopri perché con i Feliks mente su di me».

Liana ormai capiva, dopo aver frequentato Davidov, un altro che si dichiarava dalla sua parte, come funzionava la mente di una spia. «E qui, nel mio medaglione d'ambra», disse, giocherellando con il gioiello che una volta era servito a entrare nella sua vita privata, «metterai una microtrasmittente».

Lui parve sorpreso che lei fosse così esperta e assentì. «Non ti chiedo di mentire, ma di farti dire la verità da Antonia Krumins. In cambio, avrai da me la verità sull'agente in sonno... compresa la giustificazione per alcuni necessari atti di violenza».

«Omicidi?».

«Interventi di autodifesa in un affare di stato. Che cosa fa un bravo giornalista, Masha, se non cogliere quali sono i fatti e riunirli per farli convergere verso la verità? Irving, un giornalista che ho imparato ad ammirare, anche se l'ho ingannato abbondantemente, sarà geloso e orgoglioso di te».

Liana sapeva che suo padre si stava servendo di lei. Ma poteva esserci qualcosa di sbagliato nel cercare di sapere la verità? E perché lei avrebbe dovuto essere meno esigente con sua madre che con suo padre nel voler sapere chi erano i suoi genitori?

Ma erano pensieri da figlia e non era quello il ruolo che le piaceva. Da giornalista, si chiese che cosa avrebbe detto a Irving Fein su quel colloquio e cercò di immaginare quali domande le avrebbe rimproverato di non aver fatto.

Provò con una che, così pensava, avrebbe turbato la calma di suo padre. «Hai parlato di autodifesa. Hai ucciso il tuo controllo, alle Barbados?».

«No. L'ha fatto saltare per aria una bomba che aveva messo per me».

«Hai ucciso Walter Clauson?».

«Sì». La risposta venne pronunciata senza esitazioni. «E per la stessa ragione ho ordinato di uccidere un banchiere in Svizzera. Entrambi cercavano di prendere il controllo della mia operazione per scopi personali. Per loro, il danaro era diventato più importante della patria e io dovevo conservare il potere, il capitale, per rag-

422

giungere il mio scopo. Clauson mi aveva detto che il progetto di identificazione era necessario per controllare il giornalista che era andato da lui con una notizia su un agente in sonno. Ho il sospetto che fosse stato lui, Clauson, a dare quella notizia, anonima, a Fein, sicuro che si sarebbe rivolto a lui nella ricerca dell'agente in sonno».

«A Fein dispiacerà saperlo».

«Forse non del tutto. Anche Angleton era rimasto affascinato oltre che amareggiato per l'abilità con la quale Philby si era servito di lui. Clauson aveva una mente sottile nell'inganno. Quando ho scoperto che cercava di sottrarmi il controllo del capitale, non ho avuto altra scelta che organizzare la sua morte. È un principio che appartiene a livelli più profondi, come piace dire a Fein. Non imputarlo a me».

Liana si ricordò di quella notte a Syracuse, quando lei e Irving avevano visto una giornalista che lavorava con lui distruggere la propria carriera. «Hai drogato Viveca Farr?».

«Sì», e con quella terribile ammissione suscitò in Liana fiducia e ripugnanza. «Aveva scoperto, dopo un momento particolare, che ero sordo da un orecchio e aveva capito subito che ero il vero agente in sonno, non uno che fingeva di esserlo. Ma Viveca mi amava e io non volevo ucciderla. A tavola, le ho messo nel vino uno psicofarmaco, calcolando quanto tempo ci voleva perché avesse effetto. Poi l'ho accompagnata allo studio».

«Sapevi che quella umiliazione in pubblico le avrebbe rovinato la vita. Hai fatto una cosa orribile».

«Però è viva. Ed è uscita di scena al momento giusto. Spero di poter farmi perdonare, un giorno». Sembrava improvvisamente irritato con se stesso per quelle lunghe, continue giustificazioni. «Ora basta. Come diceva tuo nonno, la casa brucia e l'orologio fa tic-tac. Fatti dire da tua madre la verità sul mio conto. E perché quella verità sia utile», aggiunse, inserendo la microtrasmittente nel medaglione d'ambra, «deve uscirle dalle labbra entro due ore».

«Non vedo Mama da cinque anni. Vive sempre allo stesso indirizzo?».

Liana superò di corsa i tre isolati che la separavano dal caffè della Torre, dove Irving e Nikolaj la stavano aspettando.

«Ha ucciso Clauson e drogato Viveca e mi darà tutti i dettagli sul capitale se stasera farò dire da mia madre alla mafia che lui è il vero Berenskij». Era senza fiato.

«Non è nel suo interesse che tu sappia tutto», disse Davidov.

«Se aiuterai Berenskij a convincere Madame Nina della sua buona fede», le spiegò Fein, «e lui stabilirà un accordo con loro, ti tradirà in un secondo e potrai dire addio all'indipendenza dei Paesi Baltici».

A Liana parve che non fossero abbastanza colpiti da quanto gli aveva appena rivelato e che non capissero l'urgenza di cui suo padre aveva bisogno. «Vi sbagliate tutti e due. Lui è stanco di tutta questa storia e non tradirà sua figlia».

«Non puoi esserne sicura», ribatté Nikolaj.

«Ti sta sfruttando, ragazzina», osservò Irving.

«E allora?». Liana diede a Irving Fein una rapida lezione di giornalismo lettone. «Cercherò di sapere almeno una parte della verità e lui non mi ucciderà né mi drogherà. Avrò i nomi delle banche, delle società, degli immobili che possiede e tu potrai scrivere la tua storia dopo che l'avrò raccontata nel mio programma». Si rivolse a Nikolaj. «Da quel tuo furgoncino potrai collegarti alla microtrasmittente del mio medaglione quando sarò a casa di mia madre?».

Davidov fece segno di sì con la testa. Liana prese lo zainetto e corse fuori.

«Credi che farà cambiare opinione a sua madre?». Irving era incerto; se lui fosse stato una moglie abbandonata dall'oggi al domani con una bambina affamata sulle braccia, l'avrebbe fatta pagare cara al fuggiasco quando fosse tornato, strisciando, a chiederle un favore.

Davidov rispose di no e batté un dito sul telefono cellulare. «Antonia Krumins non è in casa. È uscita un'ora fa. Non è neanche alla scuola di ballo, dove Liana si riprometteva di andarla a cercare se non l'avesse trovata».

«Dove sarà? L'hai fatta seguire?».

«Certo. Ed è qui, in questo ristorante. O al piano di sopra, in una saletta privata, o nel seminterrato, dove il Politbjuro dei Feliks interrogherà Berenskij. E dove Berenskij pensa di sondare le loro reali intenzioni».

Irving si sentì soddisfatto, a furia di correre attorno senza scopo, Liana si sarebbe sentita un po' meno importante. «Stento ancora a credere a quella storia di Mike Shu», disse.

Era contrario per principio alle intercettazioni, ma sapeva che uomini di legge e spie le ritenevano indispensabili. Lui e Davidov non erano riusciti a sentire quello che von Schwebel aveva detto nella camera d'albergo di Berenskij, Davidov pensava che portasse su di sé un apparecchio per creare delle interferenze, ma la conversazione successiva, tra il dormiente e sua figlia, l'avevano ascoltata tutta e le parole che avevano scosso maggiormente Irving Fein erano quelle relative al suo braccio destro. «Qualunque cosa dovesse succedermi... rivolgiti immediatamente a Michael Shu... gli ho raccontato molte cose e adesso è il mio esecutore testamentario».

Non era una notizia da poco. L'unica persona della quale Irving Fein si fidasse non era sua madre, né il suo avvocato, né il suo agente di cambio, e nemmeno la ragazza che doveva scrivere con lui quella storia e che ora vagava nel deserto, era il suo commercialista, Mike Shu. Erano passati insieme attraverso la guerra dei media, Shu sapeva esattamente di quanto Irving aveva imbrogliato sulla nota spese qualche anno prima, e quando il Servizio Interno Riscossioni avrebbe eseguito la verifica; aveva sempre tenuto la bocca chiusa e nessuno aveva corso rischi. Era sempre stato ineccepibile. E lui, il suo "uomo di fiducia", era diventato l'esecutore testamentario del patrimonio di Berenskij? Questo significava che aveva sempre lavorato per Dominick e forse, prima, addirittura per Clauson. Mike era uno sprovveduto, un ingenuo, corrotto dal danaro all'ultimo momento, o era stato fin dall'inizio dalla parte sbagliata del gioco? Irving sentì che la sabbia scivolava di sotto le fondamenta della sua roccaforte di lealtà. Quel porco di Berenskij si meritava qualche duro colpo sulla carta stampata.

«Non pensi che il suo commercialista e amico l'abbia ingannata», lo avvertì Davidov. «Berenskij sospettava certamente che nella sua camera d'albergo ci fossero dei microfoni. Può darsi che abbia dato una disinformazione solo per innervosirla».

«Già, ma lui sa che noi lo sappiamo. A questo punto del gioco non può pensare di avere a che fare con una coppia di somari che non riconoscono una disinformazione».

«È esattamente quello che può aspettarsi che lei pensi, a meno che non abbia ritenuto che lei lo avrebbe previsto».

«James Jesus Angleton... basta...! Ehi, guardi un po' chi c'è», disse Irving al comunista, così attratto da quel ping-pong d'inganni da non rendersi conto che ci stava rimettendo la ragazza. Fein gli indicò Karl e Sirkka von Schwebel che, in piedi, aspettavano che il maître li accompagnasse a un tavolo. «Dobbiamo sbalordirli chiedendo loro di sedersi con noi? Forse lui ci paga il conto».

«Sarebbe divertente. A un certo punto se lo porti via con un pretesto e mi lasci solo con Sirkka».

«Dio, guarda chi c'è a quel tavolo là in fondo, che ci fa segno con la mano», disse Sirkka.

«Può essere una buona occasione», rispose immediatamente suo marito. «Andiamo a sederci con loro. Potrai cambiare la versione che hai dato a Davidov e proteggere Berenskij».

«Due giorni fa l'ho convinto che Dominick era il vero agente in sonno. Sarà difficile assicurarlo del contrario».

«Non ce n'è bisogno, basta lasciar cadere in lui il seme del dubbio per fermarlo nel caso intendesse buttarsi su Berenskij. Io condurrò l'azione opposta con Madame Nina dopo cena, per proteggere il nostro cliente». Von Schwebel finse di cercare il maître. «Prometti pure al tuo vecchio amico e collega tutto quello che vuoi. Hai il mio permesso».

Sirkka si sentì gelare.

«La gelosia non fa parte della mia natura», proseguì in fretta von Schwebel. «Buttati tra le sue braccia, se è necessario. Fagli cambiare idea su Dominick. Niente è più importante di questo».

«Grazie, Karl». La sensazione di essere in due contro il mondo nella sala piena di specchi era un'assurdità; Sirkka si disprezzò per aver dimenticato ancora una volta che il suo destino era quello di comportarsi come l'agente di qualcuno.

Si finse sorpresa di vedere il russo con l'americano, fece un cenno con la mano, accennò a un saluto a distanza, solo con le labbra, e disse a suo marito: «Come allontanerai Davidov da quel maleducato perché io possa mantenere la promessa?».

«Troverò il modo».

«Poi dovremo liberarci per scendere alla riunione».

«Andremo via insieme e più tardi ci vedremo al caffè». Si fecero strada attraverso i tavoli. «Ah, Nikolaj», disse con voce cordiale il barone dei media, «l'abbiamo sorpresa a raccontare i segreti del KGB al più grande giornalista del mondo!».

«Strano che tutti e due abbiano voluto andare comprarsi un sigaro nel negozio di fronte», disse Nikolaj Davidov a Sirkka Numminen von Schwebel. Era stupito che partecipasse alla nuova operazione di Clauson e Berenskij, anche se ufficialmente era una agente dei Servizi Esteri. Non andava considerata una doppiogiochista a servizio del nemico, suscettibile di una esecuzione sommaria, era un'agente impegnata in due lavori diversi; in America si sarebbe detto che era una *moonlighting*, quasi avesse avuto un'attività alla luce del sole e una alla luce della luna. Pensava, però, che restasse fedele a Berenskij che, apparentemente, aveva ingaggiato suo marito a sostenere la sua buona fede con Madame Nina.

Davidov, riflettendoci, si disse che Sirkka, in quel momento, doveva avere il compito di proteggere da eventuali rischi il dormiente. Poteva farlo in due modi: o inducendo il suo conoscente e ammiratore Nikolaj a ordinare agli agenti del KGB, illegalmente in servizio a Riga, di impedire che, in qualsiasi modo, la mafia attentasse alla vita di Berenskij, nel caso che Madame Nina avesse deciso che era un impostore. Oppure, se Berenskij avesse mostrato di voler trasferire il patrimonio nelle tasche dei Feliks, la imbattibile Sirkka avrebbe dovuto disporsi a una resa incondizionata, convincendo Davidov e i suoi agenti del KGB a non uccidere il traditore Berenskij. Tra tutte le possibili posizioni di un *Kamasutra* dello spionaggio, pensò Davidov, nessuna lo attirava quanto quella resa incondizionata.

«Irving Fein non fuma», disse. «E suo marito?».

«Di rado. I sigari gli danno la nausea».

«Allora è una fuga romantica. Volevano stare un po' insieme da soli».

«Karl ha insistito perché, con l'anima o con il corpo, riuscissi a farle dubitare che Dominick sia il vero Berenskij».

«Tenga per sé l'anima».

«Mio marito ha dimostrato di pensare che io non ce l'abbia l'anima».

Davidov aveva inteso scherzare e quell'amarezza lo lasciò sorpreso; nessuno avrebbe pensato che un'agente dell'esperienza di Sirkka soffrisse di carenze affettive. D'altra parte si rendeva conto che i propri sentimenti per Liana interferivano nel modo di gestire la questione che gli si prospettava in quel momento.

«Lei e suo marito», osservò, «vi adoperate di comune accordo per influenzare il risultato della riunione di stasera. Madame Nina ritiene che Dominick sia un impostore?».

«Ne ha tutte le ragioni. Se Dominick fosse veramente Berenskij rappresenterebbe una minaccia alla sua autorità sull'organizzazione. Il figliuol prodigo ritorna e riprende il proprio posto. I soldi li ha lui e per i Feliks soldi significano potere e il potere è tutto. Una verità che non dovrei mai dimenticare».

«E Antonia Krumins? Era sincera nel negare che Dominick fosse l'agente in sonno? Il Politbjuro le crederà?».

«Antonia Krumins dice quella che ritiene sia la verità. I Feliks le crederanno, anche se noi testimonieremo che Dominick è il vero agente in sonno. E Madame Nina vuole che la testimonianza della Krumins sia ritenuta valida».

Davidov provò a mettersi dal punto di vista dei Feliks ed espresse un giudizio. «Allora decideranno che Dominick è un impostore e lo colpiranno prima che domani riesca ad arrivare all'aeroporto. O prima che torni in albergo stasera».

«Non è quello che farebbe anche lei se fosse un capo che rischia di essere detronizzato? Se vuole il danaro di Berenskij per la Russia, Nikolaj Andrejevich, le conviene affrettarsi finché è ancora vivo».

Era molto abile. Aveva trovato il modo di proteggere l'agente in sonno dalle ritorsioni del KGB. Davidov si era chiesto come avrebbe assolto al compito assegnatole da Berenskij di proteggerlo dalla furia dei Feliks.

«Berenskij deve rendersi conto che i Feliks sono niente di più che una banda di malviventi», disse, solo per renderle il lavoro più difficile. «Se io lo prendessi prima, presumendo, come lei dice, che Berenskij e Dominick sono la stessa persona, avrei un prigioniero che non parla. Un altro miserabile in una cella della Lubjanka. Per trasferire un patrimonio così aggrovigliato, l'ex agente in sonno dovrà essere disposto a collaborare con noi attivamente. Solo lui sa dov'è collocato il danaro».

«Avete sua figlia».

«Lei non conosce Berenskij, Sirkka, anche se gli è sempre stata molto utile. Non è solo un personaggio determinato, ma messianico. Dovrebbe vedere sua figlia agonizzante prima di lasciarsi distogliere dal fine che si è prefisso».

Masticando un sigaro spento, Irving guardava il mogol della comunicazione e la sua sposa economista che se ne andavano. «Dove pensa che sia diretta la coppia felice, Niko?».

«Nella strada qua dietro, appena girato l'angolo dell'isolato. Sta per avere inizio la riunione preliminare».

«Ha predisposto tutto in modo che possiamo ascoltare da qui quello che diranno?».

«No. Von Schwebel sa il fatto suo, si è tutelato contro qualsiasi possibilità di interferenza. Dopo la morte di Arkadij non abbiamo modo di sapere che cosa succede nel seminterrato».

Irving aggrottò la fronte. Quelle parole significavano che Davidov era collegato e non voleva dividere l'informazione con un amico americano fidato. Si rianimò nel vedere Liana entrare di corsa, affannata.

«Mia madre non è in casa. I vicini non sanno dov'è andata».

«Hai provato alla scuola di ballo?», chiese Davidov.

«Non è neanche lì». Liana prese un po' di respiro e si strofinò una mano sui capelli, avanti e indietro, nervosamente. «Non so dove cercarla e si sta facendo tardi. Irving, dammi una mano».

Una franca richiesta di aiuto era l'ultimo rifugio sicuro di un giornalista; a Irving fece piacere che l'avesse rivolta a lui. «È qui, in questo edificio. È sempre stata qui. Il tuo amico Niko non voleva dircelo». Era una stilettata diretta a Niko, che voleva tenere per sé quello che sarebbe riuscito a sapere sulla riunione dei Feliks.

«Sei un demonio», disse Liana a Davidov, in un lampo, mentre già correva verso la scala di fronte alla sala del ristorante.

«È una pazzia», protestò Davidov, rivolto a Fein. «Hai dimenticato che cosa è successo ad Arkadij?».

«Liana è l'amore della sua vita, Davidov. Vada a salvarla. Mi affidi pure la sua giacca».

Fu quella frase che fece perdere a Davidov il suo riserbo. «Lei è uno stupido che si vuole intrufolare dappertutto. Ha abboccato all'esca che le aveva offerto Clauson e si è fatto pescare come un pesciolino. Ha accettato il sosia scelto da lui perché era troppo pigro per trovarsene uno da solo. Ha ballato al ritmo imposto da Berenskij per mesi, buttando via il tempo a percorrere i vicoli ciechi che lui le indicava. Ha lasciato che Berenskij corrompesse il suo collaboratore, Shu, perché aveva sottovalutato il potere di seduzione del danaro. Ha permesso che Berenskij rovinasse la sua collega perché lei non ricambiava i suoi ardori. Se questo è il più grande giornalista del mondo, che Dio aiuti il giornalismo».

Irving contemplò l'estremità del suo sigaro, usato come un leccalecca. «Ma io ho una giornalista, al piano di sopra, che raccoglie le notizie. E lei, il grande capo del controspionaggio, che ha a sua disposizione squadre di gorilla in tutta la città, se ne sta seduto senza far niente e non gioca per vincere, ma per non perdere. Lei prega il cielo che quell'accidenti di congegno antinterferenze funzioni e intanto si rifiuta di collaborare con la sola persona che in tutta questa storia non la stia ingannando».

Fein era soddisfatto della propria risposta, ma l'accenno di Niko a Viveca aveva colpito nel segno. Perché aveva lasciato il campo libero a Dominick fin dall'inizio? Lui lo sapeva il perché. Pensando di non avere possibilità con lei, era stato certo che neanche lui ne avesse e così l'aveva lasciata andare incontro a un rischio inutile.

Ora avrebbe rimediato al torto fatto a lei e a se stesso, se Viveca glielo avesse consentito.

Liana si affacciò a tutte le porte del piano di sopra. I camerieri si stavano preparando per la cena e alcuni consulenti aziendali inglesi, nervosetti, sistemavano dei grafici sui cavalletti per un convegno del Gruppo dei Cinquanta. Nei bagni delle signore, una donna massiccia, con i capelli grigio ferro e un paio di occhiali dalle lenti spesse, fumava una sigaretta, guardando assorta una sbiadita litografia appesa al muro. Liana le girò le spalle e, assumendo un'aria severa, entrò nel bagno degli uomini, ma disturbò quello che le parve un incontro omosessuale e uscì di corsa. Dietro un'altra porta con la scritta DIPENDENTI c'era un armadio a muro vuoto. Antonia Krumins non si trovava da nessuna parte.

Liana scese due rampe di scale fino al seminterrato, ma due guardie dalla pelle scura, Liana pensò che fossero ceceni o ingusci, le sbarrarono la strada. Provò a offrire loro del danaro, ma inutilmente. Salì a pianterreno, dov'era il ristorante, facendo i gradini a due alla volta, ma vide che Nikolaj e Irving se n'erano andati. Improvvisamente si sentì senza risorse, non aveva potuto fare quello che le aveva chiesto suo padre e conosceva, per averne fatta l'esperienza, l'amarezza e la smania di vendetta del cuore di sua madre.

Sapeva che, a quel punto, Nikolaj e Irving non si sarebbero persi di vista l'un l'altro. Evidentemente erano andati da qualche parte insieme, a guardare, ammesso che fosse possibile, o ad ascoltare. C'era chi aveva bisogno di sapere e chi aveva bisogno di parlare. Vagò, soffrendo, per le strade attorno alla Torre, battendo col pugno sul retro di ogni furgoncino senza finestrini, finché non trovò quello dov'erano due dei tre uomini che in quel momento, nel suo mondo, significavano il massimo per lei.

Karl von Schwebel cercò di vedere, nella semioscurità, i volti dei presenti. Sirkka gli sedette accanto, lui vide che all'altro lato del tavolo di legno grezzo c'erano, a sinistra Kudishkin, a destra un membro del Gruppo dei Cinquanta che non conosceva, al centro Madame Nina e, in piedi contro il muro, una guardia con la barba, probabilmente un sostituto del capo catturato dal KGB.

«Non mi sono mai trovato nella necessità di fare una cosa simile», disse, «ma voglio correggere il mio giudizio sull'operazione Memphis. Quando ho affermato, durante l'ultima riunione, che

Edward Dominick aveva eseguito un minuzioso lavoro di identificazione con la figura di Aleks Berenskij, ero male informato».

«E qual è il suo parere adesso?», chiese Kudishkin, più impassibile che mai.

«Dominick è Berenskij. In più ne impersona la figura. Un classico doppio gioco, secondo la tradizione di Shelepin, e io ci sono cascato. Ne chiedo scusa alla commissione».

Il capitalista volle sapere che cosa gli aveva fatto cambiare opinione.

«Un'informazione che mi è stata fornita da mia moglie, Sirkka. Lascerò che ve ne parli lei stessa». Si augurò che Sirkka sapesse cavarsela brillantemente; avrebbe dovuto dire la verità, ma la verità, con le sue lacune e sue incoerenze, era sempre meno credibile di una bugia ben costruita.

«Sono un agente dei Servizi Esteri russi», esordì Sirkka. «Prima sono stata una informatrice in servizio attivo della Stasi, in Germania».

«Lo sappiamo da molto tempo», disse Kudishkin. «E abbiamo notato l'atmosfera di cordialità che ha caratterizzato la vostra cena, stasera, in compagnia di Davidov, del Ministero della Sicurezza Interna e di Fein, della CIA».

«Non abbiamo tentato di nasconderci», intervenne von Schwebel. «Rifiutare il loro invito avrebbe sollevato dei sospetti».

Il russo, con un gesto, mostrò di giudicare ovvia l'obiezione. «E come mai, Madame von Schwebel, lei ora ci offre i suoi servigi?».

«Perché giova ai miei interessi finanziari, signore». Il capitalista del Gruppo dei Cinquanta, dal viso giallognolo, applaudì a tale vivificante onestà e Sirkka accolse con un cenno del capo quella approvazione ironica.

«Ho due lavori», disse. «Non sono una doppiogiochista che finga di lavorare per una organizzazione e invece lavori per l'altra; più di un agente distribuisce la propria attività in due settori diversi, non in competizione».

Kudishkin assentì; il ceceno appoggiato al muro si stiracchiò perché stava scomodo; il capitalista parve indifferente; le lenti di Madame Nina le ingrandivano gli occhi al punto da renderne lo sguardo illeggibile.

«Lavorando per i servizi esteri», proseguì Sirkka, «ho mantenuto i contatti tra Mosca e il suo agente di penetrazione nella Federal Reserve americana e la talpa inserita nella CIA».

«I loro nomi?», chiese Kudishkin.

«Preferirei non dirli».

«I nomi», insisté Madame Nina con voce stridente.

«Mortimer Speigal alla Federal e Walter Clauson alla CIA, sezione controspionaggio».

«Prosegua».

«Appena attivato l'agente in sonno, nel 1989, Clauson ha organizzato quella che ritengo sia stata una operazione indipendente, quindi non russa, non americana ma privata, insieme al dormiente e a Speigal, della Federal».

«Chi ha attivato il dormiente?», chiese Kudishkin. «Il KGB o i Servizi Esteri?».

«I Servizi Esteri no. Clauson mi aveva avvertito di non parlarne con i Servizi Esteri. Presumo che sia stato il Ministero per la Sicurezza, ma non la sezione del KGB della quale Davidov conosce tutti i movimenti».

«Non è stato menzionato un membro "interno" al KGB?».

«No, ma chiunque fosse aveva tre miliardi di dollari da investire».

«Non è possibile che l'operazione "indipendente" di Clauson, come lei la chiama, fosse diretta, invece, dalla CIA?».

Sirkka non rispose subito e suo marito intervenne: «Lei suggerisce l'esistenza di un agente con un'attività triplice, cioè un agente sovietico che mentre finge di lavorare per gli americani lavora veramente per loro?».

Tutti si voltarono perché il ceceno si era lasciato scivolare a sedere non molto silenziosamente sul pavimento, con il mitra sulle ginocchia.

«Se la talpa fosse stata scoperta», proseguì Kudishkin, «se un Ames, per esempio, l'avesse tradita, sarebbe stato facile farle cambiare idea come a chiunque altro».

«No», disse Sirkka. «Clauson controlla Speigal, alla Federal. E, la settimana scorsa, Speigal mi ha dato una informazione sui piani della Federal di cui Berenskij si è servito per guadagnare venti miliardi di dollari in operazioni finanziarie. Il più grosso colpo finanziario di tutta la storia. E Berenskij è venuto qui, allo scopo di accordarsi per il trasferimento del danaro nelle vostre mani».

«Correndo un grosso rischio», aggiunse von Schwebel. «Davidov ha una dozzina di uomini in questa città ed è pronto a uccidere Berenskij se scopre che il capitale è destinato a voi».

«Il grosso rischio lo correrebbe la CIA se l'operazione fosse sua», disse Sirkka. «Se, guadagnati tutti quei soldi, mettessero il lo-

432

ro agente in mano nemica e perdessero tutto, il Congresso li metterebbe fuori combattimento per sempre».

«Una cosa è perdere una dozzina di agenti», aggiunse Karl, puntualizzando il pensiero di sua moglie, «ma perdere cento miliardi di dollari è molto più grave. No, in definitiva, Clauson non è fedele alla CIA. Per avere una brillante linea di difesa, ha costruito una operazione parallela con i giornalisti Fein e Farr e li ha mandati dall'agente in sonno perché lui impersonasse se stesso. Il vero e il falso in un uomo solo. Non è cosa di tutti i giorni».

«Voi ora potete andare», disse bruscamente Madame Nina. La coppia si alzò, Karl sorrideva, fiducioso. Nell'allontanarsi, si sentiva sicuro di aver adempiuto, con sua moglie, all'incarico che si era assunto per conto del suo cliente. La buona fede di Berenskij era stata confermata e i suoi modi convincenti sarebbero stati, agli occhi della commissione, come la glassa sopra la torta.

«Credete che abbiano detto la verità?», chiese il rappresentante del Gruppo dei Cinquanta.

Madame Nina guardò Kudishkin prima di rispondere.

«Lui lavora per l'agente in sonno, lei lavora per Davidov e tutti e due ci tradiscono», rispose il vecchio funzionario del KGB. «Posta bene in chiaro questa certezza, posso rispondere che sì, credo che abbiano detto la verità».

Il neocapitalista non aveva mai visto il viso di Madame Nina così prossimo a cedere al sorriso. «Gli spieghi perché».

«L'operazione Berenskij è la replica del Piano Shelepin del 1958», disse Kudishkin. «Un interno al KGB per disinformare e manipolare il nemico e un esterno del KGB da usare e catturare, senza fargli conoscere la strategia. Organizzazioni parallele che sono e non sono la stessa cosa. Esattamente quello che può elaborare la mente del figlio di Shelepin. È lui Berenskij, non ci sono dubbi».

«Dunque lei non tiene conto della testimonianza di Antonia Krumins», il neocapitalista era incerto, «la quale afferma che quell'uomo non è Berenskij, e dovrebbe saperlo».

Kudishkin guardò Madame Nina, che si strinse nelle spalle e disse: «Potrebbe essere solo una moglie gelosa».

Berenskij/Dominick non sapeva se Liana si fosse messa in contatto con sua madre per convincerla a cambiare la propria dichiarazione di incredulità. E neppure sapeva se la coppia von Schwebel fosse riuscita a convincere la dirigenza dell'organizzazione Feliks di avere sinceramente cambiato parere. Sapeva soltanto, dunque, che il successo della missione, cui aveva dedicato la vita, era sulle sue spalle, affidata al suo potere di realizzare una fantasiosa duplicità, che fosse quale doveva essere.

Prima di capire se i Feliks fossero o no meritevoli di ricevere nelle loro mani il capitale, si rendeva conto che avrebbe dovuto convincerli che lui non era lo strumento di una cultura riformista o di un potere straniero. Li avrebbe studiati, osservati e loro pure e se il giudizio suo o degli altri fosse stato insufficiente, disimpegnarsi sarebbe stato molto sgradevole.

L'ironia, nonostante tutto, non lo aveva abbandonato: dopo una intera vita passata fingendo di essere un altro e dopo uno strano, oscuro intermezzo in cui, fingendo di essere un altro, aveva finto di essere quello che aveva sempre finto di non essere, ora avrebbe dovuto affermare la propria vera identità e sperare di essere creduto.

Una guardia, in fondo ai gradini che scendevano al seminterrato, lo introdusse in una stanza, scura e fredda per un umano ma adatta probabilmente alla conservazione di una intera parete di bottiglie di vino. Una donna anziana, pallida, vestita con un abito pesante, da contadina russa, gli occhi ingranditi dalle lenti che brillavano nell'oscurità, parlò per prima.

«Vorrei interrogare quest'uomo da sola», sussurrò con voce rauca agli altri seduti al tavolo.

«È irregolare», ribatté un uomo che l'agente in sonno pensò fosse Kudishkin, del vecchio KGB.

«Andatevene pure, tutti e due», disse la donna e fece un gesto con la mano per allontanarli.

Kudishkin e l'altro, in giacca e cravatta, che Berenskij ritenne dovesse essere il rappresentante del Gruppo dei Cinquanta, uscirono insieme. Era stata una forte affermazione di potere.

La donna gli fece cenno di sederlesi di fronte, dall'altra parte del tavolo, e disse al ceceno armato di aspettare fuori con le due guardie.

«Prima di tutto», esordì, con grande autorità, «voglio il nome della banca privata, il nome e il numero del conto iniziale, la base della sua operazione».

Berenskij pensò che era come la richiesta di un gettone da mettere sul piatto prima di cominciare il gioco; una condizione onesta. Rispose: «La Senenhund Bank di Berna. Feliks Edmundovich Dzerzhinskij. Conto numero 456345234. Facile da ricordare. Tre

miliardi, tutti in oro, naturalmente non produttivi di interessi».
Aveva rimesso il capitale iniziale sul primo conto. Ripeté il numero e lei lo trascrisse su un taccuino giallo. Non fu costretto a ripetere nome e cognome del Feliks di Ferro.

La donna si avvicinò con passo pesante, zoppicando leggermente, a un armadietto e lo aprì. Dentro c'era una piccola cassetta con un'attrezzatura elettronica. Lei fece scattare un interruttore. «Ho tolto l'interferenza. I suoi amici che, nel furgoncino in strada, stanno cercando di ascoltarci, potranno sentire tutto con chiarezza».

Era sconcertante che avesse definito Fein e Davidov come suoi amici; forse i von Schwebel avevano fallito e Liana non era riuscita a capovolgere la testimonianza di sua madre.

«Perché ha allontanato i suoi colleghi», chiese, «e vuole farsi ascoltare dagli avversari?».

La donna non rispose.

«Io, con un piccolo contributo, ho dimostrato la mia buona fede», disse Berenskij. «In cambio, Madame Nina, prima di cominciare, vorrei sapere lei chi è».

Chinando la testa in avanti, Madame Nina si tolse gli occhiali dalle lenti spesse e li appoggiò sul taccuino giallo. Poi si portò le mani alla nuca, si sfilò due forcine dai capelli annodati e lentamente si tolse una parrucca grigio ferro. Sotto, i capelli corti erano di un castano ramato. Lo guardò. Nella luce incerta, Berenskij riuscì a riconoscere, privo di trucco, lo stesso viso che aveva visto a Londra una settimana prima e, ventitré anni prima, a Mosca.

«Nina», disse.

Il diminutivo di Antonia. Come, dopo aver tanto frugato nella memoria, poteva aver dimenticato il nomignolo con il quale un tempo chiamava la sua giovane sposa? Forse un inconsapevole senso di colpa per averla abbandonata ne aveva represso il ricordo. Il volto nudo lo riportò alla realtà del suo passato, liberando memorie che la donna accuratamente truccata che aveva visto qualche giorno prima a Londra non aveva evocato.

L'agente in sonno provò un incontrollato empito di piacere nel sentirsi vittima di quel delizioso e prolungato inganno. La consapevolezza improvvisa che la moglie dei suoi anni giovanili, la madre di sua figlia Liana la esacerbata nuora di Shelepin, era a capo dei Feliks apriva infinite strade da ripercorrere a ritroso.

Cominciò a calcolare rapidamente quanto lei poteva sapere sulla operazione dell'agente in sonno, che cosa aveva appreso sul suo ruolo duplice, perché aveva usato la loro figlia come esca e come la conoscenza anticipata della doppia identità di Dominick avesse influito sulla attribuzione del capitale.

Avviò il discorso con un complimento. «Mi hai preso in giro. In America si dice "non imbrogliare un imbroglione", ma tu hai provato e ci sei riuscita. Sinceramente, sono sconcertato».

Antonia Krumins non accettò l'invito ad assaporare la vittoria. «Qual è l'entità del capitale che controlli personalmente?». La sua voce era diventata la voce chiara con la quale aveva parlato al Claridge.

«Circa cento miliardi di dollari, secondo i miei calcoli», rispose Berenskij, ed era la verità, «compreso il capitale in oro del quale ti ho appena dato gli estremi. Il mio commercialista è più cauto e parla di ottancinque miliardi perché il capitale, per la maggior parte, non consiste in danaro liquido». Berenskij usò la tecnica che aveva imparato da Irving Fein secondo la quale non bisognava mai concludere una affermazione senza aggiungere una domanda, e chiese: «Come vi proponete, tu e i Feliks, di servirvene?».

«Non tocca a te giudicare. Il mio stimato suocero ti ha mandato in America perché ti preparassi a un grande compito. Noi ti abbiamo assegnato questo compito cinque anni fa. Ti abbiamo dato il capitale e le informazioni necessarie a moltiplicarlo. Ora non ti resta che trasferirlo, con la tua consueta abilità».

«Sì, se sceglierò di farlo».

«Non si tratta di scegliere. È un tuo dovere».

«Tocca a me giudicare qual è il mio dovere, Nina. Deciderò a quale governo faccia capo la mia lealtà. Il tuo? Sono in grado i Feliks di mantenere la sovranità e l'influenza mondiale della Grande Russia? O siete una grossa banda, interessata solo a conquistare il potere per arricchirsi?».

«Feliks Dzerzhinskij era forse un bandito? Erano banditi Beria, Shelepin o Andropov?».

«No. Erano uomini di potere. Hanno reso possibile il rafforzamento e l'espansione dello stato». Forse non era vero per Andropov, che aveva dato inizio all'indebolimento del KGB, ma era una questione controversa e non era quello il momento di mettersi a discutere. «Di loro si può dire che controllavano la criminalità, non che erano controllati da criminali. Costituivano una forza contro la tendenza della Russia verso l'anarchia. Puoi dire lo stesso di voi Feliks?».

Antonia Krumins si strofinò con la manica del vestito gli occhi affaticati. «Non mi umilierò a giustificare questa organizzazione descrivendone gli scopi. Forse questi anni passati negli Stati Uniti hanno alterato in te il concetto di democrazia. Forse tu ora disapprovi quella democrazia criminale che ha servito la Russia così bene per settant'anni». Nina lo guardò negli occhi come non aveva mai fatto quando era sua moglie e lui sentì la forza di quello sguardo. «Le tue nozioni riformiste non hanno importanza. Noi vogliamo da te il programma di trasferimento alla nostra autorità del capitale che ti era stato solo affidato».

«Prima devo vedere qual è il piano della vostra organizzazione e parlare con i vostri esponenti più significativi».

«Non sei nella posizione di chi può trattare».

«Sono in una posizione eccellente. Ho il danaro».

«E noi abbiamo te. Abbiamo tua figlia».

«È anche figlia tua».

«Spegnerei la sua vita in un secondo, e la tua pure».

Berenskij giudicò quella risposta come una sfida senza consistenza. «Butteresti via cento miliardi di dollari solo per assecondare le tue personali amarezze? Non ci credo. E se lo facessi, gli altri ti farebbero pezzi».

«Sarebbe interessante, per stabilire fino a che punto io ho il controllo di questa organizzazione». Tanta freddezza nell'affermare anche solo la possibilità di quel gioco d'azzardo parve a Berenskij che portasse il marchio di un dittatore. Solo se non fosse stata sana di mente Nina avrebbe, per misurare la propria forza, perso un capitale di quella entità, ma la salute mentale non era mai stata la caratteristica dominante dei dittatori russi. Gli storici, forse, più tardi, lo avrebbero visto come un sanguinoso momento di chiarificazione, ma il pensiero che esistesse anche solo in prospettiva indusse Berenskij a cercare di capire perché Nina dominasse i capi della mafia russa. Si andò formando nella sua mente il progetto di mettersi a capo di un KGB nello stile di Shelepin a sostegno della guida autoritaria di una donna.

Nina interruppe quell'affastellarsi di idee revisioniste e osservò, con leggerezza: «Non mi hai mai salutata». Berenskij, allora, fu costretto a ripensare a lei com'era allora, una ragazza molto giovane, incinta, piangente, che gli si aggrappava al collo e lo minacciava per spingerlo a trasgredire a un ordine.

Nina prese di sotto il tavolo una grossa pistola e, tenendola ben ferma con tutte e due le mani, gliela puntò contro, in un modo che non lasciava dubbi sulla sua capacità di usarla. «Adesso salutami».

Berenskij fece segno di no con la testa; non aveva senso per Nina, strategicamente, uccidere il potenziale finanziatore di una presa di potere a livello nazionale. Eppure lui stesso non scartava la possibilità che un sentimento istintivo, come un desiderio di vendetta, potesse distruggere il lavoro cui aveva dedicato tutta la vita. Le mani che stringevano la pistola erano ferme.

Cominciò a pensare a quello che avrebbe potuto dire per suscitare la sua curiosità sulla natura del capitale o sulla loro figlia, ma la sinistra serenità di Nina lo convinse che non c'era tempo. Meglio puntare su un movimento fisico che su un gioco della mente. La stanza era male illuminata, Nina non ci vedeva bene, i suoi occhiali erano sul tavolo. Si ricordò di come lei indietreggiasse, quando erano sposati, davanti a un gesto di minaccia. Era quello che gli serviva, sarebbe bastato un attimo.

Con un gesto lento, naturale, si portò la mano all'orecchio, vi infilò un dito, si tolse l'apparecchio acustico e disse: «C'è un'altra cosa che devi sapere prima che il banchiere dia il danaro al tuo messaggero». Dopo aver attirato così la sua attenzione, diede un colpetto sulla destra al piccolo apparecchio di plastica che, con un piccolo rumore secco, colpì una bottiglia di vino e distrasse Nina per un attimo, mentre lui si slanciava in avanti e spingeva via la pistola. L'ultima cosa che riuscì a vedere fu il dito di Nina, bianco per lo sforzo, mentre premeva il grilletto.

Irving, nel furgoncino, sentì lo sparo rimbombargli nelle orecchie e istintivamente si strappò via le cuffie. Liana si portò le mani alla testa con un gemito e scoppiò in singhiozzi. Nikolaj disse nella trasmittente: «Prendete la donna nel seminterrato e lasciate lì il cadavere. Ci sono tre guardie. Se è necessario, uccidetele. La riunione è all'aereo».

«Voglio filmare la scena», disse Irving a voce alta, poi aggiunse, rivolto a Liana: «Non fare così, dopotutto lo conoscevi appena». Non era un operatore, ma l'unico modo di vendere il libro era collegarlo all'immagine televisiva e la telecamera che si era trascinato fin lì doveva fare il suo dovere. Almeno avesse potuto contare su Liana, che invece soffriva per un padre già perso tanti anni prima e che adesso era morto per mano di una madre che le era ostile. Ancora di più avrebbe voluto avere vicino Viveca che, partecipe e non confusa dall'alcol, lo sollevasse dalla difficoltà di trovare le dimensioni di un servizio televisivo.

Davidov, pistola in mano, scese per primo dal furgoncino parcheggiato dietro la Torre, svoltò di corsa l'angolo, attraversò la strada ed entrò nel caffè, con Irving alle spalle e Liana che gli si trascinava dietro. Scesero le scale fino alla porta chiusa a chiave del seminterrato; persero un po' di tempo prezioso per far saltare la serratura e far leva con una sbarra di ferro sotto la maniglia per aprire la porta.

Non trovarono né guardie né cadaveri, non trovarono nessuno. Erano arrivati sulla scena del delitto dopo cinque minuti, ma la scena del delitto non c'era più; Madame Nina doveva averlo predisposto per anni. Dopo un attimo arrivarono gli uomini di Davidov e cominciarono a tastare i muri del seminterrato per scoprire dov'era nascosta un'altra via d'uscita. Irving intanto li riprendeva con la telecamera, ma non era sicuro che ci fosse abbastanza luce. «Portami giù una lampada», disse a Liana, «qualche traccia ci dev'essere, sangue, proiettili, qualsiasi cosa, a meno che per sbaglio non fossimo finiti su un programma radio».

Poco dopo, uno degli agenti del KGB, trovò, dietro le bottiglie, una leva per mezzo della quale si faceva ruotare all'indietro una rastrelliera; una porta nascosta portava in un vicolo dove certamente c'era stata un'automobile in attesa. Liana tornò nel seminterrato portando una lampada montata su un'asta e discutendo, intanto, con il gestore del ristorante, che esprimeva le sue rimostranze parlando fitto in lettone. Liana tradusse agli altri quello che le stava dicendo, e cioè che non aveva sentito niente e voleva sapere che cosa stavano cercando nel suo seminterrato.

«Fatti mostrare dov'è una presa elettrica se non vuole che gli spacchi tutte le bottiglie».

Il gestore infilò la spina nella presa e Irving riuscì a riprendere la stanza con la telecamera.

«Il buon Eddie non poteva cavarsela», disse, mentre filmava, a Davidov che, in ginocchio, stava guardando qualcosa che aveva trovato in terra. «Che cosa c'è? Che cos'è? Mettilo vicino alla luce».

Attraverso l'obiettivo, Fein vide un piccolo oggetto che Dominick gli aveva mostrato una volta: l'apparecchio acustico che doveva simulare il tentativo di migliorare l'udito di un orecchio che, in realtà, ne aveva veramente bisogno. Ma un tempo, quando Dominick si preparava alla finzione, chi lo sapeva?

«Fallo vedere a Liana, Niko». Liana venne avanti, con le guance bagnate di lacrime, e guardò quello che restava di una grande interpretazione. «Beh», disse Irving, regista e direttore di produzione, cercando di tenere ferma la telecamera, «questa potrebbe essere una inquadratura degna di Rosabella».

Mentre tutti erano concentrati sul colpo di scena dell'apparecchio acustico, Davidov cercava di ricostruire la traiettoria del colpo di pistola che aveva ucciso Berenskij.

Pensò che Madame Nina era, probabilmente, seduta al centro del tavolo, e l'agente in sonno sull'unica sedia di fronte, con la schiena contro il muro. Il pavimento di cemento dietro la sedia era umido e aveva un forte odore di detersivo, come se lì fosse caduto il sangue e qualcuno avesse passato subito uno straccio. La sedia e la macchia erano in direzione della porta nascosta che si apriva sul vicolo; Davidov rimise a posto lo scaffale, facendolo ruotare, e cominciò a togliere le bottiglie e a esaminarle.

Sul collo di una bottiglia di Bordeaux trovò una goccia di una sostanza rossobruna, ancora fresca; la fece scivolare su una carta di credito e mise tutte e due, la carta e la goccia, dentro l'unico contenitore che aveva con sé, la busta di un dischetto da computer. Passò una mano dietro le bottiglie e raccolse alcune schegge che sembravano di ossa, forse frammenti di cranio. Non c'erano proiettili.

Mentre Irving lo seguiva con la telecamera, Davidov s'infilò l'involucro di plastica in una tasca della giacca e, scuotendo la testa, disse: «Manca il proiettile. O l'hanno portato via o è rimasto nel cadavere». Poi chiese: «Che cos'è un'inquadratura degna di Rosabella?».

«È troppo lungo spiegarlo», rispose Irving. «Fa parte della nostra cultura cinematografica».

EPILOGO

RIGA

Questo non era lo stile di vita che Michael Shu si sarebbe aspettato dalla star dei media apparsa più di recente sulla scena mondiale. Il salotto sarebbe stato definito dalla sua ordinatissima madre vietnamita una baraonda, con il pavimento coperto di libri e di cassette e i divani ingombri di raccoglitori. In una camera da letto, Shu intravide la schiena di un uomo chino su un computer, mentre lì vicino un televisore blaterava un seguito di notizie. La porta dell'altra camera era chiusa ma si sentiva il lamento di un bambino che forse aveva fame o voleva essere cambiato.

«Ecco, metta pure qui tutte le sue carte», disse Liana Krumins e riunì in un cestino i mucchi di fotocopie e di lettere che occupavano la scrivania. «Ha visto la trasmissione? Le è piaciuta?».

Shu decise, per prudenza, che avrebbe tenuto i documenti in cartella, sulle ginocchia, e li avrebbe tirati fuori man mano. «È stato un grande successo, Liana, con un consenso sbalorditivo per un documentario, dovuto solo in parte al lancio che l'aveva preceduto».

«Infatti alla rete erano tutti contenti». Liana si arruffò i capelli che le si stavano allungando. «Ma a lei è piaciuto? Le è parso un esempio di buon giornalismo? Irving ne è stato orgoglioso?».

«Irving Fein non parla con me da un anno», rispose Shu con tristezza, «ma le recensioni... beh, le avrà lette anche lei, a sentire quelle la trasmissione dovrebbe vincere tutti i premi esistenti. Ho parlato con Viveca, in California, è riconoscente a lei e a Irving per averla presentata come l'eroina della storia».

«Le ha parlato? È lei solo, sa, a esserci riuscito. Era d'accordo sulla ricostruzione della scena in camera da letto, quando lei scopre che Dominick è il vero Berenskij? E non ha sofferto nel vedere la registrazione del notiziario in cui lei era drogata?».

«Ha pensato che, avendo voi mostrato prima come l'agente in sonno l'avesse drogata per impedirle di smascherarlo, la sua reputazione ne sia uscita salva. Inoltre, molti grossi funzionari della televisione si sono sentiti in colpa ed è anche per questo che hanno sostenuto la trasmissione, per riabilitarla». Shu pensava che la personalità di Liana, un insieme di mistero del vecchio mondo e di entusiasmo giovanile, avesse valorizzato il programma. Viveca avrebbe smorzato il proprio personaggio, sarebbe stata costretta a descrivere con modestia, almeno apparentemente, la parte che aveva avuto nella scoperta del segreto di Dominick/Berenskij. A ogni modo, il suo rifiuto di tornare in televisione e l'insistenza di Irving nel convincere Liana a essere lei la voce narrante e l'interprete femminile aveva dato buoni risultati.

«Vedrà quando avranno letto il libro di Irving, dove la loda per l'intelligenza, per il coraggio, per tutto. Non è molto obiettivo. Crede che ne sia innamorato?». Senza aspettare una risposta, che Michael non avrebbe saputo darle, Liana corse nella camera del bambino, lo calmò e tornò indietro. «Ace ha telefonato stamattina, ha detto che i club del libro stanno facendo una gara a chi offre di più. Anche il titolo mi piace».

«*Il ritorno del Feliks di Ferro* sarà un successo». Shu ne era certo. «Il programma televisivo e la cassetta saranno mostrati durante tutte le lezioni di giornalismo della Newhouse School di Syracuse, come voi desideravate. Il CD-ROM, con tutti i dati del trasferimento e l'uso dei derivati finanziari costituirà materia di studio alla Harvard Business School, come desiderava suo padre». Shu aprì la cartella e contemplò le cartellette a soffietto, bene allineate. «Ora mettiamoci al lavoro».

Liana, le mani intrecciate in grembo, si fece seria.

«Come esecutore unico del testamento di suo padre, Aleksandr Berenskij, conosciuto anche come Edward Dominick», disse Shu in tono professionale, «ho l'obbligo fiduciario di darle un rendiconto preliminare del valore del patrimonio e delle ultime volontà e disposizioni testamentarie del defunto, un anno dopo la sua morte».

«Oggi è l'anniversario», disse Liana. «Non me n'ero dimenticata».

Shu trasse un profondo respiro. «Ho il privilegio d'informarla che lei è la principale beneficiaria dei beni di suo padre. Come indicato nel suo programma televisivo il loro valore ammonta a circa ottantacinque miliardi di dollari escluse le tasse. Poiché la maggior parte dei beni giacciono fuori dagli Stati Uniti a vari, bassi livelli di tassazione, ritengo che il valore complessivo, pagate le tasse, sia di circa sessanta miliardi di dollari. La metà dei quali va a lei».

«La metà?».

«Trenta miliardi di dollari. Liana, lei è un donna molto ricca». Michael si schiarì la gola per pronunciare una frase che poteva sembrare un'iperbole, ma era una semplice constatazione. «Lei è la persona più ricca del mondo, non solo, ma ha più beni intestati a suo nome che chiunque abbia mai avuto nella storia dell'umanità». Sembrava sopraffatto dalle sue stesse parole. «Insomma, è ricchissima».

«Bene. Prometto che spenderò il mio danaro oculatamente».

«Avrà bisogno di un ufficio contabilità, di consulenti legali, di consigli per gli investimenti...».

«Voglio farle conoscere il mio consigliere più importante».

Liana indicò Nikolaj Davidov, che si scostò dalla fronte i capelli neri e lucenti, con la camicia aperta fino alla vita. In piedi, vicino alla porta della camera da letto, chiese a Shu: «Quanto?».

«Trenta netti per Liana».

«Quello che avevamo calcolato».

Shu, che era riuscito a comprare una grossa società di revisione con parte di quanto aveva ricevuto da Berenskij e con la previdente abilità di amministrare il frutto di grossi affari finanziari svoltisi per anni, fece notare che il consigliere avrebbe avuto da lavorare a tempo pieno e con decine di collaboratori, dalla mattina alla sera.

«Niko è disoccupato», gli spiegò Liana, come se bastasse a sistemare tutto. «È stato licenziato nello stesso momento in cui Antonia Krumins è stata nominata Ministro della Sicurezza Federale. Irving ci ha mandato per fax la prima stesura del capitolo in cui i Feliks prendono possesso del KGB a Mosca».

«Tre miliardi di dollari in oro sono stati utili a Madame Nina», aggiunse Davidov. «A Mosca, il presidente si è molto arrabbiato con me perché non ero riuscito a impedirle di impadronirsene. Posso considerare una fortuna che mi abbia solo licenziato senza farmi processare».

Mike Shu pensò subito a un modo per tenerlo occupato. «Seconda grande beneficiaria del testamento è la Fondazione Shelepin, quindici miliardi di dollari per provvedere alle pensioni dei veterani del KGB e della vecchia Armata Rossa. A Liana è stata data l'autorità di nominare il consiglio di amministrazione. Lei, Davidov, potrebbe fare il presidente. Sarebbe una posizione di grande potere e prestigio».

«Ci penseremo», disse Davidov. «Ha ragione, bisogna che ci procuriamo dei buoni consiglieri. Liana ha in progetto di fondare un istituto di epistemologia, intitolato a Berenskij, in una nuova università, a Riga».

443

«L'università più moderna di tutto il mondo, multilingue, multinazionale, multiculturale, multimediale, multitutto». Liana non nascondeva la propria eccitazione. «E in più stabilirò un fondo per aiutare i russi che non si trovano bene in Lettonia a costruirsi una casa in Russia. E poi...».

«Le servirà un contabile che sappia dove sono seppelliti tutti i cadaveri». Shu si morse la lingua, forse non aveva detto la frase più opportuna.

«Chiederò a Irving», disse Liana. Shu si schiarì la gola, avrebbe preferito che Irving non fosse consultato. «Venga a vedere il mio bambino, Michael. Oggi compie quattordici settimane».

Sulla porta della cameretta, Shu si azzardò a chiedere sottovoce: «È di Davidov?».

«Uhm», rispose Liana e lui non riuscì a capire se aveva detto di sì o di no.

«Vi sposerete?».

«A me farebbe piacere. Niko ci sta pensando».

«Si ricordi di fare prima un contratto di matrimonio», consigliò Shu. «Un marito, soprattutto come padre del bambino, potrebbe vantare dei diritti sul suo patrimonio». Guardò la faccia rossa, i capelli castano chiaro del bambino che sgambettava, tendendo un piccolo pugno chiuso verso il giochino appeso sopra la culla e trattenne un moto di sorpresa perché avrebbe giurato che quella era l'immagine di Irving Fein neonato.

FRANCOFORTE

«Quel miserabile, scandaloso programma mi ha quasi rovinato, signor Shu!». Karl von Schwebel era fumante di rabbia. «La menzogna che io sia finanziato dalla mafja è stata perpetrata dai miei concorrenti, e sono a legioni. Lei è l'esecutore testamentario di Berenskij?».

Michael Shu assentì.

«Io ho una richiesta sostanziale a questo proposito. Ero suo socio segreto, secondo un accordo stabilito tra noi solennemente il giorno in cui è stato ucciso dal fanatismo di quella donna, Nina».

«Ha un contratto scritto?».

«Naturalmente no. Mia moglie, Sirkka, che è stata la sua più vicina collaboratrice negli anni in cui ha costruito la sua fortuna, e che gli è stata indispensabile, è testimone del nostro contratto verbale».

«Non intendo mancarle di rispetto, ma in America si dice che un contratto verbale non vale la carta sulla quale andrebbe scritto».

«Ne discuteremo, anche in tribunale se sarà necessario. Perché è venuto qui?».

«Per parlare con sua moglie, signore. Posso vederla da sola?».

«No. Noi lavoriamo insieme. Non abbiamo segreti l'uno per l'altra». Von Schwebel si rivolse a sua moglie, seduta tranquillamente a una scrivania nella loro biblioteca.

La donna alta e sottile della quale Michael pensava che avesse gli occhi viola più intelligenti che avesse mai visto, disse: «Gli interessi di mio marito e miei sono inseparabili».

«È un principio ammirevole, signora, ma io sono stato incaricato dal signor Berenskij, mentre stendeva le proprie disposizioni testamentarie, di trasmettere un messaggio a lei personalmente, prima di discutere del suo lascito. È mio dovere rispettare i desideri del signor Berenskij alla lettera». Per rendere meno puntuta una frase che poteva sembrare concepita come un insulto a suo marito o per evitare che in lui nascessero dei sospetti, Shu aggiunse: «Per quanto ne so, potrebbe trattarsi di un codice di sicurezza».

«Allora», disse von Schwebel, «portalo in giardino, cara, dove nessuno potrà ascoltarvi».

Shu si ricordava che intercettare le conversazioni era la specialità di Karl von Schwebel, che era riuscito a penetrare attraverso l'elaborato sistema di sicurezza dell'ufficio strategico della banca di Memphis perché era proprietario della società che lo aveva installato. Sirkka lo guidò nel loro giardino ben tenuto, dove Shu immaginò che in ogni cespuglio fosse nascosto un microfono. Insisté con la signora von Schwebel perché andassero a parlare nell'auto a nolo che aveva lasciato sul viale. Lei acconsentì senza discutere.

«Quanto?».

«Cinquecento milioni di dollari per lei, ma con un "se"».

«Il dormiente dorme ma non riposa», disse Sirkka.

Shu pensò che erano le parole giuste per descrivere le ultime operazioni di Berenskij. Vide che, nonostante il sorriso ironico, Sirkka era pronta a fare qualunque cosa le fosse stata chiesta.

«Il signor Berenskij aveva, evidentemente, la massima considerazione per lei, ma non per suo marito. Il lascito sarà intestato a lei e, specificamente, non soggetto a qualsiasi accordo di comunione di beni lei abbia con suo marito, sotto forma di titoli che saranno ac-

445

quisiti da una società finanziaria delle Antille che controlla la società madre di Unimedia».

«Le cui azioni sono crollate a causa di un terribile, per quanto veritiero, programma televisivo organizzato da quella faccia tosta di Irving Fein».

Michael assentì; il prezzo basso rendeva l'acquisto del controllo più facile. «Il signor Berenskij desiderava che fosse lei con un'altra persona a controllare l'impero dei media, ma voleva che fosse ancora lei a decidere se far partecipare alla gestione il signor von Schwebel o rinunciarvi».

«Chi è l'altra persona?».

Quella donna sapeva andare direttamente al cuore di un problema; Michael capiva perché Berenskij avesse avuto tanta considerazione per la sua intelligenza. «Non mi è ancora concesso risponderle, ma si tratta di una persona esperta di comunicazione alla quale, ugualmente, è stato lasciato un legato. Il testatore riteneva che la sua esperienza, signora von Schwebel, sarebbe stata di complemento alla esperienza di questa persona. Con il vostro intervento, il controllo della società Unimedia dovrebbe essere tolto alla organizzazione Feliks».

«A chi pensava di associarmi Aleks?».

«Lo dirò appena avrò avuto un colloquio con questa persona».

«Mi pare di capire dalla frequenza con la quale viene definita una "persona" che si tratti di una donna. Va bene. Un miliardo di dollari tra tutte e due dovrebbe bastare a controllare un impero di cinque miliardi. Faccia il suo dovere, signor Shu».

Shu volle aggiungere una osservazione personale. «Ero accanto ad Aleks Berenskij mentre redigeva il testamento, a Memphis. Aveva espresso il desiderio che lei sapesse quanto aveva apprezzato il suo lavoro nel corso degli anni e aveva aggiunto, sono le sue parole, di essere "attratto da Sirkka von Schwebel più che da qualsiasi altra donna avesse mai conosciuta". Immagino che per questa ragione abbia predisposto che lei avesse una indipendenza economica. E aveva detto anche, interpreti queste parole come crede, di sentirsi molto vicino a lei, come proprietario di un cane, perché non dimenticava che una volta lei ha avuto il coraggio, su consiglio del veterinario, di sopprimere il suo cane da montagna».

Sirkka tacque a lungo, immobile, poi disse: «Gli sono stata utile. C'è stato un momento in cui ho avuto un'importanza vitale nella realizzazione del suo progetto».

Michael Shu ritenne dapprima che alludesse all'ultimo, grande colpo finanziario; poi ricordò a se stesso l'opportunità di applicare il meccanismo di pensiero di Irving in momenti come quello. Forse Sirkka alludeva all'uccisione del banchiere svizzero a Berna, l'allusione di Berenskij al cane di montagna che era stato abbattuto faceva pensare che Sirkka avesse organizzato una morte accidentale per il banchiere o lo avesse ucciso lei stessa. In questo caso, a buon diritto diceva di essersi resa utile.

«Aleks conosceva il rischio che avrebbe corso presentandosi ai Feliks, a Riga», proseguì Sirkka. «Voleva assicurarsi che il danaro fosse usato per ricostruire una Russia in grado di sconfiggere l'Ovest. Per questo occorrevano forza di carattere e passione patriottica, non la corruzione e la cupidigia della mafja russa».

«Berenskij l'ha dimostrata questa forza di carattere».

«Strano, vero signor Shu, che il progetto di Shelepin nel creare un agente in sonno sia andato perduto a opera di un nemico che lui, senza volerlo, aveva creato in quello stesso momento. Alla fine, marito e moglie, si sono distrutti a vicenda». Sirkka mise una mano sulla maniglia della portiera e disse, con affettuoso distacco: «Spero che Aleks abbia avuto un attimo di tempo, prima di morire, per coglierne l'ironia. La mafja e i suoi alleati stanno prendendo il potere a Mosca senza il suo danaro. La sua vita, tutti quegli anni in cui aveva annullato se stesso, sono stati tempo sprecato».

La futura baronessa dei media aprì la portiera dell'automobile. «Lei, poco fa, ha detto "attratto più che da qualsiasi altra donna avesse mai conosciuto". Sono queste le parole che ha usato Aleks?».

«Sì, queste precise parole».

«Anch'io ero attratta da lui. Mi sono resa utile alla Stasi, utile al KGB, utile ai Servizi Esteri russi, utile a mio marito, ma tra tutti, solo Berenskij mi ha dato la sensazione di non essere solo "utile"». Se ne andò, la testa orgogliosamente gettata all'indietro, in quella che, per il momento, era ancora la casa di suo marito.

NEW YORK

«Mi fa piacere che ci abbia riuniti nel suo ufficio, signor McFarland», disse il commercialista, avvicinandosi con la sedia alla scrivania. «Posso chiamarla Ace?».

«Di' a quel cialtrone traditore di chiamarti signor McFarland», ribatté Irving Fein, semisdraiato sul divano.

«Una volta non sopportavo questo soprannome troppo forte,

che alludeva a una mia assurda posizione di fuoriclasse», disse l'agente letterario, «ma l'età mi ha reso più malleabile. Irving trova riprovevole che lei, a metà del guado, sia passato al servizio di Berenskij e per questo preferisce trattare con lei attraverso di me».

«Non posso biasimarlo». Shu mostrò due buste. «Lei, signor McFarland ha diritto a una copia del testamento perché vi è menzionato il suo nome», gli porse, attraverso la scrivania, una delle due buste, di carta scura, più piccola dell'altra, «a proposito della documentazione contenuta in questi dischetti». La busta conteneva i diari e le memorie di Berenskij nel corso di vent'anni.

«Sono incaricato di rappresentare la proprietà nella vendita di questo libro?».

«Veramente no. Il diario è il lascito riservato a lei dal signor Berenskij, come indicato alla pagina quarantasette del suo testamento, in ricordo di una cena a casa sua durante la quale ha incontrato per la prima volta la propria figlia. Le percentuali sono per lei».

«Furbo come il demonio!», esclamò Irving dall'altro lato della stanza. «Così, Ace, tu sarai costretto a sbatterti da tutte le parti per prendere quanto più puoi di anticipo, gli editori dovranno fare una prima edizione corposa e una promozione enorme per cercare di riprendersi un po' dei loro soldi. In conclusione, Berenskij trasmetterà il suo messaggio attraverso un largo strato di pubblico e da quel comunista assassino e vigliacco che era passerà per essersi comportato come un eroe».

«Questo, sostanzialmente, pensava il mio cliente», ammise Shu.

«Ho curato professionalmente gli interessi degli eroi e dei mascalzoni», dichiarò Ace con accento solenne, «secondo il principio della libertà di parola cui ho informato tutta la mia esistenza». Finse di non sentire il conato di vomito che veniva dal divano e proseguì: «Signor Shu, perché lei ha insistito per convincermi a far venire qui Irving oggi? Anche lui è nominato nel testamento?».

«No, volevo parlargli del mio tradimento apparente».

Fein scattò immediatamente in piedi. «Apparente? Apparente? Tu ti sei venduto, piccolo stronzo che non sei altro. Berenskij ha depositato dieci milioni di dollari a tuo nome su un conto svizzero segreto meno di due mesi dopo che tu eri andato a Memphis per svolgere un incarico che io ti avevo affidato e per il quale ti avevo pagato. Tu lavoravi contemporaneamente per due clienti in contrasto tra loro e io ti accuserò di aver violato l'etica professionale e ti farò espellere dal numero dei commercialisti seri per il resto della tua vita. Hai capito? E che parte hai avuto del patrimonio? Il solito cinque per cento? Cinque miliardi per esserti venduto?».

«Il testamento dice un decimo dell'uno per cento, o dieci milioni, secondo quale risulterà la cifra più alta», ammise Shu, tanto Irving prima o poi l'avrebbe scoperto.

«Dieci pidocchiosi milioni. Ti sei venduto per poco. D'accordo, ora sei ricco, ma sei diventato carne da macello agli occhi di tutti i commercialisti del mondo. Cerca pure di ritrovare un po' di rispettabilità, tanto, quando morirai, nel tuo necrologio scriveranno "traditore degli ordini dei commercialisti e dei giornalisti". Goditi i tuoi soldi, piccolo plutocrate, io ti starò alle costole per il resto della tua vita».

Shu accolse a occhi chiusi l'invettiva dell'uomo che rispettava tanto, confortato dal pensiero che almeno avevano ripreso a parlarsi direttamente. Quando Irving tacque, disse soltanto: «Io non mi sono venduto».

Irving allora si slanciò in un'altra violenta denuncia, carica di fatti e di date, raccolti evidentemente per un seguito della storia che avrebbe trattato l'opera di corruzione di un avido e ingrato vietnamita-russo-americano esercitata dall'agente in sonno. Quando infine non ebbe più niente da dire, il commercialista raccontò la sua storia.

«Ti ricordi che, dopo la morte di Clauson, eri andato a parlare con Dorothy Barclay, alla CIA?».

«Sentite l'ipocrita! "Dopo la morte di Clauson". Vuoi dire dopo che il tuo cliente l'aveva assassinato? Giusto?».

«Sì. Non lo so per certo e nessuno lo sa, ma penso che sia giusto presumere che Berenskij lo abbia ucciso».

«Grazie».

«In ogni modo, ti ricordi che sei andato a Langley? E che la Barclay, direttore centrale dei Servizi Segreti si è, diciamo, sbarazzata di te?».

«Beh, sì».

«Ecco, evidentemente l'avevi messa in allarme, perché aveva passato subito tutto l'incartamento Clauson al direttore dell'FBI per non essere colpita in seguito da un ritardo tipo Ames. È stato allora che gli agenti dell'FBI sono venuti da me».

Fein ascoltava, in silenzio. Fu Ace a dire: «Continui».

«Mi hanno detto che dovevo lavorare per l'FBI mentre ero a Memphis con Dominick. Hanno detto che era il mio dovere verso la patria».

«Ma tu eri già impegnato con me, con un privato cittadino degli Stati Uniti, e nessuno sospettava, allora, che Dominick mentre fingeva di essere Berenskij era, in realtà, Berenskij che fingeva di essere Dominick».

«Ti sbagli, Irv. Io credo che il direttore Barclay si fosse messa sulle tracce del dormiente forse da quando aveva cominciato a percorrere il cammino a ritroso con la storia di Walter Clauson. C'era qualcosa di sospetto nel rapporto su Clauson e Dominick in viaggio di lavoro a Kiev, qualche anno prima. Lei lo ha detto all'FBI e loro si sono rivolti a me perché intercettassi le intercettazioni di von Schwebel. Io gli ho dato il nostro codice. Ho pensato che... Insomma, erano quelli dell'FBI, no? Sono dalla nostra parte».

«Loro sono dalla parte della legge. Tu dovevi essere dalla parte della verità», affermò Irving, implacabile come un Savonarola. «Avevi un obbligo, come commercialista iscritto all'albo, di parlare col tuo cliente, che era quello che ti dava da mangiare e che, nella fattispecie, ero io».

«Dovevo fare così? Non so. Hanno insistito molto nel dirmi che non dovevo parlare con nessuno, soprattutto con te, perché eri così amico di Liana, a Riga, e di Davidov del KGB. Quelli del KGB, e il tuo amico Hanrahan della Federal era d'accordo con loro, volevano che io sembrassi più vicino a Dominick e più lontano da te».

«Il progetto dell'FBI era di indurre Berenskij a cercare di corrompere Michael Shu», disse Ace a Irving, come se temesse che non avesse capito bene, «perché così sarebbe stato costretto a dirgli che non era Dominick. Un espediente ben trovato. Credo che E. Phillips Oppenheim lo abbia usato in un romanzo scritto dopo la prima guerra mondiale: *L'identificazione*».

«Non esagerare, Ace», disse Irving per rimproverare al suo agente la tendenza a ritenere che la vita fosse a modello dell'arte, ma non guardava più Michael Shu come se si sentisse il protagonista di un romanzo di cappa e spada. «Allora, Mike, quando Berenskij ha violato il tuo imene?».

Ace stava per porre qualche obiezione alla forma con la quale era stata espressa la domanda, ma Michael pensò che il riferimento alla perdita della sua verginità professionale era calzante. «Immediatamente prima del colpo finanziario definitivo. Clauson aveva fatto il suo tentativo di assumersi il controllo dell'operazione ed era stato ucciso. Berenskij aveva bisogno di Sirkka laggiù e qui di Mortimer Speigal alla Federal. Clauson era sempre stato il filtro di Speigal; a Berenskij serviva qualcuno qui per completare il circuito della operazione e quel qualcuno non potevi essere tu, Irving, perché tu sei troppo... non so... incorruttibile?».

«Incorruttibile è una buona definizione di Irving Fein», disse Ace. «Spesso ingenuo, talvolta sgradevole, ma incorruttibile sempre».

«Così, quando Berenskij mi ha fatto il suo discorsetto, dicendomi che era il vero agente in sonno, ho riferito tutto all'FBI. Immediatamente mi hanno fatto promettere che non ti avrei detto niente. Mi hanno spiegato che significava immettere un segreto di stato in un interesse privato e che non avrei più potuto esercitare la professione».

Irving si passò la lingua sulle labbra riarse. «E Dorothy Barclay era d'accordo con loro? Faceva parte del complotto per usare le mie informazioni e il mio collaboratore contro di me?».

«Non è stata onesta con te fin dall'inizio. Io non so se mi sarei fidato di lei», disse Shu, sperando di mettersi in qualche modo dalla parte di Irving. Se, infatti, avesse convinto Liana a contestare la sua carica di esecutore testamentario, chiamando in causa la sua fedeltà a Berenskij mentre lavorava ancora per il KGB, avrebbe dovuto aggiungere alle tasse da pagare come esecutore anche le spese legali. «E quella storia del lesbismo? Un agente dell'FBI mi ha detto che è una copertura, è sicuro che sia eterosessuale come te e me».

«Dati i tempi, ci sarebbero gli estremi per una denuncia sui giornali», disse con leggerezza Ace. «Pensate al titolo: "Alto funzionario si rivela normale"».

Irving si rivolse a Shu. «I tuoi capi dell'FBI ti hanno detto che Dorothy ha cominciato a sospettare di Clauson dopo la mia visita a Langley. Quando avevo il cane in automobile».

«Solo allora li ha informati, prima no. Così mi hanno detto», rispose Mike. Perché Irving si soffermava su quei particolari? «Gli agenti dell'FBI si sono seccati che fino a quel momento non avesse avuto dei sospetti su Clauson, pensavano che avrebbe dovuto rivolgersi a loro molto prima». Nel caso fosse importante, aggiunse: «Non sapevano del cane».

«Hai mal di testa, Irving?», chiese Ace, perché Irving si era alzato dal divano di scatto e si batteva, lentamente, il palmo della mano contro la tempia.

«Fa sempre così quando pensa», spiegò Mike. «Allora mi hai perdonato, Irving? La nostra amicizia e la tua stima sono molto importanti per me».

«Lo so, amico», esclamò Fein di nuovo presente a se stesso, «di essere importante per te. L'amicizia non c'entra niente. A una mia parola, Liana e Niko non solo ti rifiuterebbero come esecutore testamentario ma non ti assumerebbero per amministrare i loro trenta miliardi, mentre se tu avessi il controllo del loro patrimonio completeresti la tua posizione di titolare del più importante studio commerciale del mondo. Quindi non parlarmi di amicizia, di stima e di buoni sentimenti».

«Se ti ritenessi un pratico uomo d'affari, Irving, ti offrirei una fetta della mia fetta. Ma tu sei un idealista e mi butteresti giù da quella finestra».

«Hai tutte le ragioni. Appiccicati sul culo la liquidazione del tuo amico comunista e...».

«Un momento, un momento, perché tanta fretta?», disse Ace. Diede a Irving un'occhiata che significava "lascia fare a me" e Irving, con grande sorpresa di Mike, tacque. «Signor Shu, sebbene lei sia stato in questo ufficio una prima volta, come collaboratore del mio cliente, io, come sa, non l'ho mai rappresentata professionalmente. Io rappresento il signor Fein, un artista che non va annoiato con volgari considerazioni commerciali come certi cavilli ereditari del resto perfettamente legittimi». Mike, colse l'allusione a un affare e annuì; la fetta di Ace tolta alla fetta di Irving, tolta alla fetta di Mike sarebbe stata comunque di dimensioni considerevoli.

Ace si rivolse al suo cliente, che sembrava aver perso improvvisamente interesse nel rimbrottare ingiustamente un socio sleale e guardava l'orologio. «Irving, tu prima hai insistito nel ricordarmi che avevi un posto prenotato su un aereo per San Francisco. Chiamo il mio autista per farti accompagnare a... quale aeroporto?».

«Idlewild».

«Irving è tenace nei propri rancori», disse Ace a Mike. «Non ho mai capito che cos'ha contro i Kennedy». Poi, si rivolse a Irving. «L'autista ti porterà al Kennedy. Buon viaggio, Irving; portale tutto il mio affetto. No, Michael, sieda, sieda, abbiamo molte cose da discutere».

Shu aspettò la freccia del Parto; Irving non usciva mai da uno scontro senza una frase da far fermare il cuore.

«Strano che tu sia riuscito ad avere così presto la copia autenticata di un testamento, senza un cadavere», disse Irving mentre usciva, voltando solo la testa.

Shu trasalì. «È stato difficile ottenere un certificato di morte», ammise. Poi scosse la testa, sconsolato. Irving aveva colpito ancora.

LANGLEY

Irving disse all'autista di Ace di portarlo al Marine Air Terminal dell'aeroporto La Guardia a prendere la navetta per Washington. Col telefono che era in automobile cambiò il volo prenotato per la California con un altro, più tardi nella stessa giornata, in partenza da Dulles, D.C. Poi chiamò Dorothy Barclay alla CIA.

«Arrivo con la navetta alle undici e mezzo», le disse. «Prendo un taxi e in dieci minuti dovrei essere in quel piccolo parco sul fiume, vicino all'Agenzia. Trovati lì, da sola, e di' al tuo autista e alla tua guardia di venirci a prendere dopo venti minuti».

«Ho una colazione alla Casa Bianca, Irving, non posso mancare», rispose il direttore centrale dei Servizi Segreti. «Perché non ci vediamo domani mattina presto a casa mia?».

«Dotty, se andrai a quella colazione invece di venire da me, te ne ricorderai come dell'ultima volta che sei entrata alla Casa Bianca».

«Sembrerebbe una minaccia».

«Non minaccio mai nessuno. Però so scrivere come un figlio di puttana se qualcuno mi ha preso in giro. Questo telefono non è coperto. Trovati in quel piccolo parco che ha il nome del capo dello stato maggiore del generale McClellan a mezzogiorno meno un quarto». Fort Mercy Park, vicino alla sede di Langley, era il luogo dove di solito i funzionari dei Servizi Segreti incontravano le loro fonti, lontano dalla zona consacrata e dagli uffici pieni di microspie. «Sarò lì, appoggiato al cannone».

Dorothy Barclay arrivò all'ora stabilita e la sua automobile si allontanò, secondo gli accordi presi con Irving. «Questo non è il parco dove...?».

«È proprio qui, davanti a noi. Il proiettile non è mai stato trovato».

«Ho visto la trasmissione ieri sera. All'Agenzia ne parlano tutti. Quella storia di Clauson che era la nostra seconda talpa è stata un po' un pugno in un occhio, ma poteva andare peggio. Non vedo l'ora che esca il libro».

«Lì ci sarà il resto della storia».

«Che cosa c'è che non va, Irving? Perché hai voluto vedermi subito?».

«L'FBI sta per piombarti addosso, ragazzina», rispose Irving. «Ce l'hanno con te perché hai aspettato ad avvertirli che Clauson era una talpa fino a quando non sono venuto da te, quel giorno, nel tuo ufficio». Era l'informazione che aveva estorto a Mike Shu, per il resto si era affidato all'intuito e all'esperienza. «Ma tu lo avevi saputo due mesi prima, ti aveva informato il tuo predecessore».

Dorothy non negò né l'una né l'altra accusa e per Irving fu quasi come una conferma. «I direttori centrali dei Servizi Segreti», disse Dorothy, «devono accettare qualche pressione da parte del Congresso. Ci pagano per questo».

«Ma qui c'è qualcosa di peggio. La tua Agenzia non ha avvertito l'FBI di catturare la talpa per almeno un anno, molto prima che tu avessi la nomina. E tu hai portato avanti questa copertura».

«Perché avrei dovuto farlo». Non era una domanda, era il proseguimento di un dialogo che Dorothy si era aspettata di dover affrontare.

«Perché inseguire la seconda talpa russa nella CIA avrebbe intralciato una operazione più importante, la cattura dell'agente in sonno».

«Hai la prova?».

«Certo. Ho un testimone oculare. Me stesso. Tu ti sei servita di me nelle fasi finali della vostra caccia all'agente in sonno. Tu mi hai imbrogliato oltre l'immaginabile. Adesso mi devo rifare».

«Io non ti ho imbrogliato, Irving. È stato Walter Clauson. Io non ho potuto impedirglielo perché... come si dice, avevamo un pesce più grosso da friggere in padella».

Fein portò avanti il suo gioco, basandosi su quello che era solo un sospetto. «Mi servono le date dei due decreti, uno dell'ex Presidente, uno di quello in carica».

Il viso di Dorothy non tradì alcuna emozione. «Lo sai che non posso darti né l'una né l'altra».

Per Irving era già tanto. Se il direttore centrale dei Servizi Segreti si asteneva dal riferire la constatazione o il ragionevole sospetto di un crimine contro lo stato, si metteva contro la legge, a meno che non fosse coperto da un "decreto" firmato dal Presidente nel quale si dicesse che nascondere quel crimine al Ministero della giustizia era a vantaggio della sicurezza nazionale. Quando un nuovo presidente fosse entrato in carica, avrebbe dovuto firmare un nuovo decreto per tutelare il direttore centrale dei Servizi Segreti. Dicendogli che non poteva dargli "né l'una né l'altra data", Dorothy Barclay gli aveva confermato che i decreti erano due e che la CIA aveva attribuito la priorità alla propria ricerca dell'agente in sonno e per questo non aveva messo l'FBI sulle tracce della talpa. Questo era il significato della frase "un pesce più grosso da friggere in padella".

Ma Irving sapeva di avere davanti a sé una donna con una intelligenza molto acuta; Dorothy non poteva non essersi resa conto che, dicendo "né l'una né l'altra data", aveva confermato, tacitamente ma innegabilmente, i suoi sospetti. Irving aveva la sensazione che ci fosse qualcosa che lei voleva fargli sapere e non poteva dirgli, ma che avrebbe giustificato la sua Agenzia per non avere taciuto una prova all'FBI per più di un anno. Pensava che dovesse essere una risposta alla sua accusa, raccolta, così le aveva detto, da una fonte dell'FBI, di aver portato avanti una copertura. Provò a forzarle ancora un po' la mano.

«Quello che irrita l'FBI», disse, appoggiandosi con un braccio al cannone del capo di stato maggiore di McClellan, «è che il controspionaggio negli Stati Uniti è sempre stato una loro creatura. L'FBI ha intenzione di protestare che le tue spie non hanno il diritto di cercare un agente in sonno a Memphis».

«È vero».

«Questo significherebbe che tu non avevi motivo di procurarti un decreto presidenziale per avvertire il KGB della presenza sospetta di una talpa nella tua agenzia». Ma non era una ragione sufficiente a vederci più chiaro. I Presidenti non firmano decreti che generino malumori e che, presto o tardi, dovranno essere mostrati a qualche revisore, al Congresso, senza poterli giustificare.

«A meno che», disse Dorothy, e non aggiunse altro.

Irving aveva la sensazione di essere vicino alla verità, però non riusciva ancora a raggiungerla. A meno che? A meno che la ragione per non avere informato l'FBI riguardasse non il controspionaggio interno, ma esterno agli Stati Uniti. Quindi il decreto doveva riguardare un agente della CIA che stesse conducendo quella operazione di controspionaggio come parte della sua missione di spionaggio.

Irving capì che era alle soglie del mistero: la CIA usava una spia all'estero, in una posizione estremamente sottile e rischiosa per indagare sui movimenti dell'agente in sonno in America. La spia doveva essere a un livello così alto e rivestire un ruolo così importante per il successo di quella missione, che l'Agenzia aveva potuto convincere due Presidenti che la sua identità doveva essere nota solo a coloro cui fosse strettamente necessario. Nemmeno la caccia alla talpa Clauson poteva compromettere questo agente oltremare, a causa del quale l'FBI era stata tenuta in disparte per quasi un anno.

Irving provò un'improvvisa sensazione di tranquillità: aveva capito. Accarezzò, provandone un piacere particolare, la superficie nera, ricurva del cannone della Guerra Civile. Prima avrebbe voluto divertirsi un po' con il direttore centrale dei Servizi, che lo aveva raggirato tanto bene fin dall'inizio di quella storia.

«Parliamo di Antonia Krumins», disse. «Tu hai dato una mano a collocarla a capo dei Feliks e l'hai ingaggiata per attirare il suo ex marito in Lettonia e ucciderlo. Brutto affare. Credevo che ci fossero delle leggi contro l'omicidio. D'altra parte, immagino che dovessi fare quello che hai fatto, Dorothy. Hai ripagato Antonia Krumins con tre miliardi in oro e ora ce l'hai come tuo agente al vertice del KGB. Un'operazione brillante. Roba da Philby. Non sarai la prima a scrivere un memoriale dal carcere».

«Mi auguro che tu stia solo scherzando, Irving. È così, non è vero?».

Fein la lasciò per un momento consumarsi nel considerare la possibilità che avesse parlato sul serio, poi sorrise. «Nell'esercito, quando l'artiglieria sbaglia il tiro e spara sui suoi, sai che cosa dicono gli ufficiali per cancellare l'orrore del fuoco fratricida? Dicono: "Peggio per loro, non hanno saputo stare allo scherzo"».

«Mi hai chiesto di venire qui senza spiegarmene la ragione», rispose Dorothy. «Adesso dimmi che cosa vuoi sapere».

«Voglio sapere perché Mike Shu e i suoi avvocati sono riusciti ad avere l'autenticazione del testamento senza il morto».

Dorothy non gli rispose subito e Irving aggiunse: «Di solito, quando non c'è un cadavere non c'è eredità per sette anni, forse anche di più se si tratta dell'eredità più ricca del mondo. Come possiamo essere certi che Berenskij sia morto?».

«È morto davvero. C'è una prova sufficiente a convincere una commissione di giudici».

Quindi non un solo giudice delle successioni, ma una commissione. Irving pensò che si trattasse di una commissione di giudici di corte d'appello di Washington, incaricata di importanti questioni di sicurezza. «Adesso dimmi qual è questa prova, Dorothy».

«Una parte del tronco cerebrale di Berenskij è schizzata su una bottiglia di vino nello scaffale contro il muro. Le cellule erano chiaramente identificabili come provenienti da quella parte del cervello e nessuno potrebbe vivere quando essa è stata distrutta».

Era chiaro ma non era tutto. «Sai già quale sarà la mia prossima domanda».

«Sì, ma non voglio lavorare per te».

«Come sai che quella parte di tronco cerebrale che avete raccolto proveniva dal cranio di Berenskij?».

Il direttore centrale dei Servizi parve avere un moto di fierezza per la perspicacia del suo interlocutore. «Perché il DNA delle cellule cerebrali trovate sulla bottiglia di vino corrisponde a quello delle cellule cerebrali che l'ospedale ha estratto da sua figlia, Liana Krumins».

Fein rivide il seminterrato di Riga, con Davidov che cercava tra le bottiglie e si portava via di nascosto, credendo che nessuno lo vedesse, quella prova in una busta di plastica. Una prova che sarebbe finita nelle mani di una commissione di giudici di Washington, specializzati nei segreti della CIA. Una prova procurata da Davidov, che avrebbe portato a una decisione in base alla quale del danaro avrebbero usufruito Liana e qualche volonterosa, zelante istituzione caritatevole, mentre non sarebbe andato niente ai Feliks, secondo quanto gli Stati Uniti si erano impegnati a ottenere.

«La CIA ha un agente in sonno che se ne sta per i fatti suoi in una università di Mosca», disse Irving. «Voi lo attivate per la grande operazione: trovare l'agente in sonno russo in America con tutto il capitale che potrebbe far saltare il governo a Mosca. Riuscite a farlo nominare capo della sezione del KGB cui è affidato il compito di trovare Berenskij». Irving si ricordò allora del dirottamento dell'aereo presidenziale, quando Dorothy voleva dargli il numero di casa di un alto funzionario russo, ma non Nikolaj Davidov. «E il vostro agente in sonno, Nikolaj Andrejevich, non so quale sia il suo nome americano, ce l'ha quasi fatta».

«Non posso confermare nemmeno una delle tue parole».

«Non ho bisogno di conferme. Ero lì quando il vostro ragazzo raspava il cervello dalla bottiglia. Ma dimmi, Dorothy, quando tutto è finito come l'avete portato fuori di lì?».

Dorothy si appoggiò con le spalle al cannone, prese un profondo sospiro e infine disse: «Non abbiamo dovuto farlo uscire di nascosto da Mosca. Quando non è riuscito a riportare il danaro al governo di Mosca è stato allontanato per incompetenza. È caduto in disgrazia e se n'è andato, con grande sollievo del KGB e nessuno ha saputo che lavorava per noi. Irving... da quanto tempo sapevi... diciamo, da quanto tempo avevi pensato a questa possibilità?».

«La chiami una possibilità?». Irving non voleva dirle che gli era venuta in mente in quel momento. «Dorothy, a me sembra un colpo magistrale. Tutti voi, a Langley e in giro per il mondo, ne sarete orgogliosi, e l'FBI inghiottirà il rospo».

«I russi lo ucciderano, lo sai».

«Che cosa dici?».

«È per questo che sono venuta qui, quando mi hai telefonato. Per questo ho detto alla Casa Bianca che avevo qualcosa di più importante da fare». Dorothy gli andò più vicino. «Se scriverai nel tuo libro che era il nostro agente in sonno, Davidov sarà un uomo morto. Faremo di tutto per lui nel Programma Protezione Testimoni, ma Madame Nina ora è a capo del KGB ed emetterà una condanna a morte che prima o poi verrà eseguita. Nick non vorrà vivere sempre nascosto e finiranno per ammazzarlo».

«Storie. Non ammazzerebbero mai una delle nostre spie. Non si fa».

«Ma lui è nato in Russia, è venuto qui quando era già un ragazzo. Lo tratteranno come un russo che ha tradito, non come uno di noi e i russi i traditori li ammazzano. È nelle loro regole, lo fanno sempre».

«Tu ora mi stai dicendo che devo salvare il culo a Niko per sempre, rovinando una bella storia, una storia che, se non altro per cambiare un po', vi farebbe fare la figura dei vincitori». Irving, come sempre, non volle concludere con un'affermazione e chiese: «In quanti lo sanno già?».

«In sei. Il mio predecessore e io; l'ex Presidente e l'attuale; Nicholas David e infine tu».

«E quando, al momento buono, i decreti presidenziali compariranno davanti al Congresso?».

«Il nostro agente, i luoghi dove ha svolto la sua attività, il suo compito non risultano identificabili in base ai decreti. Se ce lo chiederanno, sarà un punto d'onore per il Presidente e per me, tener duro».

«E se io raccontassi tutto?».

«Ti sporcheresti le mani con il sangue di un nostro agente e noi ti toglieremmo la nostra collaborazione per sempre. Quando vorrai sapere qualche cosa sul percorso della tratta delle bianche che arriva fino alle massime autorità sulle rive del Pacifico con la possibilità di far vacillare due grossi governi, non venire da me a chiedermi quei due bei fascicoli gonfi gonfi che ho sulla scrivania».

«Io sono già un passo avanti a te sull'argomento. Il centro è il Giappone». Irving, in realtà, non ne sapeva niente, ma la logica gli suggeriva che il Giappone dovesse avere un ruolo importante. «Lascia almeno che il mio potere di cancellare Niko da questa terra ti serva di lezione: non fare la scema con la stampa, Dorothy. Hai capito?».

«Giuro su Dio, mai più».

«È arrivata l'automobile a prenderti. Voglio pensarci bene». Era deciso a non darle nessuna garanzia. Un giorno, entro qualche mese, avrebbe detto a Niko che il suo segreto era salvo, se il controagenteinsonno che si era rivelato un noncomunista nonvigliacco avesse fatto di Liana una donna tranquilla. E sarebbe andato tutto bene, naturalmente; la CIA non voleva essere del tutto esclusa da tutti quei soldi distribuiti in Russia.

Chiamò un taxi col telefono cellulare e, mentre aspettava, cercò tra l'erba un proiettile, anche se sapeva che non avrebbe trovato niente, ma così, come si bruca un prato. Il suo cervello, che aveva percorso i cento metri in nove secondi, segnò il passo lungo la linea d'arrivo. Se il DNA di Liana aveva provato che il cervello schizzato in parte sulla bottiglia apparteneva a uno dei suoi genitori, perché doveva essere necessariamente quello di suo padre e non quello di sua madre? Questo poteva significare che Madame Nina era morta e che qualche brava signora della CIA fingeva di essere lei a Mosca e che Berenskij era vivo e faceva il re Lear con la sua leale figliola. Un tipo come Angleton un'idea così non se la sarebbe lasciata sfuggire.

«No», disse a voce alta, «bisogna concludere». Nina ha ucciso Berenskij, il grosso del danaro è andato a Liana e sarà Niko a disporne, Niko che lavora ancora per l'Agenzia ma non più come agente in sonno. Questa era la storia che, per metà, avrebbe scritto nel suo libro.

Irving Fein salutò il cannone della Guerra Civile, puntato verso il Potomac: «Questo parco è intitolato a William Marcy, che non solo è stato il capo dello stato maggiore di McClellan in guerra, ma più tardi è diventato anche suo genero. Un piccolo episodio, ma nessuno lo sa tranne io». Si guardò dietro le spalle e gridò a un immaginario cannoniere: «Appena sei pronto spara, Gridley».

PALO ALTO

Irving la guardò, in jeans, maglietta e scarpe da tennis, con un testo di legge nello zaino e disse, come Stanley: «Joe College, presumo».

Viveca lo salutò stringendogli un braccio con affetto sincero. «Mi è piaciuta la trasmissione. Sei riuscito a far dare a Liana il meglio di sé. Le ho detto che diventerai un maestro del genere».

«Ti ho portato la prima bozza rilegata de *Il ritorno del Feliks di Ferro*». Le infilò il libro nello zaino che diventò più pesante e lei glielo diede per farselo portare. «Ragazzina, ti servirebbe uno *schlepper*».

«Non capisco».

«È una parola yiddish, vuol dire una specie di facchino, lento, silenzioso, tenace».

«Un dormiente».

«Per carità, no! Un dormiente lascia il segno, lo *schlepper* no. Ti segue, strascicando i piedi, portandoti i pesi, sempre disponibile, però alla sera se ne torna lemme lemme a casa sua, come uno scioccone qualunque. Come sta il nostro cane?».

«Occhio fa la guardia. Ho preso in affitto una casa vicino al campus, dietro c'è un cortiletto, una piscina e una stanzetta dove va a dormire. Il nostro cane incide non poco sulle spese di una universitaria che vive con una borsa di studio».

Aveva ripetuto "il nostro cane", era un buon segno. Si misero a sedere su una panchina di fronte alla facoltà di legge. Irving si sentiva stringere lo stomaco solo a guardarla, dopo un anno di lontananza, così fece uno sforzo per scherzare un po'. «Sapevo che facevi la fisioterapista, una onorevole professione. Si può dire altrettanto dell'avvocatura?».

«Adesso non cominciare a fare i giochetti sugli avvocati, altrimenti ti do una botta in testa. Sono brava, sai, prendo voti altissimi alla facoltà di legge migliore di tutta l'America. Potevo farlo dieci anni fa, ma lo stesso non mi è parso tardi per incominciare. Almeno avrò un titolo».

Era sincera e, invece di continuare a prenderla in giro, Irving prese un tono più serio. «Dev'essere una soddisfazione. Quando sarai laureata a che cosa ti dedicherai? Lavorerai per il bene pubblico, per i diritti civili, per i senzatetto, e via dicendo?».

«Fossi matta».

«Allora farai il penalista», suggerì Irving. Viveca alla difesa avrebbe influenzato qualsiasi giuria. «Forse il difensore d'ufficio?».

«Non pensarci neanche. A me piace il diritto societario. Assicurazioni, fusioni e acquisizioni. Che cosa ti faceva pensare che fossi una col cuore in mano? Non mi conosci?».

«No, non me l'hai mai permesso. Non a me». La vide intristirsi e si riprese subito. «Avrai bisogno di un periodo di apprendistato in uno studio legale importante. E guardati intorno anche qui, cerca di capire chi è più dotato, può darsi che un giorno tu debba assumere i tuoi ex compagni del corso di laurea».

«Non ho bisogno di nessuno. Posso fare tutto da sola».

«Perché parli come un'adolescente? Veramente, ora che ti guardo, sei un'adolescente. Anzi sei un sogno. Hai fatto un lifting o che altro?».

«Faccio una vita tranquilla e non bevo più. Penso che tu mi abbia fatto un complimento e ti ringrazio, so che non sono la tua specialità. Come mai sei venuto fin qui? Che cosa mi devi dire?».

«Prima di tutto che mi manchi molto».

«Ti manca la polemica».

«No, mi manchi tu».

«Speriamo che sia vero».

Non era un impegno, ma nemmeno un rifiuto.

«E poi volevo essere il primo a darti la buona notizia».

«Se è una proposta per la televisione, Irving, risparmiati il fiato. Non mi voglio trovare più davanti a una telecamera».

«Bene, è e non è. Quel figlio di troia di Berenskij deve aver provato rimorso per quello che ti ha fatto, e ha cercato di rimediare». Ace gli aveva parlato del testamento dal telefono dell'aeroplano, perché voleva che fosse lui a dare per primo la notizia.

«Mi ha lasciato un po' di soldi? Meno male, ne ho bisogno. L'ipoteca sulla casa di Pound Ridge mi dissangua, per non parlare della camera in più che ho qui e della piscina per il cane».

«L'agente in sonno ti ha lasciato qualcosa di grosso. Un potere che nessuno ti potrà mai togliere. Sai chi è Karl von Schwebel, dell'Unimedia? Le sedi, le reti, i programmi, le edizioni, la casa musicale, gli studi, i macchinari?». Irving si concesse una pausa a effetto. «Berenskij ha lasciato a te e a Sirkka i soldi per comprare il controllo della società finanziaria e buttare fuori il vecchio tedesco».

Viveca ebbe bisogno di un po' di tempo per capire. «Sirkka Numminen è intelligente e brava, ma comprare il controllo... significa un mucchio di soldi».

«No, tu hai cinquecento milioni di dollari, lei pure, potete farcela benissimo».

Viveca era senza fiato. «Irving Fein, non è che stai scherzando?».

«Chiedilo a Shu, che ormai è nell'FBI. Domani verrà qui e ti darà tutti i particolari. È un bravo ragazzo, in fondo, il suo studio potrebbe esserti utile per fare i conti». Aveva schiacciato il guscio duro della resistenza di Mike per estrarre, come una gustosa nocciola, la spaccatura tra l'FBI e la CIA che lo aveva spinto, solo per

461

intuito, a parlare dei decreti presidenziali e a scoprire che Davidov era un agente in sonno. Non gli sarebbe stato difficile, una volta che Ace avesse stabilito l'accordo, seguitare a trattare con Mike.

Viveca si alzò in piedi. «Accompagnami alla cooperativa. Mi serve un libro per la lezione di domani».

Irving si mise su una spalla lo zaino pieno di libri, come una volta aveva visto fare a Liana con tanta disinvoltura, ma gli batté contro la schiena e gli fece male.

«Sai, Irv, niente mi fermerà dal prendere questa laurea in legge».

«È giusto credere in qualche cosa. Studia, preparati. Sono d'accordo con te».

«Ma quando avrò il controllo di quella società e diventerò una persona importante, quanti ne voglio vedere buttati fuori, senza più trovare un lavoro da nessuna parte».

A Irving piacque il suo sguardo cattivo. «Non è così che parla un rispettabile avvocato».

«Già».

«È un po' come se tutte queste possibilità ti risospingessero nel vecchio vortice, non è così?». Irving si fermò per passarsi lo zaino pieno di libri sull'altra spalla. «Ora, forse, ti stai chiedendo perché sono venuto qui. Ho sentito parlare di un giro di prostituzione che arriva fino al Pacifico. La base è a Tokyo. La corruzione è al vertice di almeno due nazioni. Roba da far sembrare Lucky Luciano una pulce». Viveca era troppo giovane per ricordarsi di Lucky Luciano e lui non aveva saputo altro da Dorothy per capire meglio che storia era quella, quindi si affrettò ad aggiungere: «Come sai, sono un autore dell'Unimedia».

«Scusami, ma non posso scrivere il libro con te».

«Ma io non ne ho bisogno, a me serve solo un editore generoso. Quando Ace ti chiamerà e con mille parole ti dirà qual è il mio progetto, tu gli dirai che lo accetti, che ti va bene?».

Stavano camminando verso la cooperativa, ma Viveca si fermò un momento. «Oh, Irveleh», disse, «tu puoi avere tutto quello che vuoi!».

Quella resa totale e spontanea restò nell'aria. Irving sentì di poter sperare che "tutto" significasse qualcosa di più di quello che aveva chiesto.

«Tu non sei una di quelle false lucciole», aggiunse Viveca, «che divorano le vere lucciole lucenti».

Irving pensò che anche questo avrebbe aggiunto nel libro. «Voglio trovarmi uno studio a San Francisco», disse allegramente, «in quel palazzo che ha il tetto che finisce a punta. Una nota spese smodata. E un posto per vivere vicino al cane, per fare lunghe passeggiate con lui mentre penso al libro».

Proseguirono in silenzio verso la cooperativa, a ogni passo Irving sentiva lo spigolo di un libro che, attraverso lo zaino, gli si infilava nella schiena. Rifletté che qualche maligno avrebbe potuto affermare che il più grande giornalista del mondo e l'agente in sonno americano – un tempo astro nascente del KGB – avevano finito col diventare una coppia di gigolo di prim'ordine. Ma nell'avventura a episodi che era la sua vita, aveva imparato che in qualche rara occasione una dipendenza da qualcuno poteva voler dire indipendenza.

«Potresti sistemarti in quella stanza insieme a Occhio», disse Viveca. «Risparmieresti e io avrei sempre uno *schlepper* a portata di mano».

FINITO DI STAMPARE IL 25 AGOSTO 1997
DALLE INDUSTRIE PER LE ARTI GRAFICHE GARZANTI-VERGA S.R.L.
CERNUSCO S/N (MI)